STEPHAN OTTO HORN · PETROU KATHEDRA
DER BISCHOF VON ROM
UND DIE SYNODEN VON EPHESUS (449) UND CHALCEDON

KONFESSIONSKUNDLICHE
UND KONTROVERSTHEOLOGISCHE STUDIEN
BAND XLV

HERAUSGEGEBEN VOM
JOHANN-ADAM-MÖHLER-INSTITUT

STEPHAN OTTO HORN

PETROU KATHEDRA

Der Bischof von Rom
und die Synoden von Ephesus (449)
und Chalcedon

VERLAG BONIFATIUS-DRUCKEREI PADERBORN

ISBN 3 87088 290 5

IMPRIMATUR. PADERBORNAE, D. 05. M. VII. 1982, NR. 1/G 2251/82
VICARIUS GENERALIS BRUNO KRESING

DRUCK BONIFATIUS-DRUCKEREI PADERBORN 1982

INHALTSVERZEICHNIS

ERSTES KAPITEL

Das Ringen um die endemische Synode (448)

ZWEITES KAPITEL

Die Zweite Synode von Ephesus (449)

DRITTES KAPITEL

Erste Beurteilungen der Zweiten Ephesinischen Synode und Appellationen an die sedes apostolica

VIERTES KAPITEL

Die Verweigerung der Rezeption der Zweiten Ephesinischen Synode durch die römische Synode (449) und die neuen Einigungsbemühungen

FÜNFTES KAPITEL

Das Konzil von Chalcedon. Die Verlesung der ephesinischen Akten und die Abfassung des Schreibens über den Tomus

SECHSTES KAPITEL

Das Konzil von Chalcedon. Der Ausschluß Dioskurs,
die Rezeption des Tomus und die Erstellung einer Glaubensformel

SIEBTES KAPITEL

Das Konzil von Chalcedon. Das Ringen um die Stellung von Konstantinopel

VORWORT

Die Studie „PETROU KATHEDRA" verdankt ihr Entstehen der Absicht, gründlicher zu untersuchen, welches Licht von Glaubenszeugnissen der kirchlichen Überlieferung auf die Lehre des Ersten Vatikanischen Konzils über die Würde des Bischofs von Rom fällt. So sollte zugleich erörtert werden, was es bedeutet, Dogmen am Maßstab ihrer Geschichte zu interpretieren. Die Untersuchung der Hormisdas-Formel, auf die das Konzil selbst verwiesen hatte, führte wie von selbst zur Erforschung der Stellung des römischen Bischofs innerhalb der Konzilien, die in der Mitte des fünften Jahrhunderts als allgemeine Synoden einberufen waren. Die beträchtlichen Divergenzen in der Deutung grundlegender Linien und Texte erforderten ein eindringendes Quellenstudium und führten zur Begrenzung der Studie auf dieses Thema. So eröffnete sich aber zugleich die Möglichkeit, nicht bloß die Haltung Leos des Großen in der Form, wie er sie dem Osten gegenüber artikulierte, zu untersuchen, sondern vor allem auch die Überlieferungsströme östlicher Theologie, wie sie sich in einem entscheidenden Augenblick des Ringens um die Glaubenseinheit neu formten.

Für die Anregung zur Habilitationsschrift schulde ich meinem ersten theologischen Lehrer, dem verstorbenen Passauer Dogmatiker Alois Winklhofer Dank. Kardinal Joseph Ratzinger gab als Professor für Systematische Theologie (Dogmatik und Dogmengeschichte) in Regensburg meinen wissenschaftlichen Bemühungen entscheidende Ausrichtung und Hilfe, indem er mich zum Studium der altkirchlichen Primatstheologie ermutigte und das Werden der Arbeit vor allem in den theologischen Colloquien seines Doktoranden- und Habilitandenkreises förderte. Da ich seiner Lehrtätigkeit in Regensburg außerordentlich viel schulde, ist es mir ein besonderes Anliegen, ihm auch an dieser Stelle meinen aufrichtigen Dank auszusprechen. Zugleich danke ich allen Freunden des genannten Kreises für ihre Anregungen und ihre Kritik, vor allem Prof. Dr. Vincent Twomey SVD und Dr. Martin Trimpe, mit denen ich verwandte Themen erörtern konnte. M. Trimpe verfaßte eine Dissertation über die Primatslehre von Reginald Pole, V. Twomey erarbeitete die meiner Thematik in besonderer Weise zugeordnete, soeben in Münster erscheinende Studie „Apostolikos Thronos".

Besonderer Dank gilt meinen Obern und Mitbrüdern der Süddeutschen Provinz der Gesellschaft des Göttlichen Heilandes, vor allem meinem Mitbruder in Regensburg, P. Burkhard Scheller, bei denen ich volles Verständnis und Hilfe gefunden habe. Die Barmherzigen Brüder gewährten mir in großzügiger Weise ihre Gastfreundschaft. Für die Niederschrift der

Studie weiß ich mich Frau Irmgard Wankerl und Frau Renate Schönfeld in Regensburg zu Dank verpflichtet, für das Mitlesen der Korrekturen Mitbrüdern in Passau und München.

Die Studie wurde im Dezember 1978 beim Fachbereich Katholische Theologie in Regensburg eingereicht. Für die Drucklegung wurde neben der Einführung und dem Rückblick besonders das siebte Kapitel überarbeitet; so konnten Neuerscheinungen nur im engen Rahmen Berücksichtigung finden.

Ich danke dem Johann-Adam-Möhler-Institut in Paderborn für die Aufnahme der Arbeit in die Reihe „Konfessionskundliche und kontroverstheologische Studien" und für einen namhaften Druckkostenzuschuß, Herrn Dr. Heinz Bauer und dem Verlag Bonifatius-Druckerei für die sorgfältige und verständnisvolle Betreuung der Drucklegung.

Augsburg, am Fronleichnamsfest 1982

Stephan Otto Horn SDS

MEINEN ELTERN
ZUM GEDÄCHTNIS

EINFÜHRUNG

Die vorliegende Untersuchung will einen Beitrag zum ökumenischen Gespräch über petrinisches Amt und allgemeines Konzil leisten. Sie gilt dem geschichtlichen Augenblick, der heute noch eine gemeinsame Basis für die Kirchen und kirchlichen Gemeinschaften bildet, die das christologische Dogma von Chalcedon bejahen, einem Augenblick, der aber zugleich die Ansätze tiefgreifender Differenzen erkennen läßt. Das Ringen um zwei Synoden in der Mitte des fünften Jahrhunderts, die als allgemeine Konzilien einberufen wurden, weckt aus verschiedenen Gründen ein besonderes Interesse. Hier stoßen wir bei Papst Leo dem Großen auf ein primatiales Selbstverständnis, das die altkirchliche Entwicklung der römischen Praxis und Theorie aufnimmt und vollendet. Hier zeigt sich uns, mit welchen Begründungen Bischöfe des Ostens sich an den römischen Bischof wenden oder sich von ihm abkehren, wie sie sich in den Synoden auf die sedes apostolica stützen oder sich im Gegenteil an die kaiserliche Macht anlehnen oder auch beides miteinander zu verbinden suchen. Vor allem begegnen wir einem theologischen Ringen, in dem die Frage nach der Stellung des Bischofs von Rom innerhalb allgemeiner Synoden erstmals deutlich gestellt und beantwortet wird. Schließlich erleben wir eine kurze, aber hochbedeutsame und dramatische Phase der Auseinandersetzung um die petrinische und kaiserliche Autorität in der Kirche und damit zugleich um die Stellung der Kirchen von Konstantinopel und Rom innerhalb der Kirchen der Ökumene.

Leos Primatsauffassung erheben wir aus seiner Korrespondenz mit dem Osten und verzichten darauf, seine Sermones und seinen Briefwechsel mit den Kirchen des Westens – auch mit dem illyrischen Vikariat – wie überhaupt alle Dokumente, die sich auf den Westen beziehen, in die Untersuchung aufzunehmen. Es soll hervortreten, wie der Papst seine petrinische Autorität im Blick auf die Kirchen des Ostens, den Hof in Konstantinopel und die allgemeinen Synoden deutet und zur Geltung bringt. Damit soll zugleich eine Voraussetzung für die präzisere Beurteilung der Frage geschaffen werden, ob er gegenüber dem Westen andere Akzente setzt, wie primatiale und patriarchale Aufgaben einander überlagern und worin für ihn der wesentliche petrinische Auftrag liegt.

Die Erforschung der Frage, wie Papst Leo vor den Bischöfen des Ostens und dem Hof von Konstantinopel die Autorität des römischen Bischofs innerhalb einer allgemeinen Synode auslegt, hat auch in den neuesten Untersuchungen keinen Konsens ergeben. H. M. Klinkenberg betrachtet die Problematik im Horizont des Verhältnisses von Papsttum und östlichem Kaisertum und vertritt die Auffassung, Leo habe seit dem Beginn der

Auseinandersetzungen die Absicht gehabt, die umstrittene Glaubensfrage zu entscheiden und also zu definieren. Daraus folgert er – und in ähnlicher Weise auch W. de Vries –, nach den Intentionen Leos bleibe dem Konzil nur die diskussionslose Annahme des päpstlichen Glaubensschreibens. Dies besagt für Klinkenberg, das Konzil werde unter den Papst gebeugt, es könne nur noch untergeordnete Fragen behandeln. Für Leo bleibe die Zustimmung des Konzils aber doch wichtig, da es die Zustimmung der Kirchen des Erdkreises erwirken könne. Für den Kaiser verliere das Konzil den Charakter, ein brauchbares Instrument der Kirchenpolitik zu sein.[1] H.-J. Sieben eröffnet neuerdings eine in manchem erheblich andersartige, ja zum Teil geradezu gegensätzliche Sicht, in der Leos Auffassungen und Absichten differenzierter, zugleich aber auch komplizierter und weniger durchsichtig erscheinen. Siebens Auslegung soll, da sie die Problematik besonders gut hervortreten läßt, ausführlich vorgestellt werden.

Er hebt Leos Bedeutung für die Entfaltung der Konzilstheologie hervor, indem er auf seinen Beitrag zur formalen Autoritätsbegründung der Synoden von Nicäa und Chalcedon verweist. Warum darf die bleibende Gültigkeit dieser Konzilien nicht in Frage gestellt werden? Die Übereinstimmung ihrer Definitionen mit der Schrift beruht auf göttlicher Inspiration. Chalcedon zeigt inhaltliche Konformität mit Nicäa. Zum vertikalen Konsens kommt für Chalcedon ein horizontaler Konsens hinzu: es stützt sich mit seinen Definitionen nicht bloß auf die Autorität der Konzilsväter und auch des Kaisers sowie auf die Zustimmung des Apostolischen Stuhls, sondern bringt den Glauben der gesamten Kirche zum Ausdruck.[2] Sieben betont ebenso die Bindung der formalen Begründung der konziliaren Autorität an die inhaltliche: „Letztlich geht es bei der Begründung der Konzilsautorität um das Zur-Geltung-Kommen der *Schriftautoritäten*. Diese Rückbindung der *formalen* Autoritätsbegründung an die *materiale* Autoritätsbegründung offenbart auch die Rückbindung der *institutionalisierten* Autorität (Konzil) an die *Sach*autorität."[3] Aus der engen Verbindung der konziliaren Definition mit der Botschaft der Schrift ergibt sich für Leo – wie Sieben sehr treffend beobachtet –, daß der konziliaren Verkündigung nur der Glaubensakt in seiner personalen Struktur gerecht wird. Da für den Glaubenden hier letztlich Christus selber lehrt, ist die Definition der Synode bleibend gültig.[4]

In diesen Äußerungen Leos zu stattgehabten Konzilien sieht Sieben den

---

1 H. M. *Klinkenberg*, Papsttum, bes. 58-62, 82-86; W. *de Vries*, Chalkedon, 69 (vgl. Orient et Occident, 107).

2 Konzilsidee, 115-121; Konzilsidee V, 370-376.

3 Ebd. 117; 372.

4 Ebd. 118f.; 373f.

eigentlichen Beitrag des Papstes zur Konzilsidee. Neue Elemente ergeben sich dort, wo Leo nicht auf Synoden zurückblickt, sondern auf geplante schaut. Hier stellt sich vor allem die Frage nach dem Verhältnis des römischen Stuhles zur allgemeinen Synode. Sieben untersucht besonders die Deutung, die Leo seinem Tomus an Flavian gibt, und macht dabei die Beobachtung, daß er in diesem Zusammenhang nie den Terminus „definire" gebrauche.[5] Daraus zieht Sieben zunächst die Folgerung, Leo wolle nicht über den Glauben entscheiden, sein Schreiben liege vielmehr in der Linie von Lehrschreiben wie jenen von Cyrill und Athanasius: „Leo sieht sich als Nachfolger Petri ermutigt, der Kirche Lehrschreiben zu schenken, wie sie der eine oder andere Vater für die Kirche zu verfassen vermochte."[6] Er poche im Blick auf den Tomus nirgends auf sein Recht, den Glauben entscheiden zu können.

Andrerseits sieht sich Sieben genötigt, die Intention, die Leo mit seinem Glaubensschreiben verfolgte, ganz anders zu kennzeichnen: Der Papst war überzeugt, den Glauben zu „verkündigen" im Sinn eines authentischen Tradierens. Damit legt sich für Sieben zugleich eine andere Stellung Leos gegenüber dem Konzil nahe. Er als Inhaber der petrinischen sedes garantiert und verkündet die rechte Lehre, die mit der Tradition übereinstimmt (vertikaler Konsens).[7] Das Konzil habe demgegenüber nur die Aufgabe, den Konsens aller Kirchen (in der Horizontale) zu erreichen. „Darin liegt Konsequenz: die authentische ‚Verkündigung' des Evangeliums ist eben dem Lehrprimat des römischen Stuhles anvertraut, Sache des Konzils dagegen ist das ‚Urteil', die ‚definitio', d. h. die wirksame Vernichtung der Häresie auf dem Erdkreis."[8]

Bei Siebens Interpretation zeigt sich demnach eine merkwürdiger Doppeldeutigkeit in grundlegenden Begriffen Leos. Einerseits gilt: Wenn der römische Bischof in seinem Schreiben an Flavian den Terminus „definire" vermeidet und durch Begriffe wie „praedicare" ersetzt, so verzichtet er darauf, den Glauben zu entscheiden, um ihn statt dessen zu erläutern und einsichtig zu machen. Andrerseits erhält der Terminus „praedicare" jedoch den Sinn authentischen Bezeugens und Bewahrens des überlieferten Glaubens, während nun die Bedeutung des „definire" als Auftrag des Konzils sich zur pastoralen Aufgabe, die Irrlehre vollends zurückzudrängen, wandelt. Ist es denkbar, daß Leo das Verhältnis der Autorität des Apostolischen Stuhles im Blick auf die Autorität der allgemeinen Synode in so unausgeglichener, ja

5 Ebd. 126-128; 381-383.
6 Ebd. 131; 386.
7 Ebd. 138-141; 393-395.
8 Ebd. 141-143 (Zitat: 143); 395-397 (Zitat: 397).

geradezu zwiespältiger Weise sieht oder wenigstens zum Ausdruck bringt? Wir suchen aufzuweisen, daß der Papst mit seinem Lehrschreiben an Flavian eine Entscheidung der Glaubensfrage treffen wollte, deren Annahme durch die Synode er aber nicht „diskussionslos", also einfachhin im Blick auf seine petrinische Vollmacht erwartete, sondern aufgrund einer konziliaren Prüfung seines Urteils am Glauben der Kirche und somit an Schrift und Tradition.

Überdies wird sich zeigen, daß die Fragestellung, von der auch Sieben noch ausgeht, den geschichtlichen Ereignissen nicht voll gerecht wird, sondern einer verengten, vorschnell systematisierenden Perspektive entspringt, wenn sie das Urteil des Papstes und die Entscheidung der ökumenischen Synode einander gegenüberstellt. Leos Entscheidung bedeutet zunächst die Bestätigung und Präzisierung des Urteils einer endemischen Synode aufgrund einer Appellation und einer Bitte um Gutheißung und setzt später immer deutlicher die Zerrissenheit des Episkopats der östlichen Kirchen voraus. Die Synoden von Ephesus (449) und von Chalcedon (451) zeigen ein tief gespaltenes Bischofskollegium. So stoßen wir in der ganzen Auseinandersetzung nicht auf eine Gemeinschaft von Bischöfen, die als solche unabhängig vom Bischof der sedes apostolica und in einer gewissen Einmütigkeit zu urteilen beabsichtigte, sondern auf Gruppierungen von Bischöfen, die auf der Suche nach einer Vergewisserung und Formulierung des Glaubens und einer neuen Gewinnung der Einheit sich auf die petrinische oder aber die kaiserliche Autorität stützten. Es stellt sich deshalb die Aufgabe, die Gruppierungen unter den Bischöfen herauszuschälen und sie in ihren Absichten im Fortgang der Geschehnisse zu verfolgen. Da sie im Spannungsfeld des oströmischen Kaisers und des römischen Bischofsstuhls stehen, gilt es, die Intentionen des Hofes gegenüber den Interessen des Papstes und den Parteien unter den Bischöfen im Auge zu behalten. Es zeigt sich ein Geflecht von Haltungen und Motiven, das vielfach unter der Oberfläche verbleibt, aber doch unübersehbar oder in Andeutungen zum Vorschein kommt und das erhoben und entwirrt werden kann, wenn die einzelnen Äußerungen in den historischen und theologischen Duktus eingeordnet werden. Dies erweist sich gleichermaßen an den Synoden von Ephesus (449) und Chalcedon, in denen wir auf diese Weise aus den Konzilsakten und ergänzenden Dokumenten das Ringen der Teilnehmer in ekklesiologischer Perspektive ans Licht heben können.

In der Synode von Ephesus läßt sich (aufs ganze gesehen deutlicher als in jener von Chalcedon) die Auffassung jener Bischöfe untersuchen, die sich auf den Kaiser zu stützen suchen und zugleich gegenüber dem römischen Bischof eine abweisende oder zumindest kritische Haltung einnehmen.

14

Dabei genügt es nicht, historisch genauer zu erfassen, wie sie in Ephesus agieren. Es heißt vielmehr zu fragen: Wie suchen sie ihr Verhalten gegenüber der sedes apostolica zu begründen? Welche Aufgabe messen sie der Tradition, dem Kaiser, dem Konzil zu? In drei Appellationen und in der Stellungnahme von Nestorius stoßen wir auf die Gruppe der Bischöfe, welche die ephesinische Synode von 449 in Frage stellen und so zugleich den Auftrag der römischen Kirche hervorheben. Ihre Darlegungen können neu bewertet und in ihrer Glaubwürdigkeit geprüft werden, indem ihr ekklesiologischer Gehalt gründlicher erhoben und soweit als möglich durch ergänzende Texte abgesichert wird.

Das Konzil von Chalcedon bringt noch einmal ein dramatisches, ekklesiologisch bedeutsames Ringen der unterschiedlichen Gruppen von Bischöfen wie auch der Legaten des römischen Bischofs und des kaiserlichen Hofes. An erster Stelle lassen sich aus den konziliaren Geschehnissen wichtige Einsichten ablesen, insofern sie sich als Disput um Bestätigung und Interpretation des Glaubensschreibens des Bischofs von Rom abspielen. Das Konzil tritt in das von Leo intendierte Rezeptionsgeschehen ein. Doch das Bemühen um die Bestätigung und Deutung des Tomus von der Tradition her mündet in die Erstellung einer eigenen, ihm zugeordneten Glaubensformel. Es entwickelt sich eine spannungsreiche Auseinandersetzung zwischen den polaren Absichten, Leos Schreiben nur mündlich innerhalb der Synode zu interpretieren oder aber es von der Tradition her so zu deuten, daß sogar seine grundlegende Entscheidung implizit außer Kraft gesetzt wäre. Das Konzil findet schließlich eine Lösung, die nach einem heftigen Disput im Zusammenwirken mit den Legaten zur Annahme einer revidierten Glaubensformel führt, nachdem zuvor schon der Tomus unterzeichnet worden war. Ist das Konzil damit nicht doch, ohne in Gegensatz zu Leo zu treten, über das hinausgewachsen, was er ursprünglich intendierte?

In das Ringen des Konzils fügen sich die Äußerungen jener großen Gruppe von Bischöfen über den römischen Stuhl ein, die sich vor allem auf die sedes apostolica, aber auch − soweit als möglich − auf die kaiserliche Autorität stützen. Wir stehen hier vor Texten, die nicht an den römischen Bischof gerichtet sind, sondern die petrinische Autorität des römischen Bischofs vor dem Hof und vor den übrigen Bischöfen zur Geltung bringen. Zu ihnen gehört die berühmte Akklamation, die Leo als den Dolmetsch Petri bezeugt, und die sich nun in einen größeren Kontext einbeziehen und von ihm her mit größerer Sicherheit deuten läßt. Diese Texte sind von besonderer Bedeutung für die Bewertung des synodalen Briefs an den Papst, da sie die Glaubwürdigkeit seiner Ausführungen über den römischen Bischof und seine Stellung im Konzil belegen.

Damit erlangen sie auch ein großes Gewicht für die Beurteilung der Frage, wie die Bischöfe ihre abschließende Stellungnahme zu dem ihnen vorgelegten Dokument über den Rang der Kirche Konstantinopels als des neuen Rom verstanden wissen wollen. Das gleiche gilt schon für die Interpretation der konziliaren Auseinandersetzungen um dieses Dokument. Unser Beitrag zu der so umstrittenen Interpretation dieses Textes liegt darin, seine synodale Geschichte neu zu beleuchten und die verschiedenartigen Interpretationen, die ihm während des Konzils gegeben wurden, zu erheben. Dies ermöglicht es, ihn mit den konziliaren Stellungnahmen über die sedes apostolica in Beziehung zu setzen.

In der Methode suchen wir – in Anlehnung an H. M. Klinkenberg – jeden Text möglichst sorgfältig in den historischen Zusammenhang einzuordnen. So bestimmt das geschichtliche Ringen den Duktus der Untersuchungen.[9] Zugleich soll der theologische Gehalt der Dokumente gehoben und in die Entwicklung der Linie des Gesprächspartners, dem sie zugehören, eingefügt und von daher verstehbarer gemacht werden. Wir suchen vor allem die Quellen eindringend zu befragen und dort, wo es nötig ist, textkritische Untersuchungen einzufügen. Diese werden in Anhängen und Anmerkungen vorgelegt. Letzteres gilt vielfach auch für die Auseinandersetzung mit der Literatur. Dies dient der Absicht, soweit als möglich nicht der Polemik das Wort zu lassen, sondern die Sache selber, wie sie aus den Quellen spricht, in ihrer geschichtlichen Gestalt vernehmbar und anschaubar zu machen.[10]

---

9 *Sieben* (Konzilsidee) und *de Vries* (Chalkedon; Ephesus 449) gehen demgegenüber viel stärker systematisch vor.

10 Für die historische Darstellung war als Grundlage besonders wichtig E. *Caspar* und T. *Jalland*, für Quellenfragen neben *Caspar* vor allem E. *Schwartz* und K. *Silva-Tarouca*. Für die Briefe Leos wurde mit Vorzug die Edition von Silva-Tarouca (LME I und II) benützt. Ihr liegt die im Cod. mon lat 14540 enthaltene Sammlung der Leo-Briefe (R) zugrunde, die in der Münchener Handschrift, die aus St. Emmeram in Regensburg stammt (9. Jahrhundert), und in einem Wiener Codex überliefert ist. Schwartz legt seiner Ausgabe (ACO II IV) die Sammlung des Codex Grimani (G) zugrunde. Silva-Tarouca (Die Quellen) hat überzeugend dargestellt, daß R die einzige Sammlung ist, die unmittelbar auf das Register Leos zurückgeht, während die umfangreichere Sammlung G aus mehreren Quellen abgeleitet ist.

ERSTES KAPITEL

DAS RINGEN UM DIE ENDEMISCHE SYNODE (448)

I. Die Einbeziehung Roms in den Streit zwischen Eutyches und Flavian

1. Der Briefwechsel zwischen Konstantinopel und Rom

In der ersten Februarhälfte des Jahres 449 erreichte Leo den Großen ein Appellationsschreiben des konstantinopolitanischen Archimandriten Eutyches sowie ein kaiserlicher Begleitbrief.[1] So erhielt er Kenntnis von einer endemischen Synode unter dem Vorsitz Flavians, die am 22. November des vorangehenden Jahres Eutyches wegen seiner Auffassungen über die Naturen in Christus verurteilt und des Amtes enthoben hatte. Leo sah sich damit einer heftigen neuen Eruption der christologischen Streitigkeiten gegenüber. Als römischer Diakon hatte er zwar die Ereignisse, in deren Mitte das Konzil von Ephesus (431) stand, lebhaft verfolgt; auch mußte er, nicht zuletzt durch einen Brief des Archimandriten Eutyches vom Frühjahr 448 und anscheinend auch durch das Schreiben eines führenden konstantinopolitanischen Archimandriten namens Faustus wissen, daß die Probleme aufs neue ans Licht traten. Aber die nähere Vorgeschichte dessen, was sich jetzt dramatisch zuspitzte, war ihm im übrigen nicht vertraut. Dies zeigt sich nicht zuletzt in seinen ersten Antworten. Sie bedeuteten für beide Seiten eine Ermutigung und waren so in tragischer Weise eher geeignet, den Konflikt zu verschärfen, als ihn einzudämmen.[2] In der neuen Situation mußte Leo alles

---

1 Das Appellationsschreiben liegt in zwei lateinischen Fassungen vor, die in der Collectio Novariensis bzw. Casinensis enthalten sind: ACO II II 1 (6) 33,11-34,34; II 4 (108) 143,29-145,4; PE 31,11-33,16; 34,8-37,12. Die von Eutyches beigefügte Dokumentation ist vollständig erhalten in Coll. Nov.: ACO II II 1 (7-9) 34,38-42,35. Der verlorengegangene Brief des Kaisers Theodosius II. ist durch Leos Antwort belegt: LME I (1) 1,4f.; ACO II IV (2) 3,14.

2 Wir wissen vom Schreiben des Archimandriten durch Leos Antwort vom 1. Juni 448; ACO II IV (1) 3,3. Im Anschluß an C. *Silva-Tarouca*, der den Brief an den Archimandriten Faustus (ep. 72) an den Anfang der Briefreihe Leos „de rebus orientis" setzt (Quellen, 45, Anm. 2), vertritt auch *Caspar* (Geschichte, 471, Anm. 3) die Auffassung, der Brief müsse vor der epistula dogmatica verfaßt sein. Näherhin meint er ihn in die Zeit einordnen zu sollen, „da er zumeist von Eutyches einseitige Kunde besaß und dringend nach weiteren Informationen verlangte". Doch läßt der Brief keineswegs die für diese Zeit so charakteristische Dringlichkeit erkennen und zeigt ebensowenig ein Wissen Leos um den schon in Gang befindlichen Streit: „si quae vero fidei quaestiones inveniuntur ammoneus ut de his quae ad communem utilitatem pertinent latius nobis scribas . . ." (ACO II IV [4] 5,28-6,7). Der Brief von Faustus muß deshalb spätestens vor Beginn der endemischen Synode abgesandt worden sein, also vor November 448. Leos Antwort bedeutet eine in der Formulierung vorsichtige, in der Sache aber doch deutliche Bestätigung der dogmatischen Sicht des Archimandriten Faustus: sie spricht zwar noch nicht von zwei Naturen, enthält aber im Ansatz Leos Position. Er beschreibt sein Glaubensverständnis im Verweis auf Schrifttexte, die später im Tomus eine ebenso zentrale wie präzise Bedeutung haben. Faustus soll festhalten am Evangelium „generationis Christi filii David filii Abraham

daran gelegen sein, von Flavian rasch präzise Nachrichten zu erhalten, die dem Schreiben und der Dokumentation von Eutyches gegenübergestellt werden konnten.

In der Tat sandte Flavian höchst ausgiebige Informationen, und zwar kaum viel später als Eutyches. Dieser muß seine Appellation Anfang Januar oder allenfalls Ende Dezember dem kaiserlichen Kurier übergeben haben, da Leo diese Post am 18. Februar beantwortete. Die Absendung der Dokumentation Flavians wird man approximativ der zweiten Januarhälfte zuweisen können, wenn man davon ausgeht, daß sie nicht viel schneller befördert wurde als ein zweites Schreiben Flavians, das zweieinhalb Monate unterwegs war. Offenbar konnte der Patriarch die kaiserliche Post nicht in Anspruch nehmen. Leo erhielt die Post der beiden Parteien jedenfalls in großem zeitlichen Abstand. Während ihm alles daran lag, die Eutyches-Sache rasch richtig beurteilen und in Angriff nehmen zu können, mußte er wohl bis etwa zur zweiten Märzhälfte oder gar bis in die erste Hälfte des April hinein auf Flavians Information warten.[3] Doch beantwortete er, wie wir sahen, die kaiserlich-eutychische Post sogleich mit einem Schreiben an den Kaiser und einem Mahnbrief an Flavian.[4] Ohne es wohl ahnen zu können, gab er mit diesen Schreiben, die etwa Mitte März in Konstantinopel eintrafen, den letzten Anstoß zu einer Initiative, die eine völlig neue Situation schuf: der Kaiser berief am 30. März ein allgemeines Konzil nach Ephesus ein.

Fast ohne Bedeutung blieb in der Folge demgegenüber, daß Flavian auf Leos Mahnung hin kurz vorher sehr rasch eine noch umfassendere Dokumentation abgehen ließ.[5] Denn sie traf in Rom erst Mitte Juni ein, in der Zeit also, in der die Abreise der römischen Legaten schon stattgefunden hatte oder unmittelbar bevorstand. Als Papst Leo am 16. Mai die Nachricht von der Einberufung der Synode erhielt, hatte er bereits Briefe an die Kaiserschwester Pulcheria, an die Archimandriten Konstantinopels, an Bischof Julian von Kos, vor allem aber ein Schreiben an Flavian fertiggestellt, den

---

secundum carnem" (ebd. 6,3f.) und am Glauben, daß Jesus Sohn Gottes ist; vgl. ep. 28 an Flavian (ACO II II 1 [5] 26,2-6; 29,20-30,9). Die antieutychianische Partei erhielt demgemäß eine deutliche Bestärkung als Eutyches, den Leo wohl nicht viel früher ermutigt hatte, sich gegenüber einem Wiederaufleben der nestorianischen Irrlehre wachsam zu verhalten (ACO II IV [1] 3,4-9).

3 Die hier und weiter unten vorgelegte Darstellung wird in Anhang I begründet und erläutert. – Flavians erste Information liegt in ep. 22 vor: ACO II I 1 (3) 36,6-37,26; PE 38,14-40,24. Ihr sind die Akten der Schlußsitzung der endemischen Synode beigelegt. *Schwartz* verweist darauf, „daß die Übersetzung der Akten der Schlußsitzung in einer reichen Überlieferung, die der übrigen nur in der Coll. Novar. vorliegt" (Der Prozeß, 87, Anm. 1).

4 LME I (1) 1,4-2,40; ACO II IV (2) 3,13-4,14 (ep. 24); LME I (2) 2,6-4,49; ACO I IV (3) 4,18-5,24 (ep. 23); beide Briefe bilden die Post vom 18. Februar 449.

5 Ep. 26 (ACO II I 1 [5] 38,11-40,13; PE 40,28-44,5) zusammen mit den gesamten Akten der endemischen Synode.

berühmten, später so genannten „Tomus Leonis".[6] Dieser ist nicht als Brief an das Konzil in Ephesus ins Leben getreten, sondern muß zuerst im ursprünglichen Rahmen des eutychianischen Streits gesehen werden: das Urteil der synodos endemousa war vor die sedes apostolica zur Prüfung gebracht: in den Augen Leos waren in diesem Augenblick Konstantinopel und Rom allein im Spiel.

2. Die Appellation von Eutyches an Papst Leo

Im ekklesiologischen Feld interessiert zunächst die Haltung von Eutyches gegenüber dem Bischof von Rom. Der Archimandrit bat Leo um einen Urteilsspruch, der ihn der Gemeinschaft der Rechtgläubigen wieder zugesellen und so den Spruch der endemischen Synode aufheben sollte. Er schilderte den Prozeß gegen ihn als eine Reihe von Machenschaften, durch die er zu Fall kommen sollte, angefangen von der böswilligen Anklage des Eusebius von Doryläum über die Weigerung Flavians, sein Glaubensbekenntnis während der Verhandlung entgegenzunehmen und verlesen zu lassen, weiter über das überstürzte Urteil, das schon vor der Gerichtsverhandlung gefertigt worden sei, bis hin zur Bedrohung seines Lebens und dem Druck, dem die Klostervorsteher unterworfen worden seien, um sich gegen ihn zu erklären.

In solchem Kontext wies er darauf hin, er habe während der Synodalverhandlung darum ersucht, seine Sache möge vor den römischen Bischof gebracht und von ihm entschieden werden. Dabei ließ er freilich nicht erkennen, wann genau dies geschehen war. Man konnte jedoch den Eindruck gewinnen, er habe die Forderung noch vor Auflösung der synodalen Versammlung erhoben.[7] Leo verstand es so und interpretierte es − in der Linie des Appellationsschreibens, das er erhalten hatte − als Appellation im eigentlichen Sinn. So schrieb er denn Flavian, Eutyches habe innerhalb der synodalen Gerichtsverhandlung − in ipso iudicio − sein Appellationslibell überreicht. Damit wurde er freilich der absichtlich in Schwebe gehaltenen Stellungnahme von Eutyches nicht gerecht.[8]

6 LME I (4b) 8,5-13,95; ACO II IV (11) 12,21-15,10 (ep. 31). − LME I (9) 21,7-22,33; ACO II IV (10) 11,32-12,18 (ep. 32); namentlich genannt sind die Presbyter und Archimandriten Faustus und Martin. − LME I (6) 13,5-17,113; ACO II IV (5) 6,10-8,28 (ep. 35). − Ebd. II II 1 (5) 24,17-33,10 (ep. 28). Zum Zeitpunkt der Abfassung siehe Kap. II, Anm. 1, und zur Frage nach dem ursprünglichen Brief an Pulcheria siehe Anhang III.
7 ACO II II 1 (6) 33,12-35,14 (Coll. Novariensis); II IV (108) 143,29-154,4 (Coll. Casinensis).
8 Eutyches' Bericht („ . . . cum haec ergo ita agerentur, petii ut haec innotescerent vobis, ut statueretis quid mihi sequendum esset, et in omnibus sequerer quidquid probaretis. Sed cum contempsissent ea quae a me dicebantur, et solvissent sine retractatione conventum, publicabant quam contra me tractaverant ante iudicium excommunicationis sententiam . . .": ACO II II 1 [6] 34,8-12) hebt sich deutlich von Leos Interpretation ab: „adeo ut in ipso iudicio libellum

In der Appellationsschrift beschrieb Eutyches seine Situation als die Lage eines Mannes, der zu unrecht, aufgrund von Machenschaften, verurteilt worden war. Und er begründete seine Appellation an Leo mit dem Hinweis, der römische Bischof trete traditionsgemäß solchen Machenschaften entgegen und sei „Vorsteher der Barmherzigkeit und des Glaubens".[9] Er verwies damit auf die Appellationstradition, die dem römischen Bischof zugleich eine besondere Autorität im Bereich des Glaubens zuerkannte. Aufgrund dieser Stellung des Papstes erwartete er ein von der konstantinopolitanischen Entscheidung nicht präjudiziertes, unabhängiges Urteil des römischen Bischofs, das ihn für rechtgläubig erklären und ihn in die Communio wieder aufnehmen sollte. Und so versicherte er Leo, er werde sich seinem Urteil unterwerfen.

Doch erheben sich gerade an dieser Stelle erhebliche Zweifel an der Lauterkeit von Eutyches. Er vermittelte dem Papst den Eindruck, er wende sich nur an ihn — aufgrund seiner besonderen Stellung in der Kirche — und stelle ihm seine Sache anheim. In Wirklichkeit verfolgte er ganz andere Absichten. Schon während der Verhandlung in der endemischen Synode hatte er geäußert, er werde sich der Auffassung der Synode, die zwei Naturen betreffend, anschließen, wenn Rom und Alexandrien ihm dies befehlen sollten. Im Gespräch mit dem Vertreter des Kaisers auf der endemischen Synode, Flavius Florentius, — es fand sogleich nach Schluß der Sitzung statt — hatte er dann seine bereits klar umrissenen Überlegungen erkennen lassen; er hatte die Appellation an die Synoden von Rom, Alexandrien, Jerusalem und Thessalonich im Sinn, an die kirchlichen Zentren also, die er auf seiner Seite befindlich glaubte.[10] Tatsächlich legte er

appellationis se asserat obtulisse nec tamen fuisse susceptum" (LME I [2] 3,15-17; ACO II IV [3] 5,1f.). Eutyches wählte bewußt eine unbestimmte Ausdrucksweise. Sie konnte zwar unter Beiziehung der Akten richtig verstanden werden. Für jemanden, der an der Synode nicht teilgenommen hatte, mußte die Darstellung freilich mißverständlich bleiben. Denn Eutyches sprach einerseits von seinem Gesuch, die Sache dem Urteil Roms zu unterbreiten, andererseits erwähnte er nur die Publikation des Urteils. Für einen Unbeteiligten blieb also offen, wann die Synode ihr Urteil gesprochen und wann Eutyches sein Ersuchen vorgelegt hatte. Leo meinte die Sache im Sinn einer echten Appellation verstehen zu sollen, da ihm nun eine solche tatsächlich vorgelegt worden war. Bei der Überprüfung der Akten hatte Eutyches durch seine Beauftragten tatsächlich behauptet, nach dem Urteilsspruch eine Appellation an die Synoden von Rom, Alexandrien, Jerusalem, Thessalonich ausgesprochen zu haben. Dies jedoch wurde von der überprüfenden Kommission eindeutig widerlegt: ACO II 1 (818-824) 175,30-176,10; PE 30f. So konnte Flavian denn auch mit klarer Entschiedenheit die Aussage von Eutyches in der Interpretation Leos — er habe noch im Rahmen der Sitzung der endemischen Synode appelliert — als Lüge abtun: ACO II I 1 (5) 39,25-32; PE 43,6-14.

9 ACO II II 1 (6) 34,20. Etwas bestimmter, aber doch den gleichen Sinn treffend, klingt die Übersetzung, welche die Collectio Casinensis bewahrt hat: „religionis defensores" (II IV [108] 144,18).

10 Dies ergibt sich aus der Aussage seines Vertreters bei der Überprüfung der Akten: ACO II I 1 (818) 175,30-33; Florentius erinnerte sich, im Blick auf das private Gespräch des Eutyches nach dem Prozeß, an die Nennung von Rom, Ägypten und Jerusalem: ebd. (819) 175,33-36;

die Bemühung um Rehabilitierung breit an; die ganze Aktion mündete schließlich ein in das Bestreben, eine ökumenische Synode zuwege zu bringen. Dies alles stellt die besondere Stellung, die Rom im Appellationsschreiben zugestanden zu sein scheint, in Frage.[11] Es läßt erkennen, wie wenig Gewicht er der kirchlichen Tradition in Wahrheit beimaß, gemäß der er den Papst als „misericordiae et religionis antistites" (im Pluralis majestatis) bezeichnete und die für ihn in der Appellationspraxis zum Ausdruck kam. Statt dessen tritt beim Archimandriten der Wille, sich auf die politische Macht zu stützen, deutlich hervor. Ein kaiserlicher Begleitbrief zu seiner Appellation sollte Leo zum Bewußtsein bringen, welchen Rückhalt Eutyches habe, welche Bedeutung also seiner Sache und ihm selber zukomme. Das Schreiben an Petrus Chrysologus, Bischof von Ravenna, das zur Kaiserstadt emporgestiegen war, entspricht offenbar einer ähnlichen Sicht und Motivation.[12]

3. Flavians Bemühungen um die Zustimmung Roms

Doch auch Bischof Flavian blieb nicht untätig. Sein Bemühen zielte zunächst darauf, dem Urteil der endemischen Synode in Konstantinopel Geltung zu verschaffen und so des Eutyches entgegengesetzte Aktionen aufzufangen. Er forderte und erhielt die Zustimmung der Klostervorsteher zur Entscheidung der Synode.[13] Selbst im Kloster, dessen Vorsteher bis dahin Eutyches war,

Bischof Basilius verwies schließlich auf die Nennung von Rom und Alexandrien durch Eutyches während der Verhandlung: ebd. (820) 175,37-42. Vgl. PE 30.

11 Wie *Schwartz* in Eutyches einen typischen Mönch seiner Zeit erblicken möchte (Der Prozeß, 84 f.), will *Jalland* sein Verhalten, sich nicht an Rom allein zu wenden, als ebenso typisch für das 5. Jahrhundert erachten. So kommt er zur Schlußfolgerung: „The action of Eutyches is highly significant. It shows that at that time the see of Rome alone was not held to be the ultimate authority in matters of doctrine." (St. Leo, 217, Anm. 50). Jedoch zeigt sich Eutyches – ähnlich wie sein Gegenspieler Eusebius von Doryläum – als unverwechselbare Gestalt. In seiner realpolitischen Einstellung wandte er sich in diesem Augenblick an seine Bundesgenossen in Alexandrien, Jerusalem, Thessalonich. Auch Rom vermeinte er an seiner Seite, da es zu Cyrill gehalten und ihn, Eutyches selber, zum Kampf gegen die nestorianischen Bestrebungen ermutigt hatte (die Bestärkung seiner Gegner unter Führung des Archimandriten Faustus muß ihm verborgen geblieben sein). Zu seiner Verbindung mit Chrysaphius und dessen politischer Rolle vgl. P. *Goubert*, Le rôle de Sainte Pulchérie et de l'eunuque Chrysaphios (Das Konzil von Chalkedon I, 303-321).

12 Der Brief des Kaisers: vgl. Anm. 1; jener von Petrus Chrysologus: ACO II III 1 (3) 6,1-29 (lat.); II I 2 (3) 45,15-46,17.

13 Eutyches bezeichnete dies als neuartiges, unerhörtes Vorgehen, das nicht einmal Nestorius gegenüber praktiziert worden sei und sprach von Zwang („nihilo minus instantius coegerunt"): ACO II II 1 (6) 34,14 f.; ACO II IV (108) 144,23 f.; (PE 36,17). Die Korrespondenz zwischen Leo und konstantinopolitanischen Klostervorstehern zeigt jedoch, daß die Klöster in der übergroßen Mehrheit auf der Seite Flavians und Leos standen. Neben führenden Archimandriten wie Faustus, Martin (monast. S. Dii), Petrus (monast. S. Thalassii), Manuel, Archimandrit des Hebdomonklosters, in das sich Pulcheria zurückgezogen hatte, lesen wir bei Leo die Namen von Job, Antiochius (monast. S. Theotecni), Abramius (monast. in Septimo), Theodor,

unterwarfen sich die Mönche zumindest später: von den etwa dreihundert Mönchen hielten in Chalcedon nur fünfunddreißig zum Archimandriten und nahmen die Exkommunikation auf sich.[14] Flavian bemühte sich sodann um das zustimmende Urteil Antiochiens und damit der orientalischen Bischöfe, die er zurecht zum größten Teil auf seiner Seite wußte.[15] Ähnlich wie Eutyches machte er sich frühestens im Januar 449 daran, auch Rom in die Auseinandersetzung einzubeziehen.[16] Zwar äußerte er später Leo gegenüber, er habe zu dieser Zeit, d. h. bis Leo ihn im März informierte, von der Appellation des Archimandriten keine Kenntnis gehabt. Und man wird an der Wahrheit seines Wortes insofern nicht zweifeln müssen, als Flavian von dem tatsächlich eingereichten Appellationsschreiben mindestens offiziell nicht benachrichtigt war. Aber er wird andererseits in dem Augenblick, als er die Unterlagen der endemischen Synode nach Rom sandte, Anlaß gehabt haben, die Äußerungen, die Eutyches nach der letzten Sitzung der endemi-

Pientius (archim. basilicae parvulorum), Eusebius (monast. S. Heliae sive S. Eulogii?), Elpidius, Paulus (monast. S. Michaelis in Aethrio), Asterius (monast. S. Laurentii), Carosus, Jacobus (ACO II IV [31] 31,38-32,1). Auf der Seite dieser Mönche stehen nach dem Zeugnis der Actio IV von Chalcedon außerdem die Archimandriten Tryphon, Marcellus, Timotheus, Germanus, ein weiterer Petrus, Johannes; beide Listen stimmen demnach weitgehend überein. Die Liste von Chalcedon findet sich doppelt: ACO II 2 (105) 119,26-30; II 2 (63) 114,20-24. Vergleicht man die Liste von Äbten, wie sie Leos Brief vom 16. Juli 450 aufweist, und die Liste der Actio IV des Konzils von Chalcedon mit den Unterschriften jener Äbte, die nach der endemischen Synode der Absetzung von Eutyches beipflichteten, so findet man nur geringe Abweichungen. Dies läßt den Schluß zu, daß nur wenige Äbte sich gegen ihren Willen und ihre Überzeugung der Absetzung fügten. Folgende Namen treten später nicht mehr auf: Andreas, der an erster Stelle der Äbte unterschrieben hatte, ein (zweiter) Theodor, Abt des Klosters der Ägypter, Flavian (monast. S. Hermylli), ein Eusebius, schließlich Callinicus (monast. Theodoti). Eine Frage wirft der Name Carosus auf. Er erscheint in der Liste der Mönche, die auf seiten von Barsumas und Eutyches stehen (ACO II I [65 f.] 114,31-115,17); er wird von den konstantinoplitanischen Äbten auch ausdrücklich als Abt bezeichnet. Andererseits findet sich ein Abt Carosus auch in der oben genannten Adressatenliste Leos, von der man annehmen darf, sie enthalte durchweg Gesinnungsgenossen der Äbte Faustus und Martin, also Gegner von Eutyches. Vgl. *Schwartz*, Der Prozeß, 79, Anm. 3. Man wird an zwei Träger dieses Namens denken müssen.

14 ACO II I 1 (887 f.) 186,20-118,20. Nach der Absetzung des Eutyches durch die endemische Synode waren seine Mönche nicht bereit gewesen, die Communio mit ihm aufzugeben und das Kloster aufzulösen: *Schwartz*, Der Prozeß, 86.

15 ACO II I 1 (884,2) 182,17-19.

16 *Caspar* ist zuzustimmen, wenn er den Ansatz der Ballerini – Ende 448, spätestens Anfang 449 – ablehnt, da der auch nach Erhalt des Briefes aufrechterhaltene Tadel Leos wegen der so spät erfolgenden Benachrichtigung sonst schwer erklärbar wird (Geschichte, 613 zu S. 473 ff.). Obwohl aber andererseits Caspars Auffassung, Leo habe den Brief erst gegen Mitte Mai erhalten, nicht annehmbar ist (die Post kann kaum später als Mitte April eingelaufen sein), wird man seinen Ansatz für den Zeitpunkt der Absendung – Ende Januar, Anfang Februar – eher annehmbar finden. Am angemessensten dürfte es sein, an den Monat Januar zu denken, näherhin vielleicht an dessen Mitte bzw. zweite Hälfte. Soweit die Post zwischen Konstantinopel und Rom nicht durch kaiserliche Kuriere befördert wird, bleibt sie lange unterwegs – bis zu gut zweieinhalb Monaten. Ähnlich wie Leo mußte auch Flavian ungeduldig auf Post warten; wenn Leos Antwort auf seinen Brief zwei Monate unterwegs war, erhielt er seinerseits erst in der zweiten Julihälfte eine erste, kurze Nachricht vom Papst, also knapp vor Beginn der ephesinischen Synode. Zum Ganzen siehe Anhang I.

schen Synode gemacht hatte, er werde Alexandrien und Rom mit der Sache befassen, nun doch ernst zu nehmen.

Flavians Schreiben an Leo enthielt freilich keinen Hinweis auf eine mögliche Appellationsabsicht des Archimandriten. Er wollte nicht den Eindruck erwecken, als sei eine Anrufung Roms geschehen. Er erwartete auch nicht eine Neuaufnahme des Verfahrens und ein synodales Urteil in Rom. Vielmehr teilte er das Urteil der Synode gemäß der Tradition der zwischenkirchlichen Unterrichtung zur Vergewisserung der Communio in der Einheit des Glaubens mit und unterstrich so implizit den kanonischen Charakter des Urteils der Synode. Wenn er zugleich Leo bat, es den Bischöfen des Westens mitzuteilen, damit diese mit Eutyches nicht in Gemeinschaft treten, so war damit freilich mehr gemeint als bloße Information, setzte es doch die Zustimmung des römischen Bischofs zum konstantinopolitanischen Urteil voraus. Flavian unterstrich dies noch, indem er Leo nicht bloß die Entscheidung mitteilte, sondern ihn umfassend informierte, so daß dieser sich aufgrund der zugesandten Dokumentation ein eigenständiges Urteil bilden konnte: er gab ihm nicht nur einen prägnanten Bericht, der das Wesentliche klar hervorhob, sondern fügte auch die Akten der entscheidenden Verhandlung gegen Eutyches bei.[17]

Diese Deutung bestätigt sich, wenn man Flavians Verhalten an Leos Erwartungen mißt. Der Papst äußerte sie im Brief an Flavian, der sich mit Flavians Post kreuzte. Er forderte darin nicht, wie Caspar ohne Begründung behauptet, einen „Appell Flavians an päpstliche Entscheidung",[18] sondern volle Unterrichtung und damit auch die Begründung des Vorgehens gegen Eutyches, zumal die Exkommunikation ein schwerwiegendes Urteil bedeutete und – wie Eutyches dargelegt hatte – das Urteil ausgesprochen worden war, obwohl der Archimandrit die Bereitschaft zum Einlenken erkennen

17 Erster Brief Flavians (ep. 22): ACO II 1 (3) 36,6-37,26; PE 38,12-40,24. Die Akten der Schlußsitzung: II I 1 (445-552) 135,1-147,31 (eingebettet in die Akten von Ephesus II und Chalcedon); den entscheidenden Part bietet PE 21,4-27,19. – Aufgrund unzutreffender Übersetzung eines Absatzes von ep. 24 (an den Kaiser) kommt *Caspar* zur Auffassung, Leo habe im Brief an Flavian (ep. 23) die Akten angefordert (Geschichte, 471). Leo schreibt nicht: „ . . . und (so habe ich) mein Mißfallen kundgetan, daß er die Akten (gesta) über eine so wichtige Sache immer noch schweigend zurückhält" (ebd.), sondern er wirft Flavian vor, er behalte das, was in einer so wichtigen Sache geschehen war, auch jetzt noch durch sein Schweigen für sich: „quod ea quae in tanta causa gesta fuerant, etiam nunc silentio detineret . . ." LME I (1) 2,31 f.; ACO II IV (2) 4,11. Dies bestätigt sich im weiteren Kontext, in dem er einen ausführlichen Bericht Flavians anfordert.Auch *Jalland* stellt Flavians Aktensendung nicht in Rechnung, wenn er aus der Bitte an Leo, die Verurteilung von Eutyches den Bischöfen des Westens bekanntzumachen, die Folgerung zieht: „ . . . showing evidently that the writer treated the whole incident as finally closed" (St. Leo, 222). Gegen eine solche Auffassung spricht auch, daß Flavian damit rechnen mußte, daß Eutyches sich nicht bloß an Leo appellierend wandte, sondern auch andere Bischofsstühle des Ostens und Westens in seine Aktionen einbezog.

18 Geschichte, 474.

ließ. Angesichts der an ihn ergangenen Appellation beklagte sich Leo zugleich über die fehlende Information von seiten Flavians. Vielleicht kann man sogar im Hinweis Leos auf seine eigene Verantwortung, den Glauben unversehrt zu bewahren und dem Irrenden einen Weg zur Rückkehr zu ermöglichen, eine versteckte Frage an den Bischof von Konstantinopel sehen, ob er dem Auftrag des römischen Bischofs nicht Rechnung tragen wolle.

Wie dem auch sei: Leo verlangte und erwartete nicht mehr als eine umfassende Unterrichtung, die durch einen voll kompetenten Gewährsmann erfolgen und ihm ein sachgerechtes Vorgehen angesichts der an ihn ergangenen Appellation ermöglichen sollte. Noch bevor Flavian von Leos Erwartungen Kenntnis erhielt, hatte er sie durch die vom Papst nie verlangte Übersendung der genannten Akten übertroffen. Aus dem Briefwechsel läßt sich auch eine verschiedenartige Konzeption von relatio nicht ablesen – das eine Mal, bei Leo, „im Sinne der römischen Doktrin", das andere Mal, bei Flavian, als „Benachrichtigung im Sinne des alten zwischenkirchlichen Briefverkehrs", d. h. gemäß dem Verständnis Caspars im Gegenüber von einer Unterrichtung, die eine Entscheidung des römischen Bischofs ermöglichen soll, und von bloßer Mitteilung des eigenen Urteils.[19] Der Unterschied in der Haltung und in der Weise, in der Leo sich über fehlende Information beklagte und Flavian sie – über Leos Erwartungen hinaus und vor Erhalt einer Mahnung – übermittelte, ergibt sich daraus, daß Leo von der Appellation des Eutyches ausging, während Flavian verständlicherweise Äußerungen des Archimandriten, die in eine solche Richtung weisen konnten, verschwieg, um das Urteil der endemischen Synode nicht als unangemessen erscheinen zu lassen. So betonte Leo seine Verantwortung und Vollmacht, indes Flavian auf das Urteil der Synode verwies und es rezipiert sehen wollte, dem Papst aber zugleich ermöglichte, sich ein eigenes Urteil zu bilden und eine Entscheidung zu fällen.

Weiteres Licht auf Flavians Haltung dem römischen Bischof gegenüber fällt von seinem zweiten Brief an Leo, mit dem er dessen Schreiben

---

19 *Caspar* bezieht die Tatsache, daß Flavian Leo vor dessen Ersuchen um Information und weit über dessen Erwarten und Bitten hinaus unterrichtete, nicht in seine Urteilsbildung ein; er übersteigert Leos Forderung gegenüber Flavian und sieht nicht, daß Flavian Leo gegenüber verständlicherweise nicht zu erkennen geben wollte, daß er von der Appellation des Eutyches wußte, die ihm zunächst nur privat und wohl auch noch zu unbestimmt durch Florentius angekündigt worden war. *Klinkenberg* vergröbert Caspars Sicht, da er durch die Art seiner Darstellung nicht erkennen läßt, daß Leo sein dringendes Ersuchen um Information aufgrund der Appellation von Eutyches erhebt. Indem er so verschweigt, was für Leo die grundlegende Voraussetzung des Handelns darstellt, gelangt er zur Folgerung, Leo betrachte die auf der endemischen Synode behandelte Angelegenheit als eine causa maior und verlange deshalb das Verfahren von Relation und Entscheidung „mittels Responsion", das Leos „Verfassungssystem" angemessen sei (Papsttum, 54 f.).

beantwortete. Diese Post ermöglicht von neuem den Vergleich zwischen Leos Erwartungen und Flavians Haltung. Dabei muß freilich in Anschlag gebracht werden, daß sich gerade zu diesem Zeitpunkt die Situation in Konstantinopel dramatisch entwickelte. Wenn Flavian Leo bat, den Glauben des Kaisers zu stärken, so besagte dies, daß Theodosius II. in den Augen Flavians die Sache von Eutyches sich offenkundig zu eigen gemacht hatte. Die Bemerkung des Patriarchen, am Hof gebe es Überlegungen, eine ökumenische Synode einzuberufen, wies in die gleiche Richtung. Flavian ging nun nochmals weit über Leos Bitte um Unterrichtung hinaus: er rief den Papst zu einer feierlichen Stellungnahme auf im Sinne einer ausdrücklichen Bestätigung des Urteils der endemischen Synode. Leo könne damit die Pläne, eine ökumenische Synode zu veranstalten, durchkreuzen.[20] Zugleich übersandte er ihm die gesamten Akten der endemischen Synode. Das Ersuchen um einen Spruch Leos war ferner darin begründet, daß Flavian nun aus dem Mund Leos selbst von der Appellation des Archimandriten wußte. Es zeigt sein Bestreben, Leo für das Urteil der Synode einzunehmen. Dies geschah nicht ohne Grund. Leos Brief schien nicht auf eine einfache Bestätigung des konstantinopolitanischen Urteils hinzudeuten. Angesichts der Äußerung von Eutyches, sich dem Urteil Leos unterwerfen zu wollen, dachte Leo offenbar eher an eine Neuaufnahme des Prozesses als an eine bloße Bestätigung.[21] Demgegenüber suchte Flavian die heuchlerische Verlogenheit im Verhalten von Eutyches und seine Unnachgiebigkeit darzutun. Die Behauptung des Archimandriten, auf der endemischen Synode ein Appellationslibell überreicht zu haben, sei eine glatte Lüge. Auch eine Bereitschaft zur Umkehr sei damals nicht zu erkennen gewesen. Im Gegenteil, Eutyches habe Konstantinopel in Verwirrung zu bringen versucht, er habe sich an die politische Macht um Hilfe gewandt und habe so die kirchliche Rechtsordnung mit Füßen getreten.[22]

Im Hintergrund von Flavians dringender Bitte um eine entschiedene und freimütige Stellungnahme Leos stand also die doppelte Infragestellung der endemischen Synode. Aber Flavians Haltung gerade in dieser prekären Situation läßt erkennen, daß er mit der Verantwortung des römischen Bischofs rechnete: Leo konnte – so erhoffte der Patriarch – die Sache des

---

20 ACO II I 1 (5) 39,32-40,10; PE 43,15-44,2.
21 So sprach Leo von einer Entscheidung „in cuiusquam partis praeiudicio": „ . . . sed respicientes ad causam, facti tui nosse volumus rationem, et usque ad nostram notitiam cuncta deferri. Quoniam nos, qui sacerdotum Domini matura volumus esse iudicia, nihil possumus incognitis rebus in cuiusquam partis praeiudicio definire, priusquam universa quae gesta sunt, veraciter audiamus . . .“ (ep. 23 ad Flavianum: LME I [2] 3,20-25; vgl. ACO II IV [3] 5,5-8). Die Lesart „in cuiusquam partis praeiudicium", die *Schwartz* in seiner Ausgabe bietet, ist nur durch den unzuverlässigen Codex Grimani bezeugt.
22 ACO II I 1 (5) 39,17-25; PE 42,21-43,6.

Glaubens politischer Macht gegenüber zur Geltung bringen, er konnte das Urteil der endemischen Synode überprüfen und durch sein eigenes Urteil bekräftigen. Flavian erinnerte den Papst dabei an seine Stellung innerhalb der Kirchen der gesamten Ökumene: er solle seine Verantwortung für den festen Bestand der Kirchen wahrnehmen, er solle die gemeinsame Sache zu seiner eigenen machen. Insgesamt bedeutete das zweite Schreiben Flavians damit zwar die Reaktion auf die „bedrohliche Weiterentwicklung der Dinge im Orient" (Caspar), aber es zeigt zugleich, wie in einer solchen Situation die Aufgabe und Vollmacht des römischen Bischofs in ihrer Bedeutung anerkannt wurde.[23] Das dritte Schreiben Flavians – die Appellation an den Apostolischen Stuhl nach der Verurteilung auf der ephesinischen Synode – wird diese Deutung vollends bestätigen, es ist aber seinerseits durch die ersten Schreiben schon vorbereitet.

II. Die Antwort des Apostolischen Stuhls

1. Die ersten Schritte des Papstes

Es gilt nun, Leos Haltung in dieser ersten Phase der Auseinandersetzungen nach der endemischen Synode umfassend in den Blick zu nehmen, um zu sehen, wie er seine eigene Aufgabe verstand und welchen Raum bischöfliches und synodales Handeln dabei erhielt.

Der Papst beantwortete nur das Schreiben des Kaisers, nicht auch jenes von Eutyches und wandte sich unter dem gleichen Datum des 18. Februar 449 an Flavian. Mit der Forderung um Unterrichtung, die er dem Patriarchen gegenüber so dringlich erhob, berief sich Leo auf seine Verantwortung für die Wiederherstellung der Glaubenseinheit. Dies hieß für ihn, dafür Sorge zu tragen, daß die Festlegungen der Väter, die zum sicheren und grundlegenden Bestand des Glaubens gehören, nicht durch eine falsche Interpretation verletzt werden.[24] Deshalb war Flavian verpflichtet, nun ausführlich darzu-

---

23 „συγκινειθεὶς ουν, ὁσιώτατε πάτεϱ, διὰ πάντα τὰ παϱ' αὐτου τολμηθέντα καὶ διὰ τὰ εἰς ἡμας καὶ τὴν ἁγιωτάτην ἐκκλησίαν γενόμενά τε καὶ γινόμενα παϱϱησίασαι συνήθως κατὰ τὸ πϱέπον τῇ ἱεϱωσύνῃ καὶ οἰκειωσάμενος τὸ κοινὸν πϱαγμα καὶ τὴν των ἁγίων ἐκκλησιων κατάστασιν συμψηφίσασθαι μὲν τῇ γενομένῃ κατ' αὐτου κανονικως καθαιϱέσει δι' οἰκείων γϱαμμάτων . . .":
ACO II I 1 (5) 39,32-40,10; PE 43,14-44,2. Als konkrete Maßnahme erwartete Flavian demgemäß die Bestätigung des Urteils der endemischen Synode und eine Ermahnung des Kaisers. – Die Beurteilung Caspars: Geschichte, 473.

24 „ . . . cum in corde nostro ea observantia deo inspirante permaneat ne constitutiones venerabilium patrum divinitus roboratae et ad soliditatem fidei pertinentes prava cuiusquam interpretatione violentur" (ACO II IV [3] 5,21-23). – Leo dürfte hier vor allem an die synodalen Entscheidungen und primär an Nicäa gedacht haben.

legen, welche Glaubensneuerung bei Eutyches vorlag. Andererseits konnte er, Leo, dann auch mit seiner Autorität diejenigen stärken, deren Glaube die Überprüfung bestand – damit war Flavian in vorsichtig andeutender Weise gemeint. Nachdrücklicher betonte Leo seine Aufgabe, die Irrenden wiederzugewinnen. Damit bezog er sich deutlich auf Eutyches, der seine Bereitschaft zum Gehorsam bekundet hatte.

Auf diese Weise ließ Leo durchblicken, daß er die Abwegigkeit der Auffassung von Eutyches zwar noch nicht voll durchschaute – er war ja zu diesem Zeitpunkt noch ausschließlich auf die Dokumentation von Eutyches selbst angewiesen –, aber sich dessen Position doch kaum zu eigen machen konnte. Doch auch Flavian durfte nicht mit einer einfachen Bestätigung des Urteils der endemischen Synode rechnen. Leo wollte zunächst selber eine Entscheidung (definitio) fällen. Diese sollte zugleich ein „Präjudiz" sein, d. h. sie sollte ein Urteil auf anderer Ebene vorbereiten.[25] Bei beiden geplanten Entscheidungen war eine Revision oder Differenzierung des konstantinopolitanischen Urteils möglich. Auf welche Weise nach der Absicht des Papstes der zweite Entscheid zustandekommen sollte, zeigt sich mit voller Deutlichkeit erst in seinem zweiten Brief an Flavian. Doch läßt sich bereits erkennen, daß Leo zwar seine Verantwortung für den Glauben voll wahrnehmen, aber doch nicht ohne die Mitwirkung der konstantinopolitanischen Kirche handeln wollte. Er war sich dessen bewußt, wie schwerwiegend die Angelegenheit war und wie sehr es darauf ankam, schnell zu handeln.

Die Sorge um eine Ausweitung des Streits bewegte Leo von Anfang an, sie war nicht zuletzt der Grund für den Tadel, den Leo Flavian gegenüber zwar vornehm, aber doch deutlich äußerte: Indem Eutyches' Ersuchen um das Urteil Roms auf der endemischen Synode nicht stattgegeben wurde, fühlte sich dieser gezwungen, sich an die Öffentlichkeit zu wenden. Damit meinte Leo nicht bloß, daß der Streit auf die Straßen und in die Klöster Konstantinopels getragen wurde. Vielmehr fürchtete er, es könnten in der Kirche „laut hallende Streitigkeiten" entstehen.[26] So kam alles darauf an, den Streit in seinem Anfangsstadium zu ersticken, damit er keine Wellen schlagen konnte, die weit über die konstantinopolitanische Kirche hinaus und über die ganze östliche Kirche hinwegzugehen drohten.

Diese Befürchtung Leos läßt sich in ihrem Gewicht nur bemessen, wenn man die Aktivität des Kaisers miteinbezieht. Gerade die „Fides" des Kaisers erlegte Leo ein hohes Maß an Sorge um die Einheit auf.[27] Im Proömium des

25 LME I (2) 3,20-4,38; ACO II IV (3) 5,5-18; vgl. Anm. 21.
26 LME I (2) 4,36-38; ACO II IV (3) 5,16-18.
27 LME I (2) 3,29; ACO II IV (3) 5,11; vgl. Anm. 29.

Briefes an den Kaiser würdigte der Papst die priesterliche Gesinnung des Kaisers in der Bemühung um den Glauben. Darin liegt mehr als bloße Höflichkeit; eine solche Formulierung zeigt anderes als nur Leos ausgeprägtes Taktgefühl. Er berührte damit vielmehr ein Anliegen, das eine grundlegende Gemeinsamkeit zwischen dem Kaiser und ihm in den Blick brachte. Die Glaubenseinheit, die für Leo von fundamentaler Bedeutung war, garantierte zugleich den bestmöglichen Zustand des Reiches. Ein Bemühen des Kaisers, das in diese Richtung zielte, mußte als prinzipiell richtig das Lob des Papstes finden.[28] Doch ließ Leo seine Anerkennung in der Schwebe. Sie war mit einer Beifügung verbunden, die wie eine Bedingung klingt und vom Kontext her sich deutlich als solche zeigt. Der Kaiser zeigt priesterliche Gesinnung, insofern er für den christlichen Glauben Sorge trägt, und das hieß für Leo in diesem Augenblick: wenn er das Urteil der Kirche respektiert und dazu beiträgt, daß die Spaltung sich nicht ausweitet.[29] So wurde das Lob unversehens, aber wohlbedacht zur Mahnung, die Leos Besorgnis zum Ausdruck brachte. Der Papst trat denn auch mit einer erstaunlichen Entschiedenheit dem Kaiser gegenüber auf, wenn er weiter schrieb, er müsse unterrichtet werden, „damit in angemessener Weise über Wohlbekanntes geurteilt werden könne".[30] Es ist kein Zufall, wenn Leo dem Kaiser

28 *Caspar* spricht demgegenüber in einseitiger Beurteilung vom „Zoll höfischer Devotion" (Geschichte, 471).

29 P. *Stockmeier* (Leo I., 59f.) deutet die Fides des Kaisers von der altrömischen Wurzel her zutreffend als „königliche Gesinnung der Verantwortlichkeit", die den Patron auszeichnet und die den Kaiser „verpflichtet, seine Person und seine Macht für die wahre Religion einzusetzen". Gerade diese Verpflichtung aber gibt dem Begriff bei Leo nun doch eine ganz spezifische Prägung, insofern der Papst den Schutz, den der Kaiser in „königlicher und priesterlicher" (bischöflicher) Gesinnung gewährt, als „sollicitudo religionis" im Sinne einer ganz bestimmten Mitsorge um die Glaubenseinheit versteht, bejaht und zugleich begrenzt. H. H. *Anton* (Kaiserliches Selbstverständnis) hebt neuerdings zurecht die von Leo „als Kardinalaufgabe begriffene Schutzverpflichtung des Herrschers gegenüber Kirche und Glauben, konkret gegenüber seiner, Leos, Glaubensposition" hervor (73) und zeigt, daß für ihn „das praesidium ecclesiae einen, ja den Inhalt des kaiserlichen Dienstes ausmacht" (75).

30 Das Zitat: LME I (1) 2,29; ACO II IV (2) 4,9f. Ähnlich weiter unten: „. . . Quem (Flavianum) credimus vel post ammonitionem omnia ad nostram notitiam relaturum ut . . . id quod evangelicae et apostolicae doctrinae convenit iudicetur" (LME I [1] 33-36; ACO II IV [2] 4,12-15). Da Leo für sich Information zum Zweck der Urteilsfällung erbat, liegt es nahe, dies als Absicht zu deuten, das Urteil selber und allein fällen zu wollen. So *Klinkenberg* (Papsttum, 45): „Zweimal wurde durch unpersönliche Wendung verschleiert, wer zu urteilen hatte. Zweimal aber ist deutlich zu lesen, daß zu einem Urteil zuerst in Rom genaue Unterlagen vorliegen müßten. Ohne Roms Information kann nicht geurteilt werden. Mit anderen Worten: Rom wird urteilen, nur ihm steht die Entscheidung zu." Es ist unübersehbar, daß Leo sich gerade dem Kaiser gegenüber eine entscheidende Verantwortung und Stellung im Urteil über Eutyches zuschrieb. Aber bei aller Entschiedenheit behält die Formulierung doch eine gewisse Offenheit: nirgendwo sagte Leo ausdrücklich, allein entscheiden zu wollen. Was dies bedeutet, erhellt – abgesehen von Leos späteren Äußerungen, die größere Klarheit vermitteln – aus der bisher zu wenig beachteten Akzentverschiebung, die sich zwischen dem Brief an den Kaiser und jenem an Flavian zeigt. Dem Kaiser gegenüber betonte Leo den Willen, seine eigene Verantwortung für den Glauben urteilend wahrzunehmen. Dadurch wollte er den Glauben vor politischer

gegenüber nicht von einem Präjudiz, sondern zweimal von einem Urteil sprach und damit seinen Willen zum Ausdruck brachte, die Entscheidung nicht vom politischen Druck des Kaisers beeinflussen zu lassen. Trotz der vorsichtigen Art zu formulieren, die in der Schwebe zu lassen scheint, wer urteilen werde, ist vom Kontext her – nämlich von der Forderung des Papstes nach voller Information als Grundlage für das Urteil – ganz eindeutig, daß der Papst in der Sorge um die Einheit der Kirche sich selber das grundlegende Urteil vorbehielt und sich damit als den Garanten einer von der politischen Gewalt unabhängigen Entscheidung betrachtete. Wie sein dem Kaiser gegenüber mit Mut und Entschiedenheit festgehaltener Wille zum „iudicium" sich mit der Flavian gegenüber geäußerten Absicht einer Entscheidung „in praeiudicio" vereinbaren läßt, zeigt sich erst in den späteren Briefen mit größerer Klarheit.

2. Die Differenzen in den Darstellungen von Flavian und Eutyches

Etwa in der Zeit zwischen Mitte März und Mitte April 449 erhielt Leo die langerwartete Post Flavians. Damit verfügte er nun über ein reichhaltiges Dossier: über das Appellationsschreiben von Eutyches mit seinem Dokumentationsanhang und über den Bericht Flavians mit den Akten der Sessio der endemischen Synode vom 22. November 448. Er hatte so nicht nur die Möglichkeit, die beiden Schreiben miteinander zu vergleichen, sondern konnte sie an den Dokumenten, die beide Seiten vorlegten, prüfen.

Leo sah sich zwei Deutungen des Prozesses und der Glaubensfragen gegenüber, die sich zwar in einem entscheidenden Punkt trafen, ihn aber verschieden interpretierten und die im übrigen beträchtlich auseinandergingen. Eine erste Differenz lag darin, daß Flavian den Archimandriten zweier dogmatischer Abirrungen beschuldigte, während Eutyches nur einen einzigen Differenzpunkt explizit hervorhob. Dieser Punkt bezeichnet zugleich das Element, in dem Eutyches' Appellation und Flavians Schreiben einander berührten. Flavian behauptete, Eutyches habe die Auffassung vertreten, „es sei nicht notwendig, Christus zu bekennen als den, der nach der Menschwerdung aus zwei Naturen in einer Hypostase und in einer Person uns erschienen sei".[31] Während Flavian die Einheit in Christus hervorhob und

Einflußnahme schützen und den Prozeß ganz in die kirchliche Zuständigkeit nehmen. Flavian gegenüber betonte er zwar ebenfalls seine Stellung in der Angelegenheit, ließ aber sein beabsichtigtes Tun eher als ersten, wenn auch (im dogmatischen Bereich) entscheidend wichtigen Schritt erscheinen und formulierte deshalb so, daß eine Mitwirkung Flavians bzw. der endemischen Synode nicht ausgeschlossen war.

31 ACO II 1 1 (3) 37,9-11; PE 40,3-5: „. . . Ἰησοῦν τὸν Χριστὸν μὴ δεῖν ὁμολογεῖσθαι ἐκ δύο φύσεων μετὰ τὴν ἐνανθρώπησιν ἐν μιᾷ ὑποστάσει καὶ ἐν ἑνὶ προσώπῳ . . ."
Die Leo vorliegende Übersetzung lautet: „. . . in sancta synodo adserebat instanter dicens

Eutyches die Leugnung der Naturen zur Last legte, erklärte dieser, es sei von ihm auf der Synode gefordert worden, „zwei Naturen zu bekennen" und über jene, die solches leugnen, das Anathem zu sprechen. Damit blieb in der Darstellung von Eutyches – da hier die Einheit nicht in den Blick kam – mindestens die Frage offen, ob seine Kontrahenten dogmatisch in die Nähe zu Nestorius gehörten. Überdies sagte Eutyches nicht, er habe sich strikt geweigert, dem Ansinnen der Synode zu entsprechen, sondern betonte, er habe das Urteil Leos über die Sache abwarten wollen.

Sein vorläufiges Widerstreben gegenüber der Forderung Flavians begründete er zunächst formal mit dem Hinweis auf eine Bestimmung des ephesinischen Konzils, indem er dessen Verbot, ein neues Symbol zu erstellen, als Verbot neuer dogmatischer Formeln über Nicäa hinaus deutete. Er halte fest am Glauben, der in Nicäa dargelegt und in Ephesus bekräftigt wurde. In der Sache selbst beschrieb er die Differenz zunächst als eine terminologische, die er aber doch mit der Glaubenstradition begründete. Die Väter, wie Julius und Felix – er nannte die römischen Bischöfe mit Absicht an erster Stelle –, ferner Athanasius und Gregor, hätten die Ausdrucksweise „zwei Naturen" zurückgewiesen.[32] Die Dokumentation von Vätertexten, die Eutyches beilegte, sollte das Gewicht dieser Aussage begründen. Aber damit war die Haltung von Eutyches in der eigentlichen Frage eher verhüllt als beantwortet. Das änderte sich auch dadurch nicht entscheidend, daß Eutyches nun schließlich noch sagte, er habe die Natur des göttlichen Wortes, das ins Fleisch gekommen ist, nicht in den Disput ziehen wollen. Damit stellte er seine Haltung so dar, als wolle er vor dem Mysterium haltmachen, statt es noch weiter zu erklären. Insgesamt gab Eutyches damit Leo den Eindruck, als sei seine Haltung in der Ablehnung der zwei Naturen ganz von der Ehrfurcht gegenüber der Tradition und dem Geheimnis Christi diktiert, zugleich aber bestimmt von einer Offenheit, die bereit ist, sich der Lehre des römischen Bischofs aufzuschließen.[33]

dominum nostrum Jesum Christum non oportere confiteri de duabus naturis post humanam susceptionem, cum a nobis unius substantiae et unius personae cognoscatur . . ." (ACO II II 1 [3] 22,13-17). Zur anfechtbaren Qualität der Übersetzung äußert sich *Schwartz* im Vorwort zu ACO II II 1 (Praef., VII f.).

32 ACO II II 1 (6) 33,27-34,5: „. . . exigebar duas naturas confiteri et anathematizare eos qui hoc non profiterentur, ego autem metuens secundum statuta vestra adicere vel retrahere verbum aliquod fidei expositae in reverentissima synodo Nicaena, sciens sanctos et beatissimos parentes nostros Julium et Felicem et Athanasium et Gregorium viros sanctos episcopos improbare duarum naturarum nuncupationem et non ausus aut disputare de natura dei verbi, qui est incarnatus . . ."

33 Vgl. Anm. 32. – Die Dokumentation von Eutyches hatte nicht nur den Zweck, sein Bekenntnis wiederzugeben, das er der Synode hatte vorlegen wollen, und die Abweisung der zwei Naturen durch Vätertexte zu begründen. Vielmehr wollte er auch seine Weigerung einer weiteren Festlegung des Glaubens durch eine neue Formel mit dem Hinweis auf das Verbot der ephesinischen Synode, ein neues Glaubensbekenntnis zu erstellen, begründen. Dies geschah

Flavian fügte eine zweite Anklage gegenüber Eutyches hinzu, die er etwas breiter ausführte. Der Archimandrit habe die Auffassung vertreten, das Fleisch des Herrn sei nicht gleichwesentlich mit uns. Während die Jungfrau, die ihn geboren habe, gleichen Wesens mit uns sei, könne dies von dem aus ihr Geborenen nicht gesagt werden.[34] Einen gewissen Anhaltspunkt für eine solche Auffassung von Eutyches konnte Leo beim Archimandriten selbst in einer eigenartigen Wendung finden, die dieser in seiner Appellation verwandte und die sich ähnlich im beigefügten Glaubensbekenntnis fand.[35]

3. Die Sessio der endemischen Synode vom 22. November 448

Die divergierenden Darstellungen von Flavian und Eutyches mußten den Blick Leos auf die Akten der letzten Sessio der endemischen Synode und die ergänzenden Dokumente des Archimandriten lenken. Dabei kam Leo – soviel sei schon hier vorweggenommen – zum Ergebnis, die Synode habe Eutyches gerade in der Frage nach den Naturen in Christus nicht vor eine Entscheidung gestellt. Flavian wie Eutyches hatten jedoch das gerade Gegenteil behauptet, so sehr ihre Darstellung im übrigen divergierte. Dies fordert zur Untersuchung der Schlußsitzung der endemischen Synode heraus.

Am 8. November 448 hatte Eusebius, Bischof von Doryläum in Phrygien, der schon seinen Teil dazu beigetragen hatte, um die nestorianische Angelegenheit ins Rollen zu bringen, bei der gerade tagenden endemischen Synode eine recht allgemein gehaltene Anklageschrift gegen Eutyches wegen Verdachtes der Häresie eingereicht.[36] In der folgenden Sitzung vom 12. November hatte Flavian auf Antrag von Eusebius den Zweiten Brief Cyrills an Nestorius und Cyrills Brief an Johannes von Antiochien mit der Unionsformel verlesen lassen und so als Dokumentation gebilligt, welche die dogmatische Grundlage für den Prozeß bilden sollte. Im Anschluß an sie legte Flavian eine Bekenntnisformel vor, die sich an die genannte Formel anschloß, sie aber im Blick auf die eutychianische Fragestellung erweiterte: Christus sei nach der Inkarnation aus zwei Naturen der eine Christus, der eine Sohn, der eine Herr.[37] Ihm schlossen sich die übrigen Väter der Synode

mehrfach: durch sein oben genanntes Bekenntnis, durch das Schriftstück, mit dem er sich an die konstantinopolitanische Öffentlichkeit gewandt hatte, und schließlich – am Ende der Dokumentation – durch die Wiedergabe des ephesinischen Textes selbst. Die Dokumentation findet sich vollständig nur in der Collectio Novariensis: ACO II II 1 (7; 8; 9,1-13) 34,38-42,35.

34 ACO II II 1 (3) 37,11-16; PE 40,5-12.

35 ACO II II 1 (6) 34,5-7; (7) 35,7-13; vgl. PE 34,4-11; 37,29-38,8.

36 PE 11,3-12,21; ACO II I 1 (225) 100,18-101,5; (230) 101,16-30.

37 Die Dokumentation: ACO II I 1 (240-246) 104,13-111,8. Die Formel Flavians: ebd. (271) 113,32-114,14.

in ihren Depositionen im wesentlichen an. Es folgten verschiedene Sitzungen, bis Eutyches sich schließlich am 22. November der Synode stellte. Auf dieser entscheidenden Sessio wurden zunächst die Akten der ersten Sitzung bis hin zum Schreiben Cyrills an Johannes von Antiochien verlesen. Damit fand die Verlesung ein abruptes Ende, obwohl gerade das Bekenntnis Flavians und der übrigen Bischöfe von größtem Belang für den Prozeß war. Aber Eusebius von Doryläum konnte dies nicht abwarten, sondern nahm die Unionsformel zum Anlaß, die Diskussion über Eutyches in Gang zu bringen. Flavian ließ der Sache ihren Lauf. Der kaiserliche Beamte Florentius nahm sie, wie wir sehen werden, um so entschiedener in die Hand.

Eusebius war unter kaiserlicher Bewachung und in Begleitung von Mönchen zur Synode gekommen. Dies gab dem Geschehenen einen dramatischen Anstrich. Offenbar wollte er der Synode zeigen, wie sehr er durch seinen Freund, den Eunuchen Chrysaphius, der die Politik des Kaisers weitgehend bestimmte, sich vom Hof gedeckt wußte. In der Öffentlichkeit konnte er sich zudem als Bedrängter und Gefährdeter präsentieren. Auf Weisung des Kaisers nahm als kaiserlicher Kommissar der patricius Florentius teil.[38] Die Synode gab dazu ihr Einverständnis und begrüßte ihn als einen rechtgläubigen Mann, nahm ihn aber nicht, wie Caspar meint, „mit devotem Heilruf für den ‚Hohenpriester-Kaiser'"[39] auf − eine solche Akklamation blieb bezeichnenderweise der Zweiten Ephesinischen Synode vorbehalten, als die Akten dort zur Verlesung kamen.[40] Schwartz schildert Florentius − kaum zurecht − als Parteigänger von Eutyches, obwohl, ja gerade weil er so entschieden auf dessen Verurteilung hinarbeitete.[41] Jedenfalls griff er selbstsicher in den Gang der Verhandlung ein. Er nahm die eben erwähnte Intervention von Eusebius, die Eutyches vorwarf, er lehne die Glaubensformel im Schreiben Cyrills an Johannes von Antiochien ab, zum Anlaß, dem Prozeßverlauf eine Wende zu geben. Wie Schwartz zeigen konnte, war das Verfahren nämlich zunächst angelegt als ein Akkusationsprozeß, in dem Eusebius aufgrund von Zeugenaussagen beweisen wollte, daß Eutyches irrige Anschauungen vertreten habe. Da nun aber Florentius dazu aufforderte, Eutyches zu befragen, ob er der Unionsformel zustimme, wurde es überflüssig, Zeugen über frühere Meinungsäußerungen des Angeklagten zu vernehmen. Damit war erreicht, daß „. . . die Verhandlungen aus

38 Ebd. (464-468) 138,3-24. Florentius war eine hochgestellte Persönlichkeit. 422 war er Präfekt von Konstantinopel. Auf dem Konzil von Chalcedon führte er die Beamten an, die nicht mehr im Amt sind. Prosopographie bei G. *Dagron*, Naissance, 266f.

39 Geschichte, 468.

40 ACO II I 1 (468-469) 138,18-29: Die Akklamationen erfolgen in Ephesus bei Verlesung der Akten der endemischen Synode.

41 Vgl. Anhang II.

den Formen des Accusationsprozesses in die der Cognition, das Verhör, überführt wurden" (Schwartz).[42] Eusebius mußte befürchten, daß Eutyches sich nun in ausweichende oder gar der Synode halbwegs entgegenkommende Antworten flüchten könnte, so daß sein Stoß ins Leere ging oder gar sich gegen ihn selbst wendete; vor allem befürchtete er, und dies, wie sich sogleich herausstellen sollte, nicht zu Unrecht, daß Eutyches sich auf ein korrekt scheinendes Glaubensbekenntnis zurückziehen wollte, das auf den eigentlichen Fragepunkt gar nicht einging.[43]

Doch Florentius wollte mit der Wendung, die er dem Prozeß gab, nicht Eutyches entgegenkommen, wie Schwartz meint, sondern den Prozeßverlauf straffen und Eusebius die dominierende Rolle nehmen, um sie der Synode und sich selber zu geben.[44] Einschränkend versicherte er Eusebius, daß die früheren Äußerungen von Eutyches überprüft werden könnten, falls seine Aussagen während des Prozesses ganz anders lauten sollten; diese Versicherung, der Flavian beistimmte, konnte Eusebius bei korrekten Glaubensaussagen des Eutyches vor einer Verurteilung wegen calumnia bewahren.[45] Mit dem nun folgenden Verhör begann der entscheidende Teil der Verhandlung. Er läßt vier Phasen unterscheiden.

Die Untersuchung setzte ein mit Anfragen an Eutyches, welche die zwei Probleme, welche die Verhandlung bestimmen sollten, klar herausstellten. Eusebius forderte Eutyches zunächst auf, zur eben verlesenen Unionsformel Stellung zu beziehen. Er fragte ihn, ob er die Einung der zwei Naturen zu einer Person und zu einer Hypostase bekenne. Flavian griff diese Frage des Anklägers nach der Einung der Naturen in Christus formell auf, formulierte sie aber nach seinem in der zweiten Sessio vorgelegten Bekenntnis als Frage nach der Einung „aus" zwei Naturen. Als Eutyches sie mit einem einfachen Ja beantwortete, griff Eusebius seine eigene Formulierung von neuem auf, fragte nun aber präziser, ob Eutyches an „zwei Naturen nach der Einung", wie sie in der Menschwerdung geschah, festhalte. Zugleich ergänzte er die Problemstellung durch die Frage, ob Eutyches an die Gleichwesentlichkeit der menschlichen Natur Christi mit der unseren glaube.[46] Eutyches versuchte nun ein erstes Mal auszuweichen, indem er darauf hinwies, er wolle

---

42 *Schwartz*, Der Prozeß, 42; ebd. 66-75 Beschreibung der rechtlichen Struktur des Strafprozesses im staatlichen und kirchlichen Bereich.
43 Ähnlich äußert sich *Schwartz*, Der Prozeß, 80 und 74.
44 Vgl. Anhang II.
45 Es bleibt unverständlich, warum *Schwartz* aus der Äußerung von Florentius folgert: „Damit war der Tatsachenbeweis zugleich als richtig anerkannt und als überflüssig eliminiert." (Der Prozeß, 81). Florentius versicherte ja gerade, den Tatsachen könne nachgegangen werden, falls das angestrebte Verhör nichts erbringen sollte.
46 ACO II I 1 (487-490) 140,17-24; PE 23,3-13.

eine positive Darstellung seiner Auffassung geben und ein Libell öffentlich verlesen und zu Protokoll geben lassen. Flavian war bereit, eine solche Erläuterung zuzulassen. Zwar weigerte er sich, das Bekenntnis von Eutyches amtlich verlesen und damit zugleich in die Akten aufnehmen zu lassen. Aber er forderte ihn auf, seine Formel selbst zu verlesen. Schließlich brachte er ihn dazu, seine Glaubensauffassung frei zu formulieren. Wie zu erwarten, war das Bekenntnis von Eutyches so offen, daß es kaum Angriffsflächen bot.[47]

So war nun ein erneutes Ansetzen nötig. Der Patriarch eröffnete die zweite Phase der synodalen Untersuchung, indem er Eutyches fragte, ob er die Homoousie Jesu Christi der Gottheit nach mit dem Vater, der Menschheit nach mit seiner Mutter und mit uns annehme. Als Eutyches erneut auszuweichen versuchte, stellte er ihm die Frage nach der Einung der Naturen – allerdings wieder in der gleichen offenen Formulierung wie in der ersten Phase, auf die Eutyches damals mit Ja geantwortet hatte. Eutyches entzog sich ihr und gab statt dessen Antwort auf die erste Frage nach dem „gleichwesentlich mit uns".[48] Er gestand, bis jetzt nicht an solche Homoousie geglaubt zu haben, zeigte sich aber bereit, sie aufgrund der Autorität Flavians anzuerkennen. Damit begann ein Hin und Her von Frage und Antwort, das Eutyches' Aufrichtigkeit prüfen, ihn aber zugleich vollends überzeugen und festlegen sollte. Unbefriedigend blieb dabei des Eutyches formaler Gehorsam aufgrund der Autorität Flavians, die diesen dazu zwang zu sagen, er vertrete nichts Neues, sondern die tradierte Lehre.[49]

In diesem Augenblick begann Florentius erneut entschieden einzugreifen und Eutyches zu zwingen, Farbe zu bekennen. Um so deutlicher zeigt sich von jetzt an aber auch, um wieviel zurückhaltender Flavian und die Synode sich verhielten. Die entscheidende Verhandlungsphase war nun erreicht. Der kaiserliche Beamte lenkte einerseits die Diskussion auf die Frage nach der Einung der Naturen zurück, griff aber zugleich die eben erörterte Frage nochmals auf, indem er das Forschen nach der Begründung in der Tradition beiseite schob und auf die Haltung von Eutyches in der Sache selbst drängte. Das erstgenannte Problem nannte er nun in einer Fassung, welche die Formulierung Flavians – „aus zwei Naturen" mit der Präzisierung von Eusebius „nach der Einung" – verband. Jetzt sah Eutyches keine Möglichkeit mehr auszuweichen, ohne seine Auffassung preiszugeben. Offen und präzise sagte er nun, er bekenne, daß der Herr vor der Menschwerdung aus zwei Naturen gewesen sei; nach der Einung bekenne er aber nur eine

---

47 ACO II I 1 (498-503) 141,5-15; (505) 141,20-24; PE 23,14-32. Zur Frage, warum Flavian das Libell nicht verlesen ließ, vgl. Anhang II.

48 ACO II I 1 (511-513) 142,1-7; PE 24,1-9.

49 ACO II I 1 (514-524) 142,8-143,6; PE 24,10-25,21.

Natur.[50] Damit stehen wir vor der Aussage, die Leo in seinem Schreiben an Flavian zitieren wird.[51]

Jetzt erhoben sich in der Synode Stimmen, die von Eutyches forderten, sich klar zu den Briefen Cyrills an Nestorius und an Johannes von Antiochien, die vorgetragen worden waren, zu bekennen und über ihre Leugner das Anathem zu sprechen. Damit wurde Eutyches zwar zu einer Entscheidung gerufen, doch war der Inhalt dieser Entscheidung im Gegensatz zu der von Florentius geforderten recht vage, da es Eutyches selbstverständlich möglich sein mußte, die Briefe Cyrills zu akzeptieren und in seinem Sinne zu interpretieren und so auch der Synode eine positive Antwort zu geben.[52] Ein weiteres Mal zeigte sich so die Schwäche der Synode.

Eutyches verlagerte die Frage denn auch wie schon in den beiden vorangehenden Phasen der Auseinandersetzung auf das Problem der Homoousie, zeigte sich jetzt aber, wo das Blatt sich zu wenden begann, nicht mehr zu einem echten Zugeständnis bereit, und lehnte das Ansinnen der Synode, ein Anathem auszusprechen und sich so klar zu entscheiden, ab. Während es Flavian darum ging sicherzustellen, daß es nicht um seine persönliche Auffassung, nicht um eine neue Lehre gehe, sondern um die Lehre der Väter, ließ Eutyches seine Zustimmung als bloß formalen, äußeren Gehorsam erscheinen, der in Wahrheit mit seiner inneren Überzeugung im Widerstreit lag. Er betonte, die Auffassung Flavians sei nur eine der möglichen Haltungen, die er nicht deutlich in der Schrift gefunden habe und die nur von einem Teil der Väter vertreten werde. Dies erlaube ihm nicht, ein Anathem auszusprechen. Damit war für die Synode die Entscheidung gefallen, die Väter standen auf und Flavian erbat das Urteil der Synode. Bischof Seleucus von Amasia bat um Nachsicht, Flavian verwies auf die Unnachgiebigkeit von Eutyches und dieser selbst beharrte auf seiner Haltung.[53]

Noch einmal griff jetzt Florentius in das Geschehen ein. Er lenkte die Synode von der beabsichtigten Urteilsverkündung zur Untersuchung zurück und eröffnete damit eine vierte Verhandlungsphase. Er suchte nochmals eine Stellungnahme von Eutyches nicht nur zur Homoousie,

50 ACO II I 1 (526-527) 143,7-11; PE 25,22-27.
51 ACO II II 1 (5) 32,4f.; vgl. ebd. (2,145) 17,27f.
52 ACO II I 1 (534) 143,30f.; PE 25,28f.
53 ACO II 1 1 (535-540) 143,32-144,15; PE 25,30-26,18. Eutyches gab seine Auffasung bezüglich der Homoousie nie wirklich preis. Man wird deshalb *Schwartz* nicht zustimmen können, wenn er das klare Bekenntnis von Eutyches zur einen Natur dahin deutet, er habe schließlich seine „Paradoxien" preisgegeben, um nur noch „an der offiziellen alexandrinischen Dogmatik" festzuhalten: Der Prozeß, 83f.; vgl. 85: „Als er aber vor dem Synodalgericht stand, hat Eutyches, sei es den alexandrinischen Apokrisiariern gehorchend, sei es aus eigenem Entschluß, seine Extravaganzen in die Kutte gesteckt . . ."

sondern ebenso zu den „zwei Naturen" zu erreichen. Als dieser auf Athanasius und Cyrill verwies und dann noch um die Verlesung eines Textes ersuchte, forderte er eine eindeutige Stellungnahme des Archimandriten und drohte ihm – er der kaiserliche Beamte! – die Verurteilung an, falls er sich nicht zu den zwei Naturen nach der Einung bekenne. Basilius von Seleucia gab dieser Formulierung, die leicht mißbraucht und mißverstanden werden konnte, eine wichtige Deutung, indem er betonte, sie wolle eine Vermischung der göttlichen Natur mit der menschlichen ausschließen.[54] Aber es wiederholte sich der eigentümliche Vorgang: die Synode griff diese Frage nicht noch einmal von sich aus und explizit auf. Während Florentius, zu Eutyches gewendet, sagte, wer nicht der Formel „aus zwei Naturen" und „zwei Naturen" zustimme, sei nicht rechtgläubig, wollte die Synode rasch zum Urteil kommen, stand auf und brach die Diskussion ab mit dem Hinweis, man könne den Glauben nicht erzwingen. Daraufhin verkündete Flavian das Urteil: Eutyches habe die valentinische und apolinarische Irrlehre erneuert und, da er der Ermahnung und Belehrung der Synode nicht zugänglich war, die rechten Dogmen nicht angenommen.[55] Das war gewiß ein vages Urteil, eine Entscheidung ohne präzise dogmatische Stellungnahme nach einem wenig eindringenden, schwer deutbaren Verhandlungsgang.

4. Die Sessio vom 22. November in der Sicht des Papstes

Nach dem Studium des Schreibens Flavians und der synodalen Akten, die ihm zur Hand waren, entfaltete Leo eine gewaltige theologische und literarische Aktivität, mit welcher er die Voraussetzungen für die Klärung

---

54 LME I (4b) 10,39-11,3; ACO II 1 (541-545) 144,16-27; PE 26,19-32. – *Samuel* (The Proceedings, 323) vermerkt, die endemische Synode habe nach der Anklage von Eusebius die strittige Frage untersucht und erwähnt als problematisch nur, daß dies einseitig geschehen sei: „As to the Synod itself, it may be said that there was an investigation of the question at issue, however one-sided it really was. For one thing, it is a fact that Flavian who presided over the meetings refused to take in evidence a confession of the faith presented to him by Eutyches, without expressing his reason. In the end the old monk was asked to accept the two affirmations and to condemn all those who would not confess them. Since Eutyches refused to comply he was condemned as a heretic." Unsere Darstellung der Vorgänge zeigt, daß die Verhandlung, in der Eutyches anwesend war, nicht auf eine Untersuchung der Frage abzielte, ob seine Auffassung richtig sei. Vielmehr hatten die Bischöfe im vorhinein die Glaubensgrundlage festgelegt. Die Verhandlung sollte nun volle Klarheit über die Haltung von Eutyches erbringen, ihn womöglich zur Einsicht bringen und ein Urteil über ihn zu fällen. Ihre Problematik liegt darin, daß die Väter der Synode ihre Glaubenshaltung Eutyches gegenüber nicht genügend erläuterten und – besonders im Blick auf die Tradition – begründeten, sondern Eusebius und vor allem Florentius zu sehr gewähren ließen, die bloß auf eine rasche und klare Entscheidung hindrängten, und daß sie schließlich selbst die Untersuchung fast überstürzt beendeten.

55 ACO II I 1 (549-551) 145,5-19; PE 27,1-19.

der Krise in Konstantinopel schaffen wollte. An erster Stelle steht das Schreiben an Patriarch Flavian – epist. 28 –, das als Tomus Leonis in die Geschichte eingehen sollte. Es trägt zwar das Datum des 13. Juni. Doch hat schon Wille beobachtet, daß es, wie ein anderes Schreiben an die Archimandriten von Konstantinopel, schon verfaßt war, bevor Leo am 16. Mai von der Einberufung einer ökumenischen Synode nach Ephesus Kenntnis erhielt. Das gleiche kann aber auch für epist. 31, den Brief Leos an die Kaiserschwester Pulcheria, den der Papst später nur durch einen Absatz ergänzte, und für epist. 35 an Julian von Kos gezeigt werden.[56] Diese große Post, zu der gewiß auch ein Brief an den Kaiser gehörte, der aber durch die Ankündigung des Konzils überholt war und nicht mehr verwandt werden konnte, war als Antwort auf die Appellation von Eutyches und auf das Schreiben von Flavian gedacht und betraf so eine Angelegenheit, welche in den Augen des Papstes auf Konstantinopel und Rom begrenzt war. Dies ist von besonderer Bedeutung für das rechte Verständnis des Tomus, auf den sich die folgenden Darlegungen vor allem beziehen.

Im Schlußabschnitt, der sich vom übrigen Corpus des großen Schreibens deutlich abhebt, ging Leo auf den Verlauf der Sessio vom 22. November ein.[57] Es wurde schon auf Leos erstaunliche Bemerkung verwiesen, die Auffassung von Eutyches bezüglich der Naturen in Christus sei von der Synode nicht verurteilt worden, so daß dieser die Auffassung vertreten könne, sie bestehe zurecht oder verbleibe wenigstens im Rahmen des Tragbaren. Eine entsprechende Formel des Archimandriten sei von den Richtern nicht getadelt, sondern geradezu überhört worden, als biete sie keinen Anstoß.[58] Ein solches Urteil überrascht nicht nur im höchsten Maß, weil gerade Eutyches behauptete, wegen der „zwei Naturen" verurteilt worden zu sein, sondern weil Flavian das gleiche bezeugte.

Es ist jedoch auffällig, wie Flavian die Frage der Naturen in Christus zunächst nur in einer sehr offenen Weise stellte und wie die Synode, als Florentius in der Linie des Anklägers Eusebius den Archimandriten zu einer Entscheidung herausforderte, dieses Vorgehen nicht ausdrücklich zu ihrer eigenen Sache machte. So ergibt sich der Eindruck, die Synode habe hierin zwar selbst ein klares Bekenntnis abgelegt – und zwar im bewußten Gegenüber zu Eutyches –, aber sie habe nicht klar und entschieden von ihm verlangt, sich dem anzuschließen.[59]

56 Vgl. Kap. II, Anm. 1.
57 ACO II II 1 (5,6) 32,3-33,8.
58 Ebd. 32,3-9.
59 Zu diesem Zeitpunkt kannte Leo das in der zweiten Sessio der endemischen Synode abgelegte Bekenntnis von Flavian noch nicht, da ihm nur die Akten der Schlußsitzung zur Verfügung standen. Wohl aber wußte er um die Haltung des Patriarchen aus dessen ep. 22.

Papst Leo erkannte dies scharfsichtig. Er sah den Unterschied im Verhalten des Laien Florentius und der Bischöfe als der iudices. Er setzte – den Anfang des Verhörs übergehend – mit dem ersten offenen Bekenntnis von Eutyches zur „einen Natur nach der Einung" ein. Hier vermißte er den Widerspruch der Bischöfe, ja sogar ihr Eingehen auf eine solch weittragende Äußerung. Daraus zog er den Schluß, es entstehe der Eindruck, als habe sie für die Bischöfe nichts Anstößiges bedeutet.[60] Im Brief an Bischof Julian von Kos unterstrich Leo seine Beobachtung. Er gab zu bedenken, die iudices hätten in dem Augenblick, als Eutyches die erwähnte Aussage gemacht habe, ihn energisch drängen müssen, über seine Glaubenshaltung Rechenschaft abzulegen. Sonst konnte der Eindruck entstehen, die Bischöfe übergingen die Angelegenheit als eine Nebensache.[61]

Der Papst behält denn auch recht, wenn er, einen strengen Maßstab anlegend, zum Schluß kam, die endemische Synode habe diese Lehre von Eutyches nicht verurteilt. Auch die weiteren knappen Äußerungen erweisen sich als korrekt. Der Papst schrieb – auf die Homoousie-Debatte bezugnehmend –, Eutyches habe, von Flavian bedrängt, begonnen, von seiner Auffassung Abstand zu nehmen. Und er fügte hinzu, Flavian habe, als der Archimandrit kein Anathem aussprechen wollte, erkannt, daß er in seinem Irrtum verharre und eine Verurteilung verdiene.[62] Im ganzen zeigt unsere Untersuchung der Beobachtungen Leos zum Prozeß der Novembersynode eindringlich, wie sehr sein Lehrschreiben an Flavian in dieser ersten Phase, im ursprünglichen Kontext also, auf die Überprüfung des Prozesses von Eutyches ausgerichtet war und die Schwächen der Verhandlung aufzudecken suchte.

5. Das Urteil des Papstes

Im Schlußabschnitt der epistula ad Flavianum, der bisher allein im Blick stand, führte Leo seine Bemerkungen, die der Überprüfung der Akten entsprangen, fast unvermerkt zu seiner Entscheidung hinüber. Wie beiläufig sprach er von der Neuaufnahme des Prozesses, während er die Begründung dafür in den Vordergrund stellte. Leos Entschluß bedeutete, dem Kaiser wenigstens einen Schritt entgegenzugehen und Eutyches eine Chance zu bieten. Er mußte damit aber Flavian enttäuschen, der eine einfache Bestätigung des Urteils der Synode erwartet hatte. Indem Leo auf die schwache Stelle der Prozeßführung verweisen konnte, fand er – besonders Flavian

60 Vgl. Anm. 58.
61 LME I (6) 16,69-75; ACO II IV (5) 7,28-8,1.
62 ACO II II 1 (5,6) 32,13-17.

gegenüber – eine Begründung für seine Entscheidung, die zugleich Flavian in seiner Glaubenslehre bestätigte und von Eutyches eine noch eindeutigere Absage an seine dogmatischen Irrtümer und eine Unterwerfung unter die Lehre und Haltung der Synode erforderte.

Hier klärt sich nun vollends, was Leo in seinen ersten Briefen an den Kaiser und an Flavian vom 18. Februar gemeint hatte, als er von der Absicht sprach, eine Entscheidung als Präjudiz zu treffen. Der Archimandrit sollte die Gelegenheit erhalten, in einem neuen Verfahren wieder in die Communio aufgenommen und in sein klösterliches Vorsteheramt eingesetzt zu werden. Leo sandte eine Legation nach Konstantinopel, die am neuen Prozeß im Sinne der Bestimmungen des Konzils von Sardika teilnehmen sollte. Das Urteil sollte demgemäß von der um die päpstlichen Legaten erweiterten endemischen Synode gefällt werden.[63] Die Entscheidung, die Leos Tomus darstellte, war im Blick auf diese Synode und die Person des Eutyches eine definitio in praeiudicio: erst dort konnte sich entscheiden, ob der Archimandrit sich unterwerfen würde.

In bezug auf die Sache des Glaubens beinhaltete Leos Schreiben jedoch ein iudicium. Dies gilt zunächst für den Schlußabschnitt des Tomus, in dem der Papst das Ergebnis seiner theologischen Darlegungen zusammenfaßte. Hier billigte er die Entscheidung der endemischen Synode, Eutyches aus der Communio auszuschließen, weil er schließlich doch nicht wirklich bereit war, die Homoousie der menschlichen Natur des Herrn mit jener aller Menschen als zum Glauben in unerläßlicher Weise gehörend festzuhalten. Aber er verwarf zugleich folgendes Bekenntnis von Eutyches: „Ich bekenne, daß unser Herr aus zwei Naturen vor der Einung gewesen sei; nach der Einung jedoch bekenne ich nur eine Natur." Auch damit bestätigte Leo der Sache nach die Glaubenshaltung Flavians und der Synode, korrigierte aber ihr unklares und unentschiedenes Vorgehen, das als ein Ausweichen verstanden werden konnte und so nun doch den Glauben selbst berührte. Er verlangte, es sei von Eutyches im Blick auf die genannte Aussage über die eine Natur ein eindeutiger Widerruf zu fordern, ohne den er nicht wieder in die Communio aufgenommen werden könne.

Im Schreiben an Flavian und – womöglich noch eindringlicher – im Brief an Pulcheria hob der Papst hervor, hier stehe der Glaube als ganzer auf dem Spiel, die Auffassung von Eutyches zerstöre die christliche Heilshoffnung.[64] Der Bedeutung der Sache gemäß verstand Leo sein Schreiben an Flavian als

63 Vgl. Anm. 58. – Das Vorgehen lehnte sich, wie auch *Caspar* bemerkt (Geschichte, 477), an die Bestimmungen von Sardika an. Zu Kanon 7 (V) vgl. *Hess,* Sardica, 122ff.
64 ACO II II 1 (5,5) 31,1-8; LME I (4b) 10,39-11,3; ACO II IV (11) 13,24-14,4.

ein Glaubensurteil. Im Brief an die Mönche – und damit an breite Kreise der Kirche in Konstantinopel – sprach er denn auch von einer Entscheidung (sententia; decernere). Dabei bezog er sich aber nicht nur auf den Spruch im Schlußabschnitt des Schreibens, sondern hatte den Tomus als ganzen im Blick. Er deutete ihn als Bezeugung des Glaubens der Kirche gemäß der Vätertradition, eine Bezeugung, die zugleich die Beurteilung der Auffassung von Eutyches als Häresie enthielt. Zugleich ließ er durch die Kennzeichnung des Schreibens als explicatio erkennen, daß er diesen Gehalt in die Form einer theologischen Auslegung gefaßt wußte.[65]

Der Schlußabschnitt des Schreibens an Flavian war sehr rasch insofern überholt, als sich die dort angezielte endemische Synode unter Mitwirkung einer römischen Legation nicht mehr realisieren ließ. Zudem sollte es dringlich werden, das dort ausgesprochene Glaubensurteil in eigenen Schreiben zu bekräftigen und zu erläutern. Sie traten nun mit ihrem eigenen Gewicht dem Tomus an die Seite. Auch galt es, dessen Bedeutung angesichts vielfältiger Situationen je neu zu beleuchten.

Ein neues Handeln sollte sogleich notwendig werden, da die Nachricht von der Einberufung eines ökumenischen Konzils nach Ephesus Leo mit seinem Glaubensschreiben von einem Tag auf den anderen – noch bevor er seine Schreiben absenden konnte – in einen neuen geschichtlichen Kontext stellte. Für den Augenblick aber war der Tomus nur für Flavian und die endemische Synode sowie – über den Patriarchen – für die ganze Kirche in Konstantinopel bestimmt, die der Papst im Glauben stärken wollte. Er hatte sein Schreiben nicht auf einer römischen Synode bekräftigt; dieses trug deshalb noch nicht den Charakter des feierlichen Urteils einer solchen Synode. Im Augenblick kam es Leo darauf an, durch eine rasche und zugleich sehr gründliche dogmatische Unterstützung der konstantinopolitanischen Kirche Eutyches zur Einsicht und zum Einlenken zu bringen und den Kaiser zu warnen. Er mußte fürchten, der Archimandrit könne von anderen Kirchen her Unterstützung finden und sich verhärten. Dies aber mußte zugleich eine gefährliche Ausweitung des Streits bedeuten.

---

65 „De sacramento autem pietatis magnae in qua nobis per incarnationem Verbi Dei iustificatio est et redemptio, quae sit nostra ex patrum traditione sententia, in litteris quas ad fratrem meum Flavianum episcopum misi, nunc sufficienter quantum arbitror explicatum est, ut per insinuationem praesulis vestri quid secundum evangelium domini Jesu Christi in omnium fidelium cordibus fixum cupiamus esse noscatis." LME I (9) 22,24-31; ACO II IV (10) 12,13-18.

ZWEITES KAPITEL

DIE ZWEITE SYNODE VON EPHESUS (449)

I. Papst Leos Haltung im Angesicht der Synode

1. Die gewandelte Lage

Die Einberufung eines Konzils, von der Papst Leo am 16. Mai 449 Kenntnis erhielt, durchkreuzte gewiß seine Pläne. Doch konnte er die schon bestellte Legation nun für das Konzil bestimmen und instruieren. Das Schreiben an Flavian (epist. 28) erhielt nun eine außerordentliche Bedeutung; die Briefe an Pulcheria (epist. 31) und an Bischof Julian von Kos (epist. 35) mit ihren theologischen Ausführungen behielten wie der Tomus ihren Wert. Dies gilt auch für den kurzen Brief an die Archimandriten von Konstantinopel (epist. 32). Die Schreiben mußten aber doch angesichts der völlig gewandelten Situation ergänzt werden und eine neue Ausrichtung erhalten. So verfaßte Leo Schreiben an den Kaiser (epist. 29) sowie an das anberaumte Konzil (epist. 33). Er ergänzte das Schreiben an Pulcheria und legte für Julian einen zweiten kurzen Brief bei (epist. 34). Damit entstand eine große Post von sieben inhaltsschweren Briefen, die alle mit dem Datum des 13. Juni bezeichnet wurden.[1] Fast genau in dem Augenblick, in dem die Legation sich zur Schiffsreise angeschickt hatte, erhielt Leo Flavians zweiten Brief mitsamt den vollständigen Akten des Eutyches-Prozesses. Leo antwortete sehr rasch – am 20. Juni – mit einem knappen Brief an Flavian (epist. 36), dem er einen Brief an den Kaiser beifügte (epist. 37).[2] Leo konnte die neu übersandten Akten für das Konzil nicht mehr auswerten, und so brachte dieser Briefwechsel für beide Seiten nichts eigentlich Neues. Das gleiche gilt für die mündliche Instruktion, die Flavian Leo zusammen mit einem kurzen Schreiben etwas später durch einen Gesandten übermitteln ließ und die Flavians große Sorge und zugleich seine Bereitschaft, Leo möglichst vollständig zu unterrichten, bezeugt. Am 23. Juli antwortete Leo Flavian und auch Julian von Kos, der Flavians Botschafter einen Brief mitgegeben hatte; er bezeugte Flavian die Übereinstimmung im Glauben und machte ihm Mut,

---

1 An den Kaiser: ep. 29, LME I (3) 4f.; ACO II IV (7) 9f.;
an Pulcheria: ep. 31, LME I (4 b) 8-13; ACO II IV (11) 12-15;
an Flavian („Tomus"): ep. 28, ACO II II 1 (5) 24-33;
an die ephesinische Synode: ep. 33, LME I (8) 19-21; ACO II IV (12) 15f.;
an Julian von Kos: ep. 35, LME I (6) 13-17; ep. 34, LME I (7) 18f.; ACO II IV (13) 16f.;
an die Archimandriten: ep. 32, LME I (9) 21f.; ACO II IV (10) 11ff. – Zur Entstehungsgeschichte und damit zur genaueren Datierung der Briefe siehe Anhang III und IV.
2 Ep. 36, ACO II IV (14) 17; an den Kaiser: ep. 37, LME I (10) 23f.; ACO II IV (15) 17f.

seine Feinde nicht zu fürchten.[3] Für das Konzil konnten diese Mitteilungen und Briefe keine Bedeutung mehr gewinnen.

Mit der Kenntnisnahme der Einberufung des Konzils veränderte sich Leos Aufgabe grundlegend, da nun der kirchenpolitische wie der dogmatische Horizont völlig andere Dimensionen gewonnen hatte. Vergegenwärtigen wir uns den Wandel, indem wir zunächst zurückblicken.

Der Ausgangspunkt der ersten Stellungnahme Leos lag in der offenkundigen Glaubensübereinstimmung zwischen Rom und der endemischen Synode. Diese hatte einmütig Eutyches' Auffassungen verworfen. Und Flavian hatte im Brief an Leo dargelegt, wie der Glaube der Synode sich an Nicäa ausrichtete sowie an den allgemein rezipierten Briefen Cyrills: am Zweiten Brief an Nestorius und am Brief an die Orientalen mit der Unionsformel. Von der Sache her wäre es deshalb für den Papst naheliegend gewesen, das Urteil der Synode zu bestätigen und so die Sache abzuschließen. Leo beging statt dessen einen Weg, der Eutyches ein Überdenken und Widerrufen seiner Auffassungen ermöglichen und so auch dem Kaiser ein Entgegenkommen zeigen sollte. Dieser Weg war kein Affront gegenüber Flavian und der Synode. Denn der Papst zeigte eine ernste Schwäche in der Prozeßführung auf: die Bischöfe als Glaubensrichter hatten auf der Synode eine schwerwiegende häretische Behauptung von Eutyches nicht ausdrücklich aufgegriffen und verurteilt. Damit stellte er zugleich heraus, daß der Archimandrit nur wegen seiner Bereitschaft, sich zu unterwerfen, die Aufhebung des Urteils der endemischen Synode erhoffen konnte.

Im Einberufungsschreiben zum Konzil begründete der Kaiser nun aber seinen Schritt mit neuerlich aufgetretenen Zweifeln in der Glaubenslehre. Leo mußte erkennen, daß sich seine Befürchtung, Eutyches könnte Bundesgenossen suchen und die Gefährdung des Glaubens könnte sich unabsehbar ausweiten, bestätigt hatte und daß er einer solchen Entwicklung nicht mehr hatte zuvorkommen können. Freilich behielt auch das größere Konzil für Leo noch den Sinn, den er der endemischen, durch die pästlichen Legaten erweiterten Synode zugemessen hatte. Er schrieb an Pulcheria, es ändere sich nichts an dem, was zu tun sei.[4] Dem Kaiser gegenüber interpretierte er den

3 Flavians Aktivität erhellt aus dem Brief Leos vom 23. Juli: ep. 38, ACO II IV (16) 18. Leo sagte darin, die Legaten seien bereits abgereist. Am 13. Juni war die Post, die Leo ihnen mitgeben wollte, schon gefertigt. Aber offensichtlich verzögerte sich die Abfahrt der Legaten noch etwas, so daß Leo die zu dieser Zeit einlaufende Aktensendung und die dazugehörige ep. 26 schon am 20. Juni kurz beantwortete und wohl dem nach Konstantinopel zurückkreisenden Boten Flavians mitgab.

4 Leo verlangte eine „libellaris satisfactio" von Eutyches auf der kommenden ephesinischen Synode und machte davon seine Wiederaufnahme in die Communio abhängig: LME I (4 b) 12,89-13,92; ACO II IV (11) 15,5-10. Das gleiche Verfahren ist auch im ersten Teil des Briefes schon vorausgesetzt und im Brief an Flavian beschrieben: LME I (4 b) 11,27-33; ACO II IV (11)

Sinn der Einberufung des Konzils so: das ephesinische synodale Gericht solle den Prozeß neu aufnehmen, um dem Greis, dessen Auffassung bereits als irrig entlarvt sei, die Augen für die Wahrheit zu öffnen.[5] Aber da nun offensichtlich die dogmatische Grundlage des Prozesses, die Übereinstimmung im Glauben, in Frage stand, mußte die Absage an den Irrtum statt eines bloßen Widerrufs des Eutyches zur Aufgabe der Synode selber werden. Die Synode sollte nun zur Einmütigkeit des Glaubens finden durch die Abweisung des eutychianischen Irrtums, um so schließlich auch Eutyches selber vor die Entscheidung zu stellen.[6] Papst Leo erwartete die Rezeption seines Urteils.

2. Leos Haltung gegenüber dem kaiserlichen Hof

Mit der Betonung der Absicht, das Konzil solle das Glaubensbewußtsein in der Kirche durch die Verwerfung des Irrtums klären, suchte Leo zugleich eine Brücke zum Kaiser zu bauen. Mit ihm verband ihn die Auffassung, ein Offenlassen der Frage sei nicht zulässig, der eine Glaube erlaube keine Differenzen, eine Entscheidung sei notwendig, der Irrtum müsse beseitigt werden.[7] Sosehr aber auch Leo das Bemühen des Kaisers um Glaubenseinheit hervorhob und in seinem eigenen Sinn deutete — ein solches Bemühen weise auf das Wirken des Geistes und das Walten der Vorsehung hin —, so wenig ließ er doch einen Zweifel daran, daß er, Leo, dessen gewiß sei, was die Lösung der Glaubensfrage beinhalte. Der Irrtum des Eutyches ist für ihn bereits aufgedeckt; der Brief an Flavian beschreibt in breiterer Form, was die „katholische Kirche überall über das Geheimnis der Inkarnation des Herrn glaubt und lehrt".[8] Leo fügte sich demgemäß der Einberufung des Konzils — ohne es freilich jemals zu begrüßen —, indem er ihm jedoch selber eine Aufgabe stellte, die den Erwartungen des Kaisers stracks zuwiderlief.

Der freundliche Ton des Proömiums erhält übrigens sein Gegengewicht nicht bloß in der sachlichen Klarstellung, sondern auch darin, daß Leo die Einladung des Kaisers, Leo möge in eigener Person am Konzil teilnehmen,

---

14,4-9; ACO II II 1 (5) 32,17-33,2. Jedoch sagte Leo nun darüber hinaus, Pulcheria möge dahin wirken, daß die törichte, blasphemische Auffassung von Eutyches von allen (ab omnium animis) zurückgewiesen werde: LME I (4 b) 12,89-13,95; ACO II IV (11) 15,5-10 (vgl. 14,23-28).

5 LME I (3) 5,9-24; ACO II IV (7) 9,21-32.

6 Dies betonte Leo bezeichnenderweise nur gegenüber Pulcheria (vgl. Anm. 4). Im Brief an den Kaiser hob er hervor, an der Integrität des Bekenntnisses sei kein Zweifel möglich; LME I (3) 5,18f.; ACO II IV (7) 9,27f.

7 LME I (3) 4,5-5,9; ACO II IV (7) 9,17-21.

8 LME I (3) 5,25-27; ACO II IV (7) 9,32-10,2.

schweigend überging. Leo beantwortete diese Einladung auffallenderweise im Brief an Pulcheria, die ihm keinen Brief zukommen hatte lassen. Er bat sie um Entschuldigung, daß er der Einladung des Kaisers(!) nicht Folge leisten könne. Es sei ihm nicht möglich, sich den Bitten seiner Gläubigen zu entziehen, die durch seinen Weggang angesichts der äußersten Gefährdung – gemeint ist bekanntlich die Bedrohung durch Attila – in Unruhe und Verzweiflung allein gelassen wären.[9] Leos Entschuldigung gegenüber Pulcheria erklärt sich am besten aus der Annahme, er sei der Auffassung gewesen, daß gerade sie ein besonderes Interesse an seiner persönlichen Teilnahme am Konzil in Ephesus habe. Enttäuschte er nicht durch sein Fernbleiben die orthodoxen Kreise Konstantinopels, Flavian und die Bischöfe seiner Synode, die Klöster Konstantinopels, die Eutyches ablehnten und vor allem die im Kloster Hebdomon lebende Pulcheria? Leo ergänzte seine Entschuldigung. Nachdem er Pulcheria schon vor der Kenntnisnahme der Konzilseinberufung gebeten hatte, sie möge für die Freiheit der Kirche einstehen, nahm er nun im neuen, ergänzenden Teil des Briefes die Bitte nochmals auf: Pulcheria möge sich dafür einsetzen, daß alle sich vom Irrtum abwenden.[10] Leo erhoffte ein politisches Gegengewicht gegen den Kaiser, so daß der Kirche doch noch Raum für eine freie Entscheidung verbleiben könnte.

Wenige Tage später beurteilte Leo die Lage freilich noch düsterer. Der Grund liegt offensichtlich darin, daß Flavian ihm in seinem zweiten Brief, der soeben eingegangen war – geschrieben in der Atmosphäre, in der die Konzilsankündigung sich schon deutlich abzeichnete –, ganz offen gesagt hatte, Leo möge darauf bedacht sein, den Glauben des Kaisers zu stärken.[11] Der Kaiser mußte sich also doch noch unbedingter auf die eutychianische Seite gestellt haben, als Leo dies bisher annahm. Sogleich setzte er einen neuen Brief an den Kaiser auf (epist. 37). Für den heutigen Leser wirkt er bei näherer Betrachtung noch spannungsreicher als der Text des soeben abgesandten Schreibens.

Der Ton des Briefes war, besonders natürlich im Proömium – das breiter ausgestaltet ist als im vorangehenden Brief – äußerst höflich und verbindlich. Im Namen der ganzen Kirche verlieh Leo der Freude Ausdruck, daß der Kaiser sich um die Einheit des Glaubens mühe. Er raffte sich jetzt auch dazu auf, die Einladung zur persönlichen Teilnahme am Konzil zu erwähnen und den Kaiser um Verständnis zu bitten, daß er ihr nicht Folge leisten könne.

9 LME I (4b) 11,65-12,77; ACO II IV (11) 14,18-28.

10 LME I (4b) 12,89-93; ACO II IV (11) 5-9. Möglicherweise gehört die Bitte um Hilfe, die der Kirche die nötige Freiheit ermöglichen soll, schon zum neuen Teil, da sie zu ihm hinüberleitet und angesichts der Einberufung des Konzils besondere Dringlichkeit gewonnen hatte.

11 ACO II I 1 (5) 39,32-40,5; PE 43,20f.

Aber so entgegenkommend dies alles erschien, so klar und entschieden wagte Leo dem Kaiser dann doch zu sagen, daß nichts ihm erlaube zu kommen, ja sogar, daß es besser gewesen wäre, vom Konzil Abstand zu nehmen, da die Glaubenssache völlig klar sei und keinen Zweifel erlaube.[12]

3. Die Bedeutung des Tomus angesichts der Synode von Ephesus

Leo stellte sich der Aufgabe, welche die Einberufung einer Synode bedeutete, die vom Kaiser zugunsten von Eutyches ins Werk gesetzt war. Angesichts einer so dramatisch veränderten Situation darf man erwarten, daß der Papst seine Stellung gegenüber dem Konzil beschrieb, seine Haltung gegenüber Eutyches und seiner Lehre verdeutlichte und so zugleich die Bedeutung seines Schreibens an Flavian neu interpretierte.

Um das Letztere genau zu erfassen, legt es sich nahe, die beiden vorangehenden Phasen des Vorgehens Leos kurz zu rekapitulieren. In der ersten, vorbereitenden Zeitspanne beabsichtigte er, das letzte Urteil über die Wiederaufnahme von Eutyches in die Communio in die Hände des Gerichtshofes zu legen, den seine Legaten mit der endemischen Synode bilden sollten. Das Entscheidende wollte er freilich schon vorher selber tun: er sprach die Absicht aus, ein Urteil über die Glaubensfrage zu fällen, das dem Evangelium gemäß sei. Und er machte dabei seine Verantwortung geltend, das nicänische Bekenntnis vor einer verfälschenden Interpretation zu schützen. Als ihm die Akten zuhand waren, verwirklichte er sein Vorhaben und fällte ein Urteil über die zentrale Aussage von Eutyches auf dem Boden einer breiten Darlegung des Schriftzeugnisses. In dieser Phase charakterisierte er zugleich den Tomus. Im Brief an die konstantinopolitanischen Mönche beschrieb er ihn als Urteil über das Mysterium des Glaubens, nachdem er schon betont hatte, der eutychianische Irrtum sei zurückzuweisen. Im Blick auf den Tomus sprach er aber zugleich von einer Erläuterung des Entscheids. Dieses zweite Element ließ Leo auch im Schreiben an Bischof Julian anklingen. Dort begründete er den Verzicht auf eine breitere theologische Grundlegung seiner Glaubenshaltung in der Auseinandersetzung mit Eutyches, indem er auf sein Schreiben an Flavian verwies: dieses enthebe ihn einer erneuten gründlichen Erörterung des großen Stoffes.[13]

Angesichts des Konzils, das in den Augen Leos unter so ungünstigen Auspizien sich versammeln sollte, ließ er die Kennzeichnung des Tomus als

12 Ep. 37 vom 20. Juni: ACO II IV (15) 17,18-18,3.
13 LME I (6) 17,105-109; ACO II IV (5) 8,22-25. – Zur Würdigung des Tomus siehe A. *Grillmeier*, Jesus der Christus, 734-750.

45

einer theologischen Darlegung in den Hintergrund treten. Um so stärker betonte er jetzt seinen Charakter als Glaubensurteil. Nun war der Brief an Flavian vom Papst nicht mehr nur für den Patriarchen und die ganze Kirche in Konstantinopel gedacht, sondern für die gesamte Kirche. Sie sollte erkennen, was der römische Bischof im Blick auf den einen und einzigen, in den Ursprung zurückreichenden Glauben als durch göttliches Zutun tradiert festhält und unumstößlich verkündet.[14] Der Tomus als Bezeugung der Glaubenstradition! Deshalb kann die ganze Kirche ihren Glauben in ihm wiedererkennen: er enthält, so formulierte Leo, was sie überall glaubt und lehrt.[15] Im Brief an die Synode schließlich kennzeichnete er den Tomus bündig als Verurteilung des Irrtums von Eutyches, welche die Glaubenseinheit ermögliche.[16] Nur in einer einzigen Wendung deutete er — im Brief an den Kaiser wie in jenem an die Synode — an, daß sein Schreiben an Flavian den Glauben der Kirche „voller enthalte", d. h. theologisch begründe und erörtere.[17]

Je eindringlicher der Papst auf die Entscheidung verwies, die mit seinem Tomus gegeben war, desto mehr stellte sich die Frage, welche Konsequenzen für die Synode sich daraus ergaben. Da Leo im Brief an die Konzilsväter die gesamte Problematik wenigstens in einem ersten Umriß erfaßte, gewinnt dieses Schreiben für unser Thema neben dem Glaubensbrief an Flavian vorrangige Beudeutung.

4. Die angesagte Synode und die sedes apostolica

In dem Schreiben an die Synode, die in Ephesus zusammentreten sollte,[18] deutete Papst Leo die Einladung des Kaisers, die ihm zuteil geworden war, als Anerkennung der Autorität des Apostolischen Stuhles. Sieben bezeichnet den Anfang des Briefes 33 zu Recht als „ein Meisterstück diplomatischer Briefschreibekunst". Das dem Kaiser gezollte Lob klinge zunächst wie eine

---

14 „. . . ad fratrem nostrum Flavianum sufficientia pro qualitate causae scripta direxi, quibus et vestra dilectio et Ecclesia universa cognoscat, de antiqua et singulari fide quam indoctus impugnator incessit, quid divinitus traditum teneamus, et quid inmutabiliter praedicemus." LME I (7) 19,29-34; ACO II IV (13) 16,34-17,2 (ep. 34 an Julian von Kos).

15 „Quid autem catholica Ecclesia universaliter de sacramento dominicae incarnationis credat et doceat, ad fratrem et coepiscopum meum Flavianum plenius continent scripta quae misi." LME I (3) 5,24-27; ACO II IV (7) 9,32-10,2 (ep. 29 an Kaiser Theodosius).

16 „Acceptis autem fratris et coepiscopi nostri Flaviani litteris plenius ad eum de his quae ad nos videtur rettulisse rescripsimus, ut abolito hoc qui natus videbatur errore, in laudem et gloriam Dei per totum mundum una sit fides, una eademque confessio . . ." LME I (8) 21,45-52; ACO II IV (12) 16,8-13 (ep. 33).

17 Vgl. Anm. 15 und 16.

18 Ep. 33, LME I (8) 19,6-20,16; ACO II IV (12) 15,13-22.

captatio benevolentiae, erweise sich schließlich „aber als ein Wink mit dem Zaunpfahl", des Kaisers vorgebliches Interesse an der Konzilsbeteiligung des Papstes werde interpretiert als dessen Wunsch, von „Petrus" den rechten Glauben zu erfahren.[19] Doch wird man Leos Worte nicht einfachhin als einen raffinierten Schachzug interpretieren dürfen. Leo dürfte zu diesem frühen Zeitpunkt die Einladung zur Teilnahme, vor allem zu der vielleicht von Pulcheria befürworteten persönlichen Teilnahme, die vom Kaiser ausgesprochen wurde, als einen Hinweis dafür angesehen haben, daß der Kaiser sich nicht ohne jede Reserve so sehr auf die Seite der eutychianischen Partei stellen wollte, daß dem Konzil jeder Freiheitsraum genommen war.

Es ist auch zu bedenken, daß das Schreiben weder an die erweiterte endemische Synode in Konstantinopel (Jalland) noch an den Kaiser (Sieben) gerichtet ist, sondern an das angesagte Konzil von Ephesus.[20] Wenn Leo angesichts der Väter der Synode, die in den Sog der vom Hof geförderten eutychianischen Lehre geraten konnten, die Einladung des Kaisers an den Apostolischen Stuhl hervorhob und deutete, so besagte dies einen Appell an die Konzilsväter, ihn als Garanten einer freien kirchlichen Entscheidung zu betrachten. Damit ist freilich das Entscheidende noch nicht getroffen.

In dem Augenblick, in dem es um die Freiheit der Kirche ging, in dem sich zugleich die Frage nach der Klärung des Glaubens in einer grundlegenden Schicht und im gesamtkirchlichen Horizont stellte, gewann vor allem die ekklesiale Problematik eine neue Dimension: Wie ist die Stellung der sedes apostolica innerhalb eines solchen, von der gesamten Ökumene beschickten „episcopale concilium" zu sehen? Leo wies im Eingang des Briefes an die Synode auf die Szene von Cäsarea Philippi (Mt 16,13ff.) hin. Sieben deutet dies so: Die Jünger geben die „vielfältigen Stimmen von je einzelnen" wieder, bevor Petrus spricht, und so zeigt sich das Konzil ohne das Zeugnis des Papstes „als Resonanzboden der Uneinigkeit verschiedenster Richtungen und Meinungen".[21] Eine solche Deutung ist unzutreffend, da Leo das Bekenntnis von Petrus nicht dem Glaubenszeugnis der übrigen Jünger kontrastierend gegenüberstellt. Die Jünger sind vielmehr nach den Ansichten der Leute befragt und berichten, diese vorbereitende Frage beantwortend, von den verschiedenartigen Meinungen einzelner Gruppen des Volkes. In dem Augenblick aber, da die Jünger nach ihrer eigenen Auffassung befragt sind, ist es Petrus als Princeps der Apostel, der antwortet. Von einer Uneinigkeit der Jünger ist hier keine Rede, vielmehr legt Petrus in ihrer Mitte

---

19 *Sieben*, Konzilsidee, 139; Konzilsidee V, 394.
20 Vgl. Anhang III.
21 *Sieben*, Konzilsidee 140; Konzilsidee V, 394.

das Bekenntnis ab, das vom Vater eingegeben ist und um dessentwillen ihm die Verheißung zuteil wird.

Unter den Bischöfen, die sich zur Synode versammeln, nimmt die sedes apostolica eine ähnliche Stellung ein, wie Petrus unter den Jüngern im Augenblick seines Bekenntnisses zu Jesus, dem Christus. Die Synode erreicht ihr Ziel, wenn die Autorität des apostolischen Stuhles zur Geltung kommt, wenn also dem Rechnung getragen wird, was in göttlicher Einsetzung verankert ist. Das aber geschieht dann, wenn der römische Bischof vor den übrigen Bischöfen den Glauben bezeugt. Mit Betonung muß freilich gesagt werden: Leo sah sich damit nicht auf gleicher Stufe mit Petrus, er betrachtete sich nicht als Autorität, die in gleicher Weise das wahre Bekenntnis verkündigt. Vielmehr stellte er sich als Interpreten des Apostels dar, der das Bekenntnis Petri zu dolmetschen vermag. Damit wußte sich Leo unbedingt an das apostolische Zeugnis gebunden, zugleich aber bevollmächtigt und befähigt, es so authentisch zu vergegenwärtigen und zu erklären, daß man in ihm Petrus selber hört.

Der Papst verstand den Verweis auf seine Vollmacht nicht als etwas in sich Geschlossenes, sondern verknüpfte ihn mit seiner Deutung der Botschaft des Evangeliums. Mit ihm wollte er zum grundlegenden Bekenntnis Petri hinführen. Dabei war er dessen gewiß, daß allein in diesem der Auffassung von Eutyches entgegengesetzten Verständnis das Zeugnis des Apostels erfaßt ist. Zugleich war er aber auch davon überzeugt, daß, wer nur verständig und lebendig glaubt, auf dem Glaubensweg Petri verbleiben und sein Bekenntnis erfassen kann. Und so versuchte er zu überzeugen. Wenn Jesus, der sich in seiner Frage an die Jünger als Menschensohn bezeichnet, von Petrus als Christus, der Sohn des lebendigen Gottes, bekannt wird, so ist also derjenige, der wahrhaft Menschensohn ist, zugleich wahrhaft Sohn Gottes und so aus beiden Naturen ein einziger, unbeschadet der Eigentümlichkeit der Naturen.[22] Damit unterstrich er den Konsens, der die streitenden Parteien noch verband. Er betonte die Einheit im menschgewordenen Sohn Gottes und scheute sich auch nicht, dies terminologisch mit der später

22 „Religiosa clementissimi principis fides sciens ad suam gloriam maxime pertinere, si intra Ecclesiam catholicam nullius erroris germen exsurgeret, hanc reverentiam divinis detulit institutis, ut ad sanctae dispositionis effectum, auctoritatem apostolicae sedis adhiberet, tamquam ab ipso beatissimo Petro cuperet declarari, quid in eius confessione laudatum sit, quando dicenti Domino: ‚Quem me esse dicunt homines filium hominis‘ varias quidem diversorum opiniones discipuli memorarunt, sed cum ab eius quid ipsi crederent quaereretur, princeps apostolorum plenitudinem fidei brevi sermone conplexus: ‚Tu es‘, inquit, ‚Christus filius Dei vivi‘. Hoc est tu qui vere es filius hominis, idem vere es filius Dei vivi, tu inquam verus in deitate, verus in carne, et salva geminae proprietate naturae utrumque unus." LME I (8) 19,6-20,19; ACO II IV (12) 15,13-22. Schon im Schreiben an Flavian verknüpfte Leo das Bekenntnis von Petrus mit seiner Einsetzung durch Christus, die principalis petra – den Felsen, der ihm Festigkeit und Stärke gibt: ACO II II 1 (5) 30,3-9.

suspekten Formulierung „aus beiden" (Naturen) zum Ausdruck zu bringen.[23] Leos Urteil in der Sache – soweit es mehr ist als eine Bestätigung des gemeinsamen Glaubensbewußtseins – lag einzig darin, daß er betonte, die Einung der Naturen hebe nicht die Unterschiedenheit und Eigenart der göttlichen und menschlichen Natur auf. Im Blick auf die Formel „Einung aus zwei Naturen", die so verschieden gedeutet wurde, machte Leo also geltend, man müsse auf Jesus, wie er in den Evangelien begegnet, schauen: von ihm werde gesagt, er sei Sohn Gottes. Es ist deshalb nicht möglich, wie Eutyches von einem Vorher und Nachher in bezug auf die Menschwerdung zu sprechen und dabei die Eigentümlichkeit der beiden Naturen nur mehr auf das Vorher zu beziehen.

Indem er die Auffassung des Archimandriten abwies, griff Leo das Urteil auf, das er schon im Schreiben an Flavian gefällt hatte. Ja, er konnte hier die ganze Aufgabe des Tomus als Verurteilung dieser Lehre kennzeichnen. Die gleiche Aufgabe stellte er nun auch der Synode: in Einmütigkeit sollten die Konzilsväter zusammen mit den Legaten die Deutung von Eutyches verurteilen. Die Möglichkeit eines Zwiespalts deutete er nirgends an. Wenn man dem Gang seiner Darlegung folgt, läßt sich seine Zuversicht aus der Gewißheit ablesen, er vermöge als Inhaber des apostolischen Stuhles aufgrund göttlicher Einsetzung das Bekenntnis recht zu deuten – ein Bekenntnis, das sich jedem eröffnet, der wirklich glaubt. Erwartete Leo eine allein auf seine petrinische Autorität bauende Zustimmung der Konzilsväter?

Aus dem Schreiben an die ephesinische Synode allein kann darauf keine eindringende Antwort gegeben werden. Erst später wird er sich ausführlich zur Frage äußern, wie er sich die Rezeption seines Urteils dachte. Aber ein grundlegendes Darum tritt jetzt doch schon hervor. Der Papst verstand das zu erwartende synodale Handeln der Bischöfe als ein Glaubensurteil. Die Irrlehre sollte durch ein „volleres Urteil" zunichte gemacht werden, aufgrund dessen über Eutyches selbst verhandelt werden konnte.[24] Zudem griff

23 Leo schloß sich damit an die Formel Flavians an, welche auf der Schlußsitzung der endemischen Synode eine entscheidende Rolle spielte. Wie Flavian betonte er die Einheit sehr stark. So sprach er nicht von „deus perfectus – homo perfectus", sondern – hier in der ihm eigentümlichen Terminologie – von Christus als „verus in deitate, verus in carne"; vgl. Anm. 22.

24 „Verum quia etiam talium non est neglegenda curatio, et pie ac religiose christianissimus imperator haberi voluit episcopale concilium, ut pleniore iudicio omnis possit error aboleri, fratres nostros Iulium episcopum, Renatum presbyterum et filium meum Hilarum diaconum, cumque his Dulcitium notarium probatae nobis fidei misi, qui vice mea sancto conventui vestrae fraternitatis intersint, et communi vobiscum sententia quae Domino sint placitura constituant. Hoc est ut primitus pestifero errore damnato, etiam de ipsius qui inprudenter erravit restitutione tractetur . . ." LME I (8) 20,31-21,43; ACO II IV (12) 15,30-16,6. Im gleichen Brief an die ephesinische Synode sagte Leo zuvor ganz entschieden, Eutyches sei vom rechten Glauben abgeirrt, er habe sich vom Bau der Kirche losgetrennt, indem er dem Evangelium Christi widerspreche: LME I (8) 20,19-30; ACO II IV (12) 15,22-30. Ebenso deutlich sprach Leo

Leo jetzt die Argumentation auf, die er im Schreiben an Patriarch Flavian ausgebreitet hatte, und erwartete damit eine echte theologische Prüfung des Problems. Er faßte im Schreiben an das Konzil den Kerngedanken des Tomus zusammen und verwies am Schluß des Schreibens noch ausdrücklich auf ihn, wie er auch in den Schreiben an den Kaiser und an Pulcheria im Schlußabschnitt an den Tomus erinnerte. In ihm aber suchte Leo durch eine breite theologische Erörterung, die vom Apostolicum und vom Zeugnis der Schrift ausging, zu seinem abschließenden Urteil hinzuführen und es als unumgänglich zu erweisen. Sein Urteil sollte, wie er im Brief an Julian von Kos schrieb, als Wiedergabe der Überlieferung erkennbar sein.[25] Freilich ist das Wort an die Synode, dessen Verlesung die Legaten in Ephesus vergeblich fordern werden, nicht das Schreiben an Flavian – wie schon Jalland feststellte –[26] (oder zumindest nicht an erster Stelle), sondern Epist. 33 „an die heilige Synode, die in Ephesus versammelt ist". Der Glaubensbrief an den Patriarchen konnte in der Kürze der Zeit wohl kaum als ganzer für die synodale Arbeit übertragen werden. Aber er konnte doch konsultiert werden, zumal Julian von Kos als Übersetzer bereitstand.

Der Papst erwartete von der ephesinischen Synode also eine Rezeption seines Urteils aufgrund synodaler Prüfung der Glaubensfrage. Er stellte ihr die Aufgabe, mit ihm über die Irrlehre das Urteil zu sprechen, von dieser Basis aus Eutyches zu vernehmen und dann darüber zu entscheiden, ob dem Archimandriten die Communio gewährt oder verweigert werden solle.

II. Konzeption und Verlauf der Synode

Die Zweite Ephesinische Synode erhält im Bereich unserer Fragestellung eine mehrfache Bedeutung. Sie stellt in ihrem Verlauf selbst eine Aussage dar; die Berichterstattung über sie erhellt die Frage weiter, und schließlich wird die Prüfung, der sie in Chalcedon unterworfen wird, neues Licht in unser ekklesiologisches Problem bringen.

Zunächst ist eine Vorbemerkung historischer Art von Belang: Die Darstellung des Verlaufs der Synode, die im folgenden geboten wird, sucht neben den von Dioskur herausgegebenen Konzilsakten vor allem den Bericht, den Flavian in seinem Appellationsschreiben bietet, zur Grundlage

gegenüber dem Kaiser: „. . . ut quia dubitari non potest quae sit christianae confessionis integritas, et totius erroris pravitas damnaretur . . ." LME I (3) 5,18-20; ACO II IV (7) 9,27-29.
25 Vgl. Anm. 14. Der Verweis auf den Tomus im Schlußabschnitt des Schreibens an die Synode ist in Anm. 16 zitiert; vgl. den Hinweis im Brief an den Kaiser (Anm. 15) und in ep. 30 an Pulcheria (LME I [4] 7,46-49; ACO II IV [8] 11,2-4).
26 *Jalland*, St. Leo, 229, 239.

zu nehmen.[27] Ein weiterer Zugang zu den Geschehnissen, nämlich die Bemerkungen orientalischer und konstantinopolitanischer Konzilsväter auf dem Konzil von Chalcedon, wird in unserem Zusammenhang von geringerer Bedeutung sein, da ihre Kommentare auf weite Strecken der Frage der Nötigung und somit großenteils ihrer eigenen Entschuldigung gewidmet sind, die für unser Problem weniger belangvoll ist. Immerhin nennen sie – mit anderen Quellen – die tumultuarischen Ereignisse nach dem Contradicitur des römischen Diakons und erweisen damit die Lückenhaftigkeit der Akten an einem entscheidenden Punkt.[28] Da sie somit das Vertrauen in die Ausgewogenheit und Vollständigkeit der Akten erschüttern, gewinnen ergänzende Ansätze einer Berichterstattung, wie sie bei Flavian vorliegen, eine besondere Bedeutung.

Dabei sind alle Berichte mit kritischer Vorsicht gegeneinander abzuwägen, da die Berichtenden die verschiedenen Gruppierungen der Synode selber repräsentieren. Besonders wichtig ist es, die beiden Gesamtdarstellungen zu vergleichen, Flavians knappen Bericht, der unter dem unmittelbaren Eindruck der Geschehnisse verfaßt ist, und die Konzilsakten, die ebenfalls rasch veröffentlicht wurden. Beide Beschreibungen bieten viele Übereinstimmungen und so auch zuverlässige Fakten, aufgrund deren es möglich wird, Auslassungen und tendenziöse Färbung zu erkennen, vor allem aber die tieferen Intentionen von Dioskur und Flavian zu erheben. So gewähren sie zugleich Einblick in beider Haltung gegenüber Konzil und sedes apostolica. Bevor diese historischen und theologischen Aspekte im einzelnen erläutert werden, soll zunächst der Verlauf der Synode zur Darstellung kommen, der von Anfang an sehr bewegt ist und die tiefere Dramatik des Geschehens anzeigt.

1. Das Konzilsprogramm des Kaisers und Dioskurs

Die Weichen für den Verlauf der Zweiten Ephesinischen Synode wurden von der eutychianischen Richtung in engster Verbindung mit dem Hof während

27 Die ephesinischen Akten sind in den Akten der ersten Sessio von Chalcedon erhalten, die hier nach der von Schwartz veranstalteten Ausgabe zitiert werden (ACO II I 1). Die lateinische, von Leo kurz nach Beendigung der ephesinischen Synode besorgte Version findet sich in der Collectio Novariensis (ACO II II 1 [10,1-407] 42-77); hier sind auch die Appellationen von Flavian und Eusebius dokumentiert: ebd. (11f.) 77-81. Eine weitere lateinische Fassung bieten die Akten des Konzils von Chalcedon (ACO II III 1).

28 Die Anmerkungen von Konzilsvätern zur Zweiten Synode von Ephesus sind über die erste Sessio verstreut (ACO II I 1). Eine weitere Quelle ist das Appellationsschreiben von Eusebius von Doryläum in der Coll. Novar.: ACO II II 1 (12) 79-81. Der Bericht des Diakons Hilarus und des Patriarchen Flavian spiegelt sich in Leos, von der römischen Synode getragenen Schreiben vom 13. 10. 449: ep. 44 (LME I (12) 26-29; ACO II IV (18) 19-21); ep. 45 (LME I [13] 34-36; ACO II IV [23] 23-25); ep. 51 (LME I [14] 37f.; ACO II IV [24] 25f.); ep. 50 (LME I [15] 38-40; ACO II IV [19] 21f.).

der Monate vor dem Beginn des Konzils immer eindeutiger gestellt. Dies zeigt sich schon in der Appellation von Eutyches. Dort hob der Archimandrit das Verbot des Konzils von Ephesus (431), ein neues Glaubensbekenntnis zu erstellen, hervor, um seine Haltung im Prozeß zu begründen.[29] In der Überprüfung der Akten, die er angestrengt hatte, ging es ihm nicht zuletzt ebenfalls um seine Berufung auf die Alleingeltung des nicänischen Bekenntnisses; er behauptete, ein entsprechender Hinweis von seiner Seite sei nicht in die Akten der endemischen Synode aufgenommen worden.[30]

Die Weisungen Theodosius' II. zielten nicht nur darauf ab, den Archimandriten zu stützen, sondern griffen auch seine Argumentation auf. Das Einberufungsschreiben des Kaisers nannte ohne nähere Kennzeichnung als Begründung für die Einberufung des Konzils die neu entstandenen Glaubensdifferenzen. Damit war andeutungsweise Flavian (und die endemische Synode) für den dogmatischen Streit verantwortlich gemacht. Denn die Stoßrichtung der ökumenischen Synode sollte eine antinestorianische sein: Theodoret wurde diskreditiert, er sollte kaum hoffen dürfen, am Konzil teilnehmen zu können.[31] Ein konkreteres Programm stellte das Schreiben dar, in dem der Kaiser die Leitung des Konzils dem alexandrinischen Patriarchen anvertraute. Theodosius II. begründete die Übertragung des Vorsitzes an Dioskur vor allem im Blick auf Theodoret und stellte ihm gegenüber Juvenal von Jerusalem und Thalassius von Cäsarea in Kappadozien mit ihren Anhängern als Verfechter des rechten Glaubens an die Seite Dioskurs. Als zu bekämpfende Gruppe unter den Bischöfen zeichnete er diejenigen, die Nicäa keine Alleingeltung zubilligen wollten und sich deshalb nicht an das Konzil von Ephesus hielten. Er gab strenge Weisung, denen, die es wagen sollten, auf der Synode in diesem Sinn zu reden, keine „Parrhesie" zu gewähren; sie sollten vielmehr dem Urteil von Dioskur unterworfen sein.[32] Damit war die Frage der Rechtgläubigkeit vorab entschieden, die

29 ACO II II 1 (6) 34,1-3; dazu kommt die beigefügte Dokumentation über Ephesus: ebd. (9,13) 42,7-35.

30 Diese Absicht zeigt sich schon bei der Prüfung der Frage, warum Flavian das Libell von Eutyches nicht habe amtlich verlesen lassen (ACO II I 1 [728] 167,19-23). Sie tritt noch deutlicher hervor in der Behauptung, Eutyches habe bei dem freien Vortragen seines Bekenntnisses hervorgehoben, an Nicäa und Ephesus festzuhalten; dies sei aber in den Akten nicht verzeichnet (ebd. [737] 168,30-34). Ein solches Bestreben wird gerade an dieser Stelle um so deutlicher sichtbar, als die Bischöfe, die zur Überprüfung beigezogen waren, die Behauptung von Eutyches einmütig zurückwiesen (ebd. [738-753] 168,35-170,4).

31 ACO II I 1 (24) 68,2-69,8. Später, im Schreiben an die Synode wird der Kaiser noch deutlicher Flavian wegen seines Verhaltens auf der endemischen Synode als den für den Glaubenszwist Verantwortlichen herausstellen: ACO II 1 1 (51) 73,21-74,6.

32 ACO II I 1 (52) 74,9-30. In unserem Zusammenhang ist besonders der Schlußsatz wichtig (ebd. 24-28): „τοὺς γὰρ κατά τι προσθήκην τινὰ ἢ μείωσιν τῶν ἐκτεθέντων περὶ τῆς πίστεως παρὰ τῶν ἁγίων ἐν Νικαίᾳ πατέρων καὶ μετὰ ταῦτα ἐν Ἐφέσῳ ἐπιχειρήσαντας εἰπεῖν οὐδε-

synodale Freiheit aufs äußerste eingeschränkt, aber zugleich auch die Richtung angezeigt, in der die Synode zu ihrem Ziel kommen sollte: der Verweis auf den Verstoß gegen Nicäa und Ephesus sollte für Dioskur den Hebel bieten, um die dogmatischen Argumente der Gegenseite zu entwerten oder sie vielmehr gar nicht zur Geltung kommen zu lassen.

Dioskur sah am Beginn des Konzils seine Aufgabe darin, dieses Programm vorzulegen, ihm Geltung zu verschaffen und dann eine Konzeption des Konzilsverlaufs durchzusetzen, auf deren Schienen die Synode möglichst sicher zu dem vorgezeichneten Ergebnis kommen konnte. Nach einem kurzen einleitenden Wort des Protonotars Johannes, das die Absicht des Kaisers nur ganz allgemein umschrieb, gab er zunächst die Weisung, es möchten die Einladungsschreiben des Kaisers an die einzelnen Metropoliten verlesen werden.[33] Kaum war freilich das Berufungsschreiben an Dioskur, in dem zugleich der voraussichtliche Ausschluß Theodorets von der Teilnahme am Konzil angezeigt war, verlesen, als die römische Legation ihrerseits einen Vorstoß machte, der für das Programm des Konzils von höchster Bedeutung sein konnte. Den Hinweis von Bischof Julius, das Schreiben des Kaisers an Papst Leo habe den gleichen Inhalt und brauche deshalb nicht verlesen zu werden, benutzte nämlich der Diakon Hilarus zunächst dazu, die Abwesenheit des Papstes zu entschuldigen und die Gegenwart der Legaten als Präsenz des Papstes selbst darzustellen. Er gab kund, die Legaten wollten als Vertreter des Inhabers des Apostolischen Stuhles nach den Intentionen Leos alles tun, was die Reinheit des Glaubens und die Ehrfurcht gegenüber dem Apostel Petrus erfordere. Vor allem aber bat er sogleich um die Verlesung des Briefes des Papstes an die Synode.[34]

Diese Interlokution war für Dioskur alles andere als bloß eine deplacierte und verfrühte Stellungnahme. Dem Ersuchen stattzugeben, hätte bedeutet,

---

μίαν παντελῶς παρρησίαν ἐν τῇ ἁγίᾳ συνόδῳ ἔχειν ἀνεχόμεθα, ἀλλὰ καὶ ὑπὸ τὴν ὑμετέραν εἶναι κρίσιν βουλόμεθα . . .“
Der Sinn dieser Anweisung, die sich im Begriff Parrhesie kristallisiert, wird sich im Verlauf der Diskussion über das konziliare Programm noch deutlicher herausstellen. In Vorwegnahme dieser Ergebnisse kann jedoch gesagt werden: das Ausschließen der Parrhesie bedeutet, daß die Bischöfe auf seiten Flavians aus prinzipiellen Gründen — wegen der Alleingeltung von Nicäa — keine Aussicht haben, in ihrer Sache zum Erfolg zu kommen; es heißt aber zugleich, daß den Bischöfen der endemischen Synode in diesem zentralen Bereich die Redefreiheit genommen ist. Dies wird von Elpidius ganz klar ausgesprochen in dem Augenblick, als Flavian seine Sache durch das Auftreten von Eusebius von Doryläum zur Geltung bringen will: der Patriarch habe keinen Anspruch „zu lehren“ und die Konzilsväter würden ihm dazu auch keine Parrhesie geben: „Ὁ θειότατος βασιλεὺς . . . παρεκελεύσατο τοὺς κρίναντας ἤδη ἐν τάξει κρινομένων ὑπάρχειν καὶ διδασκαλίας μήπω καιρὸν ἔχειν, μη(δὲ) ταύτης τὴν παρρησίαν δόντων ὑμῶν.“ Ebd. (197) 97, 17-20. Vgl. auch Anm. 39.
33 ACO II I 1 (80) 82,19-21.
34 Ebd. (82f.) 82,27-83,14; lateinische Versionen: ACO II II 1 (10,5f.) 44,11-24; ACO II III 1 (82f.) 58,9-24.

53

die Glaubensfrage selber ins Spiel zu bringen und behandeln zu lassen, und zwar von einem dogmatischen Ansatz her, der den Interessen Dioskurs stracks zuwiderlief. Noch bevor das kaiserliche Programm für das Konzil vorgelegt war, wurde es auf diese Weise schon in Frage gestellt und gefährdet; es zielte nämlich, wie sich zeigen wird, auf die Anklage wegen Neuerung und so auf die Haltung gegenüber der Tradition. Wie in einem ersten Aufblitzen trat damit der kaiserlichen Autorität die päpstliche gegenüber, das leoninische Programm dem theodosianischen.

Fürs erste fiel es der vom Kaiser eingesetzten Konzilsleitung nicht schwer, Hilarus höflich zu begegnen und seinem Begehren – wenigstens dem Anschein nach – Rechnung zu tragen, zugleich aber das eigentliche Anliegen seines Ersuchens zu ignorieren. Dioskur gab nur den Auftrag, das Schreiben des Papstes entgegenzunehmen, nicht aber, es zu verlesen und in die Akten aufzunehmen.[35] Als nun der Notar des Konzils auf ein weiteres Schreiben des Kaisers verwies, das er in der Hand habe und das noch nicht verlesen sei, griff Juvenal den Vorschlag gerne auf und befahl die Verlesung des kaiserlichen Schriftstücks mit dem ergänzenden Vermerk, das Schreiben in die Akten aufzunehmen. Anstelle des päpstlichen Briefes wurde demgemäß das kaiserliche Schreiben vorgetragen, das den Mönch Barsumas entgegen der konziliaren Tradition als Vollmitglied des Konzils legitimierte. Es sollte die orientalischen Bischöfe, soweit sie auf der Seite Flavians standen, vor dem Konzil verdächtigen und wohl auch einschüchtern. Ferner kennzeichnete es die Bischöfe, gegen die Barsumas mit seinen Mönchshaufen aufgetreten war, als nestorianische Bischöfe, und nahm damit das Ergebnis des Konzils vorweg: der Mönch kämpfte für den rechten Glauben.[36]

Auch jetzt wurde das Schreiben Leos nicht verlesen. Vielmehr fand die Darstellung des kaiserlichen Konzilsprogramms in der Verlesung des Schreibens an die kaiserlichen Beamten Elpidius und Eulogius sowie des Briefes an die Synode ihren Höhepunkt. Das kaiserliche commonitorium an die beiden Beamten erschien Dioskur als so bedeutsam, daß er sie aufforderte, vor dem Konzil zuerst eine einführende Erklärung abzugeben. Elpidius sprach die Synodalen als „Väter und Richter" an. Dies konnte den Anschein vermitteln, der Kaiser werde dem Konzil die nötige Freiheit geben und es als Instanz, die die Glaubensentscheidung treffen mußte, respektieren. Das um so mehr, als der Beamte eine Mahnung gab, die von den Bischöfen als Aufforderung verstanden werden konnte, sie sollten den Glauben nicht in Zweifel ziehen

---

35 Der Vorgang wird in Anhang VI interpretiert.
36 ACO II I 1 (48) 71,9-31; das Geschehen auf der Synode: ebd. (85f.) 83,18-23; (107-109) 85,7-12.

und so sich hüten, gegen das nicänische Bekenntnis zu verstoßen. Aber was wie ein Hinweis auf die verbindliche dogmatische Tradition erscheinen konnte, war in Wahrheit eine höchst konkrete Direktive, welche die Entscheidung der Konzilsväter in eine bestimmte Richtung lenken sollte. Elpidius warnte davor, den Glauben über die nicänische Ekthesis hinaus zu erörtern. Drohend fügte er hinzu, daß Bischöfe, die so etwas wagen sollten, mit der Strafe nicht nur Gottes, sondern auch des Kaisers zu rechnen hätten.[37] Damit nahm er nur die Drohung des commonitorium vorweg, das verfügte, wer sich über diese Weisung hinwegsetzen sollte, sei gefangenzusetzen und beim Kaiser anzuzeigen.[38]

Vor allem aber war in diesem kaiserlichen commonitorium, das nun zur Verlesung kam, festgesetzt, daß Flavian und alle an der endemischen Synode beteiligten Bischöfe von der Urteilsbildung ausgeschlossen sein sollten: sie dürften zwar anwesend sein, aber nicht das Wort ergreifen und nicht urteilen. Als Begründung für eine solche Maßnahme wurde angegeben, jetzt werde das Urteil dieser Synode überprüft. Das eigentliche Motiv zeigte sich freilich in der Anweisung, die Beamten dürften es nicht zulassen, daß Verwirrung und lauter Streit zum Nachteil des Glaubens entstehe. Dies konnte an sich als Order, einen tumultuarischen Disput zu verhindern, verstanden werden. In Wirklichkeit sollte eine Diskussion „zuungunsten des Glaubens" verhindert werden. Das Konzil sei einberufen worden, um überall die Glaubensverwirrung zu beheben.[39]

Vollends deutlich wird der Sinn der Anweisung im Schreiben des Kaisers an die ephesinische Synode, das nun zur Verlesung kam. Es warf Flavian gerade das vor, was dem Konzil nicht erlaubt sein sollte: er habe den wiederholten Weisungen des Kaisers, nicht über Nicäa — und Ephesus, das

---

37 Ebd. (111) 85,16-86,7, bes. 86,1-3: „. . . ὡς εἴ γέ τινας εὕροι τὸ γνήσιον τῆς εὐσεβείας ἐκβάλλοντας τῆς διανοίας καὶ τὰ πιστευόμενα τέχνῃ ῥημάτων εἰς ἀμφισβήτησιν ἄγοντας παρὰ τὴν ἔκθεσιν τῶν ἁγίων πατέρων φεῦ τῆς ἐπ'αὐτοῖς ἑκατέρας ψήφου θεοῦ τε καὶ βασιλέως."
38 Ebd. (49) 72,12-25.
39 Ebd. 72,5-12. Auch hier zeigt sich die Stoßrichtung gegen den Nestorianismus und so gegen die endemische Synode. Den Auftrag, gegen jeden einzuschreiten, der sich zum Schaden des Glaubens an Verwirrung und Streit beteiligen sollte „ἀλλὰ καὶ εἴ τινα συνίδοιτε ταραχαῖς καὶ θορύβοις χρώμενον ἐπὶ βλάβῃ τῆς ἁγιωτάτης πίστεως . . . (17 f.), interpretierte Elpidus selbst als Anweisung, gegen die vorzugehen, die den Glauben über die Ekthesis von Nicäa hinaus bzw. gegen sie in Frage stellen (ebd. [111] 86,1-3). Es geht also nicht um die Situation einer tumultuarischen Diskussion. In die gleiche Richtung weist das Schreiben des Kaisers an die ephesinische Synode, das Flavian vorwarf, er habe auf der endemischen Synode Verwirrung (ταραχήν) heraufbeschworen und Streit (θορύβου) in die ganze Ökumene hineingetragen; solches geschah mit der Untersuchung (ζήτησιν), die Flavian dort veranstaltete (ebd. [51] 73,24-74,6). Eine weitere Bestätigung bietet das Urteil von Dioskur über Flavian, mit der Verwirrung (ταραχῆς) und dem Skandal, den der Patriarch durch sein Untersuchen und Neuern über das nicänische Bekenntnis hinaus auf der endemischen Synode verschuldet habe: ebd. (962) 191,9-23. .

Nicäa bestätigte — hinauszugehen, keine Beachtung geschenkt, sondern habe auf der endemischen Synode den Glauben erörtert. Ein solches Vorgehen wurde nun mit einem neuen Aufkeimen der nestorianischen Irrlehre in Verbindung gebracht. Das Konzil erhielt die konkrete Anweisung, den rechten Glauben — das nicänische Bekenntnis also — als unumstößlich zu bekräftigen und Anhänger des Nestorius aus der Communio auszuschließen.[40] Insgesamt bedeutete dies nichts anderes, als dem Konzil die offene Diskussion der Glaubensfrage und die freie Entscheidung zu verweigern und statt dessen das Vorgehen Flavians und der endemischen Synode an einem bestimmten Traditionsprinzip zu messen.

2. Das Ringen um Programm und Tagesordnung

Die Konzilsleitung hatte somit das konziliare Programm des Kaisers verkündet. Nun kam es für sie darauf an, es bestätigen zu lassen und eine entsprechende Tagesordnung festzulegen. Dies hieß, zuerst die Tradition in dem beschriebenen Sinne zu sanktionieren, damit die Verfehlung derer, die sich mit dem Maßstab des nicänischen Glaubens nicht zufriedengaben, aufgedeckt werden konnte. Thalassius brachte deshalb als Mitglied des Konzilspräsidiums vor, zunächst müsse die Sache des Glaubens feststehen und deshalb vorweg behandelt werden, da er nach dem Willen des Kaisers unerschüttert bestehen bleiben müsse. Elpidius stimmte dem zu und fügte bei, erst im Anschluß daran solle die Verlesung der Akten der endemischen Synode erfolgen. Die Stellungnahme von Thalassius besagte, wie schon der Verweis auf den Kaiser zeigt, die Bestätigung der in Ephesus bekräftigten nicänischen Glaubensformel als unverrückbarer und zugleich unüberbietbarer Glaubensnorm.[41] Von hier aus war demnach für den ersten Teil der Verhandlungen folgende Marschroute zu erwarten: Verlesung des nicänischen Glaubensbekenntnisses und der Akten des ephesinischen Konzils, vor allem des Verbots, ein neues Glaubensbekenntnis aufzustellen, die Bestätigung der ephesinischen Norm durch die Konzilsväter und schließlich die

---

40 Ebd. (51) 73,21-74,8.
41 Er gab das vom Kaiser vorgezeichnete Programm als eine Weisung kund, die mit großer Entschiedenheit gegeben war. Dabei beschrieb er die Behandlung der Glaubenssache im Sinne des Kaisers als Befestigung oder genauer als Feststehenlassen des Glaubens. Zugleich stellte er der Bestätigung des überlieferten Glaubens das Verbot des „Verlesens" bzw. „Tuns" von etwas anderem, das nicht näher bezeichnet wurde, gegenüber. Die Intention von Thalassius mußte für viele Konzilsväter zunächst recht unverfänglich klingen — so für den Legaten Julius, wie sich gleich zeigt — und war offenbar bewußt in eine schwebende Sprache gehüllt. Interpretiert man den Vorschlag aber vom größeren Kontext her, so zeigt sich, daß die Bekräftigung von Nicäa als Glaubensnorm im Sinne Dioskurs intendiert war: ebd. (116) 86,19-23. Die Stellungnahme von Elpidius: ebd. (118) 86,27-30.

Prüfung der endemischen Synode aufgrund dieses Kriteriums. Der Legat Julius griff sogleich den Vorschlag von Thalassius auf, man solle zuerst die Glaubensfrage behandeln, verstand sie aber ganz anders als dieser, nämlich als Erörterung des christologischen Problems. Das läßt sich auch aus seiner Begründung ablesen: Von Papst Leo sei nichts anderes angeordnet worden.[42]

In diesem Augenblick geschah nun etwas gänzlich Unerwartetes und Außerordentliches: Dioskur warf den sorgfältig vorbereiteten Plan über den Haufen. Als ersten Punkt der Tagesordnung verlangte er die Verlesung der Akten der endemischen Synode; dann erst sollten die Satzungen der vorangegangenen Konzilien vorgetragen werden.[43] Wie ist eine solche Kehrtwendung der Konzilsleitung, wie Dioskur sie vollzog, erklärbar, auch wenn sie in einem tieferen Sinn der eigentlichen Intention entsprach? Alles zeugt ja dafür, daß das konziliare Programm von den Konzilspräsidenten und den kaiserlichen Kommissaren genau vorbereitet und festgelegt war. Für Dioskur mußte etwas Unvorhergesehenes geschehen sein.

Das offizielle Konzilsprotokoll gibt uns dafür nur geringe Hinweise, die erst aufgrund der Berichterstattung Flavians deutlicher zutage treten. Zunächst kann man beobachten, daß die Stellungnahme von Thalassius im Sinn des kaiserlichen Programms nicht sehr geschickt vorgetragen war; so läßt sich die Vermutung äußern, Dioskur habe befürchtet, sie könnte Anlaß dazu geben, die Akten nicht bloß unter dem Aspekt einer formalen Bejahung der Tradition und der alleinigen Geltung der nicänischen Formel zu betrachten und von da aus das Urteil zu fällen, sondern gerade das zu ermöglichen, was man vermeiden wollte: den dogmatischen Dissens zu einem eigentlichen Gesprächsthema werden zu lassen. In der Tat hatte ja der Legat Hilarus schon die Verlesung des Schreibens von Leo erbeten. Und so brauchte auch das Ja von Bischof Julius zum Vorschlag von Thalassius, zuerst die Glaubenssache zu behandeln, von den Synodalen, die auf der Seite der Legaten standen, nicht einfach als Zustimmung zum Konzilsprogramm Dioskurs aufgefaßt zu werden. Es konnte vielmehr den Anstoß geben, nun gerade die christologische Frage als solche und dazu noch unter dem Vorzeichen, das Leo gesetzt hatte, zu erörtern.

Volle Klarheit gibt erst der Bericht Flavians in seinem Appellationsschreiben. Er hebt hervor, nach der Verlesung des kaiserlichen Reskripts — gemeint ist offenbar das Schreiben an die ephesinische Synode — hätten „alle Bischöfe" in Interlokutionen gefordert, es müsse zuerst über den rechten Glauben gesprochen und der Glaube von Nicäa, der auch in Ephesus

---

42 Ebd. (117) 86,24-26. Lateinische Fassungen: ACO II II 1 (10,20) 47,42f.; ACO II III 1 (117) 62,14.
43 ACO II I 1 (119) 86,31-87,5, bes. 86,33f.

rezipiert wurde, verlesen werden.[44] Der Legat Julius fand also, offenbar vor allem aus den Reihen der orientalischen Bischöfe, Zustimmung in einer Weise, die einen rein formalen Rekurs auf die konziliare Tradition zu vereiteln drohte. Diese Bischöfe erwarteten vielmehr eine echte Verhandlung der umstrittenen dogmatischen Frage. Damit aber wäre das kaiserliche Programm in sein Gegenteil verkehrt worden. Die gegensätzlichen Konzeptionen waren damit offen zutage getreten. Zum erstenmal war auch ganz offenkundig die Weisung des Kaisers durchbrochen oder wenigstens gefährdet, keine Diskussion zuzulassen, die das in Frage stellen könnte, was er als rechten Glauben verstand.

In diesem prekären Augenblick war es – wie die Akten und Flavians Bericht gleicherweise zeigen – Dioskur, der die Brisanz der Situation begriff und rasch entschlossen mit aller Energie das Steuer herumwarf. Er setzte sich dafür ein, man möge zuerst die konstantinopolitanischen Ereignisse zur Kenntnis nehmen, da diese für den Kaiser der Anlaß für die Einberufung des Konzils gewesen seien; erst in einem zweiten Schritt seien die Satzungen (δίϰαια) der früheren Synoden vorzulegen. Die Begründung, die er dafür gab, ist höchst bemerkenswert und bestätigt unsere Deutung der Ereignisse: Er verwies darauf, die Kanones hätten eindeutige Entscheidungen, die Synoden klare Festlegungen getroffen. Der Kaiser habe das Konzil nicht dazu berufen, daß es den von den Vätern schon dargelegten Glauben noch einmal darlege, sondern damit es prüfe, ob das Neue, das sichtbar geworden sei, mit dem, was die Väter festlegten, übereinstimme.[45] Dies war gewiß eine Formulierung, der schwerlich widersprochen werden konnte. Andererseits dachte er offensichtlich an eine rein formale Beurteilung der endemischen Synode und hob deshalb auch die Kanones hervor, womit jener ephesinische Kanon im Blick war, der die Erstellung eines neuen Glaubensbekenntnisses verbietet.

Dies wurde vollends in den Akklamationen deutlich, die eine neue Behandlung der Glaubensfrage abschneiden wollten. Dioskur provozierte sie, um seine Anhänger zu lauter Zustimmung zu mobilisieren und so seine Absicht bestätigen zu lassen. Er fragte das Konzil – wieder in einer Weise, die ein Nein zunächst kaum zuließ – ob es den Glauben der Väter aufheben wolle.[46] Doch dann ließ er in immer neuen Variationen Nicäa – und

---

44 „Deinde cum sedissemus in ecclesia, legi quidem pium rescriptum praecepit religiosissimorum imperatorum, universis autem episcopis interfatis post lectionem oportere prius de pia fide haberi (debere) tractatum proponique et legi trecentorum decem et octo fidem et eam quae apud Ephesum iam dudum habita est, ipse memoratus venerabilis episcopus Dioscorus hoc quidem fieri prohibuit, . . . dat facultatem mox de his gestis quae de Eutychete olim confecta sunt, nobis praesentibus recenseri." ACO II II 1 (11) 77,30-78,6.

45 ACO II I 1 (119) 86,34-87,4.   46 Ebd. 87,4f.

Ephesus, das die nicänische Glaubensformel bestätigte – als einzigen Maßstab des Glaubens bekräftigen, durch das aufgetretene Neuerungen ausgerottet werden könnten und jeder, der über die Entscheidungen dieser Konzilien hinaus „untersuche" und „forsche" oder sie „umstürze", ausgeschlossen werden sollte.[47] Mögen die Akklamationen auch nur von den Anhängern von Dioskur und Eutyches gekommen sein, wie in Chalcedon bei Verlesung des Protokolls von der Gruppe der „orientalischen Bischöfe" behauptet werden wird,[48] so war es doch auch für die Gegenseite schwer, solchen Fragen einfachhin zu widersprechen, da sie weder Nicäa und Ephesus noch das Traditionsprinzip in Frage stellen wollten und konnten, eine Klärung des verschiedenartigen Verständnisses des Prinzips bei einer solchen auf Überrumpelung zielenden Verhandlungsführung aber kaum möglich war.[49]

Die der Verlesung vorausgehenden Akklamationen der Bischöfe auf seiten von Dioskur zu Nicäa als einziger, unüberbietbarer Glaubensnorm gaben dem kaiserlichen Kommissar Elpidius die Möglichkeit, sie als Zustimmung des Konzils zu der von der Konzilsleitung vorgeschlagenen Tagesordnung zu deuten und sogar zu konstatieren, damit liege nun auch die Entscheidung der Synode über den Glauben deutlich vor.[50] Damit beendete er nicht bloß die Meinungsverschiedenheit mit Dioskur angesichts seines ursprünglichen Vorschlags, die Glaubensfrage zuerst zu behandeln – dem war nun also in seinen Augen schon Rechnung getragen –, vielmehr zeigte er einmal mehr, was er und Dioskur mit der Behandlung der Glaubensfrage meinten: formale Zustimmung zu Nicäa als einziger, abschließender Norm. Nur wegen des

---

47 Dioskur betonte zwar zunächst, daß er die Entscheidungen der Väter – Nicäa und Ephesus – erforsche, und interpretierte dies unter Akklamation zugleich als Abweisung der Neuerungen (lies: der endemischen Synode) und als Bestätigung des Glaubens: ebd. (136f.) 88,21-24. Es sei ja ein einziger Glaube – trotz zweier Synoden. Niemand dürfe etwas beifügen oder weglassen, interpretierten die Anhänger Dioskurs (unter dem Titel „die Synode") akklamierend den alexandrinischen Patriarchen: ebd. (141f.) 89,1-4. Dioskur wandte sich gegen eine Auflösung des Glaubens (ἀνασκευάζων), ebd. (145) 89,11-16 mit (145) 89,17f. Doch verband er damit die Vorstellung von absoluter Unüberbietbarkeit und Endgültigkeit des durch Ephesus bestätigten nicänischen Bekenntnisses, das einen neuen Typos, eine weitergehende Festlegung unmöglich macht. So faßte er das Ergebnis der Akklamationen seiner Anhänger zusammen in die alles entscheidenden Worte: „Οὐδεὶς τυποῖ τὰ τετυπωμένα" (ebd. [147] 89,19). Als Gegensatz wurde – im Blick auf ein Fortschreiten über Nicäa hinaus – ein Erforschen und Untersuchen (ζητεῖ), ein wißbegieriges Nachspüren (πολυπραγμονεῖ) und ein Umstürzen und Beseitigen (ἀνασκευάζει) in eine einzige Linie gerückt und miteinander verurteilt: ebd. (143) 89,5-8.

48 Ebd. (121) 87,8f. Vgl. (149) 89,22f. die extreme Bestreitung der vorangehenden Akklamationen(en) durch Theodor von Claudiopolis und die sarkastische Antwort Dioskurs (150) 89,24f.

49 Etwas Ähnliches geschah wenig später bei den Akklamationen, die sich an die Nennung des Namens Cyrills anschlossen: ebd. (226) 101,6-10.

50 „Φανερῶν ὄντων τῶν δεδογμένων ὑμῖν ἐπὶ τῇ ἁγίᾳ πίστει καὶ τῆς κοινῆς ἁπάντων φωνῆς συνθεμένης τε καὶ εὐφημησάσης τὴν ὑμῶν τῶν προεδρευόντων ψῆφον . . ." ACO II I 1 (151) 89,28-33.

taktischen Vorgehens waren sie für einen Augenblick gegensätzlicher Auffassung gewesen.

3. Der Streit um die Blickrichtung für die Verlesung der Akten der endemischen Synode

Mit der Entscheidung, zunächst die Akten der endemischen Synode verlesen zu lassen, war das kaiserliche Konzilsprogramm noch nicht gesichert. Es kam alles darauf an, unter welchem Vorzeichen die Verlesung erfolgte. Statt gleich mit der Verlesung zu beginnen, ließ Juvenal deshalb auf die Weisung von Elpidius hin, dem akklamiert worden war, Eutyches vor die Synode treten und eine Anklageschrift gegen die Teilnehmer der endemischen Synode vortragen.[51] Die lange Anklageschrift, mit der Eutyches vom Angeklagten zum Ankläger wurde, paßte genau in das vorgezeichnete Konzilsprogramm. Eutyches stellte seinen Bericht über die endemische Synode unter das Leitwort, er sei dort in äußerste Gefahr gebracht worden, weil er gemäß der Vorschrift des Konzils von Ephesus nicht über Nicäa hinausgehen wollte.[52] Diese Behauptung suchte er in seiner Darstellung der Vorgänge auf der Synode zu beweisen und durch den Hinweis auf die Überprüfung des Protokolls der Synode zu stützen; diese habe ergeben, daß man sein Wort, er wolle an Nicäa festhalten, unterschlagen habe. Der Bericht mündete schließlich in die Forderung ein, die Urheber der Zwistigkeiten zu verurteilen und jede falsche Lehre mit der Wurzel auszurotten.[53]

Aber noch einmal versuchte auch die Gegenseite, ihre Linie zur Geltung zu bringen und die Verlesung der Akten der endemischen Synode von ihrem Fragehorizont aus geschehen zu lassen. Die Konzilsakten vermerken freilich wiederum nur den Vorschlag Flavians, nun auch Eusebius von Doryläum, den Ankläger von Eutyches auf der endemischen Synode, vor das Konzil treten zu lassen.[54] Demgegenüber vermerkt Eusebius in seinem Brief an Papst Leo, die Legaten hätten wieder und wieder sein Erscheinen vor dem Konzil gefordert.[55] Von da aus wird nun auch verständlicher, warum Elpidius nach den Akten in diesem Augenblick mit großer Entschiedenheit

---

51 Ebd. (152f.) 90,1-3; vgl. Anm. 50.
52 Ebd. (157) 90,23-25.
53 Ebd. (185) 94,24-96,18, bes. wichtig 95,15-35.
54 Ebd. (186) 96,21f.
55 „. . . Flavianus autem religiosissimus postulavit me intromitti debere. Quod ubi intellectum est necessariam meam preaesentiam esse causae propositae, vestra sanctitas interlocuta est non semel, non bis, non ter intrare me oportere consessum, sed religiosissimus Dioscorus Alexandrinae civitatis episcopus . . . prohibuit me intrare . . ." ACO II II 1 (12) 80,12-17.

und Härte nicht bloß den Vorschlag Flavians abwies, sondern ihn und seine konstantinopolitanischen Anhänger ganz zum Schweigen zu bringen suchte: Flavian sei jetzt Angeklagter, er dürfe seine Glaubensauffassung nicht zur Geltung bringen, da so nur wieder Streitigkeiten entstehen könnten.[56] Flavian selbst berichtet in seinem Appellationsschreiben, in dieser Phase des Konzils – d. h. zwischen dem Plädoyer der Bischöfe für den Beginn der Verhandlungen mit der Glaubensfrage und der Verlesung der Akten der endemischen Synode, und zwar im Anschluß an das Verbot, sich zu verteidigen – seien gegen ihn und andere Drohungen ausgesprochen worden.[57]

Dioskur gab Elpidius seine Zustimmung, sah sich aber doch veranlaßt, vom Konzil nochmals die Zustimmung zur Verlesung der Akten bestätigen zu lassen. Nach zustimmenden Äußerungen der Vorsitzenden, einiger Teilnehmer aus der Mitte des Konzils[58] und nach Akklamationen, welche – gewiß nicht zu Recht – für sich in Anspruch nahmen, eine allgemeine Zustimmung zum Ausdruck zu bringen,[59] stellte Dioskur die Frage an

---

56 ACO II I 1 (197) 97,17-27; vgl. Anm. 32.

57 „... Dioscorus hoc quidem fieri prohibuit, praecipiens autem mihi et his qui una mecum iudicaverunt episcopis et meis pariter clericis nihil penitus audere permitti de nullo defensionis vocem emittere, interminatus etiam quibusdam depositionem, quibusdam carceris habitationem, aliis varia atque diversa supplicia ...": ACO II II 1 (11) 78,2-6. In Übereinstimmung mit den Akten stellte Flavian heraus, es sei ihm und den anderen Mitgliedern der endemischen Synode die Möglichkeit zur Verteidigung ihrer Glaubenshaltung genommen worden. Von Drohungen ist in den Akten an dieser Stelle freilich nicht die Rede, was weiter nicht verwundert. Man wird Flavians Darstellung im wesentlichen als zutreffend anerkennen müssen. Hierfür spricht, daß das in die Akten aufgenommene und verlesene commonitorium des Kaisers für Elpidius gerade dort, wo die Behandlung der Glaubensfrage mit dem Hinweis auf eine mögliche Verwirrung verboten und wo zugleich Flavian die Redefreiheit vorweg entzogen wird, Drohungen gegen all die enthält, die es wagen sollten, gegen solche kaiserliche Weisungen zu verstoßen. Es lag deshalb für Elpidius durchaus nahe, in dem Augenblick, als Flavian – Eusebius vorschiebend – die Behandlung der Glaubensfrage und eine Mitwirkung der konstantinopolitanischen Synodalen in Szene setzen wollte, auf das commonitorium mit seinen Drohungen zurückzugreifen: ebd. II I 1 (49) 72,15-25. Die Richtigkeit der Darlegung Flavians ist freilich insofern einzuschränken, als nicht Dioskur selbst, sondern die kaiserliche Beamte die Drohungen ausgesprochen haben wird. Es gehört zum generellen Vorgehen Flavians, alle Akte der verschiedenen in die Leitung der Synode einbezogenen Personen Dioskur selbst zuzuschreiben, um nicht zuletzt dem Kaiser Anschuldigungen ersparen zu können.

58 Ebd. (198-215) 97,28-99,30.

59 Der Behauptung einer allgemeinen Zustimmung zur sofortigen Verlesung der Akten der endemischen Synode steht die Behauptung Flavians gegenüber, „alle Bischöfe" hätten verlangt, es müsse an erster Stelle die Glaubensfrage behandelt werden. Die erstgenannte Aussage aus der Mitte der Synodalen versteht sich als Zusammenfassung der siebzehn Depositionen zugunsten der sofortigen Verlesung und wird schon dadurch relativiert: die Stellungnahmen aus dem Kreis der Anhänger Dioskurs sollen als Stellungnahme des Konzils insgesamt deklariert werden. Den Depostionen steht jedoch gemäß den Akten das Schweigen so wichtiger Sitze wie Rom und Antiochien gegenüber, nicht eingerechnet das zur Passivität gezwungene Konstantinopel. Dioskur muß dies gespürt haben, denn gerade auf die Behauptung hin „alle wollen nur, daß die Geschehnisse verlesen werden" forderte er Julius zur Stellungnahme auf: ebd. (217) 99,6-9. Dieser gab jedoch die Antwort nicht im Sinne Dioskurs, sondern verlangte die vorangehende

Bischof Julius als Vertreter Papst Leos. Dieser jedoch forderte in einer Art Kompromiß als Vorbedingung die vorangehende Verlesung des Briefes Leos an die Synode, und Hilarus unterstützte ihn sogleich mit dem Hinweis, dieser sei nach Lesung eben der Dokumente der endemischen Synode verfaßt worden. Damit wäre die Verlesung der Akten ausdrücklich unter die Frage nach dem Glaubensverständnis selbst gestellt worden. Die Glaubensfrage wäre sogar stark hervorgetreten und ihre spätere Behandlung unausweichlich geworden. Konnte Dioskur dies zulassen?

In diesem entscheidenden Augenblick kam ihm Eutyches zu Hilfe. Er wagte es, die Legaten als befangen hinzustellen und zu verdächtigen, weil sie vor Beginn der synodalen Verhandlungen mit Flavian Kontakt aufgenommen hatten. Eine merkwürdige Anklage angesichts der Tatsache, daß der Papst selbst sich dogmatisch auf die Seite Flavians gestellt hatte! Aber in Wirklichkeit richtete sich die Intervention von Eutyches nicht eigentlich gegen das Verhalten der Legaten, sondern gegen Leos Glaubenshaltung, wenn er sagte, man möge verhüten, daß ihm und seiner Sache von den Legaten her – nämlich durch die von ihnen geforderte Verlesung des päpstlichen Schreibens – ein Präjudiz entstehe. Eutyches verlangte damit nicht mehr und nicht weniger als den Ausschluß der Stellungnahme des Papstes aus der gesamten Verhandlung, soweit sie seine Person betraf, und dies hieß zugleich, aus der gesamten Urteilsfindung im Blick auf die Glaubensfrage.[60]

Dioskur nahm den Ball, den Eutyches ihm zugeworfen hatte, sogleich auf, traf aber eine Entscheidung, die dem Archimandriten nur einen Schritt

Verlesung des päpstlichen Schreibens. Man mag in seiner Stellungnahme ein gewisses Entgegenkommen erblicken, insofern er statt der zuerst geforderten Besprechung der Glaubensfrage jetzt nur die Verlesung des Briefes wünschte. Aber auch damit wäre die dogmatische Frage schon in den Raum gestellt, die Stellungnahme Roms unübersehbar und eine spätere synodale Behandlung des Problems unausweichlich geworden. Die Verlesung der Akten wäre unter ein dogmatisches Vorzeichen gestellt gewesen. Gegenüber der Forderung einer sofortigen Verlesung der Akten war ein klares Nein gesprochen. Die Stellungnahme der Legaten erhält ihr besonderes Gewicht dadurch, daß sie die Auffassung all jener Bischöfe bekräftigte, die nach dem Zeugnis Flavians die vorgängige Behandlung der Glaubensfrage schon verlangt hatten oder auch jetzt wünschten.

60 Ebd. (220) 99,17-22. So deplaciert die Äußerung von Eutyches war, so problematisch bleibt auch das Verhalten Dioskurs. Die Legaten hatten ja nur die Verlesung der Stellungnahme Roms verlangt. In Wirklichkeit stand nicht ihre Befangenheit in Frage, sondern das Präjudiz, das durch Leos Brief geschaffen wurde. Dioskur entschied, ohne sich zur Frage zu äußern, zunächst im Sinn der unqualifizierten Äußerung von Eutyches, insofern er sie zum Anlaß nahm, um endgültig die sofortige Verlesung der Akten der endemischen Synode zu befehlen. Andererseits erschien seine Entscheidung doch auch als Kompromiß, da er nun ausdrücklich die Verlesung des leoninischen Schreibens versprach, die nach der Aktenverlesung statthaben solle. Den Legaten konnte dies schließlich als annehmbar erscheinen. Denn nun hatten sie wenigstens errreicht, daß die römische Stellungnahme und die dogmatische Erörterung der Fragen nicht mehr umgangen werden konnten, sondern ins konziliare Programm aufgenommen waren.

entgegenzukommen schien und so in diesem Augenblick als Kompromiß interpretiert werden konnte. Er ordnete an, es seien zuerst die Akten und dann das Schreiben Leos zu verlesen.[61] Erstmals war nun ausdrücklich eine spätere Verlesung des Briefes Leos zugesichert. Die Legaten hofften wohl, den entscheidenden Durchbruch erzielt zu haben. Wollte Dioskur aber die Verlesung noch innerhalb der Urteilsfindung über Eutyches und Flavian gestatten – entgegen dem Ersuchen des Archimandriten?

4. Die Vorgänge während der Verlesung der Akten

In die Verlesung der Akten griffen nach dem Zeugnis der Akten und Flavians fast ausschließlich Dioskur und seine Partei ein. Sie nahm deshalb einen weniger dramatischen Verlauf. Spontane oder vom Patriarchen bewußt herbeigeführte und gesteigerte Akklamationen boten die Möglichkeit, das vorgezeichnete Argumentationsprogramm zu bekräftigen und der eigenen Glaubensauffassung immer lauter Geltung zu verschaffen, ohne eine Diskussion der Glaubensfrage aufkommen zu lassen, um so den Boden für die Verurteilung von Eusebius und Flavian zu bereiten. Die Nennung des Namens Cyrills innerhalb der Anklageschrift von Eusebius von Doryläum gab den Anhängern von Dioskur Anlaß, das Andenken Cyrills zu feiern, die Übereinstimmung zwischen Cyrill und Eutyches zu betonen sowie jeden Abstrich und jede Weiterung gegenüber Nicäa zu verdammen. Der Legat Julius fügte den Akklamationen hinzu: „Die sedes apostolica denkt ebenso" und meinte damit offensichtlich das Festhalten an Nicäa, Ephesus und Cyrill, die in der eusebianischen Anklageschrift in einem Atemzug genannt worden waren.[62] Ganz offenkundig war ihm nicht übersetzt worden, wie die Akklamationen Cyrill und Eutyches im Blick auf ihr Glaubensverständnis Übereinstimmung bescheinigten und die Alleingeltung von Nicäa betonten. Im Kontext dieser Akklamationen, die etwas ganz anderes meinten als

61 Ebd. (221) 99,23-26.
62 Ebd. (227) 101,12f. – „Apostolica sedes ita sentit" nach der Version der Collectio Novariensis: ACO II II 1 (10,59) 22f.; vgl. ACO II III 1 (227) 78,28. An dieser Stelle zeigt sich besonders deutlich, wie lähmend die Stellungnahme der Legaten sein mußte; vgl. die Bekräftigung „der" Synode: ACO II I 1 (228) 78,14. An den vorangegangenen Akklamationen war – auch wenn sie in den Akten einfachhin der Synode zugeschrieben wurden – offenkundig die dioskorianische Gruppe allein beteiligt. Dies gilt, obwohl Stimmen laut wurden, die die Übereinstimmung von Cyrill und Dioskur als Auffassung der ganzen Synode behaupten wollten: Διόσκορος καὶ Κύριλλος μίαν πίστιν ἔχουσιν, οὕτω φρονεῖ πᾶσα ἡ σύνοδος . . ." Akklamationen wurden hier – implizit, aber doch offenkundig – gegen die endemische Synode gerichtet, ohne daß dies für die anderen Teilnehmer recht greifbar wurde. Diese Zurufe nannten als verwerflich: ein Beseitigen und Vernichten (des Bekenntnisses), ein Weglassen und Hinzufügen und schließlich ein Neuern. Indem die Anhänger Dioskurs so die Begriffe ineinanderschoben, warfen sie unterschiedliche Haltungen und Handlungen in einen Topf und verurteilten sie damit. (ACO II I 1 [226] 101,6-10; das Zitat: 101,6f.).

Julius, mußte seine kurze zustimmende Stellungnahme nicht nur mißverständlich, sondern geradezu kompromittierend und lähmend wirken.

Eine zweite Gelegenheit, die Verlesung zu unterbrechen, ergab die Deposition des Bischofs Seleucus von Amasia, der in Abwandlung der Glaubensformel Flavians die Formulierung verwandt hatte: „Jesus Christus . . . in zwei Naturen nach der Menschwerdung."[63] Jetzt wurde sie als ein Teilen des einen Christus aufgefaßt und als nestorianisch bezeichnet.[64] Dioskur unterbrach zunächst die Akklamationen, verdächtigte aber zugleich die Synodalen von Konstantinopel des Nestorianismus.[65] Der Protonotar Johannes wollte bezeichnenderweise noch festgehalten wissen, daß die Teilnehmer der endemischen Synode mit solchen Aussagen einen anderen Glauben neben den von Nicäa stellten.[66] Die während der Schlußsitzung der endemischen Synode geäußerte Frage von Eusebius an Eutyches, ob er die zwei Naturen nach der Menschwerdung bekenne, zeitigte ein wütendes Geschrei gegen Eusebius,[67] das Dioskur dazu nutzte, die Ablehnung der zwei Naturen nach der Menschwerdung von seinen Anhängern laut und mit erhobenen Händen akklamieren und dramatisch das Anathem fordern zu lassen.[68] Wenig später bekräftigte Dioskur das Glaubensbekenntnis, das Eutyches während der endemischen Synode frei vorgetragen hatte und das den eigentlichen Fragepunkt überging, und ließ die Übereinstimmung von Eutyches mit den Vätern bestätigen.[69] Eine weitere Akklamation unter Anführung des Patriarchen brachte die Zustimmung zur Formulierung von Eutyches: „. . . nach der Einung bekenne ich eine Natur".[70] Es ist bemerkenswert, daß auch Flavian in seinem Bericht die Akklamationen nahezu wörtlich referierte und ebenfalls erwähnte, Dioskur habe eine über Nicäa hinausgehende Deutung des Glaubens verurteilt.

---

63 Ebd. (302) 117,29-118,4.
64 Ebd. (303) 118,5-8. Die ganz eindeutig aus der dioskorianischen Gruppe kommenden Akklamationen wurden hier, wie üblich, einfachhin „der Synode" zugerechnet. Das gleiche gilt für die nächstgenannten Zurufe, die ebenso klar derselben Partei zugehören.
65 Ebd. (304) 118,9f.
66 Ebd. (305) 118,11-13.
67 Da die Glaubensfrage nach dem Konzilsprogramm Dioskurs nicht eigentlich verhandelt werden konnte, traten die Bestrebungen der Gruppe, die sich um ihn scharte, in diesen Zurufen um so schärfer hervor. Die Synodalen, die es wagen sollten, für Eusebius einzutreten, wurden damit als Nestorianer gestempelt oder zumindest verdächtigt. Dioskur vermied es auf der Synode, die Legaten oder Leo selbst in sie einzuordnen. Eine offene Konfrontation wurde so vorerst vermieden; doch der Verdacht des Nestorianismus mußte sich indirekt auch gegen den römischen Bischof und seine Legaten richten.
68 Ebd. (492-495) 140,27-32.
69 Ebd. (506-510) 141,25-31.
70 Ebd. (527-529) 143,10-13.

5. Die Urteile über Eutyches, Flavian und Eusebius von Doryläum

Nach Beendigung der Verlesung der Akten war nun gemäß der letzten Äußerung Dioskurs zum konziliaren Programm die Verlesung des päpstlichen Schreibens zu erwarten. Doch der alexandrinische Patriarch überging sie von neuem. Statt dessen entsprach er ganz dem damals von Eutyches ausgesprochenen Ersuchen und ließ ohne jeden Verzug das Urteil über ihn fällen, so daß die Stellungnahme des Papstes kein Präjudiz für die Synode bilden konnte.[71] Die Depositionen wichtiger Bischöfe, die nun vorgetragen wurden, bestätigen von neuem die Durchführung der von Anfang an vorgezeichneten Linie. So gab Juvenal von Jerusalem als erster sein Urteil mit der Begründung ab, Eutyches habe sich zu Nicäa und Ephesus bekannt und sei deshalb zu Unrecht verurteilt worden.[72] Diese Begründung, welche Nicäa – von Ephesus bestätigt – zur unüberholbaren und einzigen Glaubensnorm erhebt, blieb der Tenor der weiteren Depositionen, der besonders deutlich wieder bei Thalassius hervortritt: Eutyches wollte nicht über die nicänische Glaubensformel hinausgehen.[73] Die römische Legation gab, wenn man den Konzilsakten folgt, keine Stellungnahme ab, wurde aber auch nicht um eine solche ersucht.[74]

Die Rehabilitierung von Eutyches zielte bereits auf die Verurteilung von Flavian und Eusebius von Doryläum. Die für Eutyches geltend gemachte Begründung, Nicäa sei alleingültige und unüberbietbare Glaubensformel, ließ sich auch gegen sie wenden. Jedoch hielt Dioskur, nachdem die Vorentscheidung gefallen war, es doch für nötig, das Kriterium noch klarer hervortreten zu lassen und damit zugleich der festgesetzten konziliaren

---

71 Sofort nach der Verlesung der Akten ersuchte Dioskur die Konzilsväter um das Urteil über Eutyches; ebd. (883) 182,8-10. Dies ist von größter Tragweite. Denn spätestens jetzt war der Zeitpunkt gekommen, das Versprechen einzulösen, das er den römischen Legaten gegeben hatte. Wenn das Schreiben des Papstes in die Urteilsbildung einbezogen und überhaupt eine echte synodale Behandlung der Glaubensfrage statthaben sollte, dann mußte dies jetzt geschehen. Dies um so mehr, als Dioskur jetzt ein Urteil über den Glauben von Eutyches forderte.

72 Ebd. (884,1) 182,11-14.

73 Ebd. (884,4) 182,31-35. Ausführlich sind wiedergegeben die Stellungnahmen von Domnus von Antiochien (ebd. [884,2] 182,17-25); von Stephan von Ephesus (ebd. [884,3] 182,26-30); von Eusebius von Ankyra (ebd. [884,5] 182,36-183,2); von Cyrus von Aphrodisia (ebd. [884,6] 183,3-8) und schließlich – an letzter Stelle vor dem abschließenden Urteil von Dioskur – jene des Mönchs Barsumas (ebd. [884,112] 186,4-7). Es ist bemerkenswert, daß Flavian in seinem Bericht unter denen, die Dioskur auf der Synode ihren Konsens gaben, ausdrücklich ebenfalls neben Juvenal und Thalassius den ephesinischen Bischof Stephan sowie Eusebius von Ankyra und Cyrus von Aphrodisia nennt: ACO II II 1 (11) 79,3-5. Stephan, Eusebius und Cyrus hatten schon in vorderster Reihe mit Juvenal und Thalassius für die sofortige Verlesung der Akten der endemischen Synode gestimmt: ACO II I 1 (199-203) 97,32-98,7. – Vom gleichen Tenor wie die Begründung des Urteils über Eutyches war auch die sich anschließende Befragung und Wiederaufnahme der ihm zugehörenden Mönche bestimmt: ebd. (905-910) 189,12-29.

74 Vgl. Anhang VI.

Tagesordnung, die nach der Verlesung der Akten der endemischen Synode die Behandlung der Glaubensfrage vorsah, wenigstens dem Anschein nach zu entsprechen. So veranlaßte er eine Lesung aus den Akten des Ersten Ephesinischen Konzils (431).[75] Doch wählte er dafür nicht die Akten der entscheidenden ersten Sitzung aus, die ein Modell konziliarer Behandlung von Glaubenszwistigkeiten geboten hätte. In dieser Session war zunächst das nicänische Glaubensbekenntnis verlesen worden; an ihm als der grundlegenden Glaubensnorm waren dann Cyrills Brief an Nestorius und der Brief von Nestorius gemessen worden, und aus solchem Vergleich war wenigstens im Prinzip das Urteil der Väter erwachsen.

Dioskur wählte statt dessen die Verlesung der 6. Session. In ihr war ebenfalls das nicänische Glaubensbekenntnis zur Verlesung gekommen. Dann aber hatte der Priester Charysius berichtet, in Philadelphia in Lydien hätten gewisse, von der nestorianischen Irrlehre angesteckte Priester aus Konstantinopel Quartodezimanern, Katharern oder Novatianern, die sie bekehrt hatten, ein nestorianisch gefärbtes Glaubensbekenntnis vorgelegt. Das Erste Ephesinische Konzil hatte daraufhin das Verbot, ein neues Symbol zu formulieren, erlassen.[76] Dioskur versäumte es nicht, das Gelesene zu interpretieren. Er deutete die Zustimmung zu Nicäa und seiner Glaubensformel durch das Konzil von Ephesus als eine Bestätigung, die besage, das nicänische Glaubensbekenntnis habe allein Geltung und sei unüberbietbare Norm. Das Konzil verurteile damit den, der über die Glaubensformel von Nicäa hinausgehe oder an ihr Abstriche oder Ergänzungen vornehme. Zugleich drängte er auf schriftliche und mündliche Verurteilung derer, die solches zu tun wagten, und setzte eine Befragung, die das Urteil vorbereiten sollte, in Gang.[77]

---

75 Ebd. (905-910) 189,12-29. Die römische Legation äußerte sich nicht, während Domnus als erster dem Vorschlag zustimmte, dem sich Thalassius, Eusebius von Ankyra und Stephan von Ephesus anschlossen. – Der Text der vorgelesenen Akten der Ersten Synode von Ephesus findet sich nicht in den griechischen Akten der Synode von Chalcedon, wohl aber in lateinischen Übersetzungen der Zweiten Ephesinischen Synode, so in der Collectio Novariensis; vgl. ACO II II 1 (397) 74,28-75,37; ACO II III 1 (911-942) 189,31-36 und die Ausführungen von *Schwartz* zum ganzen Komplex: ACO II I 1, praef., VII f.

76 Vgl. die Beschreibung der Vorgänge bei *Jugie*, Le décret, 257-261 und die knappe Darstellung bei *Camelot*, Ephesus und Chalcedon, 64f.

77 Hier begegnen wir bezeichnenderweise wiederum der Methode Dioskurs, auflösende Korrektur und tieferes Verstehen des nicänischen Glaubens in eine Linie zu rücken und so miteinander zu verwerfen. Er wandte sich gegen ein Sprechen, Denken und Forschen, das über Nicäa hinausgeht und es umstürzt. Die Präposition „παρά" ist mit der hier einschlägigen doppelten Bedeutung „darüber hinaus" und „gegen" geeignet, dies unter einen Hut zu bringen: „ἠκούσαμεν δὲ ὁριστάντων αὐτῶν οὕτως·εἴ τις παρὰ ταῦτα λέγει ἢ φρονεῖ ἢ ἀνασκευάζει ἢ ζητεῖ, ὑποκείσθω τῇ ἀποφάσει." ACO II I 1 (943) 190,2f. Diskur wollte seine Sicht von der Synode bestätigen und zur Grundlage des Urteils über Flavian und Eusebius von Doryläum machen lassen. So stellte er den Konzilsvätern zwei Fragen: Ist es möglich, über Nicäa forschend hinauszugehen und es

Die Reaktion der päpstlichen Legaten überrascht und verwundert. Die Antwort von Julius besagte eine Zustimmung zu Nicäa und Ephesus; daran halte Rom fest.[78] Zweifellos war es wichtig, dies zu betonen. Aber damit war die eigentliche Stoßrichtung nicht getroffen, die Dioskur mit der Verlesung der Akten und ihrer Interpretation (die offenkundig auf die Verurteilung von Flavian und auch Eusebius von Doryläum hinauslief) verfolgte. Eine solche Schwerfälligkeit, Ziel und Taktik von Dioskur zu durchschauen und ihr etwas entgegenzusetzen, läßt sich kaum anders erklären als damit, daß die Übersetzung die Stoßrichtung der Stellungnahmen des Alexandriners nicht erkennen ließ und daß die Legaten immer noch, wenigstens zaghaft, auf die ausdrücklich versprochene Verlesung des Briefes Leos hofften, von der sie offenbar die Wende erwarteten.[79]

Jedenfalls bezog auch Hilarus die Verlesung der ephesinischen Akten einfachhin auf den Glauben von Nicäa, der in Ephesus bestätigt worden sei, und betonte, ohne auf die Frage nach dem speziellen Beschluß des ephesinischen Konzils einzugehen, der apostolische Stuhl lehre eben diesen nicänischen Glauben, er stimme mit der Lehre der Väter überein. Damit leitete er einen weiteren Versuch ein, den Brief Leos zur Verlesung bringen zu lassen. Wenn man das Schreiben des Papstes verlesen lassen wolle, so werde den Konzilsvätern seine Übereinstimmung mit der Wahrheit sichtbar werden.[80]

---

aufzulösen? Soll der, der ein solches Forschen über das in Nicäa Gesagte hinaus vollzog, nicht der Verurteilung der Väter unterliegen? Thalassius griff sofort Dioskurs Fragen auf und beantwortete sie in seinem Sinn. Auf dem Boden der Anerkennung von Nicäa betonte er die ephesinische Norm, die Nicäa unantastbar mache. Wer gegenteiliger Ansicht sei, löse den Glauben auf und sei verabscheuungswürdig: ebd. (944) 190,7-14.

78 ACO II III 1 (955) 237,6: „Haec tenet apostolica sedes." Vgl. ACO II 1 (925) 190,24f. Zur Lücke in der Coll. Novar.: Anm. 80.

79 Julius — und wenig später auch Hilarus — gaben ihre Zustimmung zum nicänischen Glauben, an dem auch Rom festhält. Offensichtlich konnten sie nicht erkennen, daß hier nicht eigentlich nach dem Glauben gefragt war, sondern nach einer bestimmten Auslegung des ephesinischen Kanons über die Gültigkeit des nicänischen Bekenntnisses. Das heißt zugleich: die beiden entscheidenden Fragen wurden den Legaten nicht übersetzt, jedenfalls nicht in ihrer eigentlichen Sinnrichtung. Die Folge war, daß Bischof Julius' allgemein gehaltene Zustimmung — gedacht als Bestätigung von Nicäa — als Zustimmung zur Auffassung von Dioskur und Thalassius im Raum stand bzw. in ihrem puren Wortlaut so interpretiert werden konnte. Dies mußte in diesem entscheidenden Augenblick mehr als kompromittierend wirken. Akklamationen konnten denn auch — trotz des Fehlens einer Äußerung Antiochiens — Einmütigkeit der Synode behaupten.

80 ACO II III 1 (961) 237,25-238,2. Es ist höchst interessant, zu sehen, daß die im Auftrag Leos hergestellte Übersetzung, die in der Collectio Novariensis vorliegt, gleich nach der Antwort von Thalassius die synodale Erörterung abbricht, indem sie nur Sozon und dann gleich die abschließende Akklamation nennt: „Sozon episcopus Philippensis et ceteri similia dixerunt. Sancta synodus dixit: Omnes eiusdem sententiae et fidei sumus" (ebd. [400f.] 76,14f.). *Schwartz* sagt von der Übersetzung der Akten, die für Papst Leo gefertigt wurde, sie lasse, da sie rasch abgeschlossen werden mußte, aus, was als weniger wichtig betrachtet wurde, Namen von Bischöfen, lange Reihen von Depositionen und Ähnliches (ACO II 1, praef., VII). Eine solche

Der Vorschlag des Lagaten ruft das Vorgehen der Ersten Ephesinischen Synode (431) in Erinnerung. Dort hatten die Konzilsväter aufgrund des Vergleichs der konkurrierenden Glaubensdeutungen von Cyrill und Nestorius mit der nicänischen Formel ihr Urteil gefällt. Hilarus freilich ging vom Glaubensurteil Leos aus und erwartete dessen Rezeption; die Prüfung der eutychianischen Sache sah er deshalb unter diesem Vorzeichen. Aber trotz dieser Unterschiede ist eine gemeinsame grundlegende Vorstellung nicht zu übersehen: Das Ersuchen, dem Urteil Leos beizustimmen, bedeutete zugleich die Aufforderung an die Bischöfe, seine Darlegung am Nicänum zu messen und also durch einen Glaubensvergleich mit der verbindlichen Tradition, der ein echtes Urteil besagte, zur Zustimmung zu finden. Dioskur fand sich auch jetzt nicht bereit, das Schreiben des römischen Bischofs verlesen und die Glaubensfrage behandeln zu lassen. Vielmehr interpretierte er die Stellungnahme der Bischöfe, die sich soeben geäußert hatten – ihrer zwölf hatten sich der Linie von Thalassius angeschlossen – als Zustimmung zu seiner Haltung und erkühnte sich sogar, die Erklärungen der Legaten als Bestätigung seiner Auffassung und Absicht zu deuten.[81] Sogleich sprach er die Verurteilung von Flavian und Eusebius von Doryläum aus, in der er noch einmal das Konzil von Ephesus als Bestätigung von Nicäa, und zwar auch im Sinn der unüberbietbaren Alleingeltung der nicänischen Glaubensformel deutete. Damit verstand er das nicänische Symbol, vom ephesinischen Verbot her betrachtet, nicht bloß als Glaubensnorm, die bleibend gültig und

Erklärung bleibt für den vorliegenden Abschnitt ganz unbefriedigend. Denn hier ging es ja nicht einfach um eine Serie von Depositionen, sondern um entscheidende, verschiedenartige Stellungnahmen, unter denen sich zwei der römischen Legaten befanden, die gerade für Leos Verständnis der synodalen Geschehnisse von größter Bedeutung sein mußten, zumal sie in dem Kontext der unmittelbaren Vorbereitung des ephesinischen Urteils über Flavian standen. Die Kürzung muß absichtlich erfolgt sein. Der Grund dafür liegt offen zutage. Vor allem die Äußerung von Bischof Julius konnte als Zustimmung zu den Worten von Dioskur und Thalassius, die das Urteil über Flavian praktisch schon vorwegnahmen, gelesen werden, zumal Akklamationen den Konsens der Depositionen feststellten. Dies mußte das gleich darauf erfolgende contradicitur des Diakons Hilarius entwerten, zumal die Akten keine Urteilsäußerung, nicht einmal im Sinn einer Zustimmung zum Nein des Diakons enthielten. Der Sinn der Kürzung lag deshalb darin, jeden Zweifel einer Kompromittierung der Legation auszuschließen und das contradicitur als das entscheidende Urteil in das Blickfeld zu rücken.

81 Die übrigen Depositionen, die der Sentenz von Dioskur vorangingen – sieben im Anschluß an Thalassius, fünf nach jener von Julius –, zielten offensichtlich in die Richtung des Alexandriners. Dies zeigt sich an der Deposition von Stephan von Hierapolis, die nach der Intervention von Julius den alten Faden von neuem aufgriff: Verurteilung jener, die es wagen, über Nicäa hinaus etwas zu lehren (ebd. [953] 190,26-28). Demgegenüber besagten die beiden letzten Depositionen im Anschluß an jene von Hilarus – vorgetragen von Basilius von Trajanopel und von Polychronius von Antipater – nur ein Festhalten am Glauben und an der Glaubensformel von Nicäa. Im Kontext mußte aber eine solche Stellungnahme – mehr noch als bei dem auf eine fragwürdige Übersetzung angewiesenen Bischof Julius – eine implizite Zustimmung zur Absicht Dioskurs sein und trug so mit dazu bei, daß schließlich ein Konsens behauptet und akklamiert werden konnte. Vgl. Anm. 80. Zur Frage, inwiefern Dioskur die Verlesung des päpstlichen Schreibens an die Synode verhinderte, siehe Anhang V.

unersetzlich ist, sondern die auch ein weiteres Eindringen in den Glauben verbiete und Neuerungen im Sinne von Ergänzungen wie von Abstrichen gleichermaßen ausschließe. So warf er Flavian und Eusebius von Doryläum vor, „fast alles" – hiermit ist das ephesinische Verbot, zugleich aber auch die nicänische Glaubensformel gemeint – außer Kraft gesetzt und damit skandalösen, lauten Streit hervorgerufen zu haben. Damit sprach er sein Urteil aus, das beide der bischöflichen Würde für verlustig erklärte.[82]

Sofort erhob Flavian Einspruch,[83] und der römische Legat und Diakon Hilarus rief der Versammlung sein contradicitur zu.[84] Damit war die Bemühung Dioskurs, die tiefe Kluft zwischen den Konzilsvätern zu überdecken und möglichst wenig zum Vorschein kommen zu lassen, aufs

---

82 Dioskur interpretierte die ephesinische Vorschrift, die dem nicänischen Bekenntnis eine einzigartige Stellung gab, in doppelter Richtung: sie verbiete, eine neue Glaubensformel zu erstellen, sie sage zugleich, daß im Blick auf den Glauben nichts erforscht, erneuert oder neu aufgegriffen werden dürfe. Gerade das letztere – den Versuch, die Glaubensfrage neu zu erörtern – ἀνακινεῖν – hatte der Kaiser Patriarch Flavian zum Vorwurf gemacht. Der ephesinischen Synode gegenüber hatte Theodosius II. sich beklagt, daß Flavian gewagt hatte, solches zu tun, indem er die Eutyches-Sache auf der endemischen Synode verhandeln ließ. Dioskur ergänzte die Kriterien für das Urteil über Flavian und Eusebius, indem er nicht nur im Blick auf Nicäa, sondern zugleich und vor allem im Blick auf den ephesinischen Kanon die Strafwürdigkeit eines solchen Vorgehens betonte. Auch hier rückte er Denken und Forschen (ἢ φρονεῖν ἢ ζητεῖν ἢ συντιθέναι) an die Seite des „Erstellens" (eines Glaubensbekenntnisses) und zugleich neben den Versuch, das synodal Festgelegte (ὅλως ἀνασκευάζειν) gänzlich beiseite zu schieben. Das gleiche nahm er schließlich bei der abschließenden Schuldbeschreibung vor: Flavian und Eusebius brachten „fast alles" neu zur Erörterung – dies ist zugleich im Sinn einer Infragestellung gemeint –, sie stürzten den nicänischen Glauben und den ephesinischen Kanon um und brachten so in alle Kirchen Verwirrung. Ebd. (962) 191,9-28. W. de Vries hebt zu Recht die Konsequenzen der Haltung von Dioskur hervor (Ephesus 449, 365f.): „Es ist einfach ein Unding, eine Glaubensformulierung, und sei es auch die eines Ökumenischen Konzils, so zu verabsolutieren, daß jede spätere Ergänzung ausgeschlossen wird. Damit wäre jedes tiefere Eindringen in die unergründliche Glaubenswahrheit und so jeder Fortschritt in der Dogmenentwicklung unmöglich gemacht. Die Kirche hätte nichts anderes mehr zu tun, als ewig die gleiche Formel, die von Nicäa, zu wiederholen, wenn man die enge Interpretation des ephesinischen Dekrets, wie sie Dioscorus gab, annimmt . . . Aber eine solche Bestimmung konnte als Waffe dienen, um sich unbequemer Gegner zu entledigen. Das ist in Ephesus II geschehen." Vries geht jedoch zu weit, wenn er fortfährt: „Die Auslegung des Dekrets von Ephesus I, wie sie Dioscorus gab, und aufgrund deren er Flavian von Konstantinopel und Eusebius von Doryläum für abgesetzt erklärte, wurde von den Vätern von Ephesus II allgemein als gültig anerkannt. Demnach wäre also Dioscorus, formal-juristisch gesehen, im Recht gewesen. Das hat er sich von den Vätern dieses Konzils, selbst von den Vertretern Roms, die freilich nicht ahnten, worauf er sich einließ, bestätigen lassen." Die Legaten verstanden die Anfrage Dioskurs als Ersuchen, zum Glaubensbekenntnis von Nicäa Stellung zu nehmen. Offene Zustimmung erfuhr Dioskur nur von der Gruppe, die dogmatisch auf seiner Seite stand – man prüfe nur die Depositionen, die in Anm. 73 erwähnt sind; vgl. auch Anm. 79. Die Gegenseite nahm zur Frage nicht direkt Stellung, zumal sie von Anfang an entweder aus der Diskussion um die Glaubensfrage ausgeschlossen oder aber wenigstens unter Druck gesetzt war. Indirekt freilich negierte sie das Prinzip, insofern sie – vor allem nach dem Zeugnis Flavians – mit den Legaten auf die Verlesung des päpstlichen Schreibens und somit auf eine Klärung der christologischen Frage drang.
83 ACO II I 1 (963) 191,29; vgl. ACO II II 1 (966) 238,28.
84 ACO II III 1 (967) 238,29; vgl. ACO II I 1 (964) 191,30f.

äußerste gefährdet, ja bereits gescheitert. Nicht umsonst verschweigen die von Dioskur herausgegebenen Akten die weiteren Vorgänge der ersten Session. Vor allem aber warf der Widerspruch des Legaten Licht auf die tieferen Entscheidungen, die der Verhandlungsführung der Moderatoren Dioskur, Juvenal und Thalassius zugrunde lagen. Blicken wir zurück, um dies klarer zu erfassen!

Von Anfang an zeigten sich in Ephesus zwei Gruppen von Konzilsvätern. Die Akten lassen die erste Gruppe freilich fast ganz im Schatten. Richtig daran ist zumindest soviel: sie stützte sich ganz auf die Legaten, die ihrerseits der Verhandlungsführung Dioskurs nicht gewachsen waren. Damit aber hatten diese Väter zugleich eine grundlegend wichtige Vorentscheidung getroffen: sie bejahten das konziliare Programm und die Glaubenshaltung des römischen Bischofs. Sie drängten auf die Kenntnisnahme und Rezeption des Urteils Leos. Wie er erwarteten sie vom Konzil also die Prüfung dieser Entscheidung.

Mußte eine solche Haltung die konziliare Arbeit für die Gegenseite nicht als höchst problematisch erscheinen lassen? Gewiß waren diese Bischöfe aufgerufen, ihre Stellungnahme für Eutyches zu überprüfen und sich dogmatisch von seiner christologischen Formel zu distanzieren. Aber sie konnten nicht nur in das synodale Prüfungsgeschehen mit ihren Bedenken eintreten, sondern hatten damit auch die Freiheit und Möglichkeit, Grenzen und Gefährdungen häretischer Positionen auf der Gegenseite aufzuzeigen und ihr zentrales Anliegen zur Geltung zu bringen, daß im Glaubensverständnis der Kirche die Einheit in Christus, dem menschgewordenen Sohn Gottes, gewahrt bleibe. Freilich war ein solches Vorgehen durch Leo nur offengelassen, nicht aber eigentlich ins Auge gefaßt, da er als synodale Aufgabe nur die Abgrenzung gegen Eutyches und die Entscheidung über ihn bezeichnet hatte.

Die zweite Gruppe und ihre Konzeption trat auf der Synode von Anfang an deutlicher hervor. Dioskur an ihrer Spitze suchte die Entscheidung nicht durch eine Prüfung der Frage an Schrift und Tradition, sondern durch die Sanktionierung eines Traditionsprinzips herbeizuführen, für das er sich auf die Erste Ephesinische Synode und auf die Weisung des Kaisers berief. Er bemühte sich zusammen mit den anderen Moderatoren der Synode, den offenen Konflikt mit den Legaten zu vermeiden, ohne der leoninischen Konzeption Raum geben zu müssen. Das contradicitur von Hilarus brachte aber nach dem langen Ringen um die Verlesung des päpstlichen Schreibens an die Synode die Tragweite des Programms von Dioskur vollends in den Blick: es bedeutete eine Absage an das Traditionsverständnis Leos und an die spezifische Stellung des römischen Bischofs innerhalb der ökumenischen

Synode. Der alexandrinische Patriarch war nicht bereit, das Glaubenszeugnis Leos zur Geltung kommen zu lassen.

Die Tragik der Zweiten Ephesinischen Synode liegt darin beschlossen, daß sie den Dissens über die Art und Weise, in der man die dogmatischen Fragen lösen konnte, nicht zum Austrag brachte. Das christologische Problem hatte die Frage nach der Tradition und nach einer letzten, die Bischöfe einenden Autorität unausweichlich gemacht. Das dramatische Geschehen der Synode verlangte deshalb nicht nur nach der Darstellung der Vorgänge vor den Augen der ganzen Kirche, sondern zugleich nach einer neuen Besinnung auf die Stellung des Bischofs von Rom in der Gemeinschaft der Bischöfe. Unter diesen Vorzeichen stand die nächste Phase des Geschehens. Der Raum der Auseinandersetzung weitete sich jetzt: neben Dioskur, Flavian und Eusebius von Doryläum traten Theodoret und Nestorius in die Auseinandersetzung ein. Und Leos Schreiben an Flavian, das bisher noch kaum zur Geltung kommen konnte, begann nun das Geschehen maßgebend zu bestimmen.

DRITTES KAPITEL

ERSTE BEURTEILUNGEN
DER ZWEITEN EPHESINISCHEN SYNODE
UND APPELLATIONEN AN DIE SEDES APOSTOLICA

I. Dioskur

Eine Deutung der Synode von Ephesus (449) gab Dioskur mit der Weise, in welcher er die Akten der Synode herausgab. Sie stellt freilich nur eine Bekräftigung der Linie dar, die er in der Leitung der Synode verfolgte. Diese gilt es nun zunächst noch genauer und tiefer zu erfassen:

1. Die Rechtfertigung der Synode während ihres Verlaufs

Dioskur stellte die Konzeption und Durchführung des Konzils mit Entschiedenheit unter den vorweg durch kaiserliche Schreiben proklamierten Maßstab der Alleingeltung und Unüberbietbarkeit des nicänischen Konzils. Damit gab er der Bestimmung des Ersten Konzils von Ephesus, welche die Erstellung neuer Glaubenssymbole verbot, eine spezifische Auslegung: er verstand sie als Formulierung des Traditionsprinzips. Und er legte sie dem Konzil als Kriterium zugrunde, das seine Konzeption, seinen Verlauf, sein Ergebnis im voraus bestimmen mußte. Wenn er sich dabei auf den Kaiser stützte, suchte er auch dies nicht als ein dem Glauben und der kirchlichen Ordnung fremdes Element erscheinen zu lassen, sondern als im Dienst der kirchlichen Tradition stehend zu zeigen. Er zeichnete den Kaiser als Garanten eines Traditionsverständnisses, das als kanonisch sanktioniert dargestellt wurde. Die Konsequenzen, die unter solcher Indienstnahme des Kaisers gezogen wurden, waren für die Synode jedoch von größter Tragweite: es ergab sich nicht nur die Konzeption des Konzils, sondern zugleich eine höchst unterschiedliche Bevollmächtigung der Bischöfe im synodalen Geschehen und Urteil bis hin zur Beschneidung der Freiheit und zum Ausschluß aus der Synode. Dioskur erhielt vom Kaiser nicht nur die Leitung der Synode, sondern auch das ausschlaggebende und entscheidende Urteil zuerkannt. Es wurde ihm versichert, er dürfe sich dabei auf Juvenal, Thalassius und auf alle wie sie gesinnten Bischöfe stützen. Bischof Theodoret von Cyrus, das theologische Haupt der orientalischen Bischöfe, wurde ausgeschlossen, Flavian mit den Bischöfen der endemischen Synode – somit die Repräsentanten der konstantinopolitanischen Kirche im weiteren Sinn – erhielten hinsichtlich der Glaubensfrage Redeverbot, vor allem aber durften alle Bischöfe, die ein anderes Traditionsprinzip vertraten, nicht erwarten, auf dem Konzil ihrer Auffassung Geltung verschaffen zu können und eine Entscheidung in ihrem Sinn herbeiführen zu dürfen.

Dies mußte sich vor allem auf die Stellung der apostolischen sedes und ihrer Legaten auf der Synode auswirken: auch sie wurde der kaiserlichen Konzilskonzeption untergeordnet. Wenn Dioskur mit den anderen Moderatoren Leos Schreiben an die Synode nicht verlesen ließ, so hatte dies seinen Grund darin, daß hier eine Glaubenshaltung und eine Traditionskonzeption in den Blick kam, die durch das vorgegebene Traditionsprinzip ausgeschlossen war. Dioskur bemühte sich freilich, eine allzu scharfe Konfrontation mit den Legaten zu vermeiden, gewiß auch mit Rücksicht auf die Bischöfe der Gegenseite, die sich auf die überlieferte Geltung des apostolischen Stuhles zu stützen suchten. Der Patriarch erreichte dies auf zweifache Weise: zunächst durch das Hinauszögern der Verlesung des päpstlichen Schreibens, bis alle Entscheidungen gefallen waren und bis so auch das sachliche Recht der römischen Stellungnahme durch die Deutung der ephesinischen Entscheidung von der Synode implizit verneint worden war, und zweitens durch ein Vorgehen, das die Legaten ohne ihr Wissen und gegen ihre Absicht zu mißverständlichen Äußerungen zur Tradition veranlaßte, die als Zustimmung zur kaiserlich-dioskurischen Konzeption interpretiert werden konnten.

2. Die Darstellung der Akten

Die offizielle Herausgabe der vollständigen Akten bedeutet eine neue Stellungnahme Dioskurs, welche die kanonische Geltung der Synode und ihre legitime Durchführung bekräftigen sollte. Sie zielte vor allem in zwei Richtungen.

Zunächst stellte Dioskur jetzt den synodalen Ereignissen ein Bündel von Schreiben des Kaisers voran. Er nahm deshalb die Schriftstücke, die verlesen worden waren, aus ihrem konziliaren Kontext heraus und vervollständigte sie. Es kam hinzu ein Schreiben an den Konsul Proclus, ein Schreiben an den Mönch Barsumas und ein Schreiben an Dioskur. So entstand ein Korpus von Schreiben, das die Stellung des Kaisers in der Beschreibung des konziliaren Programms und in den Berufungen zum Konzil hervortreten ließ, zugleich aber Konzeption und Verlauf der Synode durch die Kennzeichnung des Traditionsprinzips noch deutlicher als bisher zur Geltung brachte. Damit war vor die Klammer, die das Konzil umschloß, ein eindeutiges Vorzeichen gesetzt. Besonders wichtig war dabei das Schreiben an Dioskur, das ihm den Primat und die entscheidende Autorität auf dem Konzil zuwies, ihn und seine Gesinnungsgenossen als rechtgläubig bezeichnete und denen, die es wagen sollten, ein anderes Traditionsprinzip zu vertreten, keinen Raum gab und keine Chance ließ. Durch die Einfügung dieses Schreibens in die Akten konnte der Patriarch einerseits seine autoritative Leitung des Konzils rechtfertigen, zugleich aber hinter den Kaiser zurücktreten: sein Handeln entsprach ganz dessen Beauftragung und Programm.[1]

Zweitens suchte Dioskur in der Erstellung der Akten den Konsens der Synode zu unterstreichen. Er ließ den Widerspruch der Gegenseite zum konziliaren Programm kaum sichtbar werden und deutete dort, wo er Differenzen stehen ließ, sein eigenes Tun, mit dem er der Synode und ihrem Verlauf den Weg wies, als Suche nach einem Kompromiß. Er unterdrückte völlig den mehrfachen Einspruch der Legaten gegen die Entscheidung, Eusebius von Doryläum zur Verteidigung Flavians nicht zu Wort kommen zu lassen; damit unterdrückte er zugleich das Eintreten der Legaten für Flavian. Er nahm in die Akten auch nicht die Drohungen auf, welche der kaiserliche Beamte in diesem Zusammenhang ausgesprochen hatte. Ebensowenig verzeichnete er den Widerstand von Bischöfen, der so dramatische Züge gewann, als er das Urteil über Flavian gefällt hatte.[2]

In diesen Konsens suchte Dioskur bei der Erstellung der Akten auch die päpstlichen Legaten einzubeziehen. Er hatte auf der Synode selbst schon die faktische Verweigerung der Verlesung des päpstlichen Schreibens nicht als Ablehnung der Bitten der Legaten erscheinen lassen, sondern als aus der Situation sich ergebende Verschiebung ihres grundsätzlich bejahten Ersuchens. In Chalcedon wird er dafür auf die Akten verweisen können. Nun war es ihm freilich nicht möglich, die Unterschriften der Legaten unter das Urteil der ephesinischen Synode gegen die Angeklagten zu erlangen und zu verzeichnen. Jedoch bot eine Äußerung des bischöflichen Legaten Julius für Dioskur eine Handhabe, um dessen prinzipielle Zustimmung hervorzuheben und ihn so zugleich in Gegensatz zum römischen Diakon Hilarus zu stellen. Er erwähnte eine Deposition von Julius, die zu einer Reihe von Depositionen gehörte, welche das Urteil von Dioskur über Flavian und Eusebius vorbereiteten und implizit vorwegnahmen, und ließ sie so zugleich als prinzipielle Zustimmung erscheinen.[3] Dem stand nun freilich das wuch-

---

1 ACO II I 1 (24) 68-69; (47) 71; (48) 71; (49) 72; (50) 73; (51) 73f.; und schließlich das wichtigste Schreiben an Dioskur ebd. (52) 74.

2 Für die Belege im einzelnen sei verwiesen auf die vorangehende Darstellung des Verlaufs der ephesinischen Synode sowie auf den Vergleich des Berichts von Flavian mit den von Dioskur gefertigten Akten in Anhang VI.

3 Die Deposition von Julius: Haec tenet apostolica sedes (ACO II III 1 [955] 237,6) ist die Antwort auf die Frage Dioskurs nach der Geltung der Bestimmung des Ersten Ephesinischen Konzils, eine Frage, die schon auf die Sentenz über Flavian und Eusebius hinzielte: ACO II I 1 (943) 189,37-190,6; die wichtige Deposition von Thalassius ebd. (944) 190,7-14. Vgl.. Kapitel II, Anm. 79.

tige contradicitur von Hilarus gegenüber. Dioskur wurde in den Akten mit dieser schwierigen Tatsache, die er nicht aus der Welt schaffen konnte, dadurch fertig, daß er Hilarus für sich allein nicht als Legaten des Papstes auftreten ließ, sondern nur als römischen Diakon. Dies zeigt sich in doppelter Weise. Die Akten benennen ausnahmslos nur Julius, nie dagegen Hilarus als Legaten oder Stellvertreter des Bischofs von Rom.[4] Sodann tritt Hilarus in der Teilnehmerliste nicht zusammen mit Julius und neben ihm als Legat auf, sondern bildet zusammen mit dem römischen Notar Dulcitius (noch hinter dem Priester und Mönch Barsumas) das Schlußlicht des Konzils – wiederum als Diakon.[5] Neben dem Widerspruch von Hilarus steht dem Konsens demnach nur das Aufbegehren von Flavian entgegen. Dieses lassen die Akten nicht als Appellation an die sedes apostolica erscheinen, so daß der Kreis der Synode geschlossen bleibt.[6] Der Widerstand von nur zweien, eines

---

4 Im folgenden sind die lateinischen Ausgaben neben die griechischen Akten gestellt. Besonders auffallend ist der Unterschied dort, wo Julius und Hilarus nacheinander sprechen.

ACO II I 1	ACO II III 1	ACO II II 1
(82) 82,27f.	(82) 58,9	(5) 44,11
(83) 83,1	(83) 58,13	(6) 44,14
(117) 86,24f.	(117) 62,14	(20) 47,24
(217) 99,6f.	(217) 76,23f.	(51) 50,30f.
(218) 99,10f.	(218) 76,26	(52) 50,33
(219) 99,14	(219) 77,1	(53) 50,36
(227) 101,11f.	(227) 78,27	(59) 51,22
(952) 190,23f.	(955) 237,5	
(958) 190,34	(961) 237,25	

5 ACO II I 1   ACO II III 1
(68) 77,18f.   (68) 52,19f.
(78,135) 82,137   (78,135) 57,17

6 Der Ausruf Flavians lautete nach den Akten „Παραιτοῦμαί σε"; „ich weise dich zurück" – so auch *Batiffol* (Le siège apostolique, 512): „je te récuse" – und meinte nicht nur die Abweisung von Dioskur als Richter – diese hebt die Übersetzung von *Camelot* (Ephesus und Chalcedon, 121) hervor: „Ich bestreite deine Zuständigkeit" –, sondern vor allem auch das Urteil, das der Patriarch eben ausgesprochen hatte. Nach den Akten der Synode sprach Flavian demnach eine explizite Appellation an die sedes apostolica nicht aus. Er selber jedoch betonte demgegenüber in seinem Appellationsschreiben, er habe eine solche Appellation an den petrinischen Stuhl und sogar an die römische Synode ausgesprochen: „ . . . post illam iniustam vocem quam contra me emisit, sicut ipsi placuit, me appellante thronum apostolicae sedis principis apostolorum Petri et universam beatam quae sub vestram sanctitatem est synodum . . ." (ACO II II 1 [11] 78,31-34). Man wird annehmen dürfen, daß Flavians Appellation in Ephesus nicht in ein solch feierliches Gewand gekleidet war, dieses dürfte vielmehr der schriftlichen Appellation, die hier offenbar einen Höhepunkt findet, zugehören. Aber auch dann noch bleibt ein Graben zwischen der Zurückweisung des Urteils von Dioskur (nach dem Text der Akten) und der Appellation an Rom (nach Flavians Bericht). Beide Fassungen zu harmonisieren, indem man die Zurückweisung des Urteils als implizite Appellation deutet, befriedigt nicht recht. Es wird kaum möglich sein, eine der Versionen mit Sicherheit als die zutreffende zu beurteilen. Ein Moment dürfte freilich dafür sprechen, daß Flavian eine Appellation zum Ausdruck brachte: Der konstantinopolitanische Patriarch, der eine ähnliche Behauptung von Eutyches (er habe sich auf der endemischen Synode an Rom gewandt) entschieden zurückgewiesen hatte, war in Ephesus doch gewiß darauf bedacht, selber nun deutlich genug zu formulieren.

Angeklagten und eines Diakons, verschwindet geradezu in dem durch Unterschriften bezeugten Konsens.

II. Flavian

Der verurteilte konstantinopolitanische Patriarch konnte dem Diakon Hilarus, der nach Abschluß der ersten Sitzung des Zweiten Ephesinischen Konzils nach Rom entweichen konnte, ein Appellationsschreiben mitgeben. In ihm nimmt der Bericht über den Verlauf der Synode einen breiten Raum ein. Auf dem Boden einer den historischen Gegebenheiten nachspürenden Untersuchung sollen hier zunächst die theologisch bedeutsamen Elemente seiner Darstellung und Beurteilung erörtert werden.[7]

1. Die Beschreibung der ephesinischen Synode

Flavians Absicht, in seinem Bericht Dioskur als die beherrschende Figur des Konzils herauszustellen, fällt sogleich in die Augen. Die kaiserlichen Kommissare traten bei ihm nicht auf die Bühne, so daß auch der Kaiser zunächst nicht einmal im Hintergrund erschien; es traten zudem keine Persönlichkeiten auf, die in der Funktion von Moderatoren neben Dioskur standen. Der Alexandriner fällte auch als erster das Urteil über Eutyches. An dieser Stelle tritt Flavians Absicht besonders deutlich hervor. Während Dioskur gemäß der Dokumentation der Akten als letzter sein Urteil abgab – gewiß um sein Urteil als Zustimmung zu einem ohne ihn schon vorhandenen Konsens der Väter zu charakterisieren –, korrigierte Flavian die Abfolge und nahm dafür in Kauf, daß seine Darstellung an dieser Stelle recht undurchsichtig wurde.[8]

Aber Flavian charakterisierte die dominierende Rolle Dioskurs in einem noch weit schlimmeren Sinn. Er beschrieb nicht nur, wie der Patriarch sein konziliares Programm gegen den Widerstand der Konzilsväter durchsetzte, sondern auch, wie er die Mitwirkung der Mehrheit der Konzilsväter im ganzen ausschaltete.[9] Die Legaten ließ er nicht zu Wort kommen; das Schreiben Leos nicht verlesen.[10] Ihm selber und den übrigen Mitgliedern der endemischen Synode nahm er sogleich die Redefreiheit und sprach Drohun-

---

7 Das Schreiben Flavians: ACO II II 1 (11) 77,8-79,15. – Zur Untersuchung der historischen Gegebenheiten siehe besonders Anhang VI.
8 Vgl. Anhang VI.
9 ACO II II 1 (11) 77,30-78,2; 78,6-16.20-24; 77,15f.
10 Ebd. 78,24-28.

gen für den Fall aus, daß sie es wagen sollten, dem zuwiderzuhandeln.[11] Er setzte die anderen Synodenteilnehmer unter starken Druck, besonders im Blick auf das Urteil über Eutyches. Das Urteil über ihn, Flavian, und Eusebius von Doryläum wurde den widerstrebenden Vätern mit blanker Gewalt abgetrotzt.[12] Während vor der Sessio die überwiegende Mehrheit auf der Seite Flavians stand, fand Dioskur bei seinen konziliaren Entscheidungen in Wahrheit nur eine kleine Gefolgschaft. Die Urteile fielen aufgrund der Entscheidung Dioskurs und derer, die mit Gewalt zur Zustimmung gezwungen wurden – und auch ihrer waren nur ganz wenige. Dies zu zeigen, nannte Flavian ausdrücklich eine Aufgabe seiner relatio, und er faßte seine Folgerung dahin zusammen, daß die kirchlichen Normen durch die ephesinische Synode aufgelöst wurden.[13]

Es fällt ferner auf, wie detailliert Flavian über die Akklamationen des Konzils berichtete und wie sehr er sie damit hervorhob. Dies zeigt schon in etwa, wie er die Haltung des Konzils zur Glaubensfrage im ganzen sah. Vorweg faßte er das Ergebnis des Konzils zusammen in der Behauptung, es habe statt des Väterglaubens den Glauben von Eutyches sanktioniert.[14] An Eutyches lasse sich – gemäß der Synode – messen, was katholisch ist.[15] Flavian ging so weit, sogar der Verlesung des Textes der Ersten Ephesinischen Synode, welcher das Verbot der Erstellung von Glaubensbekenntnissen ausspricht, eine ganz andere Interpretation zu geben, als Dioskur ihr zumaß. Er ließ überhaupt nicht erkennen, daß es in seiner Verurteilung – wenigstens vordergründig – um eine Entscheidung in der Konsequenz dieses Verbots ging. Vielmehr deutete er die Verlesung des Textes als ein Aufgreifen des Glaubensverständnisses des Ersten Ephesinischen Konzils, das nach seiner Darstellung gerade seine Gegner mit ihren apollinaristischen Auffassungen verletzten.[16] So erschien bei ihm als das grundlegende Element, das für Verlauf und Ergebnis der ephesinischen Synode maßgebend war, nicht – wie bei Dioskur – das Traditionsprinzip als solches, sondern die christologische Irrlehre von Eutyches, die sich der alexandrinische Patriarch zu eigen gemacht hatte.

Da Flavian die Direktiven des Kaisers und die Mitwirkung seiner Beamten verschwieg, fiel das ganze Gewicht der Verantwortung auf Dioskur, dem nur wenige zur Seite standen. Damit bestritt der verurteilte Patriarch den Konsens, den der Alexandriner in den Akten zu zeigen versuchte, aufs entschiedenste. Die Zweite Ephesinische Synode war in seinen Augen ein Konzil, das den Glauben wie die kanonische Ordnung zerstörte.

11 Ebd. 78,1-6.
12 Ebd. 78,20-24.30-38.
13 Ebd. 79,9-15.

14 Ebd. 77,11-14.
15 Ebd. 78,6-15.
16 Ebd. 78,16-20.

2. Die Appellation an die römische Synode

Mit seinem Schreiben an Papst Leo zielte Patriarch Flavian demgemäß viel weiter als nur auf seine eigene Rehabilitierung, nämlich auf die Überwindung der Glaubensspaltung und auf die Wiederherstellung der auf dem Konzil verletzten kirchlichen Ordnung. Diese Anliegen nannte er schon im Eingang seines Briefes, sie prägen seinen Bericht über das Konzil. Und schließlich sprach er in seiner abschließenden Bitte um Leos Eingreifen wiederum von der Sache des Glaubens und der kirchlichen Ordnung und erwartete von der Einberufung eines neuen Konzils die Wiederherstellung der Glaubenseinheit, der von den Vätern überkommenen Ordnung und schließlich die Zurücknahme der Urteile des Zweiten Ephesinischen Konzils.[17]

An erster Stelle stand dabei die Glaubensfrage, wie schon der Anfang des Briefes und auch der Konzilsbericht erkennen lassen. Flavian rief den Papst auf, dem im Osten gefährdeten Glauben seinen Beistand zu gewähren: denn dort herrsche Verwirrung und Zwiespalt, ja der Glaube sei geradezu untergegangen.[18] Seine relatio freilich zeigt, wie Glaubensfrage und kirchliche Ordnung auf dem Konzil zusammen standen und fielen. Denn die Verletzung der kirchlichen Ordnung war die Voraussetzung für die Verletzung des Glaubens: Dioskur verhinderte zunächst die Behandlung der Glaubensfrage gegen den Willen der Bischöfe, fällte dann selbst unvermittelt das Urteil über Eutyches und damit über den Glauben, ein Urteil, das zugleich das Anathem über diejenigen bedeutete, die die Zustimmung verweigerten. Und schließlich verhinderte er die Verlesung des Glaubensbriefes Leos, der den Glauben so einleuchtend darlegte.[19]

17 Vgl. besonders ebd. 77,9-14; 78,39-79,1.9-11.

18 Ebd. 77,9-14.

19 Ebd. 77,30-78,30. – An dieser Stelle sei der ganze Abschnitt zitiert, der hier und für die folgenden Ausführungen grundlegend ist. Der Text unterscheidet die sachliche Entscheidung der römischen Synode und die aus ihr sich ergebenden konkreten Maßnahmen, in denen das Urteil der Synode sich niederschlagen soll. Es ist eine gröbliche Verkürzung und Entstellung, wenn *Caspar* (Geschichte, 492) den Text so zusammenfaßt: „ . . . – also eine große propagandistische Gegenkundgebung, gipfelnd in einem Universalkonzil des Abendlandes und Orients". Flavians „insurgere . . . in causa rectae fidei nostrae" erinnert an seinen Aufruf zu einer Stellungnahme Roms in ep. 26: „συγκινηθεὶς οὖν . . . διὰ πάντα τὰ παρ'αὐτοῦ τολμηθέντα . . . παρρησίασαι συνήθως . . ."
(ACO II I 1 [5] 39,32; PE 43,14 f.) Der Text, der die Appellation zum Ausdruck bringt: „et cum velut ex condicto quodam omnia adversum me iniqua procederent, post illam iniustam vocem quam contra me emisit, sicut ipsi placuit, me appellante thronum apostolicae sedis principis apostolorum Petri et universam beatam quae sub vestram sanctitatem est synodum, statim me circumvallat multitudo militaris et volentem me ad sanctum altare confugere non concessit, sed nitebatur de ecclesia trahere. tunc tumultu plurimo facto vix potui ad quendam locum ecclesiae confugere et ibi cum his qui mecum erant, latere, non tamen sine custodia, ne valeam universa mala quae erga me commissa sunt, ad vos referre. Oro itaque vestram sanctitatem ne obdormire patiamini super his quae insipienti et furioso consilio circa me gesta sunt, cum nullae praecedant

Sosehr Flavian, gestützt auf Leos Lehrschreiben, sich des rechten Glaubens bewußt und sosehr er vom widerrechtlichen Vorgehen Dioskurs und damit von der Ungültigkeit der Konzilsbeschlüsse überzeugt war — ein solches Verhalten war ja durch die Tradition desavouiert —, so hatte doch die ephesinische Synode nach außen hin den Charakter einer allgemeinen Synode, zu deren Einberufung Leo die Zustimmung gegeben und zu der er auch Legaten gesandt hatte; sie hatte zudem die reichsrechtliche Absicherung durch die Einberufung und die Weisungen des Kaisers. Mit seiner Appellation nahm er die Appellation auf, mit der er sich in Ephesus gegen Dioskurs Verurteilung gewandt hatte und erbat so eine Stellungnahme in der feierlichen Weise des Spruchs des Apostolischen Stuhles und der um ihn im römischen Konzil versammelten Bischöfe. Das Urteil des Papstes solle sich auf den Glauben beziehen, der in Ephesus vernichtet wurde, und auf die kanonische Ordnung, die dort aufgehoben wurde.

Als Niederschlag der synodalen Entscheidung erwartete Flavian drei Maßnahmen und dementsprechend Schreiben, die sich in drei Gruppen gliedern. Die beiden ersten Bündel von Briefen, die er anregte, gehören eng zusammen, da sie auf die ephesinische Synode zurückblicken sollten, während das an letzter Stelle genannte Schreiben eine Synode für die Zukunft ins Auge faßte. Als erste Maßnahme erbat er vom römischen Konzil ein Bündel von drei Schreiben, die nach Konstantinopel gehen sollten: an das ganze Volk, an den Kaiser sowie an den Klerus und die Mönche.[20] Nur die beiden ersten Schreiben charakterisierte er: das Volk solle über die ephesinischen Ereignisse unterrichtet werden und der Kaiser solle die angemessene „Belehrung" erhalten. Schon mit Unterrichtung meinte er gewiß nicht eine bloße Berichterstattung ohne Wertung; mit der Unterweisung des Kaisers erwartete er nichts anderes als die Stellungnahme der römischen Synode zum

causae quae me in reatum aliquem adducant, sed insurgere primum quidem in causa rectae fidei nostrae, quae quorundam libidine deperiit, deinde propter eversionem ecclesiasticarum constitutionum curam facere et simpliciter per omnia narrare tam plebi quae numero praecellit quam amatorem Christi imperatorem litteris quae competunt, edocere, scribere etiam clero sanctae Constantinopolitanae ecclesiae et religiosissimis monachis nec non et Iuvenali Hierosolimorum episcopo et Thalassio Caesariae Cappadociae, Stephano quoque Ephesiensi et Eusebio Anquiritano et Cyro Afrodisiensi et reliquis sanctis episcopis qui consensum super pravo consilio adversum me praebuerunt Dioscoro (vel), qui velut principatum sanctae synodi apud Ephesum tenuit, dare etiam formam quam deus vestrae menti inspirabit, ut tam Occidentali quam etiam Orientali in unum facta patrum synodo similis ubique praedicetur fides, ut praevaleant sanctiones patrum, in irritum vero deduci valeant atque dissolvi omnia quae male et umbratili non sine lusu quodam modo gesta sunt" (ACO II II 1 [11] 78,30-79,11).

20 Die Annahme von *Schwartz* — im Anschluß an Debouxtay —, Flavian spreche vom römischen Volk, erscheint als recht unwahrscheinlich angesichts der gleich folgenden Erwähnung des Kaisers, des konstantinopolitanischen Klerus und der Mönche und angesichts der Tatsache, daß im übrigen nur solche genannt sind, die direkt in den Streit verwickelt waren. Schwartz verweist auf Debouxtay zustimmend im Apparat zum Text: ACO II II 1 (11) 79,1; vgl. die Anmerkung von Schwartz zu den Ausgaben der Appellation, ebd. 77.

unkanonischen Verlauf der ephesinischen Synode und damit zugleich zu deren Fehlentscheidungen über den Glauben und so auch über Flavian. Mit dem Schreiben an Klerus, Mönche und Volk von Konstantinopel erhoffte Flavian offenbar auch die weitere Isolierung von Theodosius II. in der Kaiserstadt. Während er nämlich im folgenden den Papst nur um Schreiben an die Gesinnungsgenossen von Dioskur bat, erwartete er für Konstantinopel Briefe auch an dessen Gegner. Die Kirche von Konstantinopel hatte ja bisher fast einhellig auf Flavians Seite gestanden – abgesehen von Eutyches und den wenigen Mönchen und Klöstern, die zum Archimandriten hielten. So ging es dem abgesetzten Patriarchen nicht bloß darum, durch Leos Eingreifen die konstantinopolitanische Kirche in ihrer Haltung zu bestärken, sondern auch darum, auf solche Weise dem politischen Einfluß, den Dioskur und Eutyches über Chrysaphius auf den Kaiser ausübten, ein Gegengewicht entgegenzusetzen. Es liegt jedoch auf der Hand, daß es nicht um bloße politische Propaganda gehen konnte: die Aktion hatte nur Sinn, wenn die römische Synode sich entschieden gegen das Zweite Ephesinische Konzil aussprach. Dies gilt in besonderem Maße für die Stellungnahme gegenüber dem Kaiser.

Die Bitte um ein Schreiben an den Klerus und die Mönche in Konstantinopel leitete über zur zweiten Aktion, die Flavian von der römischen Synode erwartete: Sie möchte Post an die Bischöfe senden, die auf der Seite Dioskurs standen, vor allem an jene, die hierin auf dem Konzil eine besondere Rolle spielten: Juvenal von Jerusalem, Thalassius von Cäsarea in Kappadozien, Stephan von Ephesus, Eusebius von Ankyra, Cyrus von Aphrodisia. Nach dem Kaiser als dem für den Konzilsverlauf politisch Verantwortlichen waren nun aus den Reihen der Bischöfe die Mitverantwortlichen genannt.

Als dritte Maßnahme der römischen Synode gegenüber der ephesinischen erbat Flavin die Einberufung einer Synode aus West und Ost.[21] Caspar sagt dazu, den Rechtsanschauungen der Zeit und damit auch Flavians als des Appellanten zufolge „konnte das Urteil einer *Synode* nur durch eine größere Synode beseitigt werden."[22] Die erste Begründung für eine solche Auffassung liegt bei Caspar offenbar in der Tatsache, daß Flavian die Einberufung eines Konzils wünschte, und zwar eines Konzils von Bischöfen aus West und Ost. Nun war der Westen freilich auch auf dem Zweiten Ephesinischen Konzil mit den römischen Legaten vertreten gewesen. Die Nennung des

21 Vgl. Anm. 19.
22 Geschichte, 492: „Ein ‚Jurisdiktionsprimat', kraft dessen der Papst allein das Urteil einer Reichssynode umstoßen könnte, lag diesem Appellanten, wie den ganzen Rechtsanschauungen der Zeit, noch völlig fern; ihnen zufolge konnte das Urteil einer Synode nur durch eine größere Synode beseitigt werden."

Westens bedeutete deshalb zunächst, daß Flavian das Konzil unter der Voraussetzung anstrebte, daß die römische Kirche an ihm teilnehme. Jedenfalls wollte er gewiß nicht zum Ausdruck bringen, die Zweite Ephesinische Synode könnte deshalb für ungültig erklärt werden, weil als Teilnehmer aus dem Bereich des Westens nur die römischen Legaten anwesend waren und weil demgemäß auf einer künftigen Synode mehr westliche Bischöfe versammelt werden könnten. Die Vorstellung, eine allgemeine Synode wie Nicäa könne ihre Gültigkeit verlieren, wenn eine größere, zahlenmäßig repräsentativere Synode zusammenträte und ihre Beschlüsse in Abrede stellte, ist gerade dieser Zeit, in der die Nichtrevidierbarkeit von Nicäa für alle feststand, völlig fremd. Und so war denn auch bei Flavian der Grund für die Appellation an die römische Synode und damit für die Bitte, Rom möge die ephesinische Synode nach Gehalt und Gestalt nicht rezipieren, keineswegs die Zahl der Teilnehmer, sondern die Art der Durchführung des Konzils. Falls Flavian mit der Nennung des Westens aber doch die Teilnahme einer größeren Anzahl westlicher Bischöfe gemeint haben sollte, so erklärt sich dies am besten aus der Absicht, die Synode aus der erdrückenden Einflußnahme des Kaisers Theodosius II. herauszulösen, sie deutlicher als kirchliches Ereignis hervortreten zu lassen und so die Freiheit des ökumenischen Konzils zu erlangen.

Dem entspricht es, wenn Flavian die Einberufung der künftigen Synode von Rom erwartete, ohne den Kaiser dabei auch nur zu nennen. Leo bzw. die römische Synode solle ein Schreiben (forma) erlassen, das die Einberufung ausspricht; es werde unter Eingebung Gottes verfaßt sein. Nun wird man freilich nicht annehmen dürfen, der verurteilte Patriarch habe daran gedacht, Leo solle selber und direkt die Bischöfe zu einem Konzil zusammenrufen. Dies erscheint allzu unwahrscheinlich angesichts der – jedenfalls im Osten – ungebrochenen Tradition, dem Kaiser die maßgebende Rolle für die Einberufung eines solchen ökumenischen Konzils zuzuweisen. Auch Flavian konnte sich keiner Täuschung darüber hingeben, daß Leo nur mit dem Kaiser und durch ihn handeln konnte. Im Augenblick der größten Not war für ihn aber der Papst die letzte Instanz, die ein Konzil zuwege bringen konnte; Leo war der einzige, der dem Kaiser eine neue ökumenische Synode abzufordern vermochte. Damit erscheint der römische Bischof zugleich als Garant eines ökumenischen Konzils in kirchlicher Freiheit und Verantwortung gegenüber einer allgemeinen Synode wie der von Ephesus (449), in der dem Kaiser ein zu weitgehender Einfluß auf Programm und Durchführung und damit auch auf das Ergebnis eingeräumt worden war.

Flavian legte in seiner Appellation keine Reflexion über das Verhältnis des Spruchs der römischen Synode und die Entscheidung eines künftigen ökumenischen Konzils nieder. Im konkreten geschichtlichen Kontext hielt er aber beide für notwendig. Einerseits erwartete er zunächst den Spruch des römischen Konzils, der sich gegen die Sentenz von Dioskur in Ephesus, die den Glauben verletzte, und gegen die unkanonische Durchführung des Konzils richten sollte. Andrerseits erhoffte er sich von einem aus West und Ost beschickten Konzil, es werde erreichen, daß überall der gleiche Glaube herrsche und die ephesinischen Geschehnisse als ungültig beurteilt würden. Er sah die allgemeine Synode in der Linie der römischen: sie sollte den römischen Spruch bekräftigen und einen Konsens in West und Ost zustande bringen. Ein solcher Konsens mußte für Flavian höchst bedeutsam sein, da er den dogmatischen Zwiespalt so deutlich sah, aber zugleich auch möglich, da sich in Ephesus vor Beginn der Beratungen ein Einvernehmen der Mehrheit der Bischöfe gezeigt hatte. Und schließlich erschien ihm eine ökumenische Synode gewiß auch schon in diesem Augenblick als das gegebene, weil er damit rechnen mußte, Theodosius II. werde die ephesinischen Beschlüsse rasch gesetzlich bestätigen.[23]

Das Appellationsschreiben bezeugt, daß Patriarch Flavian den Römischen Stuhl als Wächter über den Glauben und die kirchliche – hier die konziliare – Ordnung betrachtete. Im feierlichen Wortlaut der Appellation auf dem Konzil ließ er auch den Grund für eine solche Stellung Roms erkennen: Leo hat den Apostolischen Stuhl inne. Sedes apostolica verstand er aber im spezifischen Sinn, es bezeichnete – Flavian unterstrich dies – den Stuhl des Apostels Petrus als des princeps der Apostel. Die römische Synode ist hier ganz der Führung Leos unterstellt, sie bezeichnet die Weise, in der der Apostolische Stuhl grundlegende Entscheidungen, wie den Spruch über die

---

23 Es mag angebracht sein, zu diesen Ausführungen, die auch im Blick auf die – in Anm. 22 genannte – These von *Caspar* vorgelegt wurden, noch ein paar Anmerkungen ergänzend hinzuzufügen. Soweit die ephesinische Synode Reichssynode war, also vom Kaiser einberufen war und später sanktioniert wurde, war es für den öffentlich-politischen Bereich, in dem die Kirche auch lebte, erforderlich, daß der Kaiser ein Abgehen von ihr zuließ. Die Handlungsweise von Kaiser Marcian vor dem Konzil von Chalcedon zeigt aber, daß dies bereits vor einem solchen Konzil schon möglich war. Immerhin wird man sagen können – und so Caspar ein Stück weit beipflichten –, daß die kaiserliche Berufung und Bestätigung einer neuen ökumenischen Synode der naheliegendste Weg war, eine „Reichssynode" aufzuheben. Für Flavian hatte die künftige römische wie die erwartete ökumenische Synode im geschichtlichen Kontext ihren je eigenen Sinn. Die römische Synode hatte, wie schon gegen Caspar gezeigt wurde, nicht zuerst oder gar ausschließlich die Aufgabe einer auf ein größeres ökumenisches Konzil abzielenden Propagandaaktion, sondern sollte die Entscheidung bringen, daß die sedes apostolica die Beschlüsse der ephesinischen Synode nicht rezipiere. Caspar übersieht übrigens auch, daß Flavian der ephesinischen Synode die römische, um die petrinische sedes versammelte S y n o d e entgegenstellte. Sie kam in der geschichtlichen Stunde, in der eine große „Reichssynode" problematisch verlaufen war, deutlich in den Blick. Zu den von Caspar herbeigerufenen Rechtsanschauungen der Zeit werden die Stellungnahmen von Theodoret, Eusebius von Doryläum, Nestorius, der chalcedonischen Väter und schließlich auch des Papstes, die weiter unten zur Darstellung kommen sollen, reiches Anschauungsmaterial liefern und ein differenziertes Urteil ermöglichen.

ephesinische Synode und ihre Entscheidungen, als Antwort auf Flavians Appellation fällen soll. Der Patriarch von Konstantinopel nannte seine Appellation an Leo eine „apostolische Appellation", weil sie an die sedes des ersten Apostels gerichtet war.[24]

III. Theodoret

Theodorets Reaktion auf die ephesinische Synode, die ihn in ihrer zweiten Sitzung verurteilt hatte, und seine Haltung gegenüber der sedes apostolica, zeigt sich uns vor allem in den Schreiben, die er durch Legaten nach Rom sandte. Eine wichtige Ergänzung bieten zwei Briefe an den konstantinopolitanischen Beamten Anatolius und Hinweise in der gleichzeitig entstandenen Kirchengeschichte.

1. Roms politische und charismatische Stellung

Im Schreiben an Papst Leo begründete der Bischof von Cyrus sein Ersuchen um die Prüfung des Urteils der Synode durch Rom von der Stellung der römischen sedes her. In betonter Weise stellte er zunächst heraus, daß Roms Signum anderen Städten gegenüber darin liegt, daß es weltliche und charismatische Größe in sich vereint. Schon seine politische Bedeutung gibt ihm einen unvergleichlichen Vorrang: Rom ist der Ursprungsort einer bis jetzt währenden Herrschaft und die führende Stadt des Erdkreises.[25] Der Ausdruck „προκαθημένη" könnte in diesem Zusammenhang bereits eine Beziehung zwischen politischer und religiöser Stellung anklingen lassen.

Jedoch hob Theodoret beide Bereiche zugleich deutlich voneinander ab. Mit einem „vor allem" eröffnete er die theologische Begründung der Vorzugsstellung Roms – einsetzend mit dem Hinweis auf den schon vom Apostel gepriesenen Glauben der Römer, der jetzt noch kräftiger und

---

24 „Oportunum quidem ad praesens tempus mediocriter referre et uti apostolica appellatione ad vestram sanctitatem, ut progrediens ad Orientem auxilium ferret periclitanti piae sanctorum patrum fidei, quam sudore ultionis tradiderunt." ACO II II 1 (11) 77,9-11. Flavians Formulierung erinnert an den Topos von der Reise des Apostels Petrus vom Osten zum Westen, die nun wieder zum Osten zurückführen soll; vgl. dazu die unten beschriebene Appellation Theodorets. – Zur Appellation Flavians vergleiche besonders den Text, der in Anm. 22 zitiert ist und der den spezifisch apostolischen, nämlich petrinischen Charakter der sedes apostolica hervorhebt. Mit Betonung ist Petrus hier princeps apostolorum genannt; im griechischen Text stand dafür gewiß: „κορυφαίου τῶν ἀποστόλων" ; vgl. Lampe, A Patristic Greek Lexicon, 769.

25 SC 111/56,10-19 (Brief 113).

preiswürdiger ist. Der qualitative Unterschied zu den politischen Prädikationen tritt auch dadurch hervor, daß erst in diesem kirchlichen Bereich sich der Gipfel der Vorzüge Roms findet: es besitzt die Gräber und den Thronos der Apostel Petrus und Paulus.[26] Im Brief an Renatus nannte Theodoret die politischen Vorzüge Roms nicht ausdrücklich, ließ sie aber wohl doch wenigstens anklingen und setzte sie – wenn diese Annahme richtig ist – sogar in Bezug zur führenden Stellung des Römischen Stuhls über die Kirchen der gesamten Ökumene. Aber auch hier hob der Bischof von Cyrus die theologische Begründung der Position der Kirche Roms deutlich heraus: sie liegt „vor allem anderen" in der nie versehrten Glaubensreinheit des Römischen Stuhles und in der „apostolischen Gnade", die immer bewahrt wurde. Aus der „apostolischen Vollmacht" leitete Theodoret hier denn auch die Bitte um das Eingreifen Leos ab.[27]

2. Der Thronos der Apostel Petrus und Paulus

Da Theodoret in seinem Schreiben an Papst Leo mit der Rühmung der Stadt Rom begann, lag es für ihn nahe, auch bei der Erläuterung des hervorstechenden kirchlichen Vorzugs von diesem Ort auszugehen: Rom beherbergt die Gräber von Petrus und Paulus. An diese Gräber knüpft sich eine wirkmächtige Präsenz der Apostel: sie erleuchten die Herzen der Gläubigen. Theodoret erläuterte seine Auffassung im Blick auf die missionarische Sendung und den Tod der beiden Apostel. Er führte ihren Auftrag des Erhellens ins Bild des Heliosgespanns hinüber. Die beiden Apostel gingen wie die Sonne im Osten auf und erfuhren den Untergang ihres Lebens im Westen. Doch gab er dem Bild zugleich eine theologische Vertiefung, die es auf einen neuen Sinn hin aufsprengt. Die Verkündigung von Petrus und Paulus ist als ein Erleuchten bezeichnet, das im missionarischen Weg der beiden Apostel die Welt von Ost bis West erleuchtet: für alle Gläubigen sind sie Väter und Lehrer des einen, gemeinsamen Glaubens. Ihre universale Verkündigung erhält ihr Besiegelung und Vollendung darin, daß sie zu einer fortwährenden wird. Das Untergehen ihres Lebens am Ort des Sonnenuntergangs bedeutet gerade nicht ein erlöschendes Versinken, sondern gewährt ihnen bleibende Gegenwart wie die permanente Position eines Fixsterns, eine dauernde Präsenz, die es ihnen ermöglicht, für immer ihre Strahlen über die ganze Welt hin zu breiten. Ihr Tod als ein in Tapferkeit ertragenes

---

26 Ebd. 56,19-58,3. Ebd. 56,19: „Κοσμεῖ δὲ αὐτὴν διαφερόντως ἡ πίστις"; vgl. den Text in Anm. 28 und 35.
27 Ebd. 70,18-24 (Brief 116); vgl. Anm. 35.

Hinabsinken gibt ihnen in Rom die Gegenwart einer fortdauernden Verkündigung. Ihre Gräber erleuchten die Seelen der Gläubigen.[28]

Sucht man nach Vorbildern einer solchen Darstellung, so stößt man vor allem auf Eusebius von Cäsarea. Theodoret knüpfte an einen Text im zweiten Kapitel der Kirchengeschichte an. Dort stellt Eusebius dar, wie die göttliche Vorsehung Petrus nach Rom führte, um hier Simon Magus, den Urtypus des Häretikers zu überwinden. Dieser war gerade in dem Augenblick, als der Glaube an Christus sich über den ganzen Erdkreis auszubreiten begann, daran, die Hauptstadt für den Widersacher zu erobern. Doch wurde er sofort zunichte, als Petrus dort seine Verkündigung aufnahm. Die Darstellung von Eusebius gipfelt in einer Schilderung des Erscheinens und Wirkens des Apostels, in der sich die Bilder häufen, ineinander übergehen oder vielmehr zu einem einzigen großen Bild verschmelzen. Die Sprache erhebt sich so zu einer hymnischen Preisung, die durch ihre Klarheit und Kraft besticht. In Petrus kommt der Gewaltige und Große unter den Aposteln. Er erscheint wie ein Feldherr, gewappnet mit göttlichen Waffen, um gegen die gefährliche Pest des Irrtums anzutreten. Wie ein Kaufmann bringt er den kostbaren Schatz der Wahrheit: so wird er zum Lichtträger, der das Licht vom Osten zum Westen bringt. Petrus bringt das Licht selbst, Christus, und mit seiner Verkündigung verscheucht er siegreich die Finsternis verderblicher Lehre.[29]

Theodoret griff das Bild der sieghaft erstrahlenden, vom Osten zum Westen wandernden Sonne auf, gab ihm aber – ähnlich wie Eusebius, jedoch über ihn hinausführend – schöpferisch eine neue Gestalt. Er zielte eine neue, umfassendere Aussage an, da es ihm um die bleibende und universale Gegenwart des apostolischen Wirkens in Rom ging, die im Martyrium von Petrus und Paulus und der damit gegebenen Würde des Apostolischen Stuhles gründet. Und so wurde ihm die Sonne zum Symbol darin, daß sie in ihrem Lauf die ganze Welt erhellt. Aber jetzt ist es eine Sonne, die nicht im Westen untergeht, sondern gerade in ihrem Untergang feststeht und vom Westen bleibend die ganze Erde erleuchtet. Die gewandelte theologische Aussage prägt das Bild um. Und so wird die bildhafte Darstellung selbst zu einer Sprache von plastischer Klarheit und von gewaltiger theologischer Aussagekraft.

28 Ebd. 58,1-11: „Ἔχει δὲ καὶ τῶν κοινῶν πατέρων καὶ διδασκάλων τῆς ἀληθείας Πέτρου καὶ Παύλου τὰς θήκας, τῶν πιστῶν τὰς ψυχὰς φωτιζούσας. Ἡ δὲ τρισμακαρία τούτων καὶ θεία ξυνωρὶς ἀνέτειλε μὲν ἐν τῇ ἑῴα, καὶ πάντοσε τὰς ἀκτῖνας ἐξέπεμψεν· ἐν δὲ τῇ Δύσει προθύμως ἐδέξατο τὰς τοῦ βίου δυσμάς, κἀκεῖθεν νῦν καταυγάζει τὴν οἰκουμένην. Οὗτοι τὸν ὑμέτερον περιφανέστερον ἀπέφηναν θρόνον· οὗτος τῶν ἀγαθῶν τῶν ὑμετέρων ὁ κολοφός. Ὁ δὲ ἐκείνων θεὸς καὶ νῦν τὸν ἐκείνων ἐλάμπρυνε θρόνον, τὴν ὑμετέραν ἁγιωσύνην ἱδρύσας ἐν τούτῳ τῆς ὀρθοδοξίας τὰς ἀκτῖνας ἀφιεῖσαν."

29 Eusebius, Kirchengeschichte, II 14,1-6; 15,1; bes. 14,6.

Die Darstellung Theodorets ist auch verwandt mit dem Brief der Konzils-väter von Arles (313) an den römischen Bischof. Für sie ist Rom der Ort, in dem Petrus und Paulus für immer ihre sedes haben. Ihr „sedere" erfließt aus ihrem Blutzeugnis: ihr vergossenes Blut ist ein täglich neu geschehendes Bekenntnis, das Gott verherrlicht.[30] Während die Väter von Arles das Martyrium der beiden Apostel kraftvoll hervorhoben, ließ Theodoret es nur deutlich anklingen, da er im Bild der Sonne blieb und so vor allem die Verkündigung der beiden Apostel hervorhob, welche die ganze Ökumene umfaßt. Zugleich verknüpfte er ausdrücklicher den Ort ihres tapferen Todes mit dem römischen Bischofssitz. Die römische sedes ist ihr Sitz, sie geben ihm seinen Rang und seine Bedeutung. Der Bischofssitz der Stadt Rom ermöglicht Petrus und Paulus eine bleibende Gegenwart als Lehrer des Glaubens. Theodoret zeigte dies an Papst Leos Lehrverkündigung.

Von ihm sagte er jetzt das gleiche, was er vorher über des Lehren der beiden Apostel ausführte: er sendet die Strahlen der Glaubenslehre aus – und zwar von ihrer sedes, die nun er innehat. Der Bischof von Cyrus parallelisierte und verknüpfte beides ganz bewußt. Er rühmte nicht nur Leos rechte Glaubensverkündigung, sondern pries ihn selbst, weil Gott durch ihn und seine Lehre von neuem den Thronos, auf dem er von Gott eingesetzt ist, ins Licht stellt, den Thronos dieser Apostel. In dieser Verbindung erreichte die Darstellung ihre letzte Aufgipfelung. Leo, der auf der sedes der Apostel Petrus und Paulus sitzt, hat damit „apostolische Prägung" erhalten, eine Prägung, die ihm als Bischof von Rom von den beiden Aposteln her zukommt.[31]

30 „Sed quoniam recedere a patribus illis minime potuisti, in quibus et apostoli cotidie sedent et cruor ipsorum sine intermissione dei gloriam testatur . . .": Optatus, Libri VII, 207.

31 SC 111/58,1-16; bes. 15f. -
Caspar verknüpft Theodorets Auslegung mit den Bezeichnungen, welche die Eusebianer Rom zugestehen: „ . . . es waren bei Theodoret im Grunde immer noch die alten Lobsprüche, die der Orient Rom längst gespendet hatte. Immer noch erschienen Petrus und Paulus, die vom Osten nach Westen kamen, als orientalisches Symbol der Einheit, neu gefaßt in dem schönen Helios-Gleichnis des von Ost nach West wandelnden und seine Strahlen zurücksendenden Himmelsgespanns" (Geschichte, 492). Er bezieht sich damit auf den bei Sozomenos (Kirchen-geschichte, III/8,5f.; *Bidez-Hansen*, 111) wiedergegebenen Text. Dies ist gewiß ein interessan-ter Hinweis. Die Anklänge an diesen Text sind freilich viel geringer als die oben skizzierten Bezüge zu Eusebius von Cäsarea und zu dem Schreiben der Konzilsväter von Arles. Vor allem aber interpretiert Theodoret die traditionellen Bilder und Aussagen, welche selbst die Eusebia-ner noch aufnehmen, in einem ihrer Intention gerade entgegengesetzten Sinn. Während sie das Bild der vom Osten nach Westen wandernden Apostel dahin deuten, daß der Osten trotzdem nicht den zweiten Rang nach Rom einnehme, bringt Theodoret mit ihm gerade die einzigartige Stellung der römischen sedes zum Ausdruck. Der Skopus seiner Deutung zielt nicht darauf, ein Symbol der Einheit ins Licht zu stellen – dies wird vielmehr vorausgesetzt. Ihm liegt vor allem daran, zu zeigen, daß der Zeugentod der Apostel in Rom „ihrer" – des Petrus und Paulus – sedes eine bleibende, über die gesamte Ökumene sich erstreckende Bedeutung und Vollmacht gegeben hat. So kommt Theodoret denn auch zu völlig anderen Folgerungen als die Eusebianer, welche die Nichtrevidierbarkeit der Synode einer Eparchie verteidigen. Er will durch den Papst den Spruch einer ökumenischen Synode, die gegen die Kanones verstieß, aufheben lassen.

Versuchen wir die Struktur des dichten Textes noch genauer zu erfassen. Er zeigt zwei Hauptstränge, die aber engstens miteinander verknüpft sind. Sie erscheinen als gleichgerichtete Linien: Petrus und Paulus erleuchten wie eine einzige Sonne die Ökumene, aber auch Leo sendet gleichermaßen die Strahlen über die ganze Welt hin. Bei näherer Betrachtung liegen die parallelen Linien der die Erde umspannenden Lehrverkündigung in einer einzigen Fluchtlinie. Denn zunächst berühren sie sich, indem sie an einem bestimmten Punkt zeitlich zusammenfallen. Petrus und Paulus erleuchten die Ökumene bleibend, in einem andauernden Jetzt; um dies hervorzuheben, formt Theodoret das Bild des im Westen untergehenden Sonnengespanns um. Zugleich gilt, daß Leo jetzt die Welt erleuchtet. Die Linien berühren sich aber auch, indem sie räumlich zusammenfallen. Vom Westen aus, von der Stätte ihres tapferen Todes und ihres Grabes in Rom senden die beiden Apostel ihr Licht aus. Auch Leo läßt von hier aus seine die Ökumene umspannende Verkündigung ergehen.

Schließlich erscheint die römische sedes als der eigentliche Konvergenzpunkt. Leo hat die sedes der Apostel Petrus und Paulus inne. Den Thronos, den sie ins helle Licht gerückt haben, hat Gott von neuem ins Licht gestellt, indem er als Gott der beiden Apostel – „ihr Gott" sagte Theodoret mit Nachdruck – es war, der Leo mit seiner Lehrverkündigung auf ihm einsetzte. Petrus und Paulus haben Leos sedes seine hervorragende Stellung gegeben und umgekehrt hat Gott durch Leo ihre sedes ausgezeichnet. Da Leo den Thron der Apostelfürsten innehat, geschieht in seinem Wort ihre Verkündigung. Im Wort „χαρακτήρ" findet diese Sicht eine prägnante Zusammenfassung. Es meint jene Prägung, die dem römischen Bischof von den beiden Aposteln her zukommt. Leos Brief an Flavian ist die Bestätigung des in diesem spezifischen Sinn „apostolischen" Charakters.[32]

In einem Brief an den Patrizier Anatolius unterstrich Theodoret diese Darstellung. Dies ist bedeutsam, weil der Bischof von Cyrus hier nicht als Bittsteller dem Papst gegenübertrat, sondern als Vertrauter eines hochgestellten Laien in Konstantinopel sprach. Er betonte, der Brief Leos sei ihm die göttliche Bestätigung für seine eigene Lehre. Und er betrachtete Leos Brief in diesem Licht, weil Leo „apostolische" Prägung besitze, die sich auf solche Weise bestätigt habe.[33]

---

32 Ebd. 58,12-60,13; (bes. 58,12-16); vgl. das Zitat in Anm. 31 und die beiden folgenden Anmerkungen.

33 Ebd. 84,10-16:
„Ἀληθῶς γὰρ τὸν ἀποστολικὸν ἐν οἷς ἔγραψε διεφύλαξε χαρακτῆρα, καὶ τὰ παρὰ τῶν ἁγίων καὶ μακαρίων προφητῶν καὶ ἀποστόλων, καὶ τῶν μετ' ἐκείνους κηρυξάντων τὸ Εὐαγγέλιον, καὶ μέντοι καὶ τῶν ἐν Νικαίᾳ συναχθέντων ἁγίων Πατέρων, εὕρομεν ἐν τοῖς γράμμασι . . ."

Wegen der Nähe zu diesen Texten ist auch das Wort „apostolische Gnadengabe" im Brief an Renatus im gleichen Sinn zu deuten. Theodoret stellte zunächst fest, daß weder die römische Kirche noch ein einziger Inhaber der sedes Roms je der Häresie verfiel. Das bedeutete für ihn zugleich: die römischen Bischöfe bewahrten immer die ihnen von Petrus und Paulus zuteil gewordene Gnadengabe – es ist offensichtlich die Gabe, den rechten Glauben zu verkünden. Die Geschichte der römischen Kirche und ihrer Bischöfe erweist eine nie erschütterte Glaubensfestigkeit, die auf die beiden Apostel und auf die besondere Beziehung der römischen sedes zu ihnen zurückzuführen ist.[34]

Theodoret verzichtete zwar darauf, diese Linie der Begründung des römischen Primats aus der „apostolischen" Unerschütterlichkeit im Glauben hier noch breiter zu entfalten und zu begründen, da der Brief an Renatus nur eine Ergänzung des Briefes an Papst Leo darstellt und so von ihm her interpretiert werden muß. Es zeigt sich aber eine Parallele, die Licht auf unseren Text fallen läßt. Im Brief an den Papst bezeichnete Theodoret den Thron der Apostelfürsten als den Gipfel jener Güter, die Rom die Vorrangstellung geben, im Brief an Renatus nannte er als alle anderen Gründe übertreffenden Grund für die herausragende Stellung der römischen sedes ihre stetige Freiheit von Häresie.[35] Glaubensverkündigung über die ganze

Yvan *Azéma* übersetzt den Abschnitt so: „Car il est bien vrai qu'il a conservé dans les écrits la marque de la pensée des apôtres et c'est bien l'enseignement des saints et bienheureux prophètes et apôtres qui, après eux, ont prêché l'Evangile, et aussi des Saints Pères réunis à Nicée, que nous avons trouvés dans ces écrits; à cette doctrine nous déclarons, nous aussi, être fidèle et nous accusons d'impiété ceux qui partagent une autre croyance que celle là." (Ebd. 85). Die Umschreibung von „τὸν ἀποστολικὸν . . . χαρακτῆρα" mit „la marque de la pensée des apôtres" erscheint nicht als zutreffend. In diesem Fall würde sich Theodoret ganz unnötig wiederholen, da er gleich nachher von der Lehre der Apostel spricht: „καὶ τὰ παρὰ τῶν ἁγίων καὶ μακαρίων προφητῶν καὶ ἀποστόλων . . . εὔρομεν ἐν τοῖς γράμμασι" (ebd. 84,12). Zudem bietet die genaue Parallele im Brief an Leo (ebd. 58,16) einen festen Anhalt für das rechte Verständnis.

34 Ebd. 70,18-23 (Brief 116). Es stellt sich die Frage, ob das Wort „ἀλλὰ τὴν ἀποστολικὴν χάριν ἀκήρατον διεφύλαξε" einfach die Tatsache der Bewahrung des Glaubens der Apostel bezeichnet oder aber zugleich die Bewahrung der Gnadengabe von Petrus und Paulus, den Glauben recht zu verkünden. Man wird sich für die zweite Lösung entscheiden müssen, und zwar wegen der doppelten Parallele im Brief an Leo und an Anatolius. Dort liest Theodoret an den Schriften Leos bzw. an seinem Brief an Flavian dessen Prägung durch die Apostel Petrus und Paulus ab, die Fähigkeit also, so wie sie den rechten Glauben zu verkünden. Hier nun liest er an der ganzen Geschichte des apostolischen Stuhls und aller seiner Inhaber ab, daß die römische sedes ihre „apostolische" Gnadengabe der rechten, autoritativen Glaubensverkündigung immer bewahrt hat. Die einander zugeordneten Texte: ebd. 70,18-23; 58,12-16; 84,10-15. – In die gleiche Richtung scheint G. *Koch* zu zielen: „In diesem Text taucht die Vorstellung von einer apostolischen Vollmacht auf, die dem römischen Bischof eignet und die mit dem Gedanken eines allgemeinen Führungsanspruchs verbunden ist; es kommt hinzu die Vorstellung einer apostolischen Gnade, die – vorab durch Reinheit des Glaubens – in der Geschichte bewahrt wurde." (Theodoret von Kyros, 211).

35 Man vergleiche 56,9-11; 58,7-9 mit 70,18-23:
„Διὰ πάντα γὰρ ὑμῖν τὸ πρωτεύειν ἁρμόττει. Πολλοῖς γὰρ ὁ ὑμέτερος θρόνος κοσμεῖται

Erde hin in der Teilnahme an der Sendung der Apostel Petrus und Paulus und unerschütterte Glaubensfestigkeit in der Teilhabe an ihrer Gnadengabe sind einander zugeordnet, ja fallen geradezu zusammen als das Wichtigste und Eigentümlichste der Stellung der römischen Kirche inmitten aller anderen Vorzüge.

3. Die Stellung des Apostels Petrus

Soweit die Briefe Theodorets bisher kommentiert wurden, ließen sie keine auszeichnende Betonung des Apostels Petrus gegenüber Paulus erkennen; das Wort „apostolisch" im Zusammenhang mit der römischen sedes meinte immer beide Apostel in unlöslicher Einheit. Aber schon im Eingang des Briefes an Papst Leo ließ er sichtbar werden, wie sehr er um die Sonderstellung von Petrus inmitten der Apostel, selbst gegenüber Paulus wußte. Er begründete seine Bittschrift an den Apostolischen Stuhl allererst mit dem Hinweis, auch Paulus habe sich an Petrus gewandt. Dies geschah angesichts des antiochenischen Disputs um die Geltung des Gesetzes. Der Apostel Paulus ersuchte Petrus um die Lösung der Streitfrage. Damit gab Theodoret eine interessante Deutung des sogenannten Apostelkonzils (Apg 15,1-35). Paulus vermag nicht die Entscheidung zu fällen, die Jerusalemer Versammlung wird nicht erwähnt, der Blick richtet sich vielmehr ganz auf Petrus: er war es, der in dieser grundlegenden Kontroverse die Entscheidung fällt, die Frage löst und damit dem Zwiespalt ein Ende macht. Jetzt war es der Apostolische Stuhl, von dem Theodoret in dem Streit, der die Kirche verwundete, die Antwort erbat, die Heilung zu bringen vermochte.[36] Der Apostolische Stuhl tritt hier jedenfalls in die petrinische Vollmacht ein, auch wenn Theodoret in den weiteren Ausführungen die Autorität Roms im Blick auf beide Apostel ohne weitere auszeichnende Hervorhebung von Petrus beschrieb.

Die Begründung des römischen Primats in der Glaubensfestigkeit im Brief an Renatus fügt sich in diese Linie ein. Auch wenn sie hier nicht ausdrücklich im Gegenüber zu Paulus von Petrus hergeleitet wird, ist doch nicht zu übersehen, daß Theodoret die Unerschütterlichkeit im Glauben vor allem

---

πλεονεκτήμασι . . . Οὗτοι τὸν ὑμέτερον περιφανέστερον ἀπέφηναν θρόνον · οὗτος τῶν ἀγαθῶν τῶν ὑμετέρων ὁ κολοφών." –
„Ἔχει γὰρ ὁ πανάγιος θρόνος ἐκεῖνος τῶν κατὰ τὴν οἰκουμένην Ἐκκλησιῶν τὴν ἡγεμονίαν διὰ πολλὰ καὶ πρὸ τῶν ἄλλων ἁπάντων . . ."
36 Ebd. 56,4-9: „Εἰ Παῦλος, τῆς ἀληθείας ὁ κῆρυξ, ἡ τοῦ παναγίου Πνεύματος σάλπιγξ πρὸς τὸν μέγαν ἔδραμε Πέτρον, ὥστε τοῖς ἐν Ἀντιοχείᾳ περὶ τῆς κατὰ νόμον πολιτείας ἀμφισβητοῦσι παρ' αὐτοῦ κομίσαι τὴν λύσιν, πολλῷ μᾶλλον ἡμεῖς οἱ εὐτελεῖς καὶ σμικροί, πρὸς τὸν ἀποστολικὸν ὑμῶν τρέχομεν θρόνον, ὥστε παρ' ὑμῶν λαβεῖν τοῖς τῶν Ἐκκλησιῶν ἕλκεσι θεραπείαν."

dem Erstapostel zumaß. So vermochte er in einem anderen Kontext im Blick auf das matthäische Felsenwort zu sagen, Petrus sei das erste Fundament der Kirche; trotz seiner dreimaligen Verleugnung sei er gerade hierin gefestigt worden.[37]

4. Die Autorität des Inhabers der sedes apostolica

Mit der Glaubensfestigkeit des Apostolischen Stuhls war für Theodoret die Autorität des römischen Bischofs gegeben, die sich auf alle Kirchen erstreckt. In Anlehnung an die Begriffe „apostolischer Thronos" und „apostolischer Charakter" nannte er sie − im gleichen spezifischen Sinn des Wortes, der die Apostel Petrus und Paulus meint − apostolische Vollmacht.[38] Nach dem Brief an Leo gründet diese Vorrangstellung in der erhellenden Verkündigung des Glaubens über den ganzen Erdkreis hin, die der sedes der beiden Apostel oder richtiger ihrem Inhaber eignet. Deshalb erwartete er von Rom die Verteidigung des überlieferten Glaubens in dem Sturm, der sich erhoben hatte. Aus der Vollmacht, den rechten Glauben in unerschütterter Festigkeit zu verkünden, ergab sich für Theodoret die Vollmacht der apostolischen sedes, über die Zugehörigkeit zur kirchlichen Communio zu entscheiden, und zwar sogar im Gegenüber zu einer konziliaren Versammlung, konkret der ephesinischen Synode des Jahres 449, die in seinen Augen versagt hatte und deren Erfolg er trotz schlimmer Befürchtungen, die er im vorhinein hegte, allenfalls von der Teilnahme der römischen Legaten erwartet hatte. Theodoret wußte, daß der päpstliche Legat − er verwechselt Renatus mit Hilarus − mit Eifer und Freimut die Vorgänge der ersten Sitzung zurückgewiesen und als ungesetzlich bezeichnet hatte; der Ruhm seiner Haltung habe sich über die ganze Erde hin ausgebreitet.[39]

37 Haer. Fab. comp. (lib. V): PG 83,552. Zu Theodorets Exegese von Mt 16,18 innerhalb anderer Auslegungen östlicher Theologen vgl. meine Studie: La „sedes apostolica", 436-444, bes. 439f. − Vgl. demgegenüber die im Blick auf den Brief an Papst Leo ohne Begründung aufgestellte Behauptung von J. *Ludwig* (Die Primatworte, 102): „Er (Theodoret) spricht darin von der Weltstadt, der großen Zahl der Einwohner, von ihrem Glauben, den Gräbern der Apostel Petrus und Paulus.. Aber nirgends ein Hinweis auf Mt 16,18.19 und nirgends ein Bekenntnis zur Glaubensautorität des apostolischen Stuhles."
38 Ebd. 70,15-18.
39 Ebd. 60,14-16. Die hier im Blick auf die Legaten geäußerte Hoffnung dürfte nicht groß gewesen sein. In einem Brief an Domnus von Antiochien hatte er nach der Konzilseinberufung geschrieben, er erwarte nichts Gutes, da „die aus anderen Provinzen" nicht wüßten, was die Zwölf Kapitel in sich bergen, und wegen ihres Autors Cyrill nichts Schlimmes vermuteten (ebd. 48,21-25; Brief 112). Anläßlich der Synode von Rimini berichtet er in seiner Kirchengeschichte (II/18,2), daß die arianisch gesinnten Bischöfe vor allem die Abendländer wegen ihrer einfältigen, schlichten Art zu überlisten suchten. So wird man wohl nicht fehlgehen, wenn man annimmt, er habe im Blick auf Ephesus zwar nicht den rechten Glauben der Legaten, aber doch ihr Vermögen, theologische Fallstricke zu durchschauen, angezweifelt.

Die Anfechtbarkeit des Konzils behauptete und begründete er zunächst vor allem im Blick auf seine eigene Verurteilung. Die schon für das bürgerliche Recht als selbstverständlich angesehene Grundregel, den Angeklagten zu Wort kommen zu lassen, wurde in Ephesus außer acht gelassen, als einziger wurde er sogar vom Kaiser bewußt von der Teilnahme am Konzil ausgeschlossen.[40] Ohne weitere Begründung nannte er auch die Verurteilung Flavians und der anderen Bischöfe ungerecht.[41] Es ging Theodoret im ganzen um weit mehr als um einen noch so schweren Formmangel. Hinter den Urteilen sah er ein neues Glaubensverständnis des Konzils, das ihm freilich, da er die Akten nicht in Händen hielt, nicht deutlich greifbar war. Er erwartete nicht einfach eine Suspendierung des konziliaren Urteils aufgrund des unkanonischen Vorgehens, sondern ein Urteil über seinen eigenen Glauben und damit verbunden die Wiedereinsetzung in sein bischöfliches Amt als Ausdruck der Wiederaufnahme in die Communio. Durch die Vorlage seiner eigenen Sache erwartete er in Rom zugleich Hilfe für den Glauben der Kirche, der durch das Konzil nur noch mehr gefährdet wurde.[42]

Theodoret appellierte in aller Form, er erbat ein Verfahren vor dem römischen Tribunal. Hierin lehnte er sich an das Vorgehen von Julius gegenüber Athanasius (340) an und ersuchte darum, Leo möge ihm befehlen, sich zu verantworten.[43] Dabei bedeutete ihm offenbar die römische Synode das Tribunal des Apostolischen Stuhles, der die Entscheidung fällt. Das römische Gericht solle aufgrund seiner Schriften angesichts seiner Zustimmung zum Tomus Leos und seines mündlichen Bekenntnisses seine Rechtgläubigkeit prüfen, das Urteil über seine Lehre fällen und damit zugleich das

---

40 SC 111/70,7-11 (Brief 116); 174,22-28 (Brief 146); 150,22-27; 152,1-12 (Brief 141); 60,14-20; 62,1-15 (Brief 113).

41 Ebd. 60,14-20; 62,1.

42 Ebd. 56,4-9; 64,5-25 (Brief 113); 70,15-27; 72,1-17 (Brief 116); besonders eindringlich Brief 118 an den römischen Archidiakon ebd. 74,22-24; 76,1-18.

43 Die Anlehnung an die Darstellung der Vorgänge um Athanasius im Jahr 340 — es geht um die Schilderung Theodorets in der Kirchengeschichte, nicht um den historischen Verlauf in sich — bezieht sich nicht auf die Appellation als solche. Von Athanasius sagt Theodoret nur, er habe sich der drohenden Verfolgung entzogen und sei in den Westen gekommen. Nachdem die Eusebianer Athanasius beim römischen Bischof angeklagt hatten, lud Julius sie und Athanasius vor sein Gericht. Erst hier zeigt sich, daß Theodoret unausgesprochen, aber deutlich Bezug nimmt. Er erbittet sich in seiner Appellation das gleiche Vorgehen des Papstes: den Befehl, vor sein Gericht geladen zu werden. Hier die Texte: „καὶ αὐτοὺς καταλαβεῖν τὴν Ῥώμην ἐκέλευσε καὶ τὸν θεῖον ᾿Αθανάσιον εἰς τὴν δίκην ἐκάλεσε." (Kirchengeschichte II/4,2) — „Τῇ ἀποστολικῇ χρήσασθαι ἐξουσίᾳ καὶ εἰς τὸ ὑμέτερον ἀναδραμεῖν κελεύσαι συνέδριον." (SC 111/70,17f.); vgl. 64,5-9, bes. 6-8: „ἐπαμῦναί μοι τὸν ὀρθὸν καὶ δίκαιον ἐπικαλουμένῳ κριτήριον, καὶ κελεῦσαι δραμεῖν παρ᾿ ὑμᾶς . . ." Angesichts solcher Texte — wie auch der im folgenden behandelten — läßt sich Caspars Behauptung, es handle sich bei Theodoret um einen formlosen Appell, der „überhaupt nicht in juristische Formen gekleidet" sei, keinesfalls aufrechterhalten; vgl. Caspar, Geschichte, 491.

Urteil der ephesinischen Synode über ihn aufheben.[44] Auch Theodoret stellte sich die Frage nach dem Verhältnis von Konzil und sedes apostolica nicht prinzipiell – wenn auch angesichts der konkreten Fragen grundlegende Prinzipien für dieses Verhältnis sichtbar werden. Papst Leo konnte nach seiner Darstellung jedenfalls das Konzil überprüfen und in apostolischer Vollmacht ein Urteil über den Glauben fällen, das die Zugehörigkeit zur Communio entscheidet und das in der durch das ephesinische Konzil verschärften Glaubensunsicherheit entscheidende Bedeutung hat. Theodoret betrachtete das Urteil Roms als letztgültiges Urteil, dem er sich unterwerfen wollte.[45] Die Aufrichtigkeit einer solchen, Renatus gegenüber geäußerten, Bereitschaft zeigt sich auch im Brief an den ihm vertrauten konstantinopolitanischen Patrizier Anatolius. Theodoret bat ihn um Vermittlung beim Kaiser, um die Erlaubnis zu erhalten, in den „Westen" gehen und dort sich dem Gericht unterziehen zu dürfen. Da er eine solche Erlaubnis nicht erwarten durfte und gewiß auch nicht erwartet hat, bedeutet sein Brief, der nicht einmal an den Kaiser selbst gerichtet war, eine entschiedene Stellungnahme Theodosus II. gegenüber. Bischof Theodoret ließ ihn auf diese Weise wissen, er werde sich dem Urteil der ephesinischen Synode, die gemäß den Weisungen des Kaisers zusammengetreten war, nicht unterwerfen, vielmehr erwarte er das eigentliche, gültige Urteil vom Apostolischen Stuhl.[46]

5. Kirchengeschichtliche Reflexion

Die Kirchengeschichte Theodorets ist im Zusammenhang unserer Fragestellung interessant, weil ihre Abfassung genau in die Zeit gehört, in der er sich an Rom wandte, und weil sie in der Sache wichtige Berührungspunkte bietet. Sie wurde abgeschlossen vor dem Tod von Theodosius II. (28. Juli 450), war aber, als Theodoret im September oder Oktober 449 an Papst Leo appellierte, noch nicht veröffentlicht. Wann Theodoret begann, sich an die Arbeit zu machen, kann nicht so präzise festgelegt werden. Offenbar boten ihm die kirchenpolitischen Vorgänge, die im Zweiten Ephesinischen Konzil ihren Höhepunkt fanden, den Anstoß und der auf seine Verurteilung folgende

---

44 Ebd. 64,5-20; 70,23-27. Besonders prägnant: ebd. 64,5-7: „Ἐγὼ δὲ τοῦ ἀποστολικοῦ ὑμῶν θρόνου περιμένω τὴν ψῆφον· καὶ ἱκετεύω, καὶ ἀντιβολῶ τὴν σὴν ἁγιότητα ἐπαμῦναί μοι τὸ ὀρθὸν ὑμῶν καὶ δίκαιον ἐπικαλουμένῳ κριτήριον . . ."
45 Ebd. 64,21-25; vgl. 70,23-25. Jedenfalls bleibt ihm nach dem Urteil Roms im Bereich der Kirche auf Erden keine weitere Instanz, die er in Anspruch nehmen könnte, er kann, wie der erstgenannte Text besagt, nur noch das Gericht Gottes erwarten.
46 Ebd. 80,6-17 (Brief 119). Die sich anschließende Bitte, wenigstens in seinem früheren Kloster wohnen zu dürfen, wenn ihm die erste Bitte nicht gewährt werde, zeigt nochmals, daß er deren Erfüllung kaum ernstlich erwartete.

Aufenthalt in seinem früheren Kloster in Nicertae bei Apamea die Gelegenheit zur Abfassung des Werkes.[47] Von hier aus wäre es verlockend, die theologischen Absichten und Konzeptionen, die im Aufbau und in der Ausgestaltung des Werkes sichtbar werden, zu beschreiben, besonders im Blick auf so zentrale Fragen wie Glaube und Häresie, Kirche und politische Macht, und von da aus auch die Stellung des Apostolischen Stuhles zu erarbeiten.[48] Hier sollen aber nur einige in die Augen fallende Elemente, die sich direkt auf unser Thema beziehen, erörtert werden.

Am Ende seines Werkes nannte Theodoret die Hauptsitze in der eigentümlichen Reihenfolge Rom – Antiochien – Alexandrien – Jerusalem – Konstantinopel.[49] Außerordentlich ist gewiß die Zurücksetzung von Alexandrien hinter Antiochien gerade in dem Augenblick, als der Kaiser dem alexandrinischen Bischof den Vorsitz über die ökumenische Synode gegeben hatte. Konstantinopel nimmt noch den fünften Rang ein, doch hat die kaiserliche Stadt für Theodoret schon in der Zeit von Johannes Chrysostomus eine außerordentlich große Bedeutung gewonnen. Chrysostomus wandte nach seiner Darstellung seine bischöfliche Hirtensorge ganz Asien, ganz Thrazien und dem Pontus zu, sowie den heidnischen Völkerschaften der Phönizier, Goten, Skythen.[50] In dieser Beschreibung war die patriarchale Stellung von Konstantinopel, wie Chalcedon sie kennzeichnen wird, schon zu einem guten Teil vorweggenommen, wenn auch die Kaiserstadt nur den fünften Rang einnimmt und so der Kanon der Synode von Konstantino-

---

47 Zu den Belegen für die Datierung vgl. L. *Parmentier* - F. *Scheidweiler*, Theodoret, Kirchengeschichte, XXV f. Scheidweiler kommt zum Schluß: „Theodoret hat demnach die KG in den letzten Monaten 449 und der ersten Hälfte 450 abgefaßt, als er wieder im Kloster Nicertae bei Apamea, wo er vor seiner Berufung als Mönch gelebt hatte, weilte und über die nötige Muße verfügte."

48 *Parmentier* ordnet Theodorets Verfahren in der Darstellung der Geschichte „nicht der wahren Geschichtsschreibung, sondern der kirchlichen Apologie" zu (ebd. XXVI), letztere im Sinne der Verteidigung der Häresie und der kirchlichen Autorität. „Diese ganze Ökonomie von Theodorets Erzählung hat nur den einen Zweck: Verherrlichung der wahren Kirche und Erhöhung ihrer Diener. Groß ist der Bischof, der sich der Rechte der Kirche bewußt ist und der sie trotz aller Gefahren zu verteidigen versteht. Priesterliche παρρησίαι bilden ein immer wiederkehrendes Thema für die hochtönende Naivität Theodorets. Groß ist ein Kaiser, der in vollem Umfang die Rechte der Bischöfe anzuerkennen versteht und sich von ihnen Weisungen geben läßt." (Ebd. XXIX). So wenig Verständnis Parmentier für die theologischen Auffassungen Theodorets aufzubringen vermag, so sehr hat er, wenn auch tendenziös verzeichnet, grundlegende Linien skizziert; die zuletzt hervorgehobene scheint korrekter im ebendort gegebenen Zitat Theodorets auf: „Vor allem ist der große Theodosius unter diesem Gesichtspunkt das Muster eines Kaisers: „ᾔδει σαφῶς τίνα μὲν τῶν ἱερέων, τίνα δὲ τῶν βασιλέων ἴδια." (S. 309,21f.). Ein genaueres Erfassen der Konzeption Theodorets ließe sich nicht zuletzt gewinnen durch den Vergleich mit der Geschichtsschreibung von Eusebius und durch die Beantwortung der Frage, inwieweit Theodoret die Probleme seiner eigenen Zeit und Geschichte mit der Darstellung des Kampfes gegen Arius und um Athanasius zu beleuchten sucht.

49 Theodoret, Kirchengeschichte V/40,3-8 (Parmentier-Scheidweiler 348,13-21; 349,1-13)
50 KG V/28-31 (329,8-331,10).

pel (381) bezüglich der Stellung der Kaiserstadt noch nicht die Rangfolge bestimmt. Wichtiger ist aber die Beschreibung des Wirkens von Johannes Chrysostomus, soweit es über die Grenzen des späteren patriarchalen Bereichs hinausreichte. Theodoret erwähnte ein Mahnschreiben an einen Bischof innerhalb des antiochenischen Bereichs und sah darin ein Zeichen für die Hirtensorge, die das Wort des Apostels Paulus realisiert: Er hat die Sorge für die Kirchen in seinem Herzen getragen.[51] Eine übergreifende, auf den Osten bezogene Wirksamkeit für den gefährdeten Glauben berichtete Theodoret auch von Ambrosius an der Seite von Damasus.[52] Theodor, den Bischof von Mopsvestia, bezeichnete er als einen Mann, der Lehrer der gesamten Kirche war und die Häresie besiegte.[53] Als Zeugen der Wahrheit und Lehrer des Glaubens haben und gewinnen also einzelne hervorragende Bischöfe einen Auftrag für die ganze Kirche, besonders in dem Augenblick, wo sie von der Häresie bedroht ist.

Als Kehrseite, in scharfem Kontrast, erscheint nun aber die Häresie von Bischöfen, welche die ganze Kirche in Verwirrung bringen können. Theodoret hob dies stark hervor, indem er gerade in der Bischofsliste der Patriarchate Antiochien, Alexandrien und Konstantinopel für die Zeit zwischen der Verfolgung und dem Jahr 428 herausstellte, welche Bischöfe der Häresie verfielen: in Antiochien Eulalius, Euphronius, Placitus, Stephan, Leontius, Eudoxius, in Alexandrien Gregor, Georg, Lucius, in Konstantinopel Eusebius von Nikomedien, der Erzketzer und Pneumatomache Macedonius, schließlich Eudoxius.[54] Auch sonst konnte Theodoret das Versagen solcher Bischöfe drastisch hervorheben, so bei Stephan von Antiochien[55] oder bei Eudoxius von Konstantinopel, von dem er sagte, er habe das Schiff der Kirche von Konstantinopel „nicht gelenkt, sondern in die Tiefe versenkt".[56] In auffallendem Gegensatz dazu erscheinen in der Bischofsliste von Rom und Jerusalem keine häretischen Bischöfe. Letzteres wird in einem von Theodoret zitierten Brief der konstantinopolitanischen Synode von 381 als Mutter aller Kirchen bezeichnet und tritt als durch den Tod des Erlösers geheiligter Ort hervor.[57] Wie steht es aber mit Rom?

Das Interesse richtet sich unwillkürlich auf die Darstellung der Geschichte des Liberius, dessen Versagen Athanasius beschrieben hatte, um zugleich zu

---

51 KG V/31,3 (331,9f.).
52 KG IV/30,3-5 (270,11-18).
53 KG V/40,1 (347,18-21).
54 Vgl. Anm. 49.
55 KG II/9,1 (119,12-15).
56 KG IV/12,4 (232,14-16).
57 KG V/9,17 (294,3f.).

zeigen, wie er trotzdem – selbst hier noch – Zeuge des wahren Glaubens blieb. Theodoret ging auf diese heikle Frage gar nicht ein. In seiner Darstellung gibt es kein Versagen von Liberius. Vielmehr stellt er ihn als Vorbild des Glaubenseifers dar, als Bischof, der die Wahrheit freimütig verteidigte.[58] Die Rückkehr des Papstes nach Rom aus der Verbannung begründete Theodoret nicht mit dessen kompromittierenden Zugeständnissen, sondern mit der Einflußnahme römischer Frauen und der römischen Bevölkerung auf den Kaiser.[59]

Wie er Liberius neben anderen Bischöfen Herold des Glaubens nannte, so schilderte er Damasus als Bischof, der für den Glauben auch in den Orient hineinwirkte.[60] Dies liegt zunächst ganz in der Linie der Verantwortung von Bischöfen für den gefährdeten Glauben, weit über den Bereich ihrer eigenen Kirche hinaus, wie sie schon oben gezeichnet wurde. Ein anderer Text zeigt freilich, wie hier bei Theodoret doch etwas Tieferes vorliegt. Er rühmte Kaiser Gratian wegen seiner rechtgläubigen Gesinnung und erwähnte dabei, wie für ihn in der Wiederherstellung der von Zwist und Häresie gestörten Ordnung im Osten, bei der es um die Neubesetzung der Bischofsstühle und die Zuweisung des kirchlichen Eigentums ging, der Maßstab für die Communio der römische Bischof Damasus war.[61] Theodoret sah den Grund dafür nicht bloß im Eifer des Papstes für den rechten Glauben, sondern zugleich darin, daß er Bischof von Rom war. Um auszudrücken, daß Damasus Liberius auf dem römischen Stuhl folgte, sagte er hier: In der Nachfolge von Liberius übernahm er die Sorge für die Kirche. Allein schon die Tatsache, daß Liberius und Damasus den römischen Bischofsstuhl innehaben, ergibt ihre Hirtenaufgabe für die ganze Kirche und zeigt den Grund für den Glaubenseifer des Bischofs von Rom und seine entscheidende Bedeutung für die Zugehörigkeit zur Communio.[62]

Eine tiefere theologische Begründung für die Stellung der römischen sedes

---

58 KG II/15,10 (131,4-8); II/17,1 (136,12); II/17 (136,12-137,24).

59 KG II/17 (136,12-137,24).

60 KG V/9,20 (295,1-5).

61 KG V/1,1 (278,15-19). Das Vorgehen Gratians entspricht jenem des Kaisers Aurelian in der Auseinandersetzung um Paul von Samosata, das von Eusebius (HE VII/30,19) berichtet wird; während freilich Aurelian die Entscheidung der römischen Synode („der Bischöfe Italiens und Roms") erfragt, ist für Gratian einfachhin die Kommuniongemeinschaft mit dem römischen Bischof entscheidend.

62 „Δάμασος δὲ οὗτος Ῥώμης ἐπίσκοπος ἦν, καὶ ἀξιεπαίνῳ βίῳ κοσμούμενος καὶ πάντα λέγειν καὶ πράττειν ὑπὲρ τῶν ἀποστολικῶν δογμάτων αἱρούμενος· μετὰ Λιβέριον δὲ τὴν τῆς ἐκκλησίας παρειλήφει κηδεμονίαν." KG V/2,2 (278,19-279,3). – G. Koch weist auf einen Text im Römerbrief-Kommentar Theodorets hin (zu Röm. 16,16 – ἀσπάζονται ὑμᾶς αἱ ἐκκλησίαι πᾶσαι τοῦ Χριστοῦ: „Von der ganzen Ökumene sozusagen grüßte er die Vorsitzende der Ökumene (τὴν τῆς οἰκουμένης προκαθημένην)." In Rom 16,16 (PG 82,221 D), zitiert nach Koch, Theodoret von Kyros, 211.

bot Theodoret erst in seinem Brief an Papst Leo, in dem er Rom als letzte und entscheidende Instanz beschrieb und auswies. Aber schon bei dem in der Kirchengeschichte berichteten Kampf um Athanasius war für ihn Rom als Tribunal im Streit zwischen den Bischöfen vorgegeben, konkret in dem Konflikt zwischen den Eusebianern und Athanasius. Theodoret bezeichnete es dort als Befolgung des kirchlichen Gesetzes, wenn der römische Bischof Julius die Anklagen der Eusebianer nicht einfach billigte, sondern ihnen befahl, nach Rom zu kommen, und andererseits auch Athanasius vor sein Gericht rief.[63]

IV. Eusebius von Doryläum

Eusebius von Doryläum entfaltete nach der ephesinischen Synode eine so große, auf Rom bezogene Aktivität, daß Forscher wie Caspar und Jalland meinten, den ersten von seinen drei Vorstößen zur Aufhebung des ephesinischen Urteils über ihn streichen zu sollen. In dem uns vorliegenden Schreiben an Papst Leo verwies Eusebius auf ein Appellationsschreiben zurück, das er den römischen Legaten in Ephesus mitgegeben hatte. Im genannten zweiten Schreiben trug der Bischof an Doryläum dem Papst sein Anliegen von neuem vor, begründete es und unterstrich seine Dringlichkeit, indem er es durch eine kleine Legation – den Priester Chrysipp und den Diakon Konstantin – überreichen ließ.[64] Schließlich werden wir in der

---

63 KG V II/4,1f. (97,19-98,2).

64 Das Schreiben findet sich neben der Appellation Flavians als letztes Stück der Aktensammlung zur ephesinischen Synode, die in der Collectio Novariensis überliefert wurde: ACO II II 1 (12) 79,19-81,10. Der Text, auf den Caspar und, ihm folgend, Jalland sich beziehen, lautet: „quoniam igitur dura et iniqua praeter divinos canones pertuli a Dioscoro et ab aliis religiosis episcopis, qui timore et necessitate conpulsi voluntati eius optemperaverunt et in condemnatione mea consenserunt, sicut sciunt qui a vestrae beatitudinis religiosissimi viri, quibus et libellos optuli appellationis meae, in quibus vestrae sedis cognitionem poposci, deprecor vestram beatitudinem et genua vestra tangens, si non manu, attamen linguae perfungor officio: pronuntiate evacuari et inanem fieri meam iniquam condemnationem a religiosissimo episcopo Dioscoro et eorum decretam qui inviti consenserunt eius voluntati, reddentes mihi dignitatem episcopatus et vestram communionem litteris vestris ad meam exiguitatem datis, quibus et dignitatem repraesentetis et communionem. quibus impetratis gratias agam domino nostro rectori et salvatori Christo pro vobis, religiosissimi patres. Et alia manu: Eusebius exiguus ordinatus episcopus Dorylaeorum misi libellos per religiosissimum presbyterum Chrysippum et Constantinum diaconum subscribens manu mea." Ebd. 80,38-81,10. Caspar zieht die Möglichkeit, Eusebius könne ein zweites Gesuch eingereicht haben, nicht in Betracht. So ist er gezwungen, von einem Widerspruch zu sprechen: die Überbringung des Libells durch Chrysipp und Konstantin lasse sich mit einer Übersendung durch die Legaten nicht in Einklang bringen. Er nimmt denn auch an, letztere sei interpoliert, und vermutet, hinter der Interpolation verberge sich die Absicht, den Terminus appellatio – zusammen mit jenem der cognitio – zu verankern. Nun konnte aber der hypothetische Redaktor sowenig wie Caspar übersehen, daß das Schreiben die Überbringung durch Chrysipp und Konstantin festhielt. Es wäre also zu erwarten, daß er die Termini des von ihnen übergebenen Gesuches durch die ihnen erwünschten Begriffe zu ergänzen oder zu ersetzen

gleichen Sache Eusebius selber in Rom finden, wie ein Brief Leos vom 13.
April 451 bezeugt. In diesem Augenblick hatte der Apostolische Stuhl schon
ein Urteil gefällt. Damit hatte Eusebius ein Gutteil seiner Absichten erreicht.
Zwar hielt seinen Bischofsstuhl noch ein Eindringling inne. Aber Leo hatte
Eusebius seiner Communio versichert und die Einsetzung eines Nachfolgers
als ungültig erklärt.[65]

Das uns vorliegende Appellationsschreiben zeigt nicht den großen Horizont der Schreiben von Flavian oder Theodoret. Eusebius schilderte nicht
wie der Augenzeuge Flavian die ephesinischen Vorgänge im ganzen. Es ging
ihm auch nicht einfachhin um den Glaubenszwiespalt in der Kirche, sondern
zuerst um seine eigene Restituierung. Gewiß beschrieb er seine Aktion gegen
Eutyches als ein Tun, das ganz der Sorge um die Reinerhaltung des Glaubens
entsprach, aber auch diese Notiz verblieb ganz im Kontext der Schilderung
seines eigenen rechtmäßigen Tuns und seiner ungerechten Verurteilung. Sein
Bericht griff deshalb auch über das ephesinische Geschehen hinaus.
Zunächst beschrieb Eusebius knapp, warum er gegen Eutyches Anklage
erhoben hatte und wie dieser auf der endemischen Synode verurteilt worden
war. Das vom Kaiser einberufene Konzil sah nun aber Flavian als Angeklagten, der um die Zulassung von Eusebius zur Konzilsverhandlung bat, eine
Forderung, welche die römischen Legaten nachdrücklich unterstützten.
Indem Dioskur sein Auftreten vor dem Konzil – das auch die Legaten als für
den Prozeß notwendig erachteten – verhinderte und auf die Teilnehmer mit
Pressionen einwirkte und sie zwang, seiner eigenen Entscheidung zuzustimmen, wurde auf dem Konzil der Glaube und die kirchliche Ordnung
verletzt.[66]

suchte. Letztere statt dessen mit einem zweiten – für Eusebius schon zurückliegenden –
Appellationsschreiben zu verbinden, konnte dem Bestreben, das Neue dem Alten einschmieg-
sam einzufügen, ganz und gar nicht entsprechen. Denn zwei sich widersprechende Überbrin-
gergruppen – noch dazu im gleichen Schlußabschnitt – zu nennen, wäre ebenso ungeschickt,
wie es ungewöhnlich sein mußte, zwei Appellationen in einer Angelegenheit von einem einzigen
Autor anzunehmen. Übrigens fügt sich die sogenannte Interpolation nahtlos in den Text ein und
entspricht ihm auch sachlich, da auch der nach Caspar nicht interpolierte Text von Leo erwartet,
er möge das ephesinische Urteil für nichtig erklären. Caspars Hinweis, das Schreiben enthalte
nur einmal den Terminus appellatio – ein in sich schon merkwürdiges Argument –, hat nur
Kraft, wenn man davon ausgeht, ein solcher Terminus passe – im Blick auf Rom verwandt –
nicht in den Mund von Bischöfen des Ostens in dieser Zeit. Die Verwendung des Terminus bei
Flavian möchte Caspar denn auch durch die Hypothese einer Mitautorschaft bzw. Einwirkung
des Legaten Hilarus erklären. Doch zum Gebrauch des Begriffes, d. h. eines griechischen
Äquivalents, und der damit gemeinten Sache brauchte Flavian mit Gewißheit nicht einen
römischen Legaten. Nicht umsonst hatte er mit Leo einen Briefwechsel darüber geführt, ob
Eutyches eine Appellation an Rom eingereicht habe. Unlösbar verbunden mit einer Appellation
war aber der Bericht und damit auch ein Terminus, der mit relatio übersetzt werden konnte; und
auch dieser Bereich war übrigens in der Korrespondenz zwischen Flavian und Leo zur Sprache
gekommen. Vgl. Caspar, Geschichte, 488, 491f., bes. 615f.; Jalland, St. Leo, 243f.
65 LME I (24) 63,66-73; ACO II IV (37) 40,13-18 (ep. 78 an Anatolius).
66 ACO II II 1(12) 79,29-80,37; vgl. Anm. 67.

Das Proömium des Schreibens von Eusebius zeigt eine auffallende Nähe zum Schlußabschnitt des Appellationsschreibens von Eutyches. Dieser hatte dem Papst gegenüber mehrfach beklagt, er sei in ein Ränkespiel hineingezogen worden. Eusebius rechnete sich demgegenüber selber zu denen, die in Machenschaften verstrickt wurden, die unausweichlich waren. Wie Eutyches auf die Gewohnheit des römischen Bischofs, sich solchen Ränken entgegenzustellen, bei seinem Appellationsersuchen rekurrierte, so stützte sich Eusebius ebenfalls auf diese Gewohnheit, erläuterte aber klarer, warum die Gläubigen, denen Unrecht geschah, sich an Rom wenden und von dort Hilfe erwarten konnten. Gewiß hatte auch schon sein Gegner Eutyches die Tradition solcher Hilfeleistung des römischen Bischofs damit erklärt, daß er ihn als Vorsteher, dem Glaube und Barmherzigkeit zu eigen ist, kennzeichnete. Aber Eusebius begründete die kirchliche Überlieferung von Appellationen und Hilfegesuchen ausdrücklicher. Er beschrieb diese Tradition als eine Handlungsweise, die bis auf den Ursprung zurückreicht, und zugleich als Übung, die sich auf die ganze Kirche erstreckt. Vor allem aber führte er sie darauf zurück, daß der Inhaber des Apostolischen Stuhls bis hin zu Leo immer einen unerschütterten Glauben an Jesus Christus zeigte, mit dem sich eine Liebe verbindet, die bereit ist, mitzuleiden und sich denen zuzuwenden, denen Unrecht geschah. Die Appellationstradition wurde auf diese Weise letztlich mit der Glaubensfestigkeit der sedes apostolica und mit ihrer Verantwortung für den Frieden in der Kirche erklärt. In solchem Kontext bekam denn auch – auf implizite Weise – die Benennung des Römischen Stuhles als „thronus apostolicus" die für Rom spezifische Prägung: er ist die sedes der Apostel Petrus und Paulus.[67]

Als Gegenstück zur gerichtlichen Untersuchung in Ephesus – von der er ausgeschlossen worden war –, erbat Eusebius von Doryläum eine neue Untersuchung durch die römische sedes. Von ihr erwartete er die Verkündigung eines Urteils, das die ungerechte und unkanonische Verurteilung der ephesinischen Synode für nichtig erklären und ihm die bischöfliche Würde und die Communio mit Rom von neuem geben sollte.[68] Anders als Flavian oder Theodoret ließ Eusebius nicht erkennen, ob er als Antwort auf seine Appellation ein Urteil der römischen Synode erwartete. Sein Schreiben

---

67 Vgl. ebd. 79,20-28: „Desuper et ab exordio consuevit thronus apostolicus iniqua perferentes defensare et eos qui in inevitabiles factiones inciderunt, adiuvare et humi iacentes erigere secundum possibilitatem quam habetis; conpassionem enim supra universos homines possidetis. causa autem rei quod sensum rectum tenetis et inconcussam servatis erga dominum nostrum Iesum Christum fidem nec non etiam indissimulatam universis fratribus et omnibus (in) nomine Christi vocatis tribuitis caritatem. quamobrem ego inevitabilibus inretitus factionibus ad solum post domini relictum auxilium afflictus et in extremis laborans confugio, solutionem malorum meorum, in quibus incidi, repperire desiderans . . ."
68 Vgl. den in Anm. 64 aufgeführten Text.

entbehrt der theologischen Originalität, die jenes von Theodoret an Leo auszeichnet, es bietet aber doch eine prägnante und bedeutsame Wertung der sedes apostolica im Licht der Appellationstradition.

V. Nestorius

Im Liber Heraclidis glossierte Nestorius, der als Verbannter in der Wüste seinen Tod erwartete, die Ereignisse des Zweiten Konzils von Ephesus vor allem anhand der Akten, die ihm — wie schon der Tomus Leonis — übermittelt worden waren. Bevor wir uns seiner Kommentierung zuwenden, gilt es, die Haltung von Nestorius im Blick auf die hinter ihm liegenden Erfahrungen, soweit sie Rom betreffen und für unser Thema wichtig sind, wenigstens knapp zu erfassen; sie zeigt sich ebenfalls im Liber Heraclidis, der die historische wie theologische Problematik behandelt.

Das Verhältnis von Nestorius gegenüber dem Apostolischen Stuhl war durch die Vorgänge auf dem Ersten Konzil von Ephesus (431) belastet. Dies zeigt sich zunächst freilich eher beiläufig. Als sein großer Gegner, der das Konzil „nichtig" gemacht hatte, erscheint Cyrill von Alexandrien. In der Sicht von Nestorius hatte Cyrill bewußt die wahre Ökumenizität des Konzils verhindert. Selbst der Hinweis auf die große Zahl der Synodalen und die Teilnahme „aller Okzidentalen", d. h. der römischen Legaten, schlug für ihn nicht durch. Er beklagte nicht nur heftig die Führung der Verhandlungen ohne ihn und die Orientalen. In seiner Sicht waren auch die Konzilsväter im Schlepptau Cyrills, ihm geradezu hörig. Bezeichnend dafür ist sein gern zitiertes Wort: Cyrill allein war das Tribunal, er war alles in einer Person — Ankläger, Kaiser, Richter, sogar Bischof von Rom (nämlich als dessen Legat).[69] Die ephesinische Versammlung war so in den Augen von Nestorius eine Versammlung, die sich nicht an die Normen eines Konzils gehalten hat. Cyrill habe sogar Rom „in die Untreue hineingezogen". Dies heißt im Zusammenhang der Darstellung von Nestorius: die Legaten nahmen nicht ihre eigene Autorität Cyrill gegenüber wahr, sondern ließen ihn in der unkanonischen Durchführung des Konzils gewähren und luden damit selber Schuld auf sich.[70]

69 Nestorius, Le Livre d'Heraclide de Damas I/2, 195 (*Nau* 117). Der Verweis auf den Westen und die ungehörige Durchführung des Konzils: ebd. I/2, 189f. (114). Zur gesamten Haltung des späten Nestorius im dogmatischen Bereich siehe das in Anm. 73 genannte Werk von *Scipioni*.
70 Zur Frage der Teilnahme am Konzil und des übereilten Konzilsbeginns: LH I/2, 178-200 (107-120), bes. 178 (108): Tu n'as pas abdiqué ton effronterie, que tu méditais depuis le commencement, et pour laquelle tu as attiré l'évêque de Rome aussi à la défection et tu as rendu vain le concile universel." — Mit dem Ausdruck „alle Okzidentalen" meint Nestorius offenbar

Auch nach Erhalt des Tomus Leonis warf er Rom vor, seine Autorität nicht in der rechten Weise wahrgenommen zu haben. Bischof Cölestin habe seine Lehre nicht wirklich geprüft und habe sich vom Vorurteil gegen ihn nicht freimachen können. Darüber hinaus behauptet er nun im gleichen Zusammenhang, Cölestin habe auf dem Konzil von Ephesus gegen ihn die Hauptrolle gespielt.[71] Wie läßt sich dies erklären angesichts des Versuchs von Nestorius, die Ungültigkeit des Konzils damit zu begründen, daß Cyrill alles beherrschte und sogar Rom in seine Regie zwängte? Die Behauptung von Nestorius kann nur besagen, daß selbst im ephesinischen Konzil dem römischen Bischof von Amts wegen die letztlich entscheidende Stellung zufiel. Diese Rolle machte sich gerade am Versagen Cölestins bzw. seiner Legaten bemerkbar. So hieß es für den Verbannten nur noch auf das Eingreifen Gottes zu warten. Er glaubte es im Wechsel der römischen Amtsträger erkennen zu können, den er nicht bloß als eine strafende „Hinwegnahme" Cölestins deutete, sondern vor allem als Beseitigung des römischen „Vorurteils" durch das Schreiben Leos. Denn in ihm vertrete der römische Bischof die Sache der Wahrheit. Nestorius übersah freilich nicht, daß auch Leo ihm gegenüber keine andere Stellung bezog als Cölestin[72] und

primär Rom, das für den ganzen Westen steht, außer dem sonst nur ein illyrischer Bischof und der Diakon Bassula als Vertreter von Capreolus, dem Bischof von Karthago, am Konzil teilnahmen (Camelot, Ephesus und Chalcedon, 52).

71 LH II/2, 514 (327): „Comme ils avaient des préjugés contre moi et qu'ils ne croyaient pas ce que je disais, comme si je cachais la vérité et si j'empêchais l'exacte expression, Dieu suscita un héraut qui était pur de ce préjugé – Léon – qui proclama la vérité sans crainte. Comme la prévention (créée par) le (nom de concile) en imposait à beaucoup, même à la personne (prosôpon) des Romains et (les empêchait) de croire ce que je disais et qui était resté sans examen, Dieu permit que le contraire arrivât, qu'il retirât (de ce monde) l'évêque de Rome, (Célestin), lui qui avait eu le principal rôle contre moi au concile d'Ephèse, et qu'il fit approuver et confirmer (par Léon) ce qui avait été dit par l'évêque de Constantinople." Die Einfügungen „créée par" (le) „nom de concile" dürften wohl unzutreffend und irreführend sein. Es wird nur von einer allgemeinen Haltung der Voreingenommenheit gesprochen, in die sich auch Rom hineinziehen ließ und die es daran hinderte, seine – des Nestorius – eigentliche Auffassung zu erkennen. Während dies zunächst dazu geführt hatte, daß seine Lehre nicht wirklich untersucht wurde, geschah mit Leo der Umschwung. Cölestin mit dem ephesinischen Konzil wird nun Leo gegenübergestellt, der frei war von Vorurteil und Furcht.

72 Zweimal betont dies Nestorius, jedesmal im Zusammenhang mit Leos Brief an Flavian; LH II/2, 520 (331): „Cependant il y aura bientôt contre Rome, sans beaucoup d'intervalle, une seconde venue du barbare, durant laquelle Léon – qui tenait à la vérité la vraie foi, mais qui approuvait ce qu'on avait fait contre moi avec iniquité, sans examen et sans jugement – devra livrer de ses mains les vases sacrés aux mains des barbares . . ."; LH II/2, 466 (298): „Pour moi, lorsque j'eus trouvé et lu cet écrit, je rendis grâces à Dieu de ce que l'Eglise de Rome avait une confession de foi orthodoxe et irréprochable, bien qu'elle eût été disposée (Litt.: „ils étaient disposés [les Romains]") autrement à mon égard." Die Spannung, die zwischen den Texten liegt – der Behauptung, Leo habe sich von Voreingenommenheit und Vorurteil freigemacht, steht die Erkenntnis gegenüber, daß Leo sich Cölestins Urteil über ihn, Nestorius, zu eigen gemacht hat – spiegelt das immer noch gespannte Verhältnis von Nestorius gegenüber Rom sehr deutlich. Ein Widerspruch zwischen den Texten liegt jedoch nicht vor. Denn einerseits blickt Nestorius auf den Brief an Flavian und damit auf den Glauben der sedes apostolica und sieht darin, da er ihm zustimmen kann, ein implizites und der Sache nach klares Durchbrechen des

das Erste Ephesinische Konzil, das ihn, wie er anmerkte, ohne Untersuchung und Prüfung seiner Lehre verurteilte. Aber seine Person und das Urteil über sie — und damit auch die Frage, ob er richtig verstanden wurde — erschien ihm jetzt, am Ende seines Lebens, nicht mehr als entscheidend. Ausschlaggebend war vielmehr, daß Leo in seinem Brief an Flavian das Bekenntnis des wahren Glaubens verkündete. Nestorius fand dies um so bemerkenswerter, als „die Römer" vorher — mit vielen anderen — seinen Aussagen nicht trauten, sondern sie als ein Hindernis für die genaue Darstellung der Wahrheit betrachteten. Wenn Nestorius mehrmals mit Nachdruck seine Anerkennung des Tomus als eines Dokuments, das die rechte Lehre verkündet, hervorhob, so zeigt sich darin doch mehr als bloß die Genugtuung darüber, seine Rechtgläubigkeit durch einen anderen, bedeutenden Bischof indirekt anerkannt zu sehen und einen Bundesgenossen für seine Lehre gefunden zu haben. Er begrüßte das Schreiben Leos an Flavian vielmehr als entscheidende Wende seines Lebens, das nun nach so vielen Kämpfen in der Verbannung und in der Einsamkeit der Wüste sich rasch dem Ende zuneigte, er begriff es als die Erfüllung seiner Erwartungen so sehr, daß er mit dem greisen Simeon das Nunc dimittis anzustimmen vermochte.[73] Er selbst gab die Begründung dafür: Leos Stellungnahme bedeutet die Bestätigung Gottes für die wahre Lehre, der er — Nestorius — anhängt,[74] das Schreiben des römischen Bischofs mit dem Urteil über Flavian und Eutyches gründet in einer von Gott geschenkten Glaubenseinsicht.[75]

Was aber, so ist nun zu fragen, führte Nestorius zu einer solch hohen Bewertung des Glaubensbriefes des Papstes? Den Weg zur Beantwortung dieser Frage eröffnet er in seiner Stellungnahme zum Zweiten Ephesinischen Konzil. Er behandelte die Autorität Roms auf dem Konzil vor allem im

---

Vorurteils gegenüber seiner Lehre. Andererseits hat auch Leo das Urteil Cölestins über seine Lehre und Person nicht überprüft und aufgehoben, sondern wiederholt. Über Nestrius äußerte sich Leo weder im Brief an Flavian noch in seinem Schreiben an die ephesinische Synode, wohl aber im Brief an Pulcheria, in dem er Nestorius und Eutyches einander gegenüberstellte: LME I (46) 9,17-22; ACO II IV (11) 13,3-7. Nestorius kannte Leos Briefe an Flavian, an den Kaiser und an Pulcheria; vgl. Anm. 9.

73 LH II/2, 520f. (331); vgl. dazu die Darstellung von *Scipioni*, Nestorio, 365f.

74 Nestorius sagt (in dem Text, der in Anm. 3 zitiert ist) von Leo nicht nur, Gott habe ihn erweckt als Herold der Wahrheit, sondern auch, daß Gott auf diese Weise seine, des Nestorius, Lehre bestätigt habe.

75 LH II/2, 472f. (305): „Cette cause avait d'ailleurs été examinée depuis longtemps et la chose était jugée. Quel jugement ou quel autre examen était plus qualifié que celui fait par l'évêqe de Rome? Celui-ci en effet lorsqu'il eut reçu ce qui avait été fait par les deux partis, loua l'un et condamna l'autre par un sentiment divin, car ce n'est pas de manière inconsciente qu'il les condamna." Nestorius bezieht sich damit auf den Brief Leos an Flavian, den er „Brief, der sein Urteil über Flavian und Eutyches enthielt" nennen kann: LH II/2, 519 (330). Der Hinweis auf die gottgeschenkte Glaubenseinsicht Leos, welche zugleich die Bestätigung Gottes verbürgt, dürfte an Mt 16,13-18 erinnern.

Zusammenhang des konziliaren Ringens um das Verhandlungsprogramm auf der ephesinischen Synode. Dioskur warf er vor, die Stellung des römischen Bischofs im Konzil mißachtet zu haben. Seine Frage an dessen Legaten, ob zuerst die Verlesung der konstantinopolitanischen Akten oder die Behandlung der Glaubensfrage in Angriff genommen werden solle, habe nicht bedeutet, daß er ihm die Entscheidung über das Vorgehen einräumen wollte; in Wirklichkeit dachte Dioskur nicht daran, dem Ersuchen des Legaten Folge zu leisten und ihm den maßgeblichen Rang zuzuerkennen. Vielmehr äußerte er die Frage im Bewußtsein, daß ihm selber die Autorität zukomme und daß er die Entscheidung auch gegen Rom fällen könne. Er war nur bereit, die Stellungnahme der Legaten als ein Beitreten zu seiner eigenen Linie zu akzeptieren; waren sie nicht bereit, dies zu tun, so bot ihm dies die Möglichkeit, vor aller Augen zu zeigen, daß Rom keine Autorität besitze und es also sinnlos sei, sich an es zu wenden. Nestorius erkannte also sehr wohl, daß im Ringen um das konziliare Programm Entscheidendes auf dem Spiel stand: die Autorität der römischen sedes.

Er rief die kirchliche Praxis in Erinnerung, sich in wichtigen Glaubensfragen an Rom zu wenden. Eine solche Praxis hatte für ihn aber nur Sinn, wenn der römische Bischof auch innerhalb des Konzils die maßgebliche Stellung einnahm. Und dies hieß, auf dem Konzil konnte eine Entscheidung nicht gegen den römischen Bichof und seine Legaten gefällt werden.[76] Es ging Nestorius also nicht um eine Ehrenstellung der römischen Legaten oder darum, daß sie die konziliaren Verhandlungen im Sinn der Diskussionsführung leiten sollten. Er legte vielmehr dar, wie Dioskur ein konziliares Programm durchsetzte, das zunächst die Verlesung des Briefes Leos hinausschieben, schließlich aber ganz vereiteln sollte. Dioskur war also nicht bereit, das Glaubenszeugnis des römischen Bischofs auf dem Konzil zu Wort kommen zu lassen. Indem er eine vom Kaiser ihm übertragene Autorität auf solche Weise in Anspruch nahm, traf er nicht nur eine Entscheidung

---

76 LH II/2, 473-475 (302f.), bes. 473f. (302f.): „(L'évêque d'Alexandrie) interrogeait donc comme celui qui a le pouvoir, et il parlait comme s'il portait même des décisions contre eux. Si (les Romains) lui donnaient l'adhésion de leurs pensées, ce n'est pas pour accepter ce qu'ils voulaient, ni pour leur donner la prééminence; mais c'est qu'il recevrait l'évêque de Rome en surplus à son côté dans le cas ou il adhérerait à lui, sinon, s'il trouvait en lui un adversaire, on le chasserait comme s'il n'avait pouvoir en rien. Il voulait apprendre à tous à ne pas se tourner vers l'évêque de Rome, parce qu'il ne pouvait pas aider celui de Constantinople." Gerade der letzte Hinweis läßt besonders deutlich erkennen, wie Nestorius mit der Deutung der Frage von Dioskur an die Legaten, ob sie der Verlesung der Akten zustimmen, nicht bloß das Problem der Einigung in der Verfahrensfrage und der Stellung der Legaten in der Diskussionsleitung des Konzils im Blick hatte. Vielmehr deutete Nestorius die Befragung der Legaten durch Dioskur als Scheinmanöver: In Wirklichkeit wollte Dioskur deutlich machen, daß die Tatsache, daß der Papst auf die Seite Flavians getreten war, auf dem Konzil als etwas Unerhebliches betrachtet werde; damit zugleich wollte er zeigen, daß es keinen Sinn habe, sich an Rom zu wenden.

zwischen Kaiser und römischem Bischof, sondern zugleich eine Entscheidung zwischen dem Kaiser und Gott.[77]

Damit hatte Nestorius den vollen Sinn dessen entfaltet, was er zu Beginn seiner knappen Ausführungen über die Stellung Roms auf dem Zweiten Ephesinischen Konzil ausführte und was er als Hauptanklagepunkt gegenüber dem Vorgehen auf dem Konzil, für das Dioskur die Hauptverantwortung trug, hervorhob: es war ein Konzil, das von der „Teilnahme" des römischen Bischofs absah. Hier gab er aber zugleich die Begründung für die entscheidende Autorität des römischen Bischofs und seines Glaubenszeugnisses, die zu mißachten bedeutete, das Konzil auf den Irrweg zu führen, es nichtig zu machen und sich damit gegen Gott zu stellen: „Man fand dort nicht den Bischof von Rom, nicht die sedes des heiligen Petrus, nicht die apostolische Würde, nicht das geliebte Haupt der Römer, vielmehr hatte den Vorsitz mit Autorität inne der (Bischof) von Alexandrien . . ."[78]

In den Reflexionen von Nestorius bildet Rom nicht den Adressaten der Niederschrift, so daß es nicht nötig ist zu fragen, ob sie von diesem Umstand ihre Färbung bekommen haben könnten. Doch wird man bei der Wertung der Stellung des römischen Bischofs innerhalb des Zweiten Ephesinischen Konzils in Rechnung stellen müssen, daß die Freude, eine grundlegende Übereinstimmung im Glauben gefunden zu haben, die Haltung des ehemaligen Patriarchen von Konstantinopel beeinflußte. Aber in welchem Maße und in welcher Weise? Zunächst wird man nicht übersehen dürfen, daß für Nestorius mit dem Brief Leos an Flavian noch keineswegs alle Schwierigkeiten und Differenzen ausgeräumt waren. Er war immer noch der Verurteilte. Rom nahm zu Cyrill immer noch eine andere Stellung ein als er, und er selbst betonte dies, wie wir sahen, gerade dann, wenn er vom Tomus sprach. Überdies erkannte Nestorius die führende Stellung Roms auch für die Zeit an, in der eine Einmütigkeit, wie der Tomus sie ermöglichte, noch keineswegs gegeben war, als Rom vielmehr in seinen Augen versagt hatte: auch im Ersten Ephesinischen Konzil, als Rom sich ganz dem die konziliare Versammlung beherrschenden Cyrill unterordnete, hatte es – wie wir sahen – die entscheidende Autorität inne.

Der Unterschied zwischen dem Ersten und dem Zweiten Konzil von Ephesus lag für Nestorius im Blick auf Rom vor allem darin, daß es sich das

<hr/>

77 LH II/2, 475 (303): „. . . Ensuite, pourquoi ordonnes tu de lire cela (la lettre de Léon), puisque tu ne laisseras pas de place pour sa lecture? De plus, tu ordonnes de lire cette (lettre) que tu voulais rendre vaine! Tu connaissais en effet, tu connaissais exactement ce que Léon avait mandé à ce sujet à l'empereur, à l'impératrice et à Flavian lui-même, et tu as pris au contraire la route qui conduit vers l'empereur pour la suivre en laissant celle qui conduit à Dieu sans t'en soucier beaucoup. Je ne dis pas assez: tu ne l'as comptée pour rien et tu as méprisé (Dieu)."
78 LH II/2, 473 (302).

eine Mal der unkanonischen Durchführung des Konzils unterwarf, das andere Mal sich aber entschieden widersetzte und seine Autorität in gültiger Weise wahrnahm. Nestorius rechnete mit einem Versagen Roms darüber hinaus auch im Blick auf das Versäumte einer wirklichen Kenntnisnahme seiner theologischen Konzeption. So betrachtete er seine Verurteilung und auch das Erste Ephesinische Konzil als nichtig, trotz der (äußerlichen) Beteiligung Roms. Die Autorität des römischen Bischofs kam für ihn umgekehrt zu ihrer verbindlichen Geltung, wenn er bereit war, auf einer Synode die Teilnahme und Verteidigung auch der angeklagten Partei zuzulassen, wenn er seine eigene Autorität wirklich wahrnahm und wenn er – wie im Falle des Eutyches und der konstantinopolitanischen Synode – die theologischen Fragen einer zureichenden Prüfung unterzog.

So nahm Nestorius keine grundsätzlich neue Position ein, wenn er im Blick auf die Durchführung des Zweiten Ephesinischen Konzils hervorhob, es sei völlig in die Irre gegangen, da Dioskur dort Rom ausgeschaltet und so – selbst angesichts der Anwesenheit der Legaten und ihres Bemühens, das Wort des römischen Bischofs zur Geltung zu bringen – eine Synode ohne den Bischof von Rom gehalten habe. Jetzt kommt freilich hinzu, daß Nestorius, ohne viele Worte zu machen, erkennen ließ, warum Rom für ihn im Versagen wie in der Bewährung den entscheidenden Rang behält: der römische Bischof hat die sedes des Apostels Petrus und damit petrinische Autorität inne. Erst von hier aus wird vollends verständlich, warum ihm der Brief Leos an Flavian als alles entscheidend, als die Erfüllung des Verlangens seines ganzen Lebens erschien, als Bestätigung Gottes für die wahre Lehre. Aus diesem Grund auch erhielt für ihn das Glaubenszeugnis des römischen Bischofs auf dem Konzil eine Bedeutung, die so unersetzlich war, daß eine Entscheidung gegen es zugleich eine Entscheidung gegen Gott bedeutete.

Eine nochmalige Bestätigung der Haltung von Nestorius gegenüber dem Apostolischen Stuhl bietet ein Brief, den er – wohl etwas später – verfaßte, nachdem er von Leos Ablehnung der Zweiten Ephesinischen Synode Kenntnis erhalten hatte. Dort berichtete er von seiner Freude über Leos Kampf für den Glauben und über seine Gegnerschaft zur „sogenannten" Synode. Seine Stellungnahme bezeichnete er als die Haltung des „Hauptes der Bischöfe".[79]

---

79 „Quant à ce qui a été fait maintenant par le fidèle Léon, chef des prêtres, qui a combattu pour la piété et c'est opposé à ce qu'on a appelé concile, j'en ai loué Dieu avec grande allegresse, et je passe tous les jours dans l'action des grâces." (Lettre de Nestorius aux habitants de Constantinople, veröffentlicht von F. *Nau* in seiner Nestoriusausgabe S. 371-375; das Zitat 373f.; vgl. 371). – A. *Grillmeier* hebt die Tragik im Leben und im theologischen Werdegang von Nestorius hervor: „Wie er zu Beginn seines Episkopats bei allem Ungestüm den Vermittler zwischen zwei

Extremen spielen wollte, so lehnt er auch nach seiner Absetzung die extremen Positionen gewisser Anhänger ab. Sein Brief an die Einwohner von Konstantinopel zeugt davon. Wie seine Formeln und seine freudige Begrüßung des Tomus Leonis zeigen, stand er vor den Toren von Chalcedon. Nur eine kleine, aber wichtige spekulativ-theologische Handreichung – und das Tor hätte sich ihm auftun können. Es war die Tragödie dieses Mannes, daß ihm diese weder in den ephesinischen Jahren noch später zuteil wurde. So blieb er immer in seinen alten Schemata, sei es philosophischer, sei es theologischer Natur, befangen. Auch die Formel von Chalcedon hätte er nur dann voll verstehen und annehmen können, wenn er diese Schemata umgebildet hätte." (Jesus der Christus, 707-726; das Zitat: 725f.) Die obigen Darlegungen machen ergänzende ekklesiologische Aspekte zu der sehr nuancierten Beurteilung der christologischen Entwicklung, die Grillmeier bietet, namhaft. Vgl. A. Grillmeier, Das scandalum oecumenicum des Nestorius in kirchlich-dogmatischer und theologiegeschichtlicher Sicht, in: Ders., Mit ihm und in ihm. Christologische Forschungen und Perspektiven, Freiburg-Basel-Wien ²1978, 245-282.

VIERTES KAPITEL

DIE VERWEIGERUNG DER REZEPTION
DER ZWEITEN EPHESINISCHEN SYNODE
DURCH DIE RÖMISCHE SYNODE (449)
UND DIE NEUEN EINIGUNGSBEMÜHUNGEN

Papst Leo beantwortete die ephesinischen Geschehnisse zunächst prinzipiell in der Weise, die Patriarch Flavian erbeten hatte: er verweigerte die Rezeption der Synode und forderte eine neue ökumenische Synode. Nach Flavians Tod führte ihn die Haltung des östlichen Kaiserhofes jedoch dazu, andere Wege der Einigung zu suchen. So wird uns das Ringen um die Ablösung von Ephesus bis zur Schwelle des Konzils von Chalcedon führen. In allem zeigt sich uns nicht nur das Selbstverständnis des Apostolischen Stuhles, sondern auch seine Auffassung über den Weg, auf dem die Bischöfe zum Glaubenskonsens finden sollten. Zunächst gilt es, einen Überblick über die Geschehnisse zu gewinnen.

I. Die Entwicklung der Geschehnisse

Es liegt nahe, das bedeutendste Ereignis und den entscheidenden Einschnitt in der nachkonziliaren Periode im plötzlichen Tod Theodosius II. am 28. Juli 450 und in der Machtübernahme der Kaiserschwester Pulcheria und Marcians zu sehen. Kirchenpolitisch trifft dies gewiß insofern zu, als jetzt der Opposition gegen die ephesinische Synode ein Durchbruch gelungen war und in Konstantinopel eine Lösung im Zusammenwirken mit dem Apostolischen Stuhl ins Auge gefaßt wurde. Aber es wäre voreilig, aus einer solchen Absicht auch ein Einvernehmen über das Ziel und die Wege, es zu erreichen, zu folgern. Das Handeln des Hofes und vor allem des Papstes erfordert eine differenziertere Sicht. Leo wartete keineswegs eine politische Wende ab, sondern handelte vorher wie nachher durchaus eigenständig.

1. Erste Phase

Eine erste Phase seiner Aktivität setzte ein mit der römischen Synode vom Oktober 449, zu welcher der nach der ersten Sessio aus Ephesus geflüchtete Diakon Hilarus mit Flavians Appellationsschreiben erschienen war, und endete mit der römischen Synode vom Februar 450. Sie war geprägt durch das machtvolle Nein zur Zweiten Ephesinischen Synode und durch die

Forderung nach Einberufung einer neuen „wahrhaft ökumenischen" Synode in Italien. Die erste und entscheidende Reaktion der apostolischen sedes auf die ephesinische Synode stellen die Schreiben der römischen Synode vom 13. Oktober 449 dar, die an den Kaiser, an seine Schwester Pulcheria, an Klerus und Volk von Konstantinopel sowie an die Mönche der Kaiserstadt gerichtet sind.[1]

Caspars Hypothese, die Synode habe während ihrer Beratungen ein erstes Schreiben an den Kaiser gesandt, dann aber, als von diesem gerade während der Synode Post eingetroffen sei, gleich noch ein zweites, läßt sich nicht halten.[2] Das gleiche gilt für die Auffassung von Silva-Tarouca, der die Schreiben des westlichen Kaiserhofes an Theodosius II. mit dieser Synode verknüpfen und damit auch das Zusammentreten einer zweiten römischen Synode, die im Februar 451 stattfand, bestreiten möchte.[3] Das Schreiben der

1 Ep. 44 (an den Kaiser): LME I (12) 26-29; ACO II IV (18) 19-21;
  ep. 45 (an Pulcheria): LME I (13) 34-36; ACO II IV (23) 23-25;
  ep. 50 (an Klerus, Würdenträger und Volk): LME I (15) 38-40; ACO II IV (19) 21f.;
  ep. 51 (an die Mönche): LME I (14) 37f.; ACO II IV (24) 25f.

2 Die These *Caspars* (Geschichte, 493-495) steht und fällt mit der Annahme eines Briefes des Kaisers. Er soll in der Synode die Hoffnung geweckt haben, es sei doch zusammen mit dem Kaiser etwas gegen Dioskur auszurichten. Deshalb blieb der schon verfaßte Brief, ep. 43 — obwohl signiert und datiert —, in Rom zurück, während der zweite (ep. 44), der die Polemik des Briefanfangs gegen den Kaiser vermied, abgesandt wurde. Nun hat schon *Silva-Tarouca* (Nuovi studi, 564, Anm. 1) vermerkt, daß Leos Hinweis auf einen Brief des Kaisers sich auf ep. 37 beziehe, auf den er schon einmal am 20. Juni geantwortet habe. Diese Beobachtung ist zutreffend. Denn jetzt, als die ephesinische Synode in den Augen Leos gescheitert war, erinnerte er den Kaiser daran, sein Brief habe ihm damals die Zuversicht gegeben, daß er die Sache des Glaubens und des Friedens verteidigen werde, wie ja auch anderes — so die Legaten und der Tomus — ein Gelingen der ephesinischen Synode erwarten ließ. Aber nun waren diese Hoffnungen enttäuscht worden. Leo bezog sich also nicht, wie *Schwartz* annimmt, auf ein nachephesinisches, sondern ein vorephesinisches Schreiben des Kaisers. Silva-Tarouca zeigt (ebd. 566f.) überdies, daß in ep. 43 die Schuld am Versagen der Synode Flavian zugeschrieben werde. Der Text klagt nämlich einen „προλεχθεὶς ἐπίσκοπος" an; nun war aber vorher nicht Dioskur, sondern einzig Flavian genannt. Silva-Tarouca schließt daraus zu Recht auf eine Fälschung. Eine solche Behauptung ist in der Tat in einem Brief Leos völlig undenkbar. Es ist darüber hinaus aber auch ausgeschlossen, daß eine zeitgenössische Fälschung — Silva-Tarouca, der dies vertritt, denkt an Chrysaphius — Flavian eine solche Schuld, die Synode beherrscht zu haben, bewußt aufbürden konnte. Der Fehler fiel den Fälschern vielleicht deshalb nicht auf, weil zu selbstverständlich war, daß mit dem „προλεχθεὶς ἐπίσκοπος" nur Dioskur gemeint sein konnte. Wichtig ist schließlich der Hinweis von Silva-Tarouca (ebd. 563), ep. 44 sei aufgrund der Textüberlieferung zweifellos authentisch: „Dell' autenticità di quest' ultima lettera non vi ha dubbio, poichè il codice di Monaco la riporta dal registro di Leone, come prima di un gruppo di 4 lettere spedite il 13 ottobre 449. . .". Demgegenüber ist ep. 43 nur in griechischer Sprache und in einer „kontaminierten lateinischen Rückübertragung" (Caspar, Geschichte, 493, Anm. 4) überliefert. — Silva-Tarouca hat die beiden Fassungen nebeneinandergestellt: LME I (12) 26-29; (12 b) 30-34. Schwartz bietet von ep. 43 die griechische Fassung in: ACO II 1 (1) 3,10-4,38; die lateinische: ACO II IV (25) 26,8-27,17. Ep. 44: ebd. (18) 19,13-21,8.

3 *Silva-Tarouca*, Nuovi studi, 391-393. Er datiert die Synode nicht auf Februar 450, sondern auf Dezember 449. Der kaiserliche Besuch habe am Quatembersamstag stattgefunden. Es erscheint als höchst unwahrscheinlich, daß die Oktobersynode bis in den Dezember hinein ausgedehnt wurde. Die Antwort des Kaisers Theodosius II. von Ende März oder Anfang April, in der er von einer wiederholten Antwort an Leo (nach dem Zweiten Ephesinischen Konzil und nach dem Schreiben der Oktobersynode) spricht, läßt eine so frühe Datierung nicht zu.

römischen Herbstsynode wurde mit seinem Appendix, einer Dokumentation der „nicänischen" Canones, gefälscht.[4] Im übrigen hüllte sich Theodosius nicht, wie Caspar annimmt, in Schweigen. Dies erhellt aus einer Äußerung von Ende März oder Anfang April, er habe dem römischen Bischof eine breite Erläuterung der ephesinischen Synode gegeben.[5] Auch der Papst selbst bezeugte später die Zusendung kaiserlicher Schreiben.[6] Aber schon in seinem Schreiben vom 25. Dezember 449 wandte er sich dem Kaiser gegenüber wider den Versuch, die Gültigkeit der ephesinischen Synode durch den Hinweis zu behaupten, sie sei durch Nicäa gedeckt.[7] Dies setzt ein Schreiben des Kaisers voraus, das die reichsgesetzliche Bestätigung der Synode mitteilte und begründete. Eine neue kaiserliche Post dürfte als Antwort auf die Schreiben der römischen Oktobersynode eingetroffen sein und eine weitere in Erwiderung des erwähnten Dezemberbriefs. All diese Schreiben, zu denen offensichtlich auch noch die von Dioskur gefertigten Akten der ersten Sessio der ephesinischen Synode gehörten, zeigten nur das unerschütterliche Festhalten des Kaisers an dem Konzil. Die Fronten hatten sich verhärtet.

Dies änderte sich auch nicht durch eine zweite große, vom Papst ins Werk gesetzte Manifestation der Haltung des Westens in der Gestalt einer neuen italischen Synode zum Fest der Cathedra Petri am 22. Februar 451 und einer Post des westlichen Kaiserhofes an Theodosius II. Kaiser Valentinian III. sandte ihm die Akten der römischen Synode zu, die uns nicht erhalten sind, und fügte ein eigenes Schreiben bei, sowie Briefe seiner Mutter Galla Placidia und seiner Gattin Licinia Eudoxia.[8] Diese Schreiben spiegeln korrekt und deutlich die Haltung der Synode, bieten aber zugleich Ansätze einer politischen Deutung der kirchlichen Stellung Roms, die nicht der römischen Synode zugerechnet werden können. Die Antwortschreiben Theodosius II. an den Mitkaiser, seine Tochter und Tante zeigten nicht die geringste Bereitschaft, auf die Fragen einzugehen: die ephesinische Synode habe einen völlig korrekten Verlauf genommen, der kirchliche Friede sei nicht zerbro-

---

4 Während Leo von der Übersendung nicänischer Canones sprach (im Schlußabsatz von ep. 44), ließ die Fälschung Leo von einem (einzigen) nicänischen Canon sprechen, der dann nach dem Brief auch noch angeführt wurde. Man vergleiche: ACO II IV (18) 21,1-4 (ep. 44) mit ACO II I 1 (1) 4,16-38; LME I (12) 29,76-79 mit LME I (12 b) 33,105-34,12 *(Silva-Tarouca bietet den angehängten Canon nicht)*.

5 ACO II I 1 (5) 7,9-15.

6 Am 6. Juli 450 sprach Leo Theodosius II. gegenüber davon, daß der Kaiser schon „oft" schreibe, er werde es nicht zulassen, daß die Bischöfe vom nicänischen Konzil abweichen. Dies besagte bei Theodosius ein Beharren auf der ephesinischen Synode, die auf solche Weise gerechtfertigt werden sollte. Ep. 69: LME I (18) 51,6-10; ACO II IV (30) 30,21-24.

7 LME I (16) 47,6-18; ACO II IV (9) 11,12-21.

8 ACO II I 1 (2-4) 5-7.

chen, sondern wiederhergestellt.[9] Doch von Konstantinopel kamen auch andere Nachrichten, die dem Papst ein Trost sein mußten. Klerus und Volk der Kaiserstadt hatten sich in einer Kundgebung gegen das ephesinische Urteil gewandt.[10] Und auch Pulcheria stellte sich auf Leos Seite.[11]

2. Zweite Phase

Eine zweite Phase von großer Bedeutung leitete Papst Leo schon vor dem politischen Umschwung ein. Auch danach verfolgte er dieses neukonzipierte, eigene Programm konsequent bis zur Einberufung einer Synode durch den Kaiser. Auslösendes Moment war die Nachricht vom Tod des Patriarchen Flavian und von der Weihe seines Nachfolgers Anatolius, der bis dahin als alexandrinischer Apokrisiar in Konstantinopel gewirkt hatte. Jetzt ging Leo von seiner bisherigen Maximalforderung ab. Statt eine feierliche Kassation der ephesinischen Synode durch ein universales Konzil in Italien unter dem Vorsitz der sedes apostolica zu verlangen, suchte er die verfehlte synodale Entscheidung durch eine Reihe von Synoden in den partikularen kirchlichen Bereichen des Ostens unter Beteiligung römischer Legaten aufzuheben und durch die Anerkennung der im Glaubensbrief an Flavian niedergelegten Entscheidung zu ersetzen. Eine Synode in Konstantinopel sollte den Anfang machen.

Der Papst hatte nämlich das Schreiben, mit dem ihm Anatolius seine Wahl und Weihe angezeigt hatte, keineswegs mit Befriedigung zur Kenntnis genommen, da der Erwählte nicht deutlich auf die Glaubensfrage eingegangen war.[12] Er nahm es jedoch zum Anlaß, am 16. Juli 450 eine große Gesandtschaft nach Konstantinopel zu senden. Sie stand unter Führung des Bischofs Abundius von Como, den der Bischof Aetherius von Padua, der neapolitanische Priester Basilius und der Priester Senator, dem wir um 475 als Bischof von Mailand begegnen, begleiteten.[13]

In überaus freundlichem Ton ließ Leo (in seinem Schreiben an den Kaiser) Anatolius bitten, er möge wie den Brief Cyrills „Obloquuntur" so auch sein eigenes Schreiben an Flavian an der Tradition prüfen und in Anwesenheit der ganzen Kirche von Konstantinopel unterzeichnen.[14] Später wird der Papst dem Patriarchen eine aktive Rolle im Versöhnungswerk zudenken, obwohl

9 ACO II I 1 (5-7) 7f.; so z. B. im Brief an Kaiser Valentinian: ebd. (5) 7,17-24.
10 Ep. 59: LME I (15 b) 40,5-41,13; ACO II IV (34) 34,2-8.
11 Ep. 60 vom 17. 3. 450: LME I (17) 7-9; ACO II IV (28) 29,2-4.
12 Vgl. LME I (19) 51,10-17; (20) 24,13-18; ACO II IV (30) 30,24-29; (29) 29,28-31.
13 Vgl. R. *Mouterde*, Saint Abundius, 124-129.
14 LME I (19) 51,17-52,46; ACO II IV (30) 30,29-31,13.

seine Rolle bis dahin mehr als undurchsichtig gewesen war. Er wird ihm Vollmacht und Auftrag geben, zusammen mit den römischen Legaten die Unterzeichnung des Tomus von jenen Teilnehmern am ephesinischen Konzil entgegenzunehmen, die ihre frühere Entscheidung widerrufen wollten.[15] Da kurz nach Entsendung der Legation der politische Umschwung einsetzte, konnten Leos Pläne entgegen allen Erwartungen wenigstens zu einem Teil mit Erfolg durchgeführt werden. Am 21. Oktober 450 gab Anatolius vor einer Synode in Konstantinopel in Anwesenheit der Legaten mit seiner Unterschrift die Zustimmung zum Glaubensbrief des Papstes. Ein bedeutsames, aber aus nestorianischer Sicht revidiertes Fragment der Akten dieser Synode wurde glücklicherweise in einer syrischen Handschrift gefunden. Die lateinische Zusammenfassung eines etwas größeren Teils der Akten findet sich in der Lebensbeschreibung des Bischofs Abundius.[16]

3. Dritte Phase

Eine dritte Phase setzte bald nach der Thronbesteigung von Kaiser Marcian (24. oder 25. August 450) ein, obwohl Leo gerade jetzt die volle Durchführung seines eben eingeleiteten Einigungswerkes erhoffte. Der Kaiser hatte schon kurz nach seiner Erhebung dem Papst den freilich noch etwas unbestimmten Plan einer Synode vorgelegt.[17] Am 22. November sandten Marcian und Pulcheria neue Post nach Rom. Pulcheria teilte dem Papst wichtige kirchenpolitische Ereignisse mit, die Leo mit Befriedigung erfüllen mußten: die schriftliche Zustimmung von Anatolius zum Glaubensbrief, die Übertragung der Gebeine Flavians in die Apostelkirche zu Konstantinopel, die Rückberufung der verbannten Bischöfe. Aber zugleich erbat das Kaiserpaar von Leo die Zustimmung zu einem schleunig einzuberufenden Konzil, das im Osten stattfinden sollte.[18] Monate später schließlich – wohl noch im März 451 – traf in Rom eine Gesandtschaft konstantinopolitanischer Kleriker ein, die das von Pulcheria schon lange angekündigte Schreiben von Anatolius überbrachte. Sie sollte für den Patriarchen die Bekräftigung der Communio mit dem Apostolischen Stuhl erwirken, zugleich aber um die Bestätigung einer Vorrangstellung der neuen Kaiserstadt und wohl vor allem auch um die Zustimmung zu den Konzilsplänen des Hofes nachsuchen.[19]

15 LME I (24) 62,34-39; ACO II IV (37) 39,21-25.

16 R. *Mouterde*, Fragment d'actes, 35-50; vgl. Anm. 13.

17 ACO II I 1 (10) 10,6-18.

18 Ebd. (8f.) 8,16-10,4.

19 LME I (22) 58,14-16; vgl. das Zeugnis von Eusebius von Doryläum, das im 7. Kapitel noch ausführlich zu besprechen ist: ACO II I III (31) 97,28-30.

Bis zu diesem Zeitpunkt hatte sich Leo dem neuen Kaiserpaar gegenüber in tiefes Schweigen gehüllt. Er mochte dies persönlich mit der Anwesenheit seiner Legaten in Konstantinopel rechtfertigen, ließ so aber zugleich erkennen, wie sehr er auf der Durchführung des Auftrages der Gesandtschaft und damit seines eigenen Planes beharrte. Als er der rückkehrenden Legation der konstantinopolitanischen Kleriker – dem Priester Carterius und den Diakonen Patricius und Asclepiades – am 13. April ein Bündel von Schreiben mitgab, war seit Marcians erstem Brief und Konzilsvorschlag mehr als ein halbes Jahr vergangen.[20] Auch jetzt ging Leo nicht schriftlich auf die Konzilsfrage ein, sondern verblieb bei seiner Linie. Er kündigte die Absendung einer neuen Gesandtschaft an, welche den in Ephesus schuldig gewordenen Bischöfen, die inzwischen dem Tomus zugestimmt hatten, die Communio mit dem Apostolischen Stuhl gewähren sollte. Ihnen war zunächst nur die Communio mit ihren eigenen Ortskirchen gewährt worden. Als er die neue Gesandtschaft – bestehend aus dem Bischof Lucensius von Ascoli und dem römischen Presbyter Basilius – am 9. Juni absandte,[21] gab er ihr Post mit, in der er seine Weisung bekräftigte und konkretisierte.[22] Marcian hatte inzwischen noch einen der höchsten Würdenträger Konstantinopels, den ihm persönlich eng verbundenen Stadtpräfekten Tatian, nach Rom gesandt. Er traf dort offenbar kurz nach der Abreise der konstantinopolitanischen Kleriker ein und sollte noch einmal den Konzilsplan erläutern: Überprüfung der ephesinischen Synode und neue Erörterung der Glaubensfrage. Der Papst antwortete dem Kaiser am 23. April freundlich, versprach

20 Ep.78 an Kaiser Marcian: LME I (22) 57,6-58,19;
  ACO II IV (3 b) 38,23-33;
  ep. 79 an Kaiserin Pulcheria: LME I (23) 58,6-60,58;
  ACO II IV (35) 37,18-38,21;
  ep. 80 an Anatolius: LME I (24) 60,6-63,81;
  ACO II IV (37) 38,35-40,24;
  ep. 81 an Julian von Kos: LME I (25) 64,5-65,31;
  ACO II IV (38) 40,26-41,11. –
Die konstantinopolitanischen Diakone Patricius und Asclepiades traten schon in der endemischen Synode und bei deren Überprüfung auf, letzterer zugleich als Notar; vgl. ACO II I 1 (394) 127,23; (441) 134,6; (442) 134,8; – ebd. (405) 130,1; (576) 153,12; (577) 153,13.
21 Leo gab am 13. April den zurückkehrenden konstantinopolitanischen Klerikern Post mit und wollte seine Legation nach dem „dies venerabilis" senden, nämlich nach Pfingsten, da Ostern in diesem Jahr schon am 8. April begangen worden war: LME I (25) 64,17-20; 65,27-29 (mit Anm. d) von Silva-Tarouca); ACO II IV (38) 41,1-3.8-10. Man wird davon ausgehen können, daß die römischen Legaten zusammen mit den konstantinopolitanischen Klerikern zurückgekehrt waren. Es ist verständlich, daß Leo zur Entsendung einer neuen Legation sich ein paar Wochen Zeit nehmen mußte. Ihre Abreise fand am 9. Juni oder kurz danach statt, da mit diesem Datum die Post signiert ist, die sie überbringen sollte. Pfingsten fiel auf den 27. Mai.
22 Ep. 83 an Marcian: LME I (26) 65-67; ACO II IV (41) 42f.;
  ep. 84 an Pulcheria: LME I (27) 68f.; ACO II IV (42) 43f.;
  ep. 85 an Anatolius: LME I (28) 70-72; ACO II IV (43) 44f.;
  ep. 86 an Julian: LME I (29) 73; ACO II IV (40) 42.

eine mündliche Antwort der Legaten zum Konzilsplan, ließ aber deutlich erkennen, daß er mit einem solchen Plan schon aus dogmatischen Gründen nicht einverstanden war.[23] Immer deutlicher zeichnete sich mit alledem ab, wie sehr die Linien, die der Kaiserhof und der Papst verfolgten, auseinandertraten. Es wird sich zeigen, wie wenig dies bloß auf kirchenpolitischen Erwägungen beruhte.

4. Vierte Phase

Nach der Rückkehr der konstantinopolitanischen Kleriker ergriff das Kaiserpaar rasch die entscheidende Initiative, um, angesichts der unnachgiebigen Haltung des Papstes, seine Konzeption durchzusetzen. Ohne Verzug berief Marcian am 17. Mai auf den 1. September eine allgemeine Synode nach Nicäa ein.[24] Damit war die vierte und letzte Phase in der Auseinandersetzung um die Ablösung und Überwindung der Zweiten Ephesinischen Synode erreicht – wenn wir von Chalcedon selbst absehen. Sie stand für den Papst vor allem unter der Frage, wie die Einigung mit jenen Bischöfen gefunden werden könne, welche zu den ephesinischen Entscheidungen ein feierliches Ja gesagt hatten und nun nicht einfachhin dem Glaubensbrief zustimmen wollten. Welches Ziel und welches Programm sollte von da aus dem Konzil gegeben werden? Papst Leo stimmte dem auf einen äußerst nahen Termin einberufenen Konzil nachträglich zu und erweiterte die Legation, die bereits unterwegs war, um zwei Mitglieder, den Bischof Paschasinus von Lilybäum in Sizilien, der die Leitung der Gesandtschaft übernehmen sollte, und den römischen Priester Bonifatius.[25] Jedoch gab er ihnen zugleich Direktiven für die Ausrichtung des Konzils mit, welche sich – wie sich zeigen wird – höchstens zum Teil mit den Absichten des kaiserlichen Hofes deckten.[26]

---

23 Ep. 82 an Marcian: ACO II IV (39) 41. Prosopographie Tatians: *Dagron*, Naissance, 272f. ACO II VI,6.

24 ACO II I 1 (13) 27,22-28,9.

25 Leo hatte die Nachricht kurz vor dem 24. Juni erhalten. An diesem Tag sandte er eine erste Antwort an den Kaiser (ep. 89: LME I (31 b) 79f.; ACO II IV [46] 47f.) und an Bischof Paschasinus (ep. 88: LME I [30] 74-76; ACO II IV [45] 46f.).

26 Am 26. Juni sandte Leo die hauptsächliche, für die Frage des Konzils wegweisende Post.
   Ep. 90 an Marcian: LME I (31) 77f.; ACO II IV (47) 48f.;
   ep. 91 an Anatolius: LME I (32) 81; ACO II IV (48) 49;
   ep. 92 an Julian: LME I (33) 82; ACO II IV (49) 49;
   ep. 93 an das Konzil: LME I (34) 83f.; ACO II IV (52) 51-53.
   Merkwürdigerweise fehlt in dieser Post ein Brief an Pulcheria.

II. Das Urteil der römischen Synode
über die Zweite Ephesinische Synode

Die Ergebnisse der römischen Oktobersynode erwuchsen ganz aus der Absicht, die Appellation Flavians aufzunehmen und das contradicitur der römischen Legation zur ephesinischen Versammlung zu bestätigen. Die Synode entsprach Flavians Bitte, seine Verurteilung zu behandeln, sandte seinem Wunsch entsprechend Briefe an den Kaiser und an die konstantinopolitanische Kirche – nicht jedoch an die, welche in Ephesus Gesinnungsgenossen von Dioskur waren – und suchte schließlich das Zusammentreten einer neuen allgemeinen Synode zu erreichen.[27] Dabei betonte sie die Teilnahme des Westens noch stärker als Flavian, indem sie eine universale Synode in Italien forderte.

1. Der Verlauf der Oktobersynode (449)

Die Appellation des Patriarchen erforderte eine Prüfung seiner Klage über den unkanonischen Verlauf der Synode von Ephesus. Die römische Synode trug dem Rechnung, indem sie sich nirgends ausdrücklich auf Flavians Bericht, sondern auf die Informationen des römischen Legaten Hilarus stützte und sie stark hervorkehrte. Zunächst stellte sie fest, die ephesinische Versammlung sei in Wahrheit keine Synode, sondern das Werk eines einzelnen gewesen. Darüber könne auch nicht die große Zahl der Teilnehmer hinwegtäuschen. Die römische Synode unterschied hier zwischen Anwesenheit und Teilnahme. Anwesenheit auf der Synode in Ephesus besagte nicht auch schon wirkliche Teilnahme an den synodalen Verhandlungen. In zweifacher Weise wurde in Ephesus eine Teilnahme versagt. Eine erste Gruppe wurde, obwohl anwesend, ganz zurückgewiesen. Damit sind offenkundig die Bischöfe der endemischen Synode mit Flavian an der Spitze gemeint. Da das Schweigen dieser angeklagten Bischöfe auf eine kaiserliche Anordnung zurückging, besagte eine solche Feststellung zugleich eine deutliche Zurechtweisung des Kaisers. Eine andere Gruppe durfte zwar teilnehmen, wurde aber unter den Druck von Drohungen und Zwang gesetzt. Dies bedeutete gleichfalls eine indirekte, aber harte Rüge für den Kaiser. In Wahrheit gaben nur wenige Dioskur ihre Zustimmung.

Diese Kritik erhielt noch schärfere Konturen durch das Bild, das die römische Synode von einer echten Synode zeichnete: eine solche ist geprägt durch gemeinsame Beratung. Diese vollzieht sich in einer ruhigen, ausgewo-

27 Die Post der Synode ist in Anm. 1 dieses Kapitels verzeichnet.

genen Prüfung der Sache des Glaubens und der Irrenden und zielt auf eine Entscheidung hin, die von allen in Freiheit gefällt werden muß.[28] Schließlich hob die italische Synode als eine weitere Gruppe die Legaten hervor und beschrieb die Aufgabe, die ihnen zugewiesen war, im Horizont der gemeinsamen Urteilsfindung. Dioskur ließ eine Verlesung der päpstlichen Schreiben an die Synode bzw. an Flavian nicht zu. Deren Darlegungen hätten aber kirchenpolitische Ambitionen – offenbar des alexandrinischen Patriarchen – in Schach halten können. Sie hätten theologische Kurzsicht überwunden, gemeinsame Einsicht in das rechte Glaubensverständnis ermöglicht und auf solche Weise der Sache des Glaubens zum Sieg verholfen. Die Kundgabe des unverfälschten Glaubens, den der Apostolische Stuhl bewahrt und überliefert, hätte eine falsche Auslegung des Glaubenssymbols verhindert.[29]

2. Das Urteil der Synode

Die Beschreibung, welche die römische Synode von der ephesinischen zeichnete, besagte insgesamt schon eine Beurteilung: die Vorgänge in Ephesus bedeuteten ein unkanonisches Vorgehen, das zu einem falschen Glaubensverständnis und zu verfehlten Urteilen führte. Caspar vertritt demgegenüber allerdings die Auffassung, der ganzen Zeit und so auch Leo sei die Rechtsanschauung ferngelegen, daß der Papst „allein das Urteil einer Reichssynode umstoßen könne". „Er hat nicht etwa persönlich oder durch eine römische Synode das Urteil von Ephesus über Flavian aufgehoben, wie es einst Julius I. an dem Urteil von Tyrus über Athanasius versucht, aber gegen das neue Reichskirchenrecht nicht durchgesetzt hatte, sondern er hat sich, wie seither alle Päpste, auch Innozenz I. im Chrysostomushandel, in den Grenzen des Reichskirchenrechts gehalten."[30] Caspar stützt sich hier jedoch auf den oben erwähnten gefälschten Text, der die Verweigerung der Rezeption des ephesinischen Urteils durch die Legaten und die Bekräftigung dieser Verweigerung durch die römische Synode unterschlägt bzw. verfälscht zugunsten eines bloßen Berichtes der Legaten über die Vorgänge und einer Bitte an den Kaiser, er möge für die Reinheit des Glaubens Sorge tragen und gemäß dem „Ersuchen" Flavians eine Synode nach Italien einberufen.

Gerade angesichts einer solchen Umdeutung in „reichskirchlicher" Tendenz zeigt sich aber Leos Haltung im authentischen Text um so klarer.

---

28 Die Synode machte diese Feststellungen gegenüber dem Kaiser: LME I (12) 26,20-27,34; 28,64f.; ACO II IV (18) 19,23-20,6.27f.
29 LME I (12) 26,7-20; ACO II IV (18) 19,13-23.
30 *Caspar*, Geschichte, 492.

Die römische Synode bot nämlich nicht bloß eine „Schilderung der ephesinischen Vorgänge" im Blick auf eine künftige Synode, die vom Kaiser erbeten wurde. Vielmehr stellte sie ihren Bericht unter das Urteil: die Versammlung in Ephesus war keine kanonisch gültige Synode, vielmehr wurde durch eine kleine Minderheit die ganze Kirche verletzt. Der Protest der Legaten erhob sich gegen die unkanonische Durchführung der Synode. Trotz aller Bedrückkung gaben sie ihre Zustimmung nicht, sondern gaben feierlich kund, der Apostolische Stuhl werde die Beschlüsse nie rezipieren. Die römische Synode stimmte dem Verhalten der Legaten zu. Damit sprach sie lapidar die endgültige Verweigerung der Rezeption aus und begründete sie zugleich: das Urteil der ephesinischen Synode bedeutet die Zerstörung des Glaubens im ganzen. Mit dieser Rezeptionsverweigerung stellte sich die sedes apostolica in der feierlichen Form des synodalen Urteils des römischen Konzils, das der Appellation Flavians und dem Nein der Legaten entsprach, der ephesinischen Synode entgegen, sprach ihr die kanonische Gültigkeit ab und hob ihr Urteil auf.[31] Im Brief an Pulcheria stellte die römische Synode demgemäß nicht nur fest, es könne unmöglich als gültig gelten, was in Ephesus geschehen sei, sondern zog daraus auch die Folgerung, Flavian verbleibe weiterhin in der Communio mit dem Apostolischen Stuhl.[32] Papst Leo und die römische Synode warteten also nicht einfachhin eine künftige Synode ab. Für sie war die Zweite Ephesinische Synode jetzt schon ungültig.

31 In der griechischen Textbearbeitung wurde die Rezeptionsverweigerung weggelassen, an ihre Stelle trat eine Bitte an den Kaiser:

„Quod nostri ab apostolica sede directi adeo impium et catholicae fidei contrarium esse viderunt, ut ad consentiendum nulla potuerint oppressione conpelli, constanterque in eadem synodo ut decuit fuerint protestati, nequaquam id quod constituebatur sedem apostolicam recepturam. Quoniam revera omne christianae fidei sacramentum, quod absit a temporibus vestrae pietatis excinditur, nisi hoc scelestissimum facinus quod cuncta sacrilegia excedit aboletur."

„Σφόδρα γὰρ ἀσεβὲς καὶ τῇ πίστει πολεμοῦν τὸ τοιοῦτο θεασάμενοι οἱ παρ' ἡμῶν ἀποσταλέντες, ἡμῖν κατεσήμαιναν. Ὅθεν γαληνότατε βασιλεῦ τῆς ὑμετέρας εὐσεβοῦς συνειδήσεως τὸν κίνδυνον ἕνεκα τῆς πίστεως ἀποσβῆσαι καταξίωσον, καὶ μὴ πρόληψις ἀνθρωπίνη τὸ εὐαγγέλιον βιάσηται."

Weiter unten wurde wiederum der Protest der Legaten getilgt und aus Flavians „Appellationslibell" ein „Gesuch" gemacht:

„... omnes ... supplicant sacerdotes, ut quia et nostri fideliter reclamarunt, et eidem libellum appellationis Flauianus episcopus dedit, generalem synodum iubeatis intra Italiam celebrari ..."

„... πᾶσαι αἱ ἐκκλησίαι ... καὶ πάντες οἱ ἱερεῖς τὴν ὑμετέραν ἡμερότητα μετὰ δακρύων ἱκετεύουσιν κατὰ τὴν αἴτησιν τοῦ λιβέλλου Φλαβιανοῦ τοῦ ἐπισκόπου, ὥστε κελεῦσαι ἰδικὴν σύνοδον ἐν τοῖς τῆς Ἰταλίας ἐπιτελεσθῆναι ..."

LME I (12) 27,34-42; (12 b) 31,45-52; ebd. (12) 28,66-69; (12 b) 33,94-100. – ACO II IV (18) 20,6-11; ACO II I 1 (1) 3,25-4,1; ACO II IV (18) 20,28-31; ACO II I 1 (1) 4,16-19. Zur Fälschung des Textes vgl. *Silva-Tarouca*, Nuovi studi, 562-567; LME I (12) S. 30, Anm. a; Anm. 2 und 3 dieses Kapitels.

32 LME I (13) 35,40-36,50; ACO II IV (23) 24,24-31.

Spätere Stellungnahmen bieten kaum mehr als knappe Zusammenfassungen der Vorgänge und ihrer Beurteilung, abgesehen von der tieferen Begründung der Vollmacht der apostolischen sedes innerhalb von Synoden, welche die Februarsynode (450) gab. Auf ihr stellte Leo der Große gemäß dem Bericht von Galla Placidia von neuem die unkanonische Durchführung der Synode heraus: sie stand unter der Willkür eines einzelnen, der sie ohne Ordnung und gerechtes Maß durchführte und so Haß und Streit entfachte. Leo hob besonders hervor, wie sich Dioskurs Verhalten vor allem gegen den Apostolischen Stuhl richtete: er terrorisierte Flavian, weil dieser sich an Rom gewandt hatte.[33] Schon auf der Oktobersynode hatte Leo die ephesinische Versammlung mit dem Wort: weniger ein „Gericht", sondern eher ein „Wüten" Dioskurs gekennzeichnet.[34] Ähnliches besagt die Charakterisierung: „eine Synode, die den Namen Synode nicht verdient".[35] In die gleiche Richtung weist schließlich jene Bezeichnung, welche sich – im Angesicht des nach Nicäa einberufenen Konzils, also in einer für Leo schweren und bedeutsamen Stunde formuliert – als besonders wirksam erwies: „in illo Ephesino non iudicio sed latrocinio".[36] Damit wollte Leo nicht etwa die Konzilsväter als eine Räuberbande beschreiben, sondern Dioskurs unkanonische Durchführung der Synode als „Ränkespiel" bzw. „Manipulation" apostrophieren. Diese Charakterisierungen sollten einerseits die Unrechtmäßigkeit der Synode als ganzer treffen, zielten aber zugleich vor allem auf Dioskur. Der Ausdruck „Räubersynode" geht deshalb nicht direkt und im vollen und eigentlichen Sinn auf Papst Leo zurück. Nach Caspar leitet er sich von Theophanes her, der – in Abwandlung der leonischen Charakterisierung – von einer räuberischen Synode spricht.[37] Silva-Tarouca verweist auf das Schreiben des Papstes Gelasius an die dardanischen Bischöfe.[38]

33 ACO II I 1 (3) 5,39-6,7.

34 „. . . reclamaverunt in synodo sicut oportuit, unius hominis non tam iudicio quam furori, protestantes . . .": LME I (13) 35,26f.; ACO II IV (23) 24,14f.

35 LME I (31) 77,21-27; ACO II IV (47) 48,19-23; vgl. LME I (29) 73,16; ACO II IV (40) 42,10: „Ephesinus ille turbo".

36 LME I (36) 87,40; ACO II IV (51) 51,4.

37 *Caspar* (Geschichte, 510) übersetzt: „Nicht Gericht, sondern Räuberei" und verweist auf die Fassung von Theophanes (Chronogr. ad a. 5941): σύνοδος ληστρική. Er sieht also keinen ins Gewicht fallenden Unterschied zwischen der Formulierung von Leo und Theophanes.

38 LME I (36) 87,31 mit Anm. d) unter Verweis auf CSEL 35/379,18; 390,22.

III. Das Ersuchen römischer Synoden um Einberufung einer universalen Synode nach Italien

1. Die Oktobersynode (449)

Kehren wir noch einmal zur Oktobersynode zurück. Wie wir sahen, deutet Caspar ihre Forderung als Ersuchen um eine reichskirchliche Synode. Dieser Sicht widerspricht aber nicht nur die Tatsache des eigenständigen Urteils der Synode in der Verweigerung der Rezeption, sondern auch die Forderung nach einem Konzil in Italien. Beides entstammt der gleichen Wurzel: dem Selbstverständnis der sedes apostolica. Die römische Synode deutete Flavians Appellation auch dort, wo er um eine neue Synode bat, als Appellation an den Apostolischen Stuhl. Diese Deutung geschah im Horizont der sardicensischen Canones, nach welchen der Apostolische Stuhl die Rezeption des Urteils einer Synode verweigern und selbst auf einer neuen Synode das Urteil fällen kann.

Aber erwartete nicht gerade Leo mit seinen italischen Mitbischöfen eine Synode, auf der sich eine „größere Zahl von Bischöfen" versammeln sollte? Und stützte er sich nicht auf das Reichskirchenrecht, wenn er davon ausging, das Gewicht einer zahlenmäßig kleineren Synode könne durch eine größere Synode aufgehoben werden? Diese Deutung Caspars läßt sich jedoch nicht halten. Die römische Synode hatte gegen die Größe der ephesinischen Synode nichts einzuwenden, im Gegenteil. Die zahlreiche Versammlung von Bischöfen ließ, wie sie hervorhob, eine ausgebreitete Aussprache und ein ausgewogenes Urteil erwarten. Das ephesinische Urteil war nur ungültig, weil ein einziger bzw. wenige unter Ausschaltung der Legaten und unter Niederhaltung der übrigen Konzilsväter, die einen Konsens erkennen ließen, ein Urteil zu fällen wagten und es zu Unrecht als synodales Urteil ausgaben.[39] Die Forderung nach einem „maior numerus" verlangt deshalb eine neue Erklärung.

Zunächst fällt in die Augen, wie die Forderung nach einer größeren Synode verknüpft ist mit dem Ersuchen um eine Synode im Bereich Italiens, durch die eine Teilnahme westlicher Bischöfe möglich wurde.[40] So konnte der Konsens, der nach der Darstellung Flavians wie der römischen Synode trotz des ephesinischen Urteils schon bestand, noch viel deutlicher hervor-

---

39 LME I (12) 26,20-27,34; 28,64f.; ACO II IV (18) 19,23-20,6.27f.
40 LME I (12) 28,57.69; ACO II IV (18) 20,22.30f. In der Folge zieht sich die Forderung nach einer Synode „intra Italiam" wie ein roter Faden durch Leos Briefe. Als Beispiele seien genannt: LME I (16) 47,23; (19) 53,67; vgl. (35) 85,7; (36) 87,1. ACO II IV (9) 11,24f.; (30) 31,28; vgl. (50) 49,34; (51) 50,26. Man vergleiche auch die Briefe, welche die Forderungen der Februarsynode widerspiegeln: ACO II I 1 (2) 5,22; (4) 7,1.

treten. Zugleich war damit die beste Voraussetzung für die Freiheit der Synode gegeben, um welche die römische Herbstsynode denn auch im gleichen Schreiben den Kaiser überaus eindringlich ersuchte.[41]

Weitere Ausführungen der Oktobersynode erscheinen geradezu als Abweisung einer „reichskirchlichen" Deutung ihrer Forderung nach einer größeren, universalen Synode. Ihr Ersuchen begründete sie zweifach: mit der Weigerung der Legaten, die ephesinischen Beschlüsse zu rezipieren, und mit der Appellation Flavians an den Apostolischen Stuhl. Demnach erwartete sie die universale Synode als eine Synode, in der dem Römischen Stuhl entscheidende Bedeutung zukommen sollte. Dies bekräftigten die Bischöfe durch den Hinweis auf die „Canones von Nicäa", die sie ihrem Schreiben an den Kaiser hinzufügten. Sie rechtfertigten damit Flavians Appellation als einen rechtmäßigen kirchlichen Vorgang. „Nicäa" gab das Recht, angesichts der Verurteilung durch eine Synode an den Apostolischen Stuhl zu appellieren und von ihm das Urteil zu erwarten, da er die sedes des Apostels Petrus ist. Damit beschrieben die Bischöfe der italischen Synode aber die künftige universale Synode zugleich als eine Synode, auf welcher der Apostolische Stuhl das eigentliche und entscheidende Urteil fällen sollte.

Das Verlangen der Herbstsynode nach einem universalen Konzil im Westen klang machtvoll aus in die Forderung nach kirchlicher Freiheit. In deutlicher Anspielung auf die ephesinischen Geschehnisse erkühnte sich Papst Leo zusammen mit den italischen Bischöfen, dem Kaiser ins Angesicht zu sagen, keine Gewalt, kein politischer Terror werde den Glauben besiegen können.[42] Einer Synode, die von einer Minderheit beherrscht und deren Mehrheit durch politischen Druck ausgeschaltet war, stellten sie das Bild einer künftigen Synode gegenüber, die in Freiheit den Konsens der Bischöfe der ganzen Welt, auch jener des Westens, zum Ausdruck bringen und zugleich der Vollmacht des Apostolischen Stuhles Raum geben sollte. Aber selbst diese Vollmacht beschrieb die römische Synode als eine von der ganzen Kirche synodal gutgeheißene.[43] Ihre Forderung hielt sich keineswegs an das von Caspar postulierte „Reichskirchenrecht". Im Gegenteil: sie suchte eine solche in Ephesus erprobte staatskirchliche Praxis durch eine kirchliche, freie und universale Synode zu ersetzen, deren Exponent der Apostolische Stuhl sein sollte.

41 LME I (12) 29,79-82; ACO II IV (18) 21,4-6.

42 Vgl. die vorangehende Anmerkung.

43 Leo verweist dafür auf die „nicänischen Beschlüsse": „. . . canonum Nichaeae habitorum decreta testantur, quae a totius mundi sunt sacerdotibus constituta": LME I (12) 29,76f.; ACO II IV (18) 21,2f.

2. Die Februarsynode (450)

Die Februarsynode wiederholte noch einmal die nämlichen Forderungen. Wir können sie freilich nur im Spiegel der Schreiben des ravennatisch-weströmischen Hofes betrachten. Das Schreiben Kaiser Valentinians III. brachte im Blick auf die ephesinische wie die geforderte italische Synode die Stellung des Papstes in die markante Formel, das Priestertum des römischen Bischofs bedeute die Vollmacht, „über den Glauben und die Priester (Bischöfe) zu richten". Zur Begründung berief sich der Kaiser auf die bis zum Ursprung zurückreichende Tradition, die dem Papst eine solche Stellung zugewiesen habe. Damit bezog er sich auf die Überlieferung, auf die sich auch die sogenannte römische Fassung des Kanons 6 von Nicäa stützte und aus der sie ihre Rechtfertigung schöpfte.[44] Aus dieser Überlieferung leitete er auch die synodale Tradition ab, aufgrund derer Flavian wegen der Glaubensfrage an Rom appelliert hatte.[45] Damit nahm er auf die sardicensischen Kanones Bezug, die im Schreiben der Kaiserin-Mutter als „nicänische" Kanones ausdrücklich genannt wurden.

Hier bei Galla Placidia wurden sie im Rückblick auf die ephesinische Synode aufgegriffen und als Kriterium, das deren Revision begründen sollte, zur Anwendung gebracht. Aus ihnen − so wurde hier gesagt − ergebe sich nämlich das Recht des Apostolischen Stuhles, durch Legaten an solchen Synoden teilzunehmen.[46] Aus der Tradition, die vor allem in Sardika aufscheint und in den Appellationsnormen ihren Niederschlag gefunden hat, wurde entnommen, daß auf den Synoden der römischen sedes eine letzte Verantwortung und Vollmacht zukomme. Hier traf sich das Schreiben von Galla Placidia mit jenem von Kaiser Valentinian. Demgemäß wurde die geforderte universale Synode auch als Synode des Apostolischen Stuhls bezeichnet, dem das Urteil zugewiesen war. Dies geschah unter Berufung auf die Verbindung der römischen sedes mit Petrus, dem die Schlüssel des Himmels anvertraut sind. Es geschah zugleich mit der Berufung auf die synodale Tradition von Nicäa-Sardika,[47] die aber wiederum auf eine ursprunghafte Überlieferung, aus der sie Bedeutung und Berechtigung zog, zurückgeführt wurde.

Es geht zwar nicht an, mit Caspar von Valentinian III. zu sagen, er sei

---

44 „. . . ἵνα ὁ μακαριώτατος ἐπίσκοπος τῆς Ῥωμαίων πόλεως, ᾧ τὴν ἱεροσύνην κατὰ πάντων ἡ ἀρχαιότης παρέσχει, χώραν καὶ εὐπορίαν ἔχει περὶ τῆς πίστεως . . . κρίνειν." ACO II I 1 (2) 5,15-17.

45 Ebd. 18f.

46 ACO II I 1 (3) 5,39-6,7.

47 Ebd. 6,7-13.

„päpstlicher als der Papst gewesen", da der Historiker des Papsttums hier seinen Vergleich mit einem gefälschten Dokument anstellte, das er nicht als solches erkannte.[48] Aber richtig ist doch so viel: Leo sprach sich auf der Februarsynode noch entschiedener gegen die Gültigkeit der ephesinischen Synode aus und betonte noch deutlicher seine Vollmacht auf der geforderten italischen Synode. Und schließlich begründete die römische Synode, deren Akten sich in den Schreiben des Hofes spiegeln, eine solche Stellung der sedes apostolica noch einmal im Verweis auf die synodale Tradition und die Überlieferung insgesamt.

Überdies wollte Leo seinen Einfluß beim ravennatischen Hof geltend machen, um so den politischen Einfluß des östlichen Hofes zu mindern und der Kirche die freie synodale Entscheidung wiederzugeben. Es mußte Leo befriedigen, daß der westliche Hof die Akten der römischen Synode offiziell übersandte, in eigenen Schreiben deren Standpunkt wiedergab und unterstützte und wenigstens die familiären Bande zur Geltung brachte, wenn schon echte politische Einflußnahme nicht möglich war. Doch konnte ihm post festum kaum verborgen bleiben, welch hohen Preis dies kostete. Denn in der Gestalt der Kaiserin-Mutter Galla Placidia, der Tochter des großen Theodosius I., verknüpfte der westliche Hof die petrinische Begründung des römischen Primats eng mit der „ewigen Stadt" als einer politischen Größe und signalisierte damit ein Thema, das in Chalcedon im Blick auf Konstantinopel als das neue Rom außerordentliche Bedeutung gewinnen sollte.[49]

IV. Leos Bemühen um Rezeption des Tomus ohne ökumenisches Konzil

Die Antwort des Papstes an den Kaiser im Blick auf das Wahlanzeige-Schreiben von Anatolius[50] erscheint beim ersten Hinblick als eine völlige Kehrtwendung Leos. Er erwähnte Flavians Appellation nicht mehr und erhob auch nicht die Forderung nach einem neuen universalen Konzil. In der Tat beschritt er einen neuen Weg zur Wiederversöhnung. Es gilt jedoch zu fragen, ob sich an dieser Wegbiegung auch ein neuer, erweiterter Blick auf

---

48 *Caspar*, Geschichte, 498. Caspar sieht im übrigen selber eine „Beteiligung der Kanzlei Leos d. Gr." aufgrund des Hinweises auf die sardicensischen Appellationskanones als gegeben an (ebd. Anm. 3). Der Hof hatte aber auch die Akten der Synode vorliegen, die Valentinian offiziell übersandte: ACO II I 1 (2) 5,26-28.
49 ACO II I 1 (3) 6,12-18.
50 Das Fragment des Schreibens von Anatolius: ACO II IV, praef., XXXXV f.

sein Verständnis von der Vollmacht des Apostolischen Stuhles im Verhältnis zu den Synoden ergibt, der das bisher Festgestellte differenziert.

1. Die theologische Konzeption des Papstes

Leo blieb bei seiner Weigerung, Ephesus zu rezipieren. Er erwartete von Anatolius, daß er in Anwesenheit der ganzen konstantinopolitanischen Kirche den Glaubensbrief Leos durch seine Unterschrift sich zu eigen mache und zugleich jene aus seiner Communio ausschließe, die dem Tomus nicht zustimmen.[51] Was bedeutet dies näherhin?

Leo erbat in seinem Schreiben an Kaiser Theodosius (vom 16. 7. 450) von Anatolius die Prüfung der gegenwärtigen Fragen an Glaubensdokumenten der Vergangenheit. Er verwies nun aber nicht wie früher auf das Apostolicum als Glaubensregel bzw. auf das petrinische Bekenntnis zum Sohn Gottes im Kontext der Schrift. Vielmehr verwies er nun auf Lehrer des Glaubens in Ost und West. Doch zielte er damit nicht einfach auf die gemeinsame frühe Vätertradition. Vielmehr bezog er die jüngste Vergangenheit ein und verwies zunächst auf einen einzelnen Lehrer: auf Cyrill von Alexandrien. Er suchte die Klärung des eutychianischen Problems durch den Blick auf die nestorianische Frage und ihre Bewältigung zu eröffnen. So bat er Anatolius um ein prüfendes Lesen des Zweiten Briefes Cyrills an Nestorius – unter dem Blickwinkel seiner Übereinstimmung mit der Tradition – und um das Lesen der Akten des Ersten Konzils von Ephesus. Bei letzterem verwies er eigens auf eine Sammlung von Vätertexten, die Cyrill den Dokumenten des Konzils hatte beifügen lassen. Offenbar wollte Leo mit diesem Hinweis zeigen, daß es Cyrill selbst darauf ankam, daß sein Brief an Nestorius – der vom Konzil rezipiert wurde – im Vergleich mit den Vätertexten geprüft und rezipiert werden konnte. Auch in einer so schwierigen Frage wie der nestorianischen hatte sich ein Urteil gewinnen lassen, wenn man das Schreiben Cyrills kritisch las und an der Vätertradition maß.[52]

Man mag die Frage stellen, warum Leo hier nur den Brief Cyrills „Obloquuntur" nannte und nicht auch das Schreiben „Laetentur coeli", das erst die volle Einigung erbrachte. Sie beantwortet sich am ungezwungensten mit Leos Absicht, Cyrills „Obloquuntur" mit seinem eigenen Glaubensbrief

---

51 LME I (19) 52,38-53,56; ACO II IV (30) 31,8-20. Leo rechnete offenbar damit, daß der Akt – falls überhaupt – in Anwesenheit der Legation, die er sandte, stattfinden werde; vgl. ebd. 53,56-66; ACO II IV (30) 31,21-28.

52 LME I (19) 51,20-52,36; ACO II IV (30) 30,32-31,6; vgl. LME I (20) 54,21-55,27; ACO II IV (29) 29,34-30,2.

in Parallele zu setzen. Sein Lehrbrief sollte auf gleiche Weise rezipiert werden: durch kritisches Lesen im Vergleich mit der Vätertradition. Aus diesem Grund fügte Leo nun seinem Brief an Flavian die „testimonia patrum" bei.[53] Leo versicherte Anatolius gegenüber, auch für ihn werde die Übereinstimmung klar erkennbar sein. Diese Übereinstimmung werde auch durch den Konsens der Bischöfe aller Provinzen bestätigt.[54] Er gab hier keinen Beleg für die behauptete Übereinstimmung im Glauben — dies war schon im Schreiben der Herbstsynode geschehen —, aber er betonte ihn gerade angesichts der Existenz einer Gruppe, die anscheinend vom Glauben abwich, an dem nach seiner Überzeugung er und die ganze Kirche festhielt. In all diesen Ausführungen wird eines deutlich: der Papst betrachtete seinen Glaubensbrief an Flavian als den Prüfstein der Rechtgläubigkeit, aber er verlangte seine Anerkennung nicht einfachhin durch Unterwerfung unter den Apostolischen Stuhl, sondern als Ergebnis eines kritischen Traditionsvergleichs. Damit rückte die Annahme des Tomus in die Nähe der Rezeption des erwähnten Schreibens von Cyrill. Leo erwartete freilich nicht die Übernahme seines Glaubensbriefs als eines theologischen Traktats, sondern als Annehmen eines Grundentscheids, der in der Zurückweisung der eutychianischen These gegeben war. Die dem Glaubensbrief beigefügten Vätertexte sollten zeigen, wie der Glaube der sedes apostolica und zugleich der ganzen Kirche in seiner normativen Gestalt — forma fidei — sich darstellt.[55]

Der Papst leitete daraus die Forderung ab, Anatolius müsse jene exkommunizieren, welche den Glaubensbrief nicht annehmen. Andernfalls verliere er selber die Communio mit dem Apostolischen Stuhl.[56] Bedeutete dies bereits die Exkommunikation Dioskurs durch Leo? Die Annahme des Glaubensbriefes bedeutete die Übernahme jenes Glaubensentscheides, der für Leo die Communio mit Flavian bedeutet hatte. Indem Dioskur Flavian verurteilt hatte, war er aus dieser Communio herausgetreten. So war Anatolius vor die Wahl gestellt, mit Leo oder mit Dioskur in Kommunion-

---

53 „Non aspernetur etiam meam epistulam recensere, quam pietati patrum per omnia concordare repperiet." LME I (19) 52,36-38; ACO II IV (30) 31,6 f. Auf die Beifügung der Väterzeugnisse nahm Leo ausdrücklich Bezug in den Schreiben an Pulcheria und an die Archimandriten: LME I (20) 55,34-41; ACO II IV (29) 30,7-12; (31) 32,9-17; siehe auch die Aussage von Abundius auf der Synode in Konstantinopel (21.10.450): *Mouterde*, Fragment d'actes, 47. Vgl. *Silva-Tarouca*, Nuovi studi, 405ff.; M. *Richard*, Les florilèges, 725f.

54 LME I (19) 52,46-53,56; ACO II IV (30) 31,14-20.

55 „. . . direxi, per quos quae nostrae forma sit fidei manifestatis instructionibus quas misimus possitis dignanter agnoscere, ut si Constantinopolitanus antistes in eandem confessionem toto corde consentit . . ." LME I (19) 53,56-66; ACO II IV (30) 31,21-28.

56 Vgl. Anm. 51.

gemeinschaft zu sein. Andererseits betrachtete der Papst den alexandrinischen Patriarchen noch nicht als verurteilt. Das Schreiben der römischen Herbstsynode hatte – abgesehen von der Glaubensentscheidung – die Urteile von Konstantinopel (448) wie von Ephesus (449) aufgehoben und allen Beteiligten ermöglicht, ihre Haltung zu überdenken und erst auf einem neuen Konzil die endgültige Entscheidung zu treffen, die über die Communio entscheiden würde. Wenn Leo nun die Exkommunikation all derer verlangte, die dem Glaubensbrief nicht zustimmen wollten, so ist das in dieser Linie zu sehen: es bedeutete für den Papst die grundlegende Entscheidung, die Communio des Apostolischen Stuhles zu wählen und jene aus der Communio auszuschließen, welche jetzt und künftig nicht bereit sein sollten, seiner Glaubensentscheidung, wie sie im Tomus sich findet, zuzustimmen.

2. Die Synode in der „Großen Kirche" in Konstantinopel (21. 10. 450)

Wie stellte sich Anatolius zu den Erwartungen und Forderungen Leos? Seine Lage war sehr schwierig geworden. Vom Papst war er noch nicht als neuer Patriarch von Konstantinopel anerkannt. Klerus und Volk der Kaiserstadt hatten gegen die Entscheidungen der ephesinischen Synode eine Kundgebung abgehalten. Das Kaiserpaar Pulcheria und Marcian suchten eine Lösung, die Leo entgegenkommen sollte. Konnte Anatolius theologisch eine Kehrtwendung vollziehen, um sich zu halten, ohne zugleich für Dioskur und die Kirche von Alexandrien zum Verräter zu werden? Er stellte sich denn die Frage, ob Leos letztes Schreiben an Kaiser Theodosius II., das vor allem auch ihm selber galt, nicht einen Ausweg ermöglichte: War es denkbar, den Tomus im Licht der alexandrinischen, vor allem der cyrillischen Christologie zu lesen und neu zu interpretieren? So fand sich Anatolius jetzt bereit, die Forderung des Papstes zu erfüllen, eine endemische Synode unter Teilnahme der römischen Legaten abzuhalten und das Schreiben an Flavian zu unterzeichnen. Damit wollte er – wie sich zeigen wird – nicht sein letztes Wort sprechen, sondern einen ihm als unausweichlich erscheinenden Schritt tun, der ihm einen neuen, eigenen Weg eröffnen konnte.

Die Aktenfragmente der Synode, die im Baptisterium der „Großen Kirche", auch vorjustinianische Hagia Sophia genannt, in Anwesenheit und unter Leitung der päpstlichen Legaten stattfand, lassen zunächst eine Anerkennung der Haltung Leos durch die Synode sichtbar werden; sie zeigen aber auch die Schwierigkeiten, denen seine Absichten begegneten. Das syrische Aktenfragment bietet die überarbeitete Version eines wichtigen Teiles der Rede, die Bischof Abundius von Como einleitend hielt und in der er einen Abschnitt des commonitorium des Papstes verlas.[57] Eine Ergänzung und Korrektur des syrischen Fragments bietet die lateinische, zum Teil nur resümierende Wiedergabe der Ansprache von Abundius, die sich in seiner Lebensbeschreibung findet.[58]

Betrachten wir zunächst die Beschreibung der Rede, welche die syrische Version bietet. Nach ihrer Darstellung legte der Bischof von Como zunächst Anlaß und Bedeutung des Tomus dar, wobei er betonte, Leo habe ihn im Bewußtsein seiner Verantwortung für den Glauben und für die gesamte Kirche verfaßt, er beinhalte eine Bestätigung des Urteils von Flavian über Eutyches. Weiter erwähnte er die ephesinische Synode und vermerkte, das Schreiben Leos sei dort nicht verlesen worden. Dann hob er den neuen Schritt des Papstes hervor: er habe seinem Schreiben die Zeugnisse hervorragender Bischöfe und Bekenner hinzugefügt, die seine Übereinstimmung mit den Vätern zeigen sollten. Schließlich verlas er den Abschnitt des commonitorium, der den konkreten Auftrag der Legaten in Konstantinopel beschrieb: Der Tomus und die Vätertexte sollten vor Klerus und Volk, vor allem aber vor Anatolius verlesen werden. Wenn dieser mit seiner Unterschrift ein eindeutiges Zeugnis seines Glaubens ablege, werde er durch die Legaten die Communio der sedes apostolica erhalten. In freier Wiedergabe der Anweisung Leos führte er ferner aus, wer die Absetzung Flavians nicht mit seiner Unterschrift bestätigt habe, dürfe sich — falls er den Tomus mit den Väterzeugnissen unterzeichne — der Gemeinschaft mit Rom erfreuen und werde die verlorene sedes zurückerhalten. Schließlich berichtete er, Anatolius habe bereitwillig seinen Konsens gegeben, das gleiche hätten — wie das Dokument ausweise — auch die übrigen Bischöfe, Archimandriten und Diakone getan; sie hätten somit die Lehre des Tomus bestätigt. Daraufhin ließ er das Schreiben Leos durch Aetius verlesen.[59]

---

57 Der Text wurde 1931 herausgegeben von *Mouterde*, Fragment d'actes, 35-50. Weiter unten wird gezeigt, daß es sich nicht um die völlig getreue, sondern um eine in nestorianischer Tendenz redigierte Version handelt. Unsere Darstellung stützt sich auf die lateinische Übersetzung von Mouterde (ebd. 46-48).

58 Auch dieser Text wird von *Mouterde* in der eben (Anm. 57) genannten Veröffentlichung auf S. 49f. zitiert, und zwar nach der Vita des hl. Abundius von Como, in: Boninus Mombritius, Sanctuarium seu Vitae Sanctorum, Bd. I, 15 f., hg. von Mönchen von Solesmes, Paris 1910.

59 *Mouterde*, Fragment d'actes, 46-48. Das commonitorium nach der syrischen Version in der Rückübersetzung von Mouterde: „Et (Leo) iussit in hunc locum convenire omnes episcopos dicens:
Quando in hanc urbem venietis. Dominus Noster aperiet viam, ut illa quae scripta sunt de fide sana Christianorum verbo puro et perfecto, ad cognitionem omnium credentium deferantur; ad clerum et ad populum, et praesertim apud Anatolium fratrem nostrum, episcopum huius urbis. Qui monetur a nobis, pro dilectione sua eximia, ut id exsequatur: Huic epistolae et testimoniis adiunctis si subscripserit, agnita eius fide ut indubia, gratiam, quae ab Apostolica sede est, dabimus ei, noveritque communionem nostram ad se deferri, cum [sic] adiecerit (fol. 101 verso) suis ad nos monitis ipse Pater Noster Leo.

Mit dieser Verlesung endigt die syrische Version des Aktenfragments. Es bleibt schwer verständlich, warum eine solche Rekapitulation des Tomus nötig war, da er schon vorher rezipiert wurde.[60] Sollte die synodale Versammlung eine feierliche, öffentliche Bekräftigung erbringen? Hierfür hatte Leo jedoch die Teilnahme des ganzen Volkes vorgesehen, das im Baptisterium fehlte. Die Lebensbeschreibung von Bischof Abundius von Como bietet im Blick auf die Ansprache, mit der er Leos Schreiben präsentierte, eine wichtige Einzelheit, welche die syrische Version verschweigt: Anatolius habe bei der Unterzeichnung des Tomus Eutyches und Nestorius – ihre Lehre wie ihre Anhänger – anathematisiert.[61] Sie führt auch die Begründung der Legaten für die Verlesung in der eben tagenden Synode an: es gehe darum, zur Bekräftigung der Unterschrift über die Lehre von Nestorius, über ihn selbst und die Anhänger seiner Lehre das Anathema auszusprechen, doch ebenso über die Lehre von Eutyches, über ihn und über alle, die ihr folgen. Dabei legten die Legaten in Anlehnung an die Sentenz des Tomus über Eutyches eine Formel vor, welche die zwei Naturen wie die Einheit in Christus betonte.[62] Daraus ergibt sich: der Sinn der Synode im

Illi ex fratribus nostris, sanctissimis Episcopis, qui depositioni Beati Flaviani non subscripserunt, si epistolae huic, quam attulimus, et testimoniis Patrum ei annexis consenserint, gaudeant plenitudine communionis divinae nobiscum, et confidant se iuxta ordinem priorem in suis sedibus esse permansuros." (ebd. 47).

60 *Mouterde* formuliert die Schwierigkeit eindringlich: „Mais, malheureusement, à partir d'un certain endroit, la rédaction actuelle devient étrange, inintelligible même. Après avoir exposé les volontés de celui qui les a envoyés, les quatre délégués de saint Léon se félicitent aussitôt, sans interruption, de la soumission que le patriarche et les membres de l'assemblée ont déjà témoignée, et font allusion à leurs signatures déjà données et enregistrées. Et cependant la Lettre à laquelle ils auraient déjà souscrit ne leur avait pas encore été lue; elle se trouvait encore entre les mains de l'archidiacre Aétius, chargé d'en donner lecture quelques instants plus tard!" Ebd. 36; vgl. Anm. 63.

61 Man vergleiche die Texte an der Stelle, wo sie sich überlappen (ebd. 47 f. bzw. 49):

Syrische Version (Übersetzung)
„Cui epistolae et testimoniis sicut constitutum fuit nobis a Leone episcopo, Anatolius facile consensit et devote subscripsit. Ceteri vero episcopi et archimandritae, et diaconi subscripserunt, sicut ordo et subscriptio eorum demonstrat, testificantes et ipsi hanc esse fidem rectam et doctrinam veram atque perfectam, cum in temporibus prioribus, tum in conciliis hodiernis."

Lateinische Version
Anatolius episcopus Constantinopolitanus huic epistolae sancti Leonis papae continenti catholicae fidei veritatem concordantibus etiam testimoniis patrum ab eadem sede directus (sic! statt directae) plena devotione consensit et subscripsit. Anathema dicens Eutici et Nestorio et dogmati vel sectatoribus eorum. Tunc ceteri patres non parvi numeri eodem modo subscripserunt."

62 Syrische Version (ebd. 48):
„Et quia epistolam ipsam cum testimoniis oportebat proferri, quia visum est opportunum istud propter ipsam fidem, Aetius archidiaconus huius loci cui litteras istas dedimus legendas, legat eas coram omnibus."

Lateinische Version (ebd. 49f.):
„Mox Sanctus Abundius et Aeterius episcopi et Basilius et Senator presbyteri dixerunt omnipotenti deo gratias: quoniam reverendorum episcoporum: presbyterorum archimandritarum atque totius cleri professiones cognovimus fidem rectam et a patribus traditam profiteri: sicut eorundem subscriptio gestis praesentibus inserta declarat: ideo nos quoque quia omnes hoc

Baptisterium der Großen Kirche lag nicht einfach in der nochmaligen öffentlichen Unterzeichnung des Tomus, sondern in einer sich der Verlesung anschließenden Anathematisierung, die öffentlich und feierlich und zugleich in einer eindeutigeren Form ausgesprochen werden sollte.[63]

Damit verbanden sich mehrere Anliegen. Einerseits wurde der Verdacht des Nestorianismus abgewehrt. Die uns vorliegende syrische Version zeigt, wie dringlich dies war. Sie unterschlug jeden Hinweis auf die Anathematismen und wollte damit den Tomus als in ihrem Sinn rechtgläubig, als nicht gegen die nestorianische Lehre gerichtet interpretieren[64] – eine Deutung, die, wie wir sahen, ganz der von Nestorius entsprach. Andrerseits wurde das Anathem nicht bloß über Eutyches persönlich ausgesprochen; vielmehr wurde die im Tomus gegebene Grundentscheidung präzise formuliert, und

exigere et exspectare comperimus secundum assertionem venerabilis viri Eusebii dorilensis et sententiam sanctae memoriae Flaviani episcopi vel assensum papae Leonis: qui ad insinuandam cunctis fidem catholicam: Ne minus anathema dicimus. Eutici vel omnibus qui eius perfidiam sequuntur: et dicunt in Iesu domino nostro ante incarnationem duas fuisse naturas: post incarnationem vero unam tantum naturam: cum catholica fides et ante incarnationem unam quae verbi erat et post incarnationem duas id est verbi et perfecti hominis fateatur in una persona inconfusa proprietate sui manere naturas: Nestorio etiam qui vaesanum: ut legitur: dudum dogma dispersit dicendo dominum Iesum Christum ex Maria virgine hominem tantum non etiam deum natum: sed et sectatoribus eius in eiusmodi perversitate durantibus anathema dicimus; propter quod convenit ad confirmationem subscriptionis eius sanctam quae praesens est fraternitatem hisdem vel hominibus qui eorum doctrinam sequuntur anathema dicere." Beide Texte schließen jeweils an die in Anm. 61 zitierten an.

63 Diese Darstellung bedeutet zugleich die Lösung der von *Mouterde* geltend gemachten Schwierigkeit (vgl. Anm. 60). Er hält es für unglaubwürdig, daß der Legat von den bereits geleisteten Unterschriften sprechen konnte, bevor der Tomus verlesen war. Aber es muß für gewiß gehalten werden, daß der Tomus schon vor der Synode zur Unterschrift vorgelegt wurde. Denn sosehr sich die beiden Versionen im übrigen unterscheiden, so lassen doch beide Abundius vor der Verlesung des Tomus auf der Synode hervorheben, daß er bereits (auch von Anatolius) unterschrieben wurde. Zur historisch-kritischen Einschätzung der beiden Versionen läßt sich von hier aus soviel sagen: Die syrische Fassung bietet allem Anschein nach die Anfangsnotizen der Akten und den ersten Teil der Rede von Bischof Abundius als (zumindest weitgehend) authentische Übersetzung der Akten, während sie den zweiten Teil auf ein Minimum verkürzt und so den Skopus der Rede unterschlägt. Die lateinische Fassung übermittelt uns demgegenüber in authentischer Weise den zweiten Teil der Ansprache des Legaten – zunächst in einer Zusammenfassung, dann wörtlich –, während sie den ersten fast ganz überschlägt. Was ist aber vom commonitorium zu sagen, das die syrische Version bietet und das wir als Mittelstück in der Rede von Abundius betrachten können? Sehr wahrscheinlich ist es erheblich gekürzt. Denn ihm fehlt jenes Element – die Anathemforderung –, das die syrische Version auch sonst zweimal unterschlägt, das aber zum eigentlichen Skopus der Rede des Legaten gehörte, das ferner für Anatolius die größten Schwierigkeiten enthielt – so daß die Legaten sich gerade seinetwegen auf das commonitorium glaubten stützen zu sollen – und das schließlich im Schreiben Leos an den Kaiser neben der Unterschrift unter den Tomus als Forderung an Anatolius genannt war; vgl. LME I (19) 52,46-53,56; ACO II IV (30) 31,14-20.

64 Hier folge ich *Mouterde* (ebd. 37f.) und bejahe, was er als zweite Möglichkeit beschreibt, um das Fehlen der Anathemforderung in der syrischen Version verständlich zu machen: „Le compilateur de notre document syriaque n'indique rien de tel. En cela, il a cédé à son désir d'abréger, mais il a pu avoir une autre raison d'opérer ce retranchement. Appartenant à l'Eglise nestorienne, (le recueil canonique contenu dans le ms. Borgia 82 est nestorien), il n'aurait guère pu copier un morceau où il était porté aussi gravement atteinte à la mémoire d'un des trois confesseurs honorés dans son rite."

das Anathema richtete sich gegen alle, die der Lehre des Archimandriten folgen sollten. Damit war die Möglichkeit, die manche Bischöfe, und unter ihnen vor allem Anatolius, später, auf dem Konzil von Chalcedon, ins Auge fassen werden, im vorhinein abgeschnitten: über Eutyches das Anathem zu sprechen, zugleich aber die Zwei-Naturen-Lehre auszuklammern oder sogar zu verwerfen.

Eine Bestätigung und Ergänzung dieses Einblicks in die Vorgänge in Konstantinopel und ihrer Hintergründe bedeutet der Bericht der Legaten, der uns freilich nur im Spiegel der Reaktion Leos vor Augen tritt. Leo sah sich im Brief an Anatolius genötigt, die Handlungsweise seiner Gesandten in zweifacher Hinsicht zu bekräftigen. Zunächst bestätigte er ihre vorläufige Regelung der Sache jener Bischöfe, die in Ephesus der Verurteilung Flavians unter Druck zugestimmt hatten. Dann aber befaßte er sich mit der Frage, ob Dioskur, Juvenal und Eustathius – also führende Köpfe des ephesinischen Konzils – nicht doch in den Diptychen verzeichnet sein durften. Dies läßt sich nur verstehen, wenn das Vorgehen der Legaten, das Anathem zu fordern, auf Widerstand gestoßen war und wenn dem Papst gerade bezüglich der drei Genannten von Anatolius die Frage vorgelegt wurde, ob sie nicht doch zum Zeichen der Communio im Gottesdienst erwähnt werden dürften. Der Alexandriner hatte das Anathem also nicht mit innerer Überzeugung ausgesprochen.

Schließlich wirft auch das Schreiben von Pulcheria an Leo Licht auf die Vorgänge. Es zeigte Leo, wie sehr der Kaiserhof den Auftrag der Legaten unterstützt hatte: die verbannten Bischöfe waren zurückgerufen, Flavians Gebeine waren in der Apostelkirche beigesetzt, Anatolius hatte Leos Tomus unterzeichnet – ohne Zögern sogar, wie Pulcheria schrieb.[65] Es mußte Leo aber merkwürdig berühren, wenn nicht sogar schockieren, von der Kaiserin zu hören, Anatolius habe immer den rechten Glauben bewahrt.[66] Bedeutete eine Unterschrift also gar keine Wende? War denn – so mußte Leo sich fragen – der neue Patriarch nicht Apokrisiar Dioskurs in Konstantinopel gewesen und also im Hintergrund einer der Hauptverantwortlichen für die ganze Entwicklung, die in Ephesus ihren Höhepunkt gefunden hatte? War Anatolius gemäß dem Wahlanzeigeschreiben nicht der Kandidat jenes Kaisers gewesen, der für die ephesinische Synode die politische Verantwortung trug und der ihre Rezeption in Konstantinopel und im ganzen Osten durchsetzen wollte? Aus all dem ergab sich schließlich die Frage: Zielte

65 ACO II I 1 (9) 9,26-28.
66 ACO II I 1 (9) 9,22-26. Leo vermerkt Pulcherias Zeugnis für Anatolius: „. . . Anatholii cui estimonium ferre dignamini . . .“ LME I (18)59,40f.; ACO II IV (35) 38,7f.

Pulcheria mit ihrem Konzilsplan nicht doch auf die Gewinnung Dioskurs durch einen dogmatischen Kompromiß?

Jedenfalls suchte Leo durch die Sendung einer neuen Legation die Fortführung der Versöhnung auf dem bereits eingeschlagenen Weg trotz aller Schwierigkeiten zu verfolgen. Er war sich dessen wohl bewußt, daß manche entschiedenen Widerstand leisteten. Ihnen gegenüber schien ihm kein Nachgeben möglich, sondern ein härteres Vorgehen nötig.[67] Er war auch entschlossen, seine Linie gegenüber dem Konzilsplan des Kaiserpaares und der sich hinter ihm verbergenden Konzeption zur Durchführung zu bringen. Selbst als kurz nach Abreise der konstantinopolitanischen Kleriker der Stadtpräfekt von Konstantinopel, Tatian, den Plan eines Konzils im Osten von neuem vorlegte, antwortete er dilatorisch und versprach, seiner geplanten Gesandtschaft eine ausführlichere Antwort mitzugeben. Sie fiel negativ aus, wenigstens im Bick auf die nahe Zukunft. Mit der neuen Legation wollte er vielmehr seine eigene Linie verfolgen.[68] Sein Schreiben an Marcian vom 23. April 451, das die erste Antwort auf Tatians Besuch darstellt, zeigt seine Besorgnis gegenüber den Absichten des Hofes. Er befürchtete, es könne zu Beratungen kommen, die von der Voraussetzung ausgingen, die Glaubensfrage sei noch nicht entschieden, es sei vielmehr in neuen Verhandlungen zu klären, ob die Lehre von Eutyches irrig sei und ob Dioskurs Urteil über Flavian in Ephesus zu Recht erfolgt sei. Ein solches Vorgehen sei unverantwortlich, zumal man so durch die Unwissenheit weniger in Meinungsstreitigkeiten und heftige Disputationen hineingezogen werde.[69]

V. Vorbereitung und Programm eines ökumenischen Konzils im Osten

Die rasche Konzilsankündigung ließ Leos Besorgnisse von neuem wach werden. Abrupt wurden seine Bemühungen, eine Verschiebung und Aufgabe solcher Pläne zu erreichen oder allenfalls eine Synode in Italien abzuhalten, vereitelt. Das Konzil wurde überaus kurzfristig nach Nicäa einberufen, so daß an eine Teilnahme westlicher Bischöfe nicht zu denken

---

67 So in einem Brief an Julian von Kos vom 13. 4. 451 (ep. 81): LME I (25) 64,21-65,27; ACO II IV (38) 41,3-8.

68 ACO II IV (39) 41,35-38.

69 Ebd. 41,21-32. Der negative Bescheid – mit der Begründung, eine Teilnahme der Bischöfe des Westens sei angesichts des drohenden Krieges unmöglich – findet sich in dem Schreiben, das Leo der Gesandtschaft am 9. Juni 451 an Marcian mitgab: LME I (26) 67,47-51; ACO II IV (41) 43,11-15. Im Brief an Pulcheria wird das Thema nicht angeschnitten; vgl. LME I (27) 68f.; ACO II IV (42)43f.

war. Bedenklich stimmen konnte Leo auch der starke Einsatz von Anatolius für die Abhaltung des Konzils.[70] Und schließlich zeigte Pulcheria ein besonderes Interesse, Dioskur zu gewinnen und an Leos Versöhnungsbereitschaft zu appellieren.[71] Bestand nicht doch die Gefahr, daß man auf dem Konzil zu einem dogmatischen Kompromiß zu kommen suchte oder ihn wenigstens in Rechnung stellte?

1. Die Glaubensfrage

Leo sah sich also veranlaßt, die Aufgabe des Konzils zu beschreiben. Wieder und wieder sprach er im Angesicht der Synode Warnungen und Mahnungen aus, die in ihrem genauen Sinn und ihrer vollen Tragweite nicht leicht zu deuten sind. Jedenfalls wandte er sich mit aller Entschiedenheit gegen eine Weise synodaler Beratung, die eine Zurücknahme der durch ihn getroffenen Entscheidung einschließen konnte.[72] Eine neue Verhandlung der Glaubensfrage konnte prinzipiell bedeuten, daß die grundlegende Entscheidung der sedes apostolica, die eutychianische Irrlehre zu verwerfen und die Urteile der Zweiten Ephesinischen Synode zu annullieren, rückgängig gemacht wurde. Doch befürchtete Leo wohl weniger die direkte Zurückweisung des Glaubensbriefes als eine Diskussion der Glaubensfrage, die davon ausging, daß die letzte Entscheidung noch nicht gefallen sei, und die darauf abzielte, zu einer offenen Formulierung zu kommen, welche die Frage unentschieden ließ und die Communio auf dieser Ebene wiederherstellte. Sehen wir näher zu!

Grundlegende Ausführungen machte der Papst in seinem Schreiben an die Väter des nach Nicäa einberufenen Konzils. Er ging darin von der gewissen Überzeugung aus, daß der Apostolische Stuhl den Glauben der Kirche festhalte. Der Brief an Flavian erkläre, was das rechte Bekenntnis sei. Die „pia confessio", die dort erläutert sei — nämlich der nicänische Glaube, von der eutychianischen Interpretation befreit — (wie Leo schon anderwärts formuliert hatte),[73] dürfe auf dem Konzil nicht in Frage gestellt werden.

70 LME I (32) 81,4-14; ACO II IV (48) 49,2-10.

71 Dies ergibt sich aus dem gesamten Tenor von Leos Schreiben an Pulcheria vom 20. 7., besonders aus dessen Schlußabschnitt: LME I (36) 86-89; bes. 88,51-89,62; ACO II IV (51) 50f.; bes. 51,19-27.

72 So z. B. im Schreiben an Marcian (20. 7. 451: ep. 94): LME I (35) 85,20-86,30; ACO II IV (50) 50,7-14; ähnlich schon in ep. 90 an Marcian: LME I (31) 77,27-78,34; ACO II IV (47) 48,23-29; vgl. Anm. 73, 74 und 81.

73 „. . . protestor et obsecro clementiam vestram, ut in praesenti synodo fidem quam beati patres nostri ab apostolis sibi traditam praedicarunt, non patiamini quasi dubiam retractari, et quae olim sunt maiorum auctoritate damnata, redivivis non permittatis conatibus excitari, illudque potius iubeatis ut antiquae Nichaenae synodi constituta, remota hereticorum interpretatione permaneant." LME I (31) 78,28-34; ACO II IV (47) 48,24-29.

Solches zu tun, würde bedeuten, „gegen den göttlich inspirierten Glauben" zu disputieren. Eine Verteidigung des Irrtums dürfe nicht statthaben.[74] Die irrige Glaubensauffassung einer kleinen Minderheit und ihr unruhiges Widerstreben müsse beseitigt werden.[75] Caspar sagt zu Leos Ausführungen in diesem Schreiben: „Hier also wirklich ein ‚Roma locuta – causa finita‘, deutlicher als es Augustin ausgesprochen hatte!" Aber trifft dies in dem Sinn zu, der ihn dann zur Folgerung führt: „Der Synode sollte die praktische Ausführungsarbeit, insbesondere die Wiedereinsetzung der zu Unrecht in Ephesus abgesetzten Bischöfe, verbleiben"?[76] Trifft es die Sache genau, wenn W. de Vries im Anschluß an Formulierungen von M. Goemans und H. M. Klinkenberg die Feststellung trifft, Leo habe „keine neue Diskussion über Glaubensfragen auf dem Konzil" gewollt?[77]

Hilfreich für die Klärung dieser grundlegend wichtigen Frage ist der Brief, den Papst Leo zwei Tage früher, am 24. Juni 451, an Bischof Paschasinus, der die Führung der päpstlichen Legation übernehmen sollte, als eine Art Instruktion zusandte.[78] Darin skizzierte Leo knapp seine Glaubensauffassung und verwies den Legaten auf die Vätertexte, die er seinem Tomus beigefügt hatte und die er nun seinen Gesandten übergab. Ähnlich wie er es Anatolius gegenüber getan hatte, bat er ihn, den Glaubensbrief aufmerksam prüfend zu lesen und die Richtigkeit seiner Lehre von den Vätertexten her zu beurteilen. Papst Leo bezweifelte nicht, daß Paschasinus mit ihm im Glaubensverständnis übereinstimme. So entsprang seine Bitte offenbar dem Anliegen, den Legaten vollends zu rüsten für das Konzil, auf dem er im Blick auf die entscheidende Glaubensfrage Rede und Antwort stehen mußte. Wichtig ist aber vor allem, daß Leo selbst dort, wo er von einer prinzipiellen Übereinstimmung ausgehen konnte, die Zustimmung zu seinem Glaubensbrief aus dem Traditionsvergleich erwartete. Was Leo im Schreiben an Anatolius so ausführlich dargelegt hatte, war also prinzipiell gemeint.[79] Leo erwartete die Zustimmung zu seinem Tomus nicht

---

74 „Unde fratres karissimi, reiecta penitus audacia disputandi, contra fidem divinitus inspiratam, vana errantium infidelitas conquiescat, nec liceat defendi, quod non licet credi, cum secundum evangelicam auctoritatem, secundum propheticas voces, apostolicamque doctrinam plenissime et lucidissime per litteras, quas ad beatae memoriae Flavianum episcopum misimus, fuerit declaratum, quae sit de sacramento incarnationis domini nostri Iesu Christi pia et sincera confessio." LME I (34) 84,27-34; ACO II IV (52) 52,14-19. In die Erwähnung der Konzilseinberufung hatte Leo schon als Bedingung eingeflochten: „beatissimi Petri iure atque honore servato": LME I (34) 83,16f.; ACO II IV (52) 52,6f.

75 LME I (35) 85,20; ACO II IV (50) 50,7.

76 *Caspar,* Geschichte, 510.

77 W. *de Vries,* Chalkedon, 70; vgl. Orient et Occident, 108; vgl. *Goemans,* Chalkedon, 270f.; *Klinkenberg,* Papsttum, 82f.

78 Ep. 88: LME I (30) 74-76; ACO II IV (45) 46f.

79 LME I (30) 74,5-75,46; ACO II IV (45) 46,5-36.

einfach als Gehorsam gegenüber der Entscheidung des Apostolischen Stuhles, sondern als Ergebnis eines kritischen Lesens und Vergleichens mit der authentischen Vätertradition.

W. de Vries weist darauf hin, daß die kaiserlichen Kommissare in der 4. Sitzung die Bischöfe auffordern, „einzeln ihre Meinung darüber zu sagen, ob das Glaubensbekenntnis von Nikaia und Konstantinopel mit dem Brief Leos übereinstimme". Daraus zieht er die Folgerung: „Es geschieht also genau das, was Leo hatte vermeiden wollen."[80] Das Gegenteil ist richtig: Gerade so wollte Leo die Zustimmung zu seinem Glaubensbrief als eine echte, auf die Tradition sich gründende Zustimmung gewinnen. Wenn der Papst eine „disputatio retractationis"[81] des überlieferten Glaubens ausschloß, so wandte er sich gegen eine Erörterung, die darauf abzielte, das Urteil des Tomus aufzuheben, und so den Glauben der Kirche verletzte. Der überkommene Glaube war für ihn nicht unbestimmt, so daß er Zweifel zuließ, das heißt so grundverschiedene Auslegungsmöglichkeiten, wie Leo sie jetzt als gegeben ansah. Deshalb durfte das Konzil den Glauben nicht neu fassen. Eine solche „retractatio" war nicht möglich, da der Glaube genau so verkündet werden muß, wie er als überlieferter empfangen wird. Eine falsche Auslegung allerdings durfte und mußte ausgeschlossen werden. Aus dieser Haltung zog Leo für das Konzil die Folgerung, es habe die Aufgabe, den Irrtum zurückzuweisen und dabei frühere Verurteilungen (er dachte gewiß vor allem an Nicäa und Ephesus I) aufrechtzuerhalten.

Grundlegend für die Weisungen des Papstes war seine Gewißheit, das im Schreiben an Flavian gefällte und inzwischen von der römischen Synode bekräftigte Urteil nehme den überlieferten Glauben der Kirche auf. Deshalb hielt er es nicht für möglich, daß die Gruppe um Dioskur auf dem künftigen Konzil an der gegenteiligen, irrigen Glaubensdeutung festhalten, auf ihr beharren und sie verteidigen dürfe. Damit stieß er diese Konzilsväter nicht ins Schweigen und in blinde Unterwerfung hinein. Vielmehr erwartete er besonders von ihnen die Bereitschaft, sich dem Zeugnis der Schrift gemäß der Darlegung des Tomus zu öffnen und das Urteil dieses Glaubensschrei-

---

80 W. *de Vries*, Chalkedon, 72; vgl. Orient et Occident, 110.
81 Ep. 94 an Marcian: LME I (35)85,20-86,30; ACO II IV (50) 50,7-14: „Conpressa enim vel remota inquietudine ac pravitate paucorum, facile firmabitur probanda concordia, si in eam fidem, quam evangelicis, et apostolicis praedicationibus declaratam, per sanctos patres nostros accepimus et tenemus, omnium corda concurrant, nulla penitus disputatione cuiusquam retractationis admissa, ne per vanam fallacemque versutiam, aut infirma videantur, aut dubia, quae in ipso angulari lapide, qui est Christus dominus ab initio sunt fundata, et sine fine mansura, hoc nobis indesinenter orantibus ut a sacramento singularis fidei nemo inveniatur alienus, sed damnata impietate hereseos, nullum de perditione cuiusquam catholica Ecclesia sentiat detrimentum." Vgl. Anm. 72-74.

bens am Maß der Vätertradition zu messen, um von da aus das eigene Urteil zu überprüfen und zu revidieren.

Freilich konnten Leos letzte vorkonziliare Schreiben bei Lesern, die nicht ganz unvoreingenommen waren, den Eindruck erwecken, als lasse er es nicht zu, Zweifel zu äußern und die Probleme offen auszusprechen. Das Verhalten der Legaten auf dem Konzil sollte solche Bedenken freilich zerstreuen. Wie sich zeigen wird, mußte es der an Cyrills Theologie orientierten, gesprächsbereiten Gruppe um Anatolius auch als unbefriedigend erscheinen, daß Leo als Aufgabe des Konzils nicht die Erstellung einer Glaubensformel in Betracht zog, sondern nur die Verurteilung der eutychianischen Formel unter Zugrundelegung des Tomus erwartete. Aus Leos eigenem Handeln konnte zwar geschlossen werden, daß er etwas derartiges keineswegs als prinzipiell unmöglich ausschließen konnte, da er selbst in seinen Schreiben eine ganze Anzahl solcher Formeln vorgelegt hatte. Es mußte auch als wohltuend empfunden werden, daß er nicht um die Annahme des Tomus als eines theologisch begründenden und erläuternden Dokuments, sondern nur in seinem die Häresie ausschließenden Urteil ersuchte. Aber Leo schien doch die Abfassung einer Glaubensformel durch das Konzil ausschließen zu wollen, durch die es der theologisch von Cyrill herkommenden Gruppe möglich wurde, jene Elemente des überlieferten Glaubens ins Licht zu rücken, die ihnen besonders wichtig und kostbar waren, im Schreiben an Flavian nach ihrem Ermessen aber nicht in voller Deutlichkeit hervortraten.

Beide Elemente der Position des Papstes scheinen unvereinbar nebeneinander zu stehen: das Festhalten am Glaubensbrief, dessen grundlegendes Urteil nicht revidierbar ist, und die Aufforderung an die Bischöfe, den Tomus an der Tradition zu prüfen und auf solche Weise zu einer Rezeption zu gelangen. Und doch ist beides in der Wurzel verbunden. Denn das Glaubensurteil des römischen Bischofs und der römischen Synode beruhte auf dem Zeugnis der Schrift, des Apostolischen Glaubensbekenntnisses und der Vätertradition. Zugleich aber war Leo sich dessen bewußt, daß der Apostolische Stuhl die Vollmacht und die Fähigkeit besitze, die apostolische Tradition unversehrt zu bewahren. Dies gab ihm die Gewißheit, daß sein Glaubensurteil mit der Tradition übereinstimme und von der Kirche als ganzer rezipiert werde, wenn es durch die Bischöfe als einzelne, auf örtlichen Synoden oder auf einer universalen Synode in lauterer Gesinnung mit der Tradition verglichen wurde, sofern die Bischöfe die kirchliche Ordnung nicht — wie in Ephesus — verletzten. So ermutigte er die Bischöfe zur Prüfung und Beurteilung des Glaubens, erinnerte sie aber gleichzeitig an die Vollmacht des Inhabers der sedes apostolica, Dolmetsch des Zeugnisses über Jesus Christus zu sein, das Petrus vor dem Herrn abgelegt hatte.

2. Rekonziliationsfragen

Wenn Leo die Gewinnung eines Konsensus im Glauben durch die Abweisung der Irrlehre aufgrund der Rezeption der Entscheidung des Tomus erwartete, so suchte er den Weg, auf dem der Glaube der Kirche am sichersten bewahrt werden konnte. Wie aber glaubte er die Bischöfe zu gewinnen, die Flavian und Eusebius von Doryläum verurteilt hatten? Er hatte bereits erfahren, daß sein Glaubensbrief auch im antiochenischen Bereich – sogar unter Führung des neuen, von Anatolius eingesetzten Patriarchen Maximus – unterzeichnet worden war.[82] Nun sollte das Konzil die Möglichkeit bieten, alle Bischöfe, die sich in Ephesus wenn auch nur widerwillig der politischen Macht gebeugt hatten, nach ihrer Sinnesänderung wieder in die Communio aufzunehmen. Damit übernahm das Konzil jene Aufgabe, die ursprünglich der zweiten römischen Legation zugedacht war. Überdies hob der Papst das Recht der um des Glaubens willen von ihren Sitzen vertriebenen Bischöfe jenen gegenüber hervor, die ihre Nachfolge widerrechtlich angetreten hatten, jetzt aber zur Umkehr bereit waren.[83]

Von Dioskur und seinen Anhängern schwieg Leo freilich in seinem Schreiben an die Synode. In einem Brief an Patriarch Anatolius vom 9. Juni 451 hatte er seiner zweiten Gesandtschaft nicht das Recht zugesprochen, die Moderatoren des Zweiten Ephesinischen Konzils zur Communio zuzulassen. Ihre Aufnahme hatte er ausdrücklich einem „reiferen Urteil" des Apostolischen Stuhles reserviert, ohne anzudeuten, welchen Forderungen die Angeklagten gerecht werden müßten, um sie zu erlangen.[84] Da die Kaiserin ein Entgegenkommen des Papstes dem Alexandriner gegenüber auf dem Konzil erwartete, schrieb Leo ihr am 20. Juli, er habe für Dioskur und die übrigen, die für den Verlauf des ephesinischen Konzils hauptsächlich die Verantwortung trugen, nie die Möglichkeit einer Versöhnung ausgeschlossen, sosehr sie sich dort auch verfehlt haben mochten. Er gestand allerdings sein geringeres Entgegenkommen ein und erklärte es mit dem Hinweis, er habe sie aus ihrer unbeweglichen Haltung aufrütteln wollen. Sie hätten zwar viel von ihrem Ansehen eingebüßt, hätten vorerst aber ihre Sitze noch inne, bis zu dem Augenblick nämlich, an dem sie sich zu wirklicher Genugtuung bereit zeigten oder wegen ihres Verbleibens in der Häresie verurteilt würden, also bis zum neuen Konzil, das sie vor die endgültige Entscheidung stellte.[85]

---

82 LME I (32) 81,19-22; ACO II IV (48) 49,13-16.
83 LME I (34) 84,34-43; ACO II IV (52) 52,19-25.
84 Ep. 85: LME I (28) 71,29-40; ACO II IV (43) 45,2-10.
85 LME I (36) 87,22-89,63; ACO II IV (51) 50,32-51,27.

Fürs erste ging Leo also nur von ihrer selbstgewählten Absonderung von der Communio aus.

Was aber verstand er unter „satisfactio"? Seine Aufforderungen, „zur Einsicht zu kommen", „ein Schuldbekenntnis abzulegen", „zweifelsfrei die Zurechtweisung anzunehmen", „sich durch Wiedergutmachung reinzuwaschen": all dies zielte offenbar nicht bloß auf Dioskurs Abkehr von der Irrlehre, die der Papst freilich ausdrücklich verlangte. Die Instruktion, welche die Legaten bereits mitgenommen hatten, gibt darüber Aufschluß. Der Papst gab ihnen darin den Auftrag, darauf zu bestehen, daß Dioskur als Angeklagter vor dem Konzil erscheinen müsse, da er in der unkanonischen Durchführung des Konzils die Autorität des Apostolischen Stuhles verletzt habe.[86] Damit griff Leo jene Anklage auf, die schon auf der Oktobersynode als ein wesentlicher Grund für die Verweigerung der Rezeption der ephesinischen Synode genannt worden war. Doch war nun nur noch die Verletzung der Stellung des Apostolischen Stuhles im Blick, nicht mehr die unkanonische Leitung des Konzils insgesamt. Aus alledem läßt sich das Ergebnis folgern: Für den Papst stand jetzt — im Blick auf die künftige Synode von Chalcedon — nicht nur die christologische, sondern ebenso die ekklesiologische Problematik im Blick, vor allem die Frage nach der Stellung der sedes apostolica.

3. Die Frage der Leitung des Konzils

Damit hängen zwei weitere Fragen zusammen, die Leo erörterte: Wer wird auf dem Konzil den Vorsitz führen? Und welche Stellung wird die konstantinopolitanische sedes innerhalb der Hauptkirchen einnehmen? Das letztgenannte Thema, das erst später behandelt werden soll, kam vor allem in der letzten Sessio des Konzils zur Verhandlung, spielte aber auch schon in die Eröffnungsphase der ersten Sitzung hinein. Der Papst empfand diese Frage als so heikel, daß er seine Stellungnahme als Antwort auf ein commonitorium, das die konstantinopolitanischen Kleriker vorgetragen hatten, keinem seiner Schreiben, sondern nur der Instruktion der Legaten anvertraute.[87]

Umgekehrt brachte er die Frage des Vorsitzes deutlich zur Sprache. Im

---

86 ACO II III 1 (9f.) 40,16-22.

87 Man wird kaum daran zweifeln können, daß das commonitorium der Kleriker dieses Problem behandelte. Denn die Glaubens- und Rekonziliationsfrage hatte Leo in seinen Schreiben — und gerade auch in dem, das er eben verfaßte — ausführlich behandelt. Auch die Konzilsfrage hatte er in der gleichen Post im Schreiben an Marcian berührt. So bleibt die Frage der Rangordnung, genauerhin des Ranges der neuen Kaiserstadt. Eusebius bezeugt, daß die Gesandtschaft der konstantinopolitanischen Kleriker dem Papst in seiner Gegenwart dieses Anliegen vortrug: ACO II I 3 (31) 97,28-30. Der Hinweis Leos auf das konstantinopolitanische commonitorium in ep. 85 an Anatolius: LME I (28) 71,40-43; ACO II IV (43) 45,11-13.

Schreiben an den Kaiser legte er dar, er selber werde in seinen Legaten dem Konzil gegenwärtig sein und ihm präsidieren.[88] Das gleiche ließ er im Schreiben an die Synode erkennen.[89] Leo wollte damit allerdings keine prinzipielle Stellungnahme zum Vorsitz auf einer allgemeinen Synode geben oder eine grundsätzliche Forderung erheben. Gerade im Schreiben an die Synode erwähnte er ja unbefangen, auf dem Ersten Ephesinischen Konzil habe Cyrill das Präsidium innegehabt. Stattdessen begründete er sein Verlangen mit dem konkreten Versagen von Bischöfen im Glauben. Er erläuterte dies nicht weiter, doch trifft sein Vorwurf keineswegs bloß Dioskur als den Inhaber des Stuhles des hl. Markus und den Nachfolger Cyrills, und Juvenal und Thalassius, sondern ebenso Maximus von Antiochien und – wohl vor allem – Anatolius. Wer der Irrlehre nicht Widerstand geleistet hatte, konnte jetzt das Präsidium nicht übernehmen.[90]

Leo sah deshalb seinen Anspruch auf den Vorsitz in Zusammenhang mit der Glaubensfestigkeit des Apostolischen Stuhles. In diesem Sinn tritt nun freilich doch ein grundsätzliches Moment seiner konkreten Forderung in den Blick. Und so sprach er denn nicht nur von seiner Gegenwart auf dem Konzil in der Gestalt seiner Legaten, sondern verknüpfte damit den Hinweis auf seine Präsenz als Verkünder des Glaubens. Im Schreiben an Flavian habe er das rechte Bekenntnis von den grundlegenden Glaubenszeugnissen her erläutert. Daraus wird man die Folgerung ziehen können, Leo sei es vor allem um die Leitung der Synode im Sinn der grundlegenden Ausrichtung und Durchführung des Konzils gemäß den Anliegen der sedes apostolica gegangen.

In diesem Kontext ist eine weitere Beobachtung wichtig. Neben den Legaten hob der Papst auch den Kaiser hervor und maß ihm besondere Bedeutung für den Verlauf des Konzils zu. Leo bat ihn um die Unterstützung der Legaten und allgemein um seine Hilfe für den Glauben und die Wiederherstellung der Communio. Damit bedachte er ihn mit einer aktiven Helfer- und Beschützerrolle.[91] So entschieden sich der Papst gegen eine

---

88 So in ep. 89: LME I (31 b) 80,29-32; ACO II IV (46) 47,34-48,2; vgl. Anm. 90 (Zitat).

89 LME I (34) 83,20-23; ACO II IV (52) 52,8-14.

90 LME I (34) 84,43f.; ACO II IV (52) 52,25f.

91 „Quia vero quidam de fratribus, quod sine dolore non dicimus, contra turbines falsitatis non valuerunt catholicam tenere constantiam, praedictum fratrem et coepiscopum meum (Paschasinum) vice mea synodo convenit praesidere." LME I (31 b) 80,29-32; ACO II IV (46) 47,34-48,2. – Nach H. H. *Anton* werden von Leo als Hauptaufgabe des Kaisers „Schutz und Verteidigung der (römischen) Orthodoxie und der Kirchen herausgestellt". „Es gehört mit in den Komplex der charakteristischen Umprägungen und Weiterbildungen, wenn Leo von dem Schutz, von der Schutzverpflichtung des Kaisers her zur Kennzeichnung des Herrschertums als eines Dienstes gelangt. Markantes Signum dieses Dienstes ist das in ihm implizierte, das ihn im wesentlichen darstellende Element der Verantwortlichkeit gegenüber der Universalkirche, ihrer von ihrem Repräsentanten festgelegten Orthodoxie." (Kaiserliches Selbstverständnis, 77).

Einflußnahme des Kaisers, die der kirchlichen Ordnung und dem rechten Glauben nicht entsprach, gewehrt hatte, so wenig scheute er sich nun, eine solche im Sinn dieser Anliegen zu erbitten. Er dachte sich diese Hilfestellung freilich nicht in der Gestalt einer eigenständigen kaiserlichen Konzilspolitik, die, wie er nicht ganz zu Unrecht fürchtete, zu einer problematischen Kompromißbereitschaft tendieren konnte, sondern als Unterstützung der Legaten und der päpstlichen Direktiven.

VI. Zur Bedeutung des Tomus angesichts des Konzils von Chalcedon

In seiner Untersuchung über die Konzilsidee bei Leo dem Großen greift H. J. Sieben die viel erörterte Frage auf, ob der Papst mit seinem Glaubensbrief an Flavian eine Glaubensentscheidung fällen wollte, durch die auch ein allgemeines Konzil gebunden war. Durch die Prüfung wichtiger Begriffe – vor allem von „definire" und „praedicare" im Blick auf den Tomus gelangt er zu einer anregenden und fruchtbaren Weiterführung des wissenschaftlichen Gesprächs. In einem solchen Zugang liegt freilich auch die akute Gefahr, die Untersuchung auf einige, wenn auch zentrale Termini zu konzentrieren und zu beschränken und die Antwort durch die Begrenzung des Blicks auf das Schreiben an Flavian im Geviert einer zu schmalen Textgrundlage zu suchen. Es finden sich bei Leo wichtige Aussagen über seine Absichten, in denen der Tomus gar nicht erwähnt oder nur am Rande genannt wird. Es gilt demnach, alle Schreiben des Papstes in die Befragung einzubeziehen. Denn sie enthüllen selbst dort, wo sie nicht den Glaubensbrief charakterisieren, Leos Intentionen und lassen gerade auf diese Weise auch erkennen, wie er ihn verstanden wissen wollte. In vielfältiger Weise bekräftigen sie das Urteil des Tomus oder greifen auch seine Argumentation neu auf.

Mit der Fülle und Vielfalt der Äußerungen kommt deren Einbettung in das wechselnde Geschehen in den Blick. Leo stellt die Situation, in die hinein er spricht, mit großer Sorgfalt in Rechnung. Seine Haltung läßt sich in ihrer großen Spannweite nur recht verstehen, wenn dies möglichst genau beachtet wird. Die eingangs genannte Frage soll deshalb im Rückblick auf die vorgelegten Einzeluntersuchungen im geschichtlichen Kontext neu aufgenommen werden. Die These Siebens über Leos Haltung und die daraus sich ergebende Situation der Konzilsväter lautet: „Sie (die Synodalen von Chalcedon) sind deswegen nicht, wie Dogmenhistoriker das bisweilen supponieren, zu Beginn des Konzils vor die peinliche Frage gestellt: Dürfen wir noch ‚definieren', wo doch Leo schon ‚definiert' hat? Die Frage lautet vielmehr für die Synodalen, die nicht grundsätzlich der monophysitischen Opposition auf dem Konzil angehören: Hat Leo richtig und deutlich genug den zu überliefernden Glauben ‚verkündet‘, oder müssen wir es noch eindeutiger tun?"[92]

In der ersten Phase der Ereignisse steht in der Mitte der Äußerungen Leos sein Glaubensbrief an Flavian. Er beinhaltet im ursprünglichen Kontext eine grundlegend wichtige Entscheidung. Der Papst griff das Urteil der endemischen Synode auf und verlangte seine Präzisierung: er forderte eine klare Lossage des Eutyches von seiner irrtümlichen Auffassung bezüglich der Naturen in Christus. Im Schreiben an die Mönche in Konstantinopel stellte Leo heraus, daß die eutychianische Lehre Häresie sei; wenn Eutyches darin verharre, werde er zum Irrlehrer. Es bleibe dem Archimandriten, schrieb er im Brief an Pulcheria, nur der Widerruf, zumal es sich um eine Irrlehre handle, die das Heilsmysterium insgesamt zerstöre, den Grundbestand des Glaubens treffe, wie er im Apostolischen Glaubensbekenntnis zum Ausdruck kommt und dort von jedem Gläubigen abgelesen werden kann. Der Tomus beinhaltete demgemäß ein mit großer Entschiedenheit gefälltes Urteil des Apostolischen Stuhles. Dies tritt auch terminologisch zutage.

Am Beginn der Geschehnisse, als Leo nach der Appellation von Eutyches seine Absicht kundgab, ein Urteil zu fällen, das die Grundlage für die Verhandlungen der erweiterten endemischen Synode über die Wiederzulassung von Eutyches zur Communio bilden sollte, beschrieb er sein Vorhaben als ein „definire" und „decernere". Diese Beobachtung ergibt eine erste Begrenzung der Feststellung von Sieben, Leo spreche im Blick auf den Tomus nie von der Absicht des „definire". Gerade diese Intention zu definieren leitete den Papst, als er an die Abfassung des Glaubensbriefs heranging! Später jedoch mied er diesen Terminus, wie Sieben richtig beobachtet hat. Welche Bewandtnis hat es, wenn Leo sein Tun statt dessen vor allem als ein Verkündigen („praedicare") beschrieb?

Er stand jetzt vor einem allgemeinen Konzil und sah sich damit vor die Aufgabe gestellt, seiner petrinischen Verantwortung für die Einheit gerecht zu werden, damit die Bischöfe zur Glaubenseinheit finden konnten. Die für Konstantinopel bestimmte Post mit ihren Entscheidungen legte er nicht beiseite, sondern nahm sie für Ephesus wieder auf. Schon darin zeigt sich, daß Leo seine Haltung nicht grundlegend änderte. Er verblieb bei seinem Urteil, die von Eutyches auf der endemischen Synode geäußerte Auffassung

---

92 *Sieben*, Konzilsidee, 131f.; Konzilsidee V, 386. – Die Belege für die Texte, auf die im folgenden noch einmal reflektiert wird, finden sich in den vorangehenden Kapiteln. Da auch in dieser Zusammenschau der historische Ablauf bestimmend bleibt, sind sie dort unschwer auszumachen.

sei eine Irrlehre, die das Glaubensgeheimnis in seiner Mitte gefährde. Aber nun beschrieb er sein Bezeugen des rechten Glaubens vor allem als ein Überliefern. Dies hieß für ihn, die Tradition der Kirche zu verbürgen und den Glauben angesichts eines falschen Verständnisses mit Gewißheit festzuhalten und zu verkünden. Dieses Bezeugen schloß freilich die theologischen Erörterungen ein, aus denen er die Übereinstimmung seines Glaubensverständnisses mit dem apostolischen Zeugnis ableitete und mit denen er den Bischöfen helfen wollte, zum gleichen Urteil zu finden. Wenn Leo sein Tun als ein „praedicare" bezeichnete, meinte er das Überliefern des Glaubens in diesem umfassenden Sinn.

Mit de Vries und Klinkenberg ist deshalb gegen Sieben daran festzuhalten, daß der Papst nicht nur beabsichtigte, „der Kirche Lehrschreiben zu schenken, wie sie der eine oder andere der Väter für die Kirche zu verfassen vermochte"; er war auch nicht nur „von der Zuversicht getragen", „darin tatsächlich so zu verkünden, daß der Glaube als überlieferter erkannt werden kann" (Sieben).[93] Aber so sehr dies gilt, so wies Leo doch zugleich, wie Sieben richtig sah, mit Nachdruck auf sein theologisches Erläutern und Begründen hin, das zur Einsicht führen sollte. Damit aber kommt schon jetzt etwas Wesentliches in den Blick, das Leo später noch deutlicher hervorheben sollte und das Klinkenberg und de Vries nicht würdigten:[94] der Papst eröffnete dem Konzil die Aufgabe, die Prüfung der Glaubensfrage aufzunehmen, die eutychianische Auffassung am apostolischen Zeugnis zu messen und so zusammen mit den Legaten das Urteil zu fällen.

Im Rückblick auf die ephesinische Synode sprach der Papst deutlich genug davon: Es wäre die Aufgabe der Bischöfe gewesen, gemeinsam die Glaubensfrage zu untersuchen und dann in Freiheit ihre Entscheidung zu treffen. Noch klarer beschrieb er seine Auffassung in dem Augenblick, in dem er diese Synode durch ortskirchliche Synoden zu überwinden suchte. Nun ergänzte er sein Glaubensschreiben an Flavian mit einem Florileg von Väterzeugnissen und bat um das Studium der Ersten Synode von Ephesus

---

93 *Sieben*, Konzilsidee, 131; Konzilsidee V, 386. W. *de Vries* (Chalkedon, 69) schreibt: „Für Leo war die Glaubensfrage durch seinen Tomus an Flavianos und durch seine Verurteilung der Räubersynode von Ephesos entschieden. Das Konzil hatte nur seinen Tomus diskussionslos anzunehmen und im übrigen die Modalitäten der Wiederaufnahme der in Ephesos abtrünnig gewordenen Bischöfe zu bestimmen." (Vgl. Orient et Occident, 107). *Klinkenberg* (Papsttum, 82f.) urteilt ähnlich wie de Vries: „Die hervorragendste Sorge des Papstes war es nun, nachdem einmal ein Konzil berufen war, von vorneherein jegliche Diskussion über den Glauben auf dem neuen Konzil zu unterbinden . . . Leos These, daß Rom den Glauben für alle verpflichtend definieren könne, ist ein Schlag gegen das Synodalprinzip und das Konzil als solches. Dieses könnte nunmehr nur noch zu Gericht sitzen über diejenigen, die nicht das römische Credo annehmen. Somit entglitte das Reichskonzil doch langsam den Händen des Kaisers, denn er würde bereits gezwungen, sich in jedem Falle bei Glaubensfragen nach Rom zu orientieren."
94 Vgl. Anm. 93.

(431) und des dort rezipierten Schreibens von Cyrill. Dies lag ganz in der Linie des Tomus, der nicht bloß Leos Glaubensurteil enthielt, sondern durch die Darlegung des biblischen Zeugnisses die Rezeption ermöglichen wollte. Jetzt hob Leo den damit angezielten Rezeptionsvorgang noch deutlicher hervor: der Tomus als ganzer solle an der Tradition gemessen werden, an der synodalen wie an der allgemeinen Überlieferung.

Aber gerade in dem Augenblick, in dem der Papst in aller Deutlichkeit die Aufgabe der Bischöfe zu urteilen beschrieb, betonte er womöglich noch deutlicher als vor dem ephesinischen Konzil, wie unabweisbar das Glaubenszeugnis des Apostolischen Stuhles sei. Er sprach davon, die Legaten hätten der Synode den Glauben überbracht. Ihn im Sinne von Eutyches umzudeuten, hieße ihn aufzulösen und so das wahre Bekenntnis von Menschwerdung, Tod und Auferstehung Christi zu leugnen. Eine solche Entschiedenheit im Festhalten am eigenen Urteil erreichte ihre höchste Steigerung in der Haltung des Apostolischen Stuhls auf den beiden römischen Synoden, die Rezeption der ephesinischen Urteile zu verweigern. Der Papst hielt vor der ganzen Kirche daran fest, daß der Tomus den reinen, ursprünglichen, göttlich inspirierten Glauben kundgebe, den der petrinische Stuhl als überlieferten bewahre,[95] und nahm damit das grundlegende Urteil des Glaubensbriefs über die beiden Naturen in Christus auf.

Im Angesicht des nach Nicäa einberufenen Konzils, das dann in Chalcedon stattfinden sollte, bekräftigte der Papst diese Haltung angesichts gefährlicher Tendenzen, sein Urteil zu überspielen, mit dem Verbot, die

---

95 So z. B. in ep. 90: LME I (31) 77,27-34; ACO II IV (47) 48,23-29; in ep. 94 die Bitte um Unterstützung der Legaten: LME I (35) 86,31-35; ACO II IV (50) 50,14-17. – *Siebens* These, Leo verstehe die Autorität der sedes apostolica als privilegierte Tradition (Konzilsidee, bes. 124ff.; Konzilsidee V, bes. 379ff.), erfordert eine korrigierende Diffenzierung. Die Basis expliziter Texte ist schmal und vermag das Gewicht einer solch schwerwiegenden Aufstellung nicht zu tragen. Die beiden Texte, die Sieben vorlegt, richten sich an Antiochien und Alexandrien. Im ersten Fall erinnert er den Bischof an Petrus, der dort wie in Rom eine besondere Lehrtätigkeit ausübte – über seine allgemeine Verkündigung in der ganzen Welt hinaus. Damit zielt er darauf ab, daß die instituta, die auf Petrus zurückgehen, zu bewahren seien (ACO II IV [66] 73,11-17). Im zweiten Fall betont er, die (liturgischen) instituta von Petrus und Markus seien die gleichen gewesen. Im ganzen betont Leo die gemeinsame Tradition in Rom, Alexandrien, Antiochien, die auf Petrus selber zurückgehe. Es ist nicht zu sehen, wie Leo daraus die spezifische Vollmacht der sedes apostolica in Rom ableiten wollte und konnte. Es hätte ja bedeutet, daß Alexandrien und Antiochien den gleichen Primat aufgrund gleicher privilegierter Tradition zur Geltung hätten bringen müssen. Im gesamten Duktus der Aussagen von Leo, wie sie oben – immer auch schon im Blick auf Siebens Darstellung – aufgezeigt wurden, kann privilegierte Tradition bedeuten, daß die römische Kirche die gemeinsame Tradition immer rein bewahrt. Dies gründet für Leo aber vor allem darin, daß der Nachfolger des Erstapostels in Rom die Vollmacht authentischer Auslegung von dessen Bekenntnis besitzt. So verweist Leo auf die gemeinsame Tradition der Kirche, aber zugleich auf seinen besonderen Auftrag. Er urteilt, tut dies aber in der Gewißheit, daß er gerade so den überlieferten Glauben rein weitergibt, der von allen aufgrund der gemeinsamen Glaubenstradition erkannt werden kann.

synodalen Beratungen so zu führen, daß eine Revision dieser Entscheidung möglich werde. Wie wenig dies aber eine Verweigerung synodaler Prüfung der Glaubensfrage bedeutete, zeigen nicht bloß seine bisher gemachten Ausführungen und sein Schreiben an den Legaten Paschasinus. Es wird sich auch am Verhalten der Legaten auf dem Konzil von Chalcedon erweisen. So kam dem Konzil in den Augen des Papstes nicht bloß die Aufgabe zu, den Konsens der Kirche in ihrer horizontalen Erstreckung zu fördern — wie Sieben, seiner ursprünglichen Darstellung widersprechend, schließlich meint sagen zu müssen —,[96] es sollte vielmehr den Auftrag erfüllen, die vertikale Erstreckung des Glaubens in der Überlieferung der Kirche zu prüfen und so zusammen mit dem römischen Bischof das endgültige Urteil (definitio) zu fällen.

VII. Die Lage am Vorabend des Konzils

Es liegt nahe, sich zum besseren Verständnis der Ausgangslage der Synode von Chalcedon die wichtigsten Gruppen der Teilnehmer und ihre Absichten zu vergegenwärtigen. Dies kann freilich nur mit großer Vorsicht geschehen, da sich wesentliche Züge erst in den letzten Wochen vor dem Konzil und während seines Verlaufs enthüllen werden.

Dies gilt vor allem für Dioskur und die alexandrinischen Bischöfe sowie für Juvenal und für die palästinensischen wie illyrischen Bischöfe. Für Dioskur wurde es mit der Einberufung des Konzils unausweichlich, zu Leo offen Stellung zu beziehen und die Handlungsweise in Ephesus zu verantworten. Darüber hinaus zeigt sich, daß die Gruppe, die dem alexandrinischen Patriarchen mit Überzeugung gefolgt war, schon abzubröckeln begann, oder daß sich vielmehr in ihrer Mitte eine neue Gruppierung bildete, die uns zunächst in der Gestalt von Anatolius und des von ihm eingesetzten neuen Patriarchen von Antiochien, Maximus, entgegentritt. Ihre Neuorientierung zeigt sich seit der Synode in der Großen Kirche von Konstantinopel deutlich genug. Diese Bischöfe waren bereit, ihre Zustimmung zum Tomus auf dem Konzil zu bekräftigen. Es lag für sie gewiß nahe, den Vorschlag Leos aufzugreifen, das Schreiben an Flavian im Licht des Ersten Ephesinischen

---

96 *Sieben* (Konzilsidee, 142f.; Konzilsidee V, 396f.) faßt sein Ergebnis so zusammen: „Solche Formulierungen verraten: das Konzil ist für Leo nicht der wesentliche Ort oder das wesentliche Element der Tradition; das Konzil dient vielmehr der Wahrheitsvermittlung in der Horizontale, es dient der Wahrheitsverbreitung, der äußeren Vernichtung der Häresie . . . Darin liegt Konsequenz: die authentische ‚Verkündigung' des Evangeliums ist eben dem Lehrprimat des Römischen Stuhles anvertraut, Sache des Konzils dagegen ist das ‚Urteil', die *definitio*, d. h. die wirksame Vernichtung der Häresie auf dem Erdkreis."

Konzils und des dort anerkannten Schreibens von Cyrill zu rezipieren. Sie suchten es aber zugleich so zu interpretieren, daß die Communio mit Dioskur aufrechterhalten werden konnte. Mit der Bereitschaft, theologische Elemente des Tomus aufzunehmen und in die alexandrinische Christologie einzuordnen, verband diese Gruppe von Konzilsvätern die Tendenz, dessen eigentliches Urteil zugunsten einer pluriformen Offenheit der Glaubensaussage unauffällig zurückzunehmen.

Auf der Gegenseite rüsteten sich zum Konzil die Bischöfe im Umkreis der Kirche von Konstantinopel, die mit Flavian seit der endemischen Synode verbunden waren – unter ihnen vor allem Eusebius von Doryläum-, und mit ihnen der Klerus von Konstantinopel, der gegenüber der theologischen Linie seines neuen Patriarchen Anatolius seine eigene Auffassung vertrat. Von der Urteilsfindung in Ephesus ausgeschlossen, standen sie auf seiten des verstorbenen Patriarchen Flavian und des Papstes und bejahten gerade jetzt ohne Abstriche dessen Glaubensentscheidung. Dieser Gruppe standen die Bischöfe nahe, welche am Vorabend der Zweiten Ephesinischen Synode und während ihres Verlaufs Flavian und seine theologische Position unterstützt hatten, dann aber doch unter Druck seiner Verurteilung mit ihrer Unterschrift zugestimmt hatten.

Welche Erwartungen die Bischöfe in das Konzil setzten, die theologisch Nestorius nahestanden, läßt sich kaum beantworten. Nestorius selbst hatte das Schreiben des Papstes an Flavian freudig begrüßt, dann aber auch feststellen müssen, daß dies für Leo keine Revision der Entscheidung der Ersten Ephesinischen Synode bedeutete. Seine Zustimmung zum Tomus konnte – zumal sie mit der Ablehnung dieses Konzils verbunden war – Leo in den Verdacht nestorianischer Häresie bringen. In der Hitze des kirchenpolitischen und theologischen Gefechts war es für die Zeitgenossen von Nestorius ja gewiß nicht leicht zu sehen, daß dessen theologische Entwicklung immer deutlicher in die Richtung einer legitimen Christologie ging. Bischöfen, die ihm nahestanden, mußte es – falls sie gesprächsbereit in das Konzil eintraten – ein Anliegen sein, eine einfache Bestätigung des Tomus zu unterstützen, da sie auch die spezifische Theologie des Schreibens – in seinen Erläuterungen – bejahten und sie deshalb auch vor einer entgegengesetzten Interpretation bewahren wollten.

So stehen wir im Angesicht des Konzils vor weit auseinandergehenden Bestrebungen – selbst innerhalb der großen Zahl jener Bischöfe, die Leos Glaubensschreiben schon unterzeichnet hatten. Werden die Konzilsväter die Glaubenseinheit aufgrund des Tomus suchen, werden sie einen neuen Weg beschreiten oder einen Mittelweg suchen? Es war jedenfalls zu erwarten, daß das Schreiben an Flavian eine zentrale Rolle spielen und nicht bloß in christologischer Perspektive, sondern zugleich als Dokument des Apostolischen Stuhles in den Blick treten werde. Dies gilt um so mehr, als die Frage anstand, ob die ephesinische Synode unter der Leitung Dioskurs den Kanones gemäß durchgeführt wurde, und weil Leo die Verletzung der Autorität des Apostolischen Stuhles in Ephesus auf der neuen ökumenischen Synode wieder beheben wollte. Auch das Ansehen des Hofes hatte einerseits durch die Stützung der ephesinischen Vorgänge und ebenso durch die Bereitschaft, die Geltung der Synode aufzuheben, Schaden gelitten. So suchte er jetzt mit der Festigung und Umschreibung der Stellung des kirchlichen Ranges von Konstantinopel auch seinen eigenen Rang zur Geltung zu bringen und für die Zukunft sicherzustellen. Auch von daher sollte das Konzil gezwungen sein, sich mit der Autorität der sedes apostolica zu befassen. Eine einheitliche Linie war dabei nicht zu erwarten angesichts der Zerspaltenheit der Bischöfe im Blick auf den Tomus, für die es nahelag, sich an eine Autorität anzulehnen, die in ihrer einheitsstiftenden Funktion in Geltung stand — sei es die sedes der Apostel Petrus und Paulus oder aber der Kaiser.

Der römische Bischof und der Kaiserhof gingen ihrerseits mit höchst unterschiedlichen Programmen auf das Konzil zu. Während Leo die grundlegende Glaubenseinheit gewährleisten wollte und die Preisgabe des Urteils, das sie festhielt und ermöglichte, befürchtete, suchte der Hof die Glaubensfrage möglichst offenzuhalten, um Dioskur und seiner Gefolgschaft soweit entgegenzukommen, als es denkbar war, ohne einen Bruch mit Leo herbeizuführen.

So zeichnet sich am Vorabend des Konzils mitten in der Bemühung um die christologischen Fragen ein geistiges Ringen ab, in dem die Aufgabe der Bischöfe auf der ökumenischen Synode, die Stellung des Apostolischen Stuhles, der Rang der Kirche von Konstantinopel und die Autorität des Kaisers ins Spiel kommen. Es wird wichtig sein zu sehen, wie die so unterschiedlichen Gruppierungen unter den Konzilsteilnehmern sich auf der Synode artikulieren und ihre Haltung fortentwickeln werden. Erst von hier aus wird sich dann beurteilen lassen, inwiefern man von ekklesiologischen Stellungnahmen des Konzils von Chalcedon sprechen darf und was sie beinhalten.

FÜNFTES KAPITEL

DAS KONZIL VON CHALCEDON
DIE VERLESUNG DER EPHESINISCHEN AKTEN UND DIE ABFASSUNG DES SCHREIBENS ÜBER DEN TOMUS

Mit der Glaubensfrage bildete die Stellung der sedes apostolica innerhalb der Synode der Bischöfe das große Thema des Konzils von Chalcedon. Es trat vor allem im Ringen um Weg und Ziel der Versammlung in Erscheinung, fand aber doch auch einen vielfältigen schriftlichen Niederschlag, in dem es reflektiert wurde. Es ist kaum nötig, noch einmal zu betonen, wie sehr neben den Bischöfen – und dem römischen Bischof im besonderen – als weiteres bestimmendes Element die kaiserliche Macht im Spiel war und auch zu einer Festigung ihrer Stellung durch die schriftliche Fixierung und Anerkennung des Ranges der Kirche von Konstantinopel drängte. Aber auch die Frage des Traditionsverständnisses, das durch das Zweite Ephesinische Konzil so betont in den Vordergrund gestellt war, mußte nun erörtert werden. Die Texte, die so entstanden, waren in ein ebenso dramatisches wie vielfältiges Geschehen, in dem die Konstellationen rasch wechseln konnten, eingebettet. Es wird darum gehen, Gewicht und Gehalt der Dokumente im Ablauf der Ereignisse zu würdigen und die Geschehnisse selbst nach ihrer theologischen Bedeutung zu befragen.

I. Vorentscheidende Geschehnisse

1. Die Verlegung des Konzils von Nicäa nach Chalcedon

Bevor die ersten Verhandlungen der Synode bedacht werden, ist es nötig, die letzten Vorgänge, die der Eröffnung des Konzils vorauslagen und ihren Verlauf mitbestimmen sollten, in den Blick zu nehmen. Wie der Einberufung der vorangegangenen Synode nach Ephesus symbolische Bedeutung in einem gefüllten Sinn zukam, da sie nach dem Verständnis des Kaisers eine Weiterführung der Ersten Ephesinischen Synode sein sollte, so kam der Berufung der neuen ökumenischen Synode nach Nicäa ohne Zweifel das Gewicht eines Programms zu. Im Licht der Absichten des Hofes, die sich freilich erst im gesamten Verlauf der synodalen Verhandlungen allmählich enthüllen werden, sollte die Charakterisierung des Konzils als eines zweiten Nicäa den Kaiser Marcian als neuen Konstantin proklamieren, der durch die

Synode die Kirche eint und den Glauben festigt.[1] Von Anfang an zielten der Kaiser und Kaiserin Pulcheria auf eine neue, das nicänische Bekenntnis deutende Glaubensformel hin. Damit stand zugleich das Verständnis der Tradition im Blick.

Sosehr dies alles gilt und allgemein anerkannt ist, so bleibt doch zu fragen, ob nicht die näheren Umstände der Konzilseinberufung – zuerst nach Nicäa und dann nach Chalcedon – ihr eigenes Gewicht haben. Die Fakten sind bekannt: Die Bischöfe, die sich am 1. September in einer alle früheren Konzilien weit überschreitenden Zahl versammelt hatten, erhielten vom Kaiser ein Schreiben, das seine Ankunft und Teilnahme am Konzil ankündigte, aber zugleich eine Verzögerung mit dem Hinweis auf politische Aufgaben, die ihn noch festhielten, anzeige.[2] In einem zweiten und dritten Schreiben wurden sie aufgefordert, sich in Chalcedon zu versammeln.[3] Dort wurde am 8. Oktober im Heiligtum der Märtyrin Euphemia das Konzil eröffnet.[4] Merkwürdigerweise waren aber die Konzilsväter in Nicäa zunächst ohne ausreichenden Polizeischutz gelassen, so daß Scharen von Mönchen und Klerikern Umtriebe entfalten und die Konzilsväter einschüchtern konnten. Pulcheria richtete nun – in einem Schreiben, das wohl gleichzeitig mit dem ersten Brief Marcians abging und noch unter den gleichen Voraussetzungen abgefaßt war – an den Statthalter von Bithynien, Strategius, die Aufforderung, für Ordnung zu sorgen.[5]

Etwa zur gleichen Zeit wandten sich die Bischöfe ihrerseits an den Kaiser und baten um sein Kommen, und die päpstlichen Legaten gaben dem Kaiser kund, sie machten ihre Teilnahme an der Synode von der Anwesenheit des Kaisers abhängig.[6] Der Aufenthalt in Nicäa und die damit verbundenen Unruhen ließen den Legaten wie den Konzilsvätern, die dogmatisch auf ihrer Seite standen, eine Mitwirkung des Kaisers am Konzil erwünscht erscheinen. Ihm mußte es sehr willkommen sein, wenn die Legaten die kirchlichen Widerstände gegen das neue Konzil drastisch erlebten, ihn um Schutz baten

1   Dies wird besonders in der Sessio vom 25. Oktober sichtbar: vgl. die Ansprache des Kaisers an das Konzil und die folgende Akklamation: ACO II I 2 (4f.) 139,26-140,30.

2   ACO II III 1 (30) 19,25-20,8; der griechische Text fehlt.

3   ACO II I 1 (14) 28,12-29,3; (16) 30,4-35.

4   A. *Schneider*, Sankt Euphemia und das Konzil von Chalkedon, in: Das Konzil von Chalkedon I, 291-302.

5   ACO II I 1 (15) 29,8-29.

6   ACO II I 1 (14) 28,18-24. Im dritten Schreiben zerstreute der Kaiser auch die Furcht mancher Bischöfe vor mönchischen Umtrieben in Chalcedon wegen des nahegelegenen Konstantinopel (ebd. [16] 30,21-26). Die Zahl der Anhänger von Eutyches konnte dort aber nicht groß sein; ähnlich – wenn auch vorsichtiger – urteilt H. *Bacht* (Die Rolle des orientalischen Mönchtums in den kirchenpolitischen Auseinandersetzungen um Chalkedon (431-519), in: Das Konzil von Chalkedon II, 236; vgl. ebd. 216-221). Vgl. auch Kap. I, Anm. 13f.

und ihm damit größere Einflußmöglichkeiten eröffneten. Der Hof wird denn auch auf dem Konzil repräsentiert sein wie kaum je zuvor: durch eine beträchtliche Zahl von Würdenträgern, denen die Verhandlungsführung fast immer anvertraut sein wird, und durch das Auftreten des Kaiserpaares auf der Sessio, in welcher die Synode die Glaubensformel besiegeln wird. Der Kaiser wird darüber hinaus Anklageschriften entgegennehmen und über ihre Verlesung entscheiden, und er wird in kritischen Situationen wie auch im ureigenen Anliegen des Ranges der konstantinopolitanischen Kirche seinen Einfluß zur Geltung bringen.

2. Die Haltung von Dioskur und Juvenal

Eine weitere wichtige Vorentscheidung für den Verlauf der Synode traf noch vor ihrem Beginn Dioskur. Er schloß in Nicäa mit einer Gruppe von zehn Bischöfen, die mit ihm gekommen waren, den Papst aus seiner Communio aus.[7] Ein höchst bedeutsamer Schritt! Mit dem Dokument fehlt uns auch die präzise Begründung, die der Patriarch mit seinem Schritt verband. Wird man deshalb auf eine differenzierte Deutung verzichten müssen, so wird man doch annehmen dürfen, er habe die Exkommunikation ausgesprochen, weil Leo die Zweite Ephesinische Synode zurückgewiesen hatte. Damit hatte Dioskur den Weg, den Anatolius, sein ehemaliger Apokrisiar in Konstantinopel, glaubte einschlagen und auf dem Konzil verfolgen zu können, abgelehnt. Weniger deutlich läßt sich ermitteln, in welcher Haltung Bischof Juvenal von Jerusalem auf das Konzil zuging. E. Honigmann macht auf das Zeugnis von Johannes von Beth Rufina aufmerksam. Dieser erzählt, Juvenal habe vor seiner Abreise nach Chalcedon den Tomus Leos öffentlich – vor allen Priestern und Mönchen – als jüdisch und eines Simon Magus würdig bezeichnet, und er habe geäußert, wer ihn annehme, verdiene die Exkommunikation. Eine solche Stellungnahme erscheint als außerordentlich radikal, da Simon Magus vor allem seit Eusebius von Cäsarea Prototyp des Häretikers ist und bei ihm das Gegenbild von Petrus darstellt. Demgemäß erscheint in dieser Kennzeichnung Leo als äußerste Antithese zum Erstapostel auf dessen eigenem Stuhl. Jedoch wird man einen solchen Bericht viel eher als den Ausdruck der Haltung von Kreisen werten, die mehr als sechzig Jahre später entschieden Chalcedon bekämpfen, denn als zuverlässigen Bericht. Es liegt in der Tendenz solcher Literatur, den Stellungswechsel von Juvenal

---

7 Über das Ereignis berichtete der alexandrinische Diakon Theodor in seiner Anklageschrift gegen Dioskur: ACO II I 2 (47) 16,25-36.

möglichst drastisch als „Verrat" zu beschreiben.[8] In Wirklichkeit dürfte Juvenal wenigstens schon in Nicäa die Wende in seiner Haltung vorbereitet haben, da er bereits im ersten Stadium der ersten Session auf die Linie von Anatolius einschwenken wird.

II. Die erste Sitzung (8. Oktober)

1. Vorbemerkungen

Eine erste kurze Vorbemerkung gilt der Sitzordnung. Die kaiserlichen Würdenträger und Beamten nahmen den Platz in der Mitte vor den Chorschranken der Basilika ein und erschienen schon auf solche Weise als Moderatoren. Die Sitzordnung der Bischöfe zum Beginn der ersten Sessio ist im Bereich unseres Themas in zweifacher Hinsicht bemerkenswert. Sie zeigt – freilich in einer nur sehr groben Darstellung – die beiden großen Gruppen von Konzilsvätern, die sich im ersten Augenblick gegenüberstanden: die Legaten des Bischofs von Rom sowie die Bischöfe, die zum Bereich von Konstantinopel gehörten, und die orientalischen Bischöfe auf der linken Seite der Beamten, Dioskur mit seinen Bischöfen, die Bischöfe von Palästina und von Illyrien auf der anderen.[9] Zugleich zeigt die Sitzordnung die Einstufung von Konstantinopel auf den zweiten Rang und zugleich an die Seite Roms. Dies soll hier nur knapp benannt sein. Es wird in einem größeren Zusammenhang – bei der Behandlung der Stellung der Kirche von Konstantinopel – erörtert werden.[10]

Eine zweite Vorbemerkung gilt der Frage, welcher Text die Äußerungen der Legaten getreu wiedergibt. Schwartz hat in seiner bekannten Studie „Der

8 E. *Honigmann*, Juvenal, 240. Zu Recht nimmt Honigmann dort an, Juvenal habe noch nicht im Anschluß an die Synode in Konstantinopel (21. 10. 450) Leos Tomus unterzeichnet. Weiterhin legt er dar, die Plerophoriae des Johannes von Beth Rufina – verfaßt zwischen 512 und 518 – zeigten, wie rasch sich die Legende der monophysitischen Historiographie bemächtigt habe. Die Haltung von Johannes bzw. der antichalcedonischen Kreise zu Anfang des 6. Jahrhunderts umreißt er so: „. . .but usually Juvenal is shown as the miserable victim of his own perfidy and ungodliness. In 444 the monk Pelagius of Edessa is said to have prophesied the whole history of the ‚treason of Chalcedon'." (ebd. 263-265, Zitat: 263).

9 Die Bischöfe auf der rechten Seite hatten in diesem Augenblick Leos Tomus noch nicht unterschrieben; es wird sich aber bald zeigen, daß die Bischöfe aus Palästina und Illyrien bereit waren, sich der Linie von Anatolius anzuschließen. Die Gegenseite bildete, wie sich immer deutlicher zeigen wird, keinen einheitlichen Block. Anatolius und führende Mitglieder bzw. Gesinnungsgenossen von Dioskur in Ephesus, die dogmatisch immer noch auf dessen Seite standen, – z. B. Thalassius – saßen neben Bischöfen, die entschieden die Anliegen der antiochenischen Theologie vertraten – ihr Exponent war bald Theodoret – und neben solchen, die zu vermitteln suchten – man denke nur an Basilius von Seleucia – oder dogmatisch wenig kompetent waren.

10 Siehe die Darstellung der Vorgänge im siebten Kapitel.

sechste nicaenische Kanon auf der Synode von Chalkedon" überzeugend dargelegt, daß der griechische Text der Aussagen der Legaten im Bereich der letzten Sitzung, die sich mit der Stellung von Neurom befaßte, in einer verfälschenden Weise – unter Kaiser Justinian – bearbeitet wurde, während der lateinische Text keine Übersetzung dieses Textes darstellt, sondern den Originaltexten entlehnt wurde, „die in den älteren griechischen Hss. der Akten noch vorhanden waren".[11] Nun zeigte sich, daß eine ähnliche Bearbeitung auch die griechischen Texte –im Vergleich mit den lateinischen – am Beginn der ersten Session dort aufweisen, wo die Legaten sich in einer ähnlichen Auseinandersetzung mit Konstantinopel finden wie in der letzten Session. Auch hier hat der lateinische Text die ursprüngliche Gestalt der Aussagen rein bewahrt. Deshalb wird der lateinische Text im folgenden überall dort der Interpretation zugrundegelegt, wo die Legaten zu Wort kommen. So wird sich denn auch die Deutung der ersten, äußerst scharfen Auseinandersetzung auf dem Konzil von anderen Darstellungen – von Hefele über Batiffol bis hin zu Camelot – schon aus diesem Grunde unterscheiden.[12]

2. Perspektiven für die Verlesung der ephesinischen Akten

Das Konzil von Chalcedon nahm einen höchst dramatischen und zugleich eigentümlichen Anfang: die Legaten des Papstes ergriffen das Wort, um zu verlangen, Dioskur dürfe nur als Angeklagter am Konzil teilnehmen, und sie gaben ihrer Forderung den entschiedensten Nachdruck mit der Drohung, sie würden abreisen, wenn man ihr nicht entspreche.[13] Ihre Stellungnahme führte fast direkt zur Überprüfung der ephesinischen Synode, die unter dem Vorsitz Dioskurs getagt hatte. Zugleich war damit eine erste Perspektive eröffnet, unter der die Untersuchung vorgenommen werden konnte. Nach kurzer Debatte erlaubten die Beamten dem Bischof von Doryläum, eine Anklageschrift gegen Dioskur zur Verlesung zu bringen; sie stellte die Überprüfung der Synode jedoch unter einen ganz anderen Aspekt.[14] Und schließlich nahm Dioskur das Wort, um die Verlesung seinerseits in eine neue Sicht zu rücken.[15] Sieht man vom Schlußwort der Beamten am Ende der ersten Sitzung ab, so beinhaltete diese Sessio nichts anderes als die Anklage

11 *Schwartz*, Der sechste nicaenische Kanon, 622-627; Zitat: 625.
12 Siehe Anhang VII.
13 ACO II III 1 (5) 40,3-8.
14 ACO II I 1 (16) 66,23-67,17.
15 Ebd. (18; 21) 67,20-24.29f.

gegen Dioskur, die Diskussion der Frage, nach welchen Kriterien die Überprüfung der ephesinischen Synode stattfinden solle, und die Verlesung selbst, verbunden mit der Diskussion kritischer Punkte. Sie stand demnach im ganzen unter dem Thema der Untersuchung des vorangegangenen Konzils.

Der Vergleich eines solchen Beginns mit dem ersten Abschnitt der Zweiten Ephesinischen Synode führt zu einer ersten Beobachtung. Die Synode von Chalcedon begann nicht mit der Verlesung programmatischer Schreiben – weder des Papstes noch des Kaisers. Ist es nicht außerordentlich verwunderlich, daß die Legaten nicht daran dachten oder dazukamen, schon jetzt die Verlesung des päpstlichen Briefes an die Synode, die sich in Nicäa versammeln sollte, zu beantragen? Sie werden einen solchen Schritt erst in der vorletzten Sitzung, am 31. Oktober, nachholen.[16] Der Verzicht auf die Vorlage eines Programms oder unterschiedlicher programmatischer Schreiben hatte zur Folge, daß auch keine eigentliche Auseinandersetzung über Ziel und Weg der Synode stattfand – wenigstens nicht am Anfang und in einer großen Diskussion. Statt dessen wird ein anhaltendes Ringen um die Linie die entscheidenden Sessionen begleiten, vor allem die ersten.

Die Gründe für ein solches Phänomen werden erst später sichtbar werden. Die Erklärung ist nicht darin zu suchen, daß der Weg, den die Synode einschlagen sollte, auf der Hand lag und nicht diskutiert zu werden brauchte, sondern im Gegenteil darin, daß es zwischen dem Hof und den Legaten – die nicht isoliert, sondern je mit Gruppen von Bischöfen verbunden waren – erhebliche Differenzen gab. Man verzichtete jedoch auf eine grundsätzliche Erörterung am Beginn der Synode und vermied damit ein Zweifaches: eine zu scharfe Konfrontation in der Sache, die auf ein unversöhnliches Gegenüber zuführen konnte, und so zugleich eine allzu krasse, öffentliche Polarisierung kaiserlicher und päpstlicher Autorität, die ohnedies mehr als genug hervortrat.

Kehren wir zur ultimativen Forderung der Legaten zurück, die den Beginn des Konzils drohend überwölkte. Sie weigerten sich zunächst, eine Begründung zu geben, bevor ihrem Ersuchen entsprochen sei, ließen sich aber schließlich doch dazu herbei. So sagten sie, sie beabsichtigten mit ihrem Schritt, gegen den Patriarchen wegen seines Verhaltens, das er auf der ephesinischen Synode dem Apostolischen Stuhl gegenüber gezeigt hatte, Anklage zu erheben, und zwar näherhin im Blick auf die Leitung der Synode im ganzen. Sie bezichtigten ihn, er habe sie geführt „ohne die Vollmacht des Apostolischen Stuhls" und habe „sich das Urteil angemaßt, obwohl ihm dies

---

16 ACO II I 3 (1-6) 83,28-84,42. Ein lateinischer Text fehlt.

nicht zustand".[17] Betrachtet man diese Anklage im Licht der Äußerungen des Papstes — dies ist gewiß der richtige Zugang zum Verständnis —, so besagt sie nicht, die Leitung der Synode durch Dioskur sei an sich das eigentliche Unrecht gewesen. Trotz aller Vorbehalte gegenüber einer Einsetzung des Konzilspräsidenten durch den Kaiser hatte Leo dies geduldet oder wenigstens nicht als so schwerwiegendes Vergehen gebrandmarkt.[18] Der Vorwurf besagt vielmehr: Dioskur beachtete in der Durchführung der Synode die Vollmacht des Apostolischen Stuhles nicht. Er führte vielmehr die Beratungen durch, ohne dessen Glaubenszeugnis zur Geltung kommen zu lassen, und fällte das Urteil ohne und gegen Rom.

Der Legat Paschasinus stellte sein Ersuchen als eine Forderung des Papstes selber dar, bezog sich damit also auf eine Instruktion Leos.[19] Eine ähnliche Bezugnahme auf das commonitorium wird auf der letzten Sitzung erfolgen, in einer wohl noch kritischeren Situation. In den Schreiben, die der Papst als Antwort auf die Konzilseinberufung gleichzeitig mit dem commonitorium verfaßt hatte, war eine solche Forderung nirgends erhoben, ja nicht einmal Dioskur eigens genannt worden. Auch später hatte er in der Antwort auf ein Schreiben Pulcherias — das wohl Dioskur in Verbindung mit den anderen führenden Persönlichkeiten des Konzils genannt und für sie alle die Möglichkeit einer Versöhnung erbeten hatte — nun auch seinerseits den Patriarchen nicht namentlich genannt, sondern von den „primates synodi" gesprochen.[20] Aber die Legaten wußten sich trotz dieses Schreibens, das inzwischen wahrscheinlich in Konstantinopel eingetroffen war, an Leos Instruktion gebunden, zumal diese durch den Brief keineswegs aufgehoben war.

Im Gegenüber zu den zuerst genannten Schreiben Leos, in denen die Glaubensfrage im Blick stand, versäumten es die Legaten, ihre Anklage gegen Dioskur wegen der Verletzung der Stellung der sedes apostolica ausdrücklich und direkt mit der Sache des Glaubens, die in Ephesus verhandelt worden war, zu verknüpfen. Vielmehr betonten sie die Unrecht-

---

17 „Iudicii sui necesse est eum dare rationem, quia cum nec personam iudicandi haberet, subrepit et synodum ausus est facere sine auctoritate sedis apostolicae, quod numquam factum est nec fieri licuit." ACO II III 1 (9) 40,16-19.

18 Im Schreiben an die Konzilsväter in Ephesus hatte Leo keineswegs für seine Legaten den Vorsitz auf dem Konzil verlangt, sondern nur von ihrer Teilnahme und von ihrem Urteil, das sie gemeinsam mit den Bischöfen fällen sollten, gesprochen: LME I (8) 20,31-38; ACO II IV (12) 15,30-16,3. Im Schreiben der römischen Herbstsynode nannte Leo den alexandrinischen Patriarchen allerdings „jenen, der die Führungsrolle beanspruchte", tadelte ihn aber vor allem, weil er die „sacerdotalis moderatio" nicht gewahrt und die Synode in ganz unkanonischer Verfahrensweise durchgeführt habe: LME I (12) 26,20-27,34; ACO II IV (18) 19,23-20,6.

19 ACO II III 1 (10) 40,21f. Zugleich betonte Paschasinus, es gehe nicht bloß um eine Forderung Leos, vielmehr entspreche ihr Ersuchen der kirchlichen Ordnung und der Vätertradition, gegen die sie, die Legaten, nicht verstoßen dürften.

20 Ep. 95 vom 20. 7. 451: LME I (36) 87,28-89,62; ACO II IV (51) 51,2-27.

mäßigkeit eines Handelns ohne den Apostolischen Stuhl. Ihre Anklage bedeute demgegenüber, die kirchliche Ordnung und Tradition in ihr Recht einzusetzen.[21] Als Gründe für das Vorgehen Leos und der Legaten, Dioskur allein anzuklagen, können eine Reihe von Faktoren genannt werden. Zunächst war der Patriarch vom Kaiser mit primatialer Autorität für die Leitung der Synode ausgestattet worden, und Flavians Bericht hatte ihn als die entscheidende Figur gekennzeichnet. Deshalb dürfte Leo wohl auch gehofft haben, die anderen führenden Persönlichkeiten eher zu gewinnen: er hatte schon früher Juvenal ein weit geringeres Maß an Schuld zugerechnet.[22]

Die Motive des Papstes mußten auch für die Legaten maßgebend bleiben. Darüber hinaus kam aber die Weise, wie sie die Anklage gegen Dioskur erhoben, Anatolius entgegen, der die Glaubensfrage offenhalten wollte und es deshalb begrüßte, daß die Anklage der Legaten das unkanonische Verhalten Dioskurs allein nannte.[23] Die Vertreter des Papstes gaben durch ihre Intervention der Untersuchung der ephesinischen Geschehnisse und somit der ersten Sitzung des Konzils von Chalcedon eine ekklesiologische, auf die Frage der Stellung der sedes apostolica innerhalb einer ökumenischen Synode ausgerichtete, Perspektive.

Die kaiserlichen Beamten beschränkten sich nicht darauf, von den Legaten eine Begründung ihrer Forderung und damit eine Kennzeichnung ihrer Anklage zu verlangen, bevor sie, dem Ersuchen schließlich doch Rechnung tragend, Dioskur in die Mitte der Versammlung als Angeklagten treten ließen.[24] Vielmehr ließen sie selbst noch nach der Erklärung von Lucensius, die ihrem Ersuchen entgegenkam, die Anklage der Legaten nicht als eine eigentliche und formelle Anklage gelten, und zwar mit der Begründung, sie könnten nicht zugleich Richter und Ankläger sein.[25] Eusebius von Doryläum stand als Ankläger schon bereit. So blieb am Schluß doch in der

21 Vgl. Anm. 19. Eine wichtige Bestätigung für unsere Auffassung, die Anklage der Legaten beziehe sich nicht eigentlich auf die Leitung des Konzils an sich, sondern auf die unkanonische Führung, ergibt sich aus ihrem Urteil, in welchem sie in der Begründung ihre Anklage aufnahmen: hier sprachen sie — im Blick auf die Zweite Ephesinische Synode — nur von Dioskurs Vergehen, die Verlesung des Schreibens des Papstes nicht zugelassen zu haben (ACO II III 2 [94] 46,6-10). Damit also hatte er sich gegen die kanonische Ordnung die Vollmacht zu urteilen angemaßt und die Synode ohne Berücksichtigung der Autorität des Apostolischen Stuhles durchgeführt. Vgl. Anhang VII.

22 Ep. 85 an Anatolius vom 9. Juni 451, wo er Dioskur malivolentia, Juvenal imperitia zum Vorwurf gemacht hatte: LME I (28) 70,22f.; ACO II IV (43) 44,32f. Dies letztere war freilich, wie Honigmann (Juvenal, 240) mit Recht betont, eine unbeschönigte Anklage gegen Juvenal, da Leo den gleichen Vorwurf schon Eutyches gegenüber erhoben hatte.

23 Dies zeigt sich freilich erst viel später, in der decouvrierenden fünften Sessio vom 22. Oktober; vgl. ACO II I 2 (14) 124,17-19 und die Darstellung im sechsten Kapitel.

24 ACO II I 1 (6; 8; 11) 65,23f. 27f.; 66,3f.

25 Ebd. (13) 66,8f.

Schwebe, ob dem Ersuchen der Legaten wirklich entsprochen worden war. Ihrem Anspruch, die Weisung des Papstes auf dem Konzil zur Geltung zu bringen, war auf diese Weise zwar Rechnung getragen, aber die damit bekundete Autorität war doch in der Balance gehalten durch die moderierende Funktion der Beamten, hinter der die Autorität des Kaisers deutlich sichtbar wurde. Bei ihm hatten Eusebius und auch Theodoret Anklageschriften eingereicht. Marcian hatte sie entgegengenommen und so ihre Vorlage auf dem Konzil prinzipiell gebilligt.[26]

Der Bischof von Doryläum trat als Ankläger in die Mitte, bat um die Verlesung seines Anklagelibells mit der Begründung, ihm und Flavian – und dem Glauben – sei durch Dioskur Unrecht geschehen. Die Beamten gaben Weisung, das Gesuch verlesen zu lassen.[27] Eusebs Anklage unterschied sich tiefgreifend von jener der Legaten. Sie sprach nicht von der Verletzung der Stellung des Apostolischen Stuhls durch Dioskur, sondern hob vor allem die Verfehlung gegen den Glauben hervor: Dioskur habe sich die eutychianische Häresie zu eigen gemacht und aufgrund dieser in Ephesus ein irriges Urteil über ihn gefällt. Das unkanonische Vorgehen des Alexandriners nannte die Anklageschrift nur summarisch und in untergeordneter Weise; von der Behandlung des Apostolischen Stuhls war nicht eigens die Rede. Dioskur, hieß es darin, habe seine Absicht in Ephesus mit Gewalt und Geld erreicht.[28] Als Eusebius später, bei der dritten Sitzung, eine neue Anklageschrift einreichte, hob er demgegenüber das unkanonische Verhalten Dioskurs viel stärker hervor, nachdem Aetius und vor allem die orientalischen Konzilsväter während der Verlesung der Akten den Finger darauf gelegt hatten.[29] Die erste Anklage hatte Eusebius – wie schon die Appellation an den Apostolischen Stuhl – stark auf seine eigene Person abgestimmt, während Flavians Appellation viel stärker das Ganze, das in Frage stand, in den Blick genommen hatte.

Nach der Verlesung der Anklageschrift verfügten die kaiserlichen Beamten unverzüglich die Prüfung der Anklage. Dioskur stimmte der Verlesung der ephesinischen Akten sogleich zu. Aber während die Beamten und Eusebius seine Stellungnahme aufgriffen und bekräftigten,[30] machte er nun einen Vorschlag, der die Verlesung der Akten unter ein eigenes Vorzeichen

---

26 Ebd. (14) 66,14f.; (34) 69,34-36. Der letztgenannte, Theodoret betreffende Text unterscheidet sich von ersterem darin, daß er eine Weisung des Kaisers, die Bittschrift möge verlesen werden, nicht erkennen läßt.

27 Ebd. (14f.) 66,10-19.

28 Ebd. (16) 66,23-67,17.

29 ACO II I 2 (5) 8,35-9,32.

30 ACO II I 1 (17-20) 67,18-28.

stellen sollte. Er eröffnete eine neue Perspektive – neben jener der Legaten und Eusebs – für die Überprüfung des ephesinischen Konzils, indem er um die vorgängige Behandlung der Sache des Glaubens bat.[31] Aus der Linie, die er auf dem ephesinischen Konzil verfolgte und die er wenig später bei der Verlesung der Akten neu bekräftigen wird, kann man mit Sicherheit entnehmen, daß er mit dieser Äußerung nicht eigentlich die Diskussion über die konkrete christologische Frage meinte, sondern die Verlesung unter das Kriterium der Alleingeltung des nicänischen Glaubens stellen und damit Verlauf und Ergebnis der ephesinischen Synode unter einem bestimmten Traditionsverständnis rechtfertigen wollte.

Dies war aber – gerade in der offenen Formulierung – zugleich ein sehr geschickter Schachzug. Denn konnte nicht erst die Diskussion der Glaubensfrage oder auch des Traditionsverständnisses die Geschehnisse in Ephesus recht verstehen und beurteilen lassen? Eine ganz ähnliche Forderung war ja – das Ersuchen um die Behandlung der Glaubenssache – dort von den Legaten und den diese unterstützenden Bischöfen erhoben worden. Sich jetzt anders zu entscheiden, hieß, das damals geäußerte Begehren nun indirekt selber zu widerrufen und Dioskurs Vorgehen in Ephesus ins Recht zu setzen. Aber wenn der Patriarch dem Konzil so auch demonstrieren konnte – falls es seinem Ersuchen nicht entsprach –, daß das chalcedonische Konzil auch nicht anders handelte als das ephesinische unter seiner Leitung, so blieb seine Bitte gerade dadurch kraftlos: er konnte sich ja nicht von seiner damaligen Entscheidung – der Abweisung des Ersuchens – distanzieren. Mit seiner Intervention hatte Dioskur schließlich wenigstens im Ansatz eine Debatte über das Programm des Konzils angestoßen.

Doch die kaiserlichen Beamten verwarfen das Ersuchen des Patriarchen ohne Umschweife, indem sie ihn darauf verwiesen, er habe gerade erst die Verlesung der Akten erbeten – ein Argument, das zwar nicht stichhaltig war, da die Verlesung sich ja anschließen konnte, das Dioskur aber schwerlich parieren konnte. Sie ordneten die Verlesung der Akten an.[32] Diese war jetzt von drei Seiten unter je verschiedene Perspektiven gerückt: War das ephesinische Konzil im Recht mit seiner Haltung gegenüber dem Apostolischen Stuhl, mit seinem Glaubensverständnis, mit seiner Stellung zu Nicäa und damit zur Tradition? Wir werden uns der synodalen Behandlung der ersten und letzten Frage zuwenden.

31 Ebd. (21) 67,29f.
32 Ebd. (22) 67,31-33.

3. Die Prüfung der Geschehnisse der ersten Session der ephesinischen Synode im Blick auf die kanonische Durchführung

Wie schon die Zweite Ephesinische Synode die Akten der endemischen Synode durch Interlokutionen kommentiert und beurteilt hatte, so geschah es nun mit ihren eigenen Akten. Ein solches Vorgehen ermöglichte keine zusammenhängende oder gar systematische Behandlung der Fragen, sondern erbrachte in immer neuen, meist kurzen und heftigen Anläufen, Splitter oder auch hochbedeutsame Elemente, die eine solche Erarbeitung vorbereiten konnten. Im folgenden werden die ersten Interlokutionen in ihrer Abfolge aufgenommen, wobei ihnen spätere, die das jeweilige Thema neu anklingen lassen, zugeordnet werden. Dabei übergehen wir die Interlokutionen, die sich nur auf die christologische, nicht aber auf die ekklesiologische Frage beziehen.

Die ersten Diskussionen ergaben sich bei der Verlesung der kaiserlichen Schreiben, die an die Spitze der ephesinischen Akten gestellt worden waren. Das Einberufungsschreiben, mit dem Kaiser Theodosius II. den Ausschluß von Theodoret aus dem Konzil schon vorweggenommen oder wenigstens vorbereitet hatte, bot den Beamten Anlaß, die Anweisung zu geben, Theodoret solle eintreten und am Konzil teilnehmen. Die Begründung lautete knapp: Leo habe ihm das Bischofsamt wiedergegeben und der Kaiser habe seine Teilnahme angeordnet.[33] Dies bedeutete die Aufhebung der Weisung von Kaiser Theodosius durch Kaiser Marcian. Auffallenderweise war eine solche offizielle Zulassung für Eusebius von Doryläum nicht vorgenommen worden, obwohl er wie Theodoret in Ephesus verurteilt und seines Amtes enthoben, dann aber von Leo rehabilitiert worden war. Wie selbstverständlich hatte er von Anfang an am Konzil teilgenommen, und zwar zunächst in der Funktion des Anklägers. Warum entschied der Hof für Theodoret anders? Der Bischof von Cyrus war gewiß für die dioskorianische Gruppe des Konzils stärker mit dem Verdacht des Nestorianismus belastet als Eusebius. Der Hof suchte wohl zu vermeiden, daß ein solcher Verdacht auch auf die Synode falle, und wollte Theodoret deshalb noch eindeutiger festlegen, da er andererseits auch die Vorentscheidung Leos nicht auf die Seite schieben konnte.

Die ägyptischen, palästinensischen und illyrischen Bischöfe erhoben sogleich heftigen und anhaltenden Protest.[34] Sie bezeichneten Theodoret als

---

33 Ebd. (26) 69,12-15.
34 Die erste Serie ihrer Rufe: ebd. (27) 69,16-19; (29) 69,24f.; (31) 69,28f.; (33) 69,32f.

Nestorianer, dessen Teilnahme eine akute Bedrohung des Glaubens bedeute. Dioskur brachte ihre Anklage auf eine Formel, welche die Problematik des Vorgangs scharf so fixiert: Wenn Theodoret zugelassen wird, der Cyrill anathematisiert hat, so wird Cyrill ausgeschlossen.[35] Dies ist ein Vorwurf größten Gewichts, denn er konnte implizieren, daß man sich in Chalcedon anschickte, in Widerspruch zum Ersten Ephesinischen Konzil zu geraten, das mit dem Namen Cyrills aufs engste verbunden war. Zugleich sah sich die Synode zum ersten Mal vor die Frage gestellt, in welcher Weise sie sich auf Cyrill stützen konnte und wollte.

Die Bischöfe, die zur Gruppe der orientalischen Väter gehörten, parierten mit Gegenvorwürfen, da sie mit den Anklagen gegen Theodoret offenbar sich selber getroffen wußten. Sie verlangten nun umgekehrt den Ausschluß der Gegner Flavians, die sie zugleich Feinde des Glaubens nannten und wegen des Unrechts, das sie ihnen selbst angetan hatten, verklagten.[36] Indes trat Theodoret als Ankläger in die Mitte, um – ganz ähnlich wie Eusebius – wegen seiner ungerechten Verurteilung Klage zu erheben. Er wies darauf hin, er habe die Anklageschrift bereits dem Kaiser vorgelegt. Dies gab den Beamten Gelegenheit, ihre Stellung Theodoret gegenüber zu präzisieren. Sie verwiesen nochmals darauf, daß er durch den römischen Bischof seine Stellung zurückerhalten habe und nur die Position eines Anklägers einnehme; die Diskussion in Rede und Gegenrede sei damit nicht abgeschnitten. Auf diese Weise stellten sie einerseits den Entscheid des Papstes in den Raum, ließen aber zugleich ein endgültiges Urteil über seine Rechtgläubigkeit offen, selbst angesichts der Tatsache, daß Patriarch Maximus von Antiochien – der von Anatolius eingesetzte Nachfolger von Domnus – ihm Orthodoxie zuerkannt habe.[37]

Die Legaten blieben in diesem Augenblick stumm – ein auffälliges Schweigen! – und werden später eine Neuverhandlung über Theodoret zulassen. Es mußte ihnen ein Anliegen sein, mit der Zulassung von Theodoret nicht des Nestorianismus verdächtigt zu werden. Das Ja zum Tomus, das der Bischof von Cyrus bekräftigt hatte, beantwortete in der Tat nicht alle Fragen. Wie wir sahen, hatte Nestorius selbst sich die Lehre des Tomus Leonis zu eigen gemacht, aber zugleich Cyrill und das Erste

---

35 Ebd. (29) 69,24f.

36 Die ersten Gegen-Akklamationen der um die Orientalen gescharten Bischöfe: ebd. (28) 69,20-23; (30) 69,26-29; (32) 69,30f. Sie bezogen sich auf den Druck Dioskurs und die Verurteilung Flavians durch ihn und seine Anhänger; das scharfe Wort Tötung (Flavians) meint ungerechte Verurteilung als Ausstoßung aus der lebenspendenden Communio; wobei freilich eine Anspielung auf den Tod Flavians durch die der Verurteilung folgende Verbannung mitschwingen dürfte.

37 Ebd. (35) 70,1-8.

Ephesinische Konzil vom Zweiten Ephesinischen Konzil her gedeutet und damit auch verworfen. Die Gruppe der Bischöfe um Dioskur erkannte in ihren überaus heftigen Akklamationen das Urteil Leos über Theodoret, welches die ephesinische Entscheidung aufhob, nicht an. Statt dessen bezeichneten sie den Bischof von Cyrus als Verächter Christi und Ankläger Cyrills.[38] Ihre Gegner, die Bischöfe, die sich um die Orientalen sammelten, nahmen die Frage nicht im Blick auf Rom auf; sie waren ganz davon in Anspruch genommen, ihr eigenes Verhalten in Ephesus zu entschuldigen und Dioskur und seine Gesinnungsgenossen anzuklagen. So blieb eine eigentliche Klärung zunächst aus.[39] Die Bischöfe beider Seiten verbreiterten vielmehr durch ihr ungezügeltes Verhalten die Kluft.

Die Verlesung eines weiteren Schreibens des Kaisers an Dioskur veranlaßte diesen, von sich aus die Diskussion in Gang zu bringen und die rechtmäßige Durchführung und so die Gültigkeit der ephesinischen Synode zu bekräftigen. Den Ausgangspunkt bildete die Weisung des Kaisers, von der Dioskur schon zu Anfang mit Betonung gesagt hatte, sie sei für das Konzil bestimmend gewesen. Hier suchte er nun zu zeigen, daß die Entscheidung des Konzils auf einem Konsens beruhte. Er stritt nicht ab, daß ihm besondere Autorität vom Kaiser verliehen war, deutete aber das Schreiben dahin, daß mit ihm auch Juvenal und Thalassius ähnliche Vollmacht erhielten. Er stellte damit die Position der drei vom Kaiser autorisierten Bischöfe, denen das Urteil zustand, jenen gegenüber, die den Konsens gaben. Die römischen Legaten fanden hier bei Dioskur keine Erwähnung. Statt dessen verwies er darauf, der Kaiser habe das Konzil bestätigt.[40] Wie Dioskur, so beriefen sich freilich auch seine orientalischen Gegner – wenigstens in Gestalt von Theodor von Claudiopolis – auf die kaiserliche Direktive. Der Kaiser habe einigen wenigen den Auftrag gegeben, die

---

38 Ebd. (37) 70,11-13. Schon vorher hatten sie sich auf die Kanones berufen (ebd. [27] 69,18); jetzt deuteten sie darüber hinaus – im Anschluß an die Akklamation Dioskurs – die Zulassung Theodorets als Ausschluß Cyrills: ebd. (43) 70,26-28. Die gegenseitigen Beschuldigungen brachten jetzt keine eigentlich neuen Gesichtspunkte mehr, steigerten aber den Streit in unerträglichem Maß. Die ägyptischen Bischöfe können ihr Gebaren auch nicht mit dem Hinweis rechtfertigen, es gehe um den rechten Glauben – ebd. (45) 70,32-34. Sie bezeichnen Theodoret, dem Leo die Communio gewährt hatte, als Gottesmörder und Juden: ebd. (37) 70,11-13. Die dioskorianische Partei hat auch jetzt noch die Kühnheit, ihre Forderungen als Urteil der ganzen Synode zu deklarieren: ebd. (41) 70,22f. Die zweite Serie der Akklamationen im ganzen: ebd. (36-45) 70,9-34. Th. Šagi-Bunić (Drama conscientiae, 225f.) stellt das Verhalten der Bischöfe in den Kontext der Situation, in der – abgesehen vom Nicaenum – die offiziellen Glaubensgrundlagen noch nicht in einem Korpus von Dokumenten vorlagen bzw. rezipiert waren. Doch war eine solche Konfrontation nicht gerade förderlich für eine Klärung des Traditionsprinzips und für den Rezeptionsprozeß.

39 Das Konzil wird die Angelegenheit von Theodoret erst nach dem Abschluß der dogmatischen Beratungen wieder aufgreifen: ACO II 3 (1-32) 7-11.

40 ACO II I 1 (53) 75,1-9. Das Schreiben von Theodosius II. hatte Juvenal und Thalassius ausdrücklich genannt, aber nicht als Moderatoren eingesetzt: ebd. (52) 74,13-24.

Entscheidung zu treffen; die übrigen seien mit der Sache nicht vertraut gewesen.[41] Sie leugneten einen wahren Konsens.

Ein zweites Mal berief sich auch Dioskur zu seiner Verteidigung auf die Autorität des Kaisers. Eusebius hatte ihn angeklagt, er habe ihn nicht zu Wort kommen lassen, als Flavian darum ersucht habe. Der Patriarch wies, von Juvenal unterstützt, darauf hin, daß nicht er, sondern der Comes Elpidius unter Berufung auf das kaiserliche commonitorium das Auftreten Eusebs untersagt habe.[42] Angesichts des Einwands der kaiserlichen Beamten, dies sei, da es um die Sache des Glaubens ging, keine Rechtfertigung, verwies er seinerseits auf die Handlungsweise des Hofes in Chalcedon: entgegen den Kanones nehme Theodoret sogar als sedens, als Urteilender, nicht bloß als Ankläger, am Konzil teil.[43] Die orientalischen Bischöfe suchten im übrigen auf immer neue Weise darzutun, daß ihr Konsens ein erzwungener war. Die Richtigkeit einer solchen Behauptung und die Gegenargumente Dioskurs brauchen in unserem Zusammenhang nicht erörtert zu werden. Schließlich erbaten die Bischöfe nach der Nennung des contradicitur von Hilarus — auf das sie mit der Beglückwünschung von Leo und Anatolius reagierten — die Verurteilung Dioskurs vom Kaiser.[44]

Nach der Verlesung des ersten Antrags der Legaten, man möge Leos Schreiben an das Konzil vortragen lassen, ergab sich, wie zu erwarten stand, eine Diskussion über das Verhalten Dioskurs gegenüber dem Apostolischen Stuhl. Zuvor schon, bei der Verlesung des Verzeichnisses der Teilnehmer der Zweiten Ephesinischen Synode, hatte eine Interlokution der Gruppe der orientalischen Bischöfe bei der Nennung des Namens Leos die Anklage erhoben, Leo sei ausgeschlossen worden, sein Name sei in Wirklichkeit nicht aufgenommen worden.[45] Jetzt war es an erster Stelle Aëtius von Konstantinopel, der betonte, Dioskur habe trotz mehrfacher eidlicher Absichtserklärung das Schreiben Leos nicht verlesen lassen, und Theodor von Claudiopolis bestätigte dies.[46] Es ist bemerkenswert, daß Dioskur es nicht wagen konnte, offen zuzugestehen, die Verlesung sei absichtlich aus der Beratung herausgehalten worden. So versicherte er unter Verweis auf die Akten, er habe zweimal Weisung gegeben, das Schreiben möge verlesen werden. Die Beamten hatten von ihm den Grund erfragt, warum die Verlesung dann doch unterblieben sei; genauer: wer die Verantwortung dafür trage.[47] Dies führte

41 Ebd. (62) 74,6-27, bes. 6-10. 42 Ebd. (187-189) 96,23-33.
43 ACO II I 1 (195) 97,10f.; die Beamten widersprachen seiner Behauptung und betrachteten ihn nicht als sedens, minimalisierten also Leos Akt der Rekonziliation: ebd. (196) 97,12-14.
44 ACO II I (965) 191,32-35.
45 Ebd. (69) 77,20f.
46 Ebd. (87) 83,24f.; (90) 83,30-32; (91) 84,1f.; vgl. (88f.) 93,26-29.
47 Ebd. (92) 84,3-6; (93) 84,7-9; (99) 84,21f.; vgl. Anhang VI.

einerseits den Patriarchen dazu, andere zu belasten, entsprach aber auch dem Bestreben des Hofes, gerade so ihn selber nicht als den Alleinverantwortlichen erscheinen zu lassen – ein Bestreben, das erst später mit voller Deutlichkeit hervortreten wird. Dioskur berief sich wiederum darauf, daß auch Juvenal und Thalassius die Verantwortung für das Konzil übertragen worden sei.[48] Ihre Befragung ergab bei Juvenal ein Abschieben der Verantwortung auf den Protonotar Johannes, bei Thalassius die Leugnung einer Leitungsvollmacht überhaupt.[49]

Das Konzil zog kein explizites Fazit. Aber immerhin war der Widerspruch zwischen dem mehrfach geäußerten Versprechen Dioskurs und dem Faktum ins grelle Licht gestellt und damit zugleich die Bedeutung des Schreibens des römischen Bischofs und des Vergehens, es nicht zur Verlesung gebracht zu haben, betont. Auf solche Weise bekräftigte die Synode denn auch den eingangs geäußerten Vorwurf der Legaten, die ephesinische Synode sei ohne eigentliche Mitwirkung des römischen Bischofs, ja in bewußtem Ausschluß Leos durchgeführt worden. Selbst Dioskur, Juvenal und Thalassius wagten es jetzt nicht, ein absichtliches Vorgehen zuzugestehen, sondern suchten sich reinzuwaschen. Die Legaten brauchtes ihre Stimme in dieser Auseinandersetzung nicht mehr zu erheben.

4. Die Prüfung der ephesinischen Synode hinsichtlich des Problems der Tradition

Die Diskussion um das rechte Traditionsverständnis setzte dort ein, wo es nach den Akten auf der Zweiten Ephesinischen Synode das erstemal zum Streitpunkt geworden war. Damals hatte Dioskur die Diskussion über die Glaubensfrage verschoben, um eine Überprüfung der endemischen Synode einzuleiten. Damit hatte er zugleich das Traditionsprinzip gemäß seinem Verständnis zum Kriterium gemacht. Flavians Vergehen wurde als Erstellen eines neuen Bekenntnisses und so als Verstoß gegen dieses Prinzip gedeutet. In diese Richtung zielten denn auch in Ephesus bei der Diskussion über das Programm die Akklamationen, die gegen Neuerungen gerichtet waren. Dioskur hatte damals ergänzend betont, er schließe ein Erforschen nicht aus, doch sei dieses ganz darauf ausgerichtet, Nicäa gegenüber neuen Fragen oder Lehren zur Geltung zu bringen und so an dessen Alleingeltung festzuhalten.

Hier suchte Eusebius von Doryläum nun in Chalcedon einzugreifen mit dem Argument, auch er habe nicht anders gehandelt.[50] Wollte Dioskur eine

48 Ebd. (95) 84,12f.; (97) 84,16f.
49 Ebd. (101-106) 84,24-85,3.
50 Ebd. (138) 88,25f.

solche Gleichstellung ablehnen, so war er gezwungen, die Differenz näher zu erläutern. Dies unternahm er in der Tat, freilich nur im terminologischen Feld, indem er einen Unterschied zwischen „ὅρος" und „κανών" machte und damit implizit den Unterschied seiner Haltung von jener des Eusebius bezeichnete.[51] Aber so wenig wie der Patriarch brachte nun auch Eusebius in seiner Erwiderung die Frage weiter. Er kennzeichnete seine Haltung im Verweis auf einen Schrifttext als „Suchen".[52]

Wenig später brach die Diskussion noch einmal auf und erbrachte nun neue Argumente. Eutyches hatte nach seinem Bekenntnis, das in Ephesus zur Verlesung kam, betont, ein Horos des Ersten Ephesinischen Konzils verbiete jede Weiterung oder Kürzung des nicänischen Bekenntnisses. Damit hatte er wie Dioskur seine Stellung zu Nicäa zum entscheidenden Kriterium seiner Rechtgläubigkeit erhoben. Eusebius nahm dies zum Anlaß, in ungeschlachter, ja törichter Weise zu protestieren: Eutyches habe gelogen, es gebe keinen solchen ephesinischen Horos und Kanon.[53] Dioskur hatte leichtes Spiel, eine so grobe Argumentation abzuweisen. Er berief sich auf die Urkunden. Zugleich unterschied er zwischen Horos und Kanon, wohl um den dogmatischen Rang der Bestimmung hervorzukehren.[54]

51 Ebd. (139) 88,27-29.
52 Ebd. (140) 88,30f.; vgl. Mt 7,7.
53 ACO II I 1 (158) 91,15f.
54 Ebd. (159) 91,17-20. In einer wichtigen Intervention auf dem Zweiten Ephesinischen Konzil, die kurz vorher verlesen worden war, hatte Dioskur Horos und Kanon noch nicht so scharf geschieden. Dort äußerte er etwas vage, aber doch schon im Blick auf die ephesinische Bestimmung: „φανερὰ ὥρισαν οἱ κανόνες" (ebd. II I 1 [119] 86,34). Jetzt unterschied er wohl in der Absicht, diese Satzung in die Nähe einer dogmatischen Entscheidung zu rücken. In diese Richtung dürfte auch schon E. *Schwartz* gewiesen haben, wenn er schreibt (Die Kanonessammlungen, 177f., Anm. 3): „. . . der dogmatische ὅρος ist der Theorie nach unwandelbar, das disziplinäre κανών elastisch. Vgl. die Debatte zwischen Dioskoros und seinem Ankläger Eusebius von Doryläum auf der chalkedonischen Synode Act. Conc. II 1, p. 158,159." Sehr beachtenswert sind die Ausführungen von J. *Karmiris* (The Distinction, 85) zum Verhältnis zwischen Horos und Kanon nach den Konzilien: „Thus all Ecumenical Synods have issued the more authoritative horoi as well as Canons; the former dealing with theoretical doctrine, the latter, with the practical and ethical, the liturgical and administrative order (taxis) of the Church's life. But while the horoi deal solely with dogmatic theory and not with Church practice, the canons on the other hand usually deal with both, though with the emphasis on practice. More precisely, the canons dealt with a) the theoretical truths of the faith; b) credal differences between the Churches; c) Christian morals; d) Christian worship, especially with Sacraments and Divine Liturgy; and e) administration and discipline in the Church. Because they deal with dogmatic teaching, canons are sometimes called horoi, as for example, canons 17, and 18 of the First Ecumenical Synod; Canons 4, 10, 14, 20, 28 of the Fourth Ecumenical Synod; Canons 40, 46, 81 and 95 of the Quinisext Council; Canons 19, 21, 23 of the Synod of Ancyra; Canons 1, 6, 21 of the Synod of Antioch; Canon 15 of (the) Council of Sardica etc., 'because horos is the name both for the Typos and the Canon'. Therefore, whereas the Canons almost always regulate practical and ethical questions and matters of Church order and discipline, a good number of them, by exception, deal directly or indirectly with dogmatic questions so that they are called, in a much broader and less exact sense, „dogmatic' Canons." Seine Ausführungen scheinen unsere Interpretation ebenfalls zu bestätigen.

Hier jedoch gab Diogenes von Cycicus eine bedeutsame Interlokution. Er versuchte den Rekurs von Eutyches auf die Tradition zu entlarven. Auch Apolinarius habe Nicäa angenommen, aber es zugleich falsch gedeutet. Schon die Konzilsväter in Konstantinopel (381) seien deshalb gezwungen gewesen, das nicänische Bekenntnis durch den Verweis auf die Menschwerdung des Sohnes Gottes „aus dem Heiligen Geist" und „aus Maria, der Jungfrau" zu ergänzen.[55] Diogenes stellte also die Notwendigkeit heraus, dem nicänischen Symbol gegen eine falsche, entleerende Interpretation die Ergänzung durch eine Deutung zu geben, die es in sein Recht einsetzte. Eine solche Aufgabe der antihäretischen Interpretation wies er auf diese Weise implizit auch dem Konzil zu. Dieser theologisch bedeutsamen Stellungnahme wußte die Gruppe der Bischöfe um Dioskur in diesem Augenblick nichts entgegenzusetzen als ihr Beharren auf der Weigerung, eine Ergänzung des nicänischen Symbols zuzulassen, und ihre Berufung auf Kaiser Theodosius II.[56]

Bevor wir fortfahren, gilt es an den Stellungswechsel zu erinnern, der sich kurz nach der eben beschriebenen Diskussion vollzog. Mit Juvenal an der Spitze traten die palästinensischen und illyrischen Bischöfe auf die entgegengesetzte Seite über, von den orientalischen und konstantinopolitanischen Bischöfen freudig begrüßt.[57] Juvenal vollzog den Schritt, bevor eine eigentliche theologische Klärung erfolgt war, und paßte sich so der neuen kirchenpolitischen Situation an. Dioskur wies jetzt wie er das Bekenntnis, das Flavian auf der endemischen Synode abgelegt hatte, nicht ab, erinnerte aber an spätere andersartige Äußerungen Flavians, die nicht annehmbar seien.[58] Juvenal stimmte der Notwendigkeit der Prüfung solcher Aussagen zu, signalisierte mit seinem Stellungswechsel jedoch schon jetzt eine gewisse Wende. Dies darf freilich nicht dazu verleiten, die synodale Mehrheit nun als homogene Gruppe zu betrachten. Die Differenzen innerhalb ihrer sind zwar durch die Redaktoren der Akten oft nicht zum Ausdruck gebracht, können aber doch vielfach erschlossen werden. Der Wechsel der Palästinenser und Illyrer bezeichnet zunächst nur die Bereitschaft, sich von der Zweiten Ephesinischen Synode und ihrer Verurteilung Flavians in etwa zu distanzieren, läßt aber noch nicht die neue Linie erkennen, die sie einschlagen werden. Es wird sich aber zeigen — soviel sei hier schon vorweggenommen —, daß diese Gruppe sich nun besonders entschieden vom Traditionsprinzip — wie

55 ACO II I 1 (160) 91,21-30.
56 Ihre und ihrer Gegner Interlokutionen: ebd. (161-163) 91,31-100,2.
57 Ebd. (282-298) 115,20-117,4.
58 Ebd. (281) 115,17-19.

Dioskur es in Ephesus formuliert hatte – abwenden wird, um von der Synode eine Glaubensformel erstellen zu lassen.

Auch Dioskur sah sich gezwungen, seine Traditionskonzeption fortzuschreiben. Im dogmatischen Bereich hatte er gerade eben eine wichtige Klärung seiner Position vorgenommen und betont, es dürfe bei Christus keine Trennung, aber auch keine Vermengung und Verwandlung angenommen werden.[59] Andrerseits bestand er – um die Einheit zu betonen – auf der cyrillischen Formel. Man könnte geneigt sein, dies als bloßes Beharren auf einer bestimmten Terminologie aufzufassen. Doch konnte eine solche Festlegung zugleich eine Abgrenzung bedeuten – nämlich gegen die theologische Linie der gemäßigten antiochenischen Richtung und gegen Leos Tomus; diese konnten unter das Verdikt des Nestorianismus geraten. In der Tat gab auch die neue Position Dioskur noch die Möglichkeit, an der Verurteilung Flavians festzuhalten, und zwar unter der Begründung, der verstorbene konstantinopolitanische Patriarch spreche – im weiteren Verlauf der endemischen Synode – nicht, wie ursprünglich, von einer Einung „aus zwei Naturen", sondern sage auch: „zwei Naturen".[60]

Eine solche dogmatische Präzisierung und Festlegung mußte auch eine neue Positionsbestimmung im Traditionsverständnis zur Folge haben. Der bloße Rekurs auf Nicäa und das ephesinische Verbot genügten nicht mehr. Dioskur stützte sich nun auf eine bestimmte und begrenzte Vätertradition, auf Texte von Athanasius, Gregor von Nazianz und Cyrill.[61] Diese Anspielung auf eine Dokumentation von Väterzeugnissen erinnert an die Florilegiensammlung, die zu den Dokumenten gehörte, welche Eutyches seiner Appellation beifügte, unterscheidet sich von ihr aber durch die offensichtlichere Partikularität. Neben das nicänische Symbol trat damit – zumindest deutlicher – eine andere Form verbindlicher Überlieferung.

5. Die abschließende Stellungnahme der Beamten

Noch stärker als beim Beginn der ersten Sitzung traten die Beamten nach dem Abschluß der Verlesung der ephesinischen Akten in ihrer Funktion als Moderatoren hervor. Dem Konzil vorgreifend, formulierten sie ein Ergebnis und scheuten sich nicht, eine Anweisung zu geben, die für den weiteren Weg der Synode grundlegende Bedeutung gewinnen konnte.

---

59 „Οὔτε σύγχυσιν λέγομεν οὔτε τομὴν οὔτε τροπήν. ἀνάθεμα τῷ λέγοντι ἢ σύγχυσιν ἢ τροπὴν ἢ ἀνάκρασιν." Ebd. (263) 112,31f.

60 Vgl. Anm. 58 und 61.

61 ACO II I 1 (299) 117,5-11.

Ihre Beurteilung der ephesinischen Synode ist in mehrfacher Hinsicht bemerkenswert. Sie stellten fest, die Glaubensfrage müsse erst noch erörtert werden, nahmen aber gleichwohl ein fundamentales Urteil schon voraus: Flavian sei zu Unrecht verurteilt worden. Zur Begründung stützten sie sich nicht auf die Bischöfe, die gegen ihren Willen unterzeichnet hatten, sondern auf führende Teilnehmer, die offen oder wenigstens indirekt eingestanden hatten, sie seien einer Täuschung erlegen. Im Gegensatz zur Anklage der Legaten und auch Eusebs von Doryläum bezogen sie sich somit nicht auf Dioskur allein, sondern äußerten – ein Urteil vorwegnehmend –, mit ihm seien Juvenal von Jerusalem, Thalassius von Cäsarea in Kappadozien, Eusebius von Ankyra, Eustathius von Berytum und Basilius von Seleucia in Isaurien des bischöflichen Amtes zu entheben. Als verantwortliche Männer des Konzils wurden auf solche Weise die gekennzeichnet, die ein dogmatisches Fehlurteil getroffen hatten. Schließlich relativierten die Beamten die Stellungnahme der Konzilsväter. Wie sie ihre eigene Bewertung unter dem Vorbehalt der Zustimmung des Kaisers getroffen hatten, so äußerten sie nun, der Entscheid der Synode solle dem Kaiser vorgelegt werden.[62]

Die um die Orientalen sich gruppierenden Bischöfe bezeichneten die Stellungnahme der Legaten als Urteil und bejahten es zunächst prinzipiell, während die illyrischen Bischöfe mit ihren Anhängern um die Begnadigung aller ersuchten – also auch von Dioskur, dessen Name freilich nicht fiel. Aber nun plädierte die erstgenannte Gruppe – unter dem Mantel devoter Akklamationen gegenüber dem Hof – für die Lösung, die am Anfang durch Eusebius von Doryläum wie durch die Legaten vorgezeichnet war und der Intention des Kaisers wie der Gegenseite unter den Bischöfen widersprach: sie votierten nur für die Verurteilung von Dioskur.[63] So bot sich am Ende des ersten großen Verhandlungsganges ein merkwürdiges Bild: der Hof legte für die Bischöfe eine Vorentscheidung vor, während diese sich nur in Akklamationen Geltung verschaffen konnten, aber, da sie entgegengesetzte Positionen einnahmen, auch hierin zu keiner eigenen entschiedenen Stellung finden konnten – wenigstens für den Augenblick.

Die Beamten beschlossen die kurze Diskussion, indem sie den Bischöfen die Weisung gaben, jeder einzelne möge eine Ekthesis des Glaubens aufsetzen. Was sich dahinter verbarg, sollte sich erst später mit zunehmender Deutlichkeit enthüllen. Augenscheinlich suchte der Hof eine neue Linie zu verfolgen statt der auf der Synode von Konstantinopel praktizierten, auf der der Glaubenskonsens durch die feierliche Zustimmung zum Tomus des

62 Ebd. (1068) 195,10-24.
63 Ebd. (1069-1071) 195,25-33.

Papstes gefunden worden war. Dies wird zu einem langen Ringen um das Programm des Konzils führen.

In diesem Zusammenhang gaben die Beamten eine weitere Orientierung, welche die Traditionsfrage aufnahm und vorantreiben mußte. Sie legten den Konzilsvätern eine Dokumentation verbindlicher Texte vor, welche als Grundlagen des Glaubens betrachtet wurden und so für die Erstellung der erbetenen Darlegungen der Bischöfe dienen sollten. Sie barg sehr aufschlußreiche Aspekte. Die Alleingeltung des nicänischen Bekenntnisses im Sinn eines unüberbietbaren Glaubensdokuments war aufgehoben, da an seine Seite das Symbol der Synode von Konstantinopel (381) gestellt war. Neben diesem Konzil wurde nun aber nicht die Erste Ephesinische Synode genannt, wie man erwarten möchte. Statt dessen traten an die Seite der beiden Bekenntnisse Schriften einzelner Väter, die als kanonisch bezeichnet wurden.[64] Von der Position der Bischöfe, die sich nun um Anatolius und Juvenal gruppierten, unterschied sich diese Weisung freilich in der Festlegung dessen, was als kanonisch zu betrachten war. Von Cyrill waren nur zwei Schriften genannt und mit Betonung als kanonisch bezeichnet. So fehlten in der Dokumentation die Zwölf Anathematismen, die im Ersten Ephesinischen Konzil nicht öffentlich rezipiert, wohl aber in die Akten aufgenommen worden waren, es fehlten – da Cyrill nicht wie die übrigen Väter ohne Einschränkung genannt war – auch die Briefe, mit denen Cyrill das Unionssymbol interpretiert hatte.

Im ganzen waren demnach zwei Grundlinien festgehalten: die Überschreitung der nicänischen Formel ist möglich und hat im Symbol der Synode von Konstantinopel bereits ein geschichtliches Vorbild. Neben diesen Bekenntnissen stehen als Grundlage für die Überwindung von Glaubensdifferenzen Vätertexte, die auf einer Synode oder durch allgemeine Rezeption als maßgebend anerkannt sind. Zugleich hatte – nach dem Votum der Beamten – die Synode von Konstantinopel jene von Ephesus auf einen weniger bedeutsamen Rang verwiesen. Eine wichtige Direktive bedeutete auch der Versuch des Hofes festzulegen, welche Väterschriften als kanonisch gelten konnten.

Zu ihnen war der Tomus noch nicht im vollen Sinn gerechnet. Er wurde der Aufzählung der Väter nur locker mit der Bemerkung angehängt, er sei angesichts eines neuen Problems verfaßt worden.[65] Damit war immerhin etwas Bedeutsames gesagt. Während auf der Zweiten Ephesinischen Synode Flavian und Euseb der Vorwurf gemacht worden war, sie hätten eine Neuerung vorgetragen und damit Verwirrung gestiftet, war nun Eutyches

---

64 Ebd. (1072) 195,34-196,6.   65 Ebd. 196,4-6.

Bemühung der Kirche, die Verkehrung im Verständnis des Heilsgeheimnisses der Menschwerdung zu überwinden. Damit führte die allocutio bereits zu den gegenwärtigen Fragestellungen hin und bot eine freie Paraphrase der Unionsformel als Interpretation des göttlichen Heilsplans, der im Symbol bekannt wird.[73]

Ein zweiter Abschnitt legte die Problematik von neuem dar, nun nicht so sehr im Blick auf die Notwendigkeit der Deutung, sondern auf die Bereitschaft der Väter, sich solchen Aufgaben zu stellen. Die Väter übernahmen die Wächteraufgabe um der Vermittlung des Heils willen. Es ging ihnen nicht − und darin wird die grundlegende Sicht neu aufgenommen − um ein neues Symbol für die Homologie, sondern um die Wahrung des Bekenntnisses gegen Entstellung und Entleerung. Eine zweifache Beobachtung drängt sich bei den Beispielen, die nun angeführt werden, auf: nicht die Synoden wurden in diesem Abschnitt an erster Stelle genannt, sondern einzelne Väter. Damit wurde zugleich der Prozeß der Rezeption durch die gesamte Kirche in den Blick gerückt. Dies geschah gewiß nicht ohne Grund, sondern entsprach dem Anliegen, das Schreiben des Papstes zu verteidigen und rezipieren zu lassen.[74]

3. Die Stellung des Apostolischen Stuhls innerhalb der ökumenischen Synode

Es wurde schon gezeigt, in welche schwierige Situation hinein die Konzilsväter mit ihrer allocutio sprachen. Gegenüber der Konzilspolitik des Kaisers und der Bischöfe, die für die Zweite Ephesinische Synode verantwortlich waren, suchten sie ihren eigenen Weg zu beschreiten. Dabei stützten sie sich auf den römischen Bischof. In diesem entscheidungsvollen Augenblick reflektierten sie mit der Bedeutung des Tomus zugleich die Stellung des Apostolischen Stuhles. Deshalb trat gerade an den entscheidenden Nahtstellen der allocutio die sedes apostolica in den Blick, und zwar in bezug auf die Bedeutung, die das Schreiben des Papstes für das Konzil besaß.

Die Bischöfe sahen das Konzil im Kampf gegen die Irrlehre und gegen einen verborgenen Feind, den Teufel. Während der Kaiser das Konzil versammelt hat, hat Gott für die Synode und ihr Ringen gegen die Irrlehre Vorsorge getroffen. Er selbst hat ihr einen Vorkämpfer geschenkt, nämlich Leo. Mehrfach betonten die Bischöfe nun seine Unbesieglichkeit durch die Irrlehre: die Häresie überwindet ihn nicht, er ist vielmehr mit der rechten Lehre gepanzert, er ist zum Sieg zugerüstet. Seine Unüberwindbarkeit

73 Ebd. 111, 4-112,24.   74 Ebd. 112,24-113,25.

führten sie auf Gott zurück. Er habe ihm Wahrheit als göttliches Geschenk mitgeteilt.[75]

In diesem Zusammenhang wurde nun das ephesinische Verbot der Erstellung neuer Symbole ausdrücklich aufgenommen und von seiner größeren geschichtlichen Einbettung her interpretiert. Der Blick richtete sich zunächst auf die Entwicklung bis hin zum Ersten Ephesinischen Konzil: wenn es bis dahin rechtens und notwendig war, der Häresie entgegenzutreten, so konnte das genannte Verbot nur gegen Häretiker gerichtet sein, nicht aber gegen die Hirten der Kirche, die sich ihnen entgegenstellten. Das gleiche zeigt sich aber auch an der nachfolgenden Geschichte. Hier nannte die allocutio bezeichnenderweise an erster Stelle Cyrill, und zwar mit seinem Brief an die orientalischen Bischöfe „Laetentur coeli".[76] Damit war implizit, aber deutlich genug gesagt, daß Dioskur und die Zweite Ephesinische Synode dem ephesinischen Verbot eine Deutung gaben, die der Absicht von Cyrill keineswegs gemäß war, sondern geradezu entgegengesetzt.

In die Reihe antihäretischer Interpretationen des Symbols gehört für die Bischöfe nun auch der Tomus, für ihn gelten die Kriterien, die erarbeitet wurden: er zielte auf die Verteidigung des nicänischen Symbols in der Abwehr einer falschen Auslegung. Seine antihäretische Grundkonzeption sei unbestreitbar und gebe ihm eine erste und grundlegende Rechtfertigung. Er entspreche der Schrift und den Vätern. Leo habe sich deshalb keiner Neuerung schuldig gemacht, sondern der Notwendigkeit entsprochen, eine neue Frage zu klären, auf einen Irrtum einzugehen.[77]

Angesichts der Zerspaltenheit der Synode bekommt das Bild vom Vorkämpfer des Konzils, mit dem sie den römischen Bischof beschrieben, einen spezifischen Sinn. Leo habe als solcher mit dem Geschenk der Wahrheit auch die Fähigkeit und den Auftrag erhalten, „alles Denken zu Gott hinzuziehen", also im Konzil die Glaubenseinheit herbeizuführen.[78] Die Darlegung der allocutio gewinnt noch an Klarheit und Tiefe, da sie die Bedeutung Leos für das Konzil in Analogie zu Petrus beschreibt. Gott habe Leo unbesieglich gemacht, damit er wie Petrus alle zum rechten Bekenntnis führe.

Es ist schwerlich zu übersehen, wie im Hintergrund der Schilderung die

---

75 Ebd. 110,18-21: . . . ὅθεν ἄτρωτον ὑμῖν ἐκ πλάνης ὁ θεὸς ἐπενόησε πρόμαχον καὶ τὸν τῆς Ῥωμαίων πρὸς νίκην ηὐτρέπισε πρόεδρον, τοῖς τῆς ἀληθείας αὐτὸν πανταχόθεν περισφίγξας διδάγμασιν, ἵνα ὡς ὁ θερμὸς τῷ πόθῳ Πέτρος μαχόμενος ἅπαν πρὸς θεὸν ἐφελκύσηται νόημα.
76 Ebd. 113,12-15.
77 Ebd. 113,20-31.
78 Vgl. Anm. 75.

Szene von Cäsarea Philippi steht.[79] Dies ist zunächst durchaus naheliegend. Die Konzilsväter konnten damit an eine reiche, vielfältige Deutung der Perikope in ihrer exegetischen Überlieferung,[80] aber auch an Leos Schreiben an die Zweite Ephesinische Synode anknüpfen. Im letztgenannten Dokument hatte Leo sich selbst als Dolmetsch Petri beschrieben, der dessen Bekenntnis recht zu deuten vermöge.[81] Jetzt zeigte sich der Auftrag des Papstes in einer Situation, die schwieriger war, als Leo sie damals beschreiben wollte: jetzt waren die Bischöfe in einen Zwist verwickelt, der durch Häresie verursacht war. Demgemäß trat in der allocutio die Unverletzlichkeit, die Leo durch göttliche Erleuchtung vermittelt war, noch deutlicher zutage und damit zugleich seine von Gott geschenkte Befähigung, im Bekenntnis voranzugehen und die Synode in ihm zu einen.

Die allocutio verzichtete dabei auf eine theologische Differenzierung, die Leo im genannten Schreiben hervortreten ließ. Dort sah er sich als Dolmetsch Petri, der kein eigenes Bekenntnis verkündet, sondern jenes von Petrus authentisch auszulegen vermag. Hier nun wurde Leo einfachhin als zweiter Petrus geschildert. Offensichtlich kam es den Konzilsvätern in diesem Augenblick darauf an, die Parallele zu betonen. Sie boten eine theologische Begründung für ihre Überzeugung, daß für das Konzil der Sieg über die Irrlehre mit der Annahme des Tomus verknüpft sei. Dabei trat zunächst die Ausstattung Leos mit der von Gott geschenkten Wahrheit in Analogie zu Petrus hervor. Doch stellt sich die Frage, ob das Konzil nur diese Parallele sah oder sie mit der römischen sedes verknüpfte und erklärte. Der Text der zweiten „Nahtstelle" führt hier weiter.

Er sagt ausdrücklich, der Tomus Leos sei das Kerygma der Kathedra Petri.

---

79 Die Analogie zeigt sich mehrfach: im Verweis auf die göttliche Erleuchtung, welche eine letzte Vergewisserung in sich birgt, auf den Glaubenseifer und das Vorangehen im Bekenntnis, schließlich im Hinweis, daß die übrigen Jünger bzw. Bischöfe mitgezogen werden und so im Bekenntnis sich vereinen.

80 In dem Beitrag „La ‚sedes apostolica': Point de vue théologique del 'Orient au commencement du sixième siècle", in: Istina 20 (1975) 435-456 habe ich (436-440) auf Auslegungen von Mt 16,13-19 bei Johannes Chrysostomus, Pseudochrysostomus, Basilius von Seleucia, Nilus von Ankyra, Theodot von Ankyra, Proclus von Konstantinopel und Theodoret von Cyrus verwiesen und zu zeigen versucht, in welcher Fülle von Aspekten diese Väter den Bau der Kirche auf dem Felsen deuten, dabei aber mit dem Glauben und Bekenntnis des Erstapostels vielfach auch die gottgeschenkte Unerschütterlichkeit Petri betonen. Es erschien mir nicht als angebracht, den leicht zugänglichen Text hier noch einmal vorzulegen. Es sei aber verwiesen auf ähnliche Textsammlungen, auf die er sich z. T. stützt und die er ergänzt und so zugleich korrigiert: A. *Guberina*, De conceptu petrae ecclesiae apud ecclesiologiam byzantinam usque ad Photium, in: Bogoslovska Smotra 17 (1929) 345-376; 18 (1930) 146-173; J. *Ludwig*, Die Primatworte; M. *Pellegrino*, La fede di Pietro secondo i Padri della Chiesa, in: Petrus et Paulus Martyres. Commemorazione del martirio degli Apostoli Pietro e Paolo, Milano 1969, 1-30. Eine weitere Dokumentation bietet neuerdings E. *Timiadis*, Saint Pierre dans l'exégèse orthodoxe, in: Istina 23 (1978) 56-74; vgl. auch A. *Rimoldi*, San Pietro, 215-235.

81 Vgl. Kapitel II, Anm. 22.

Petri. Dieses Schreiben sei als Siegel zu betrachten, das die Glaubenslehre vollends bestätigt. Damit war Leos Schreiben herausgehoben aus der Reihe ähnlicher antihäretischer Schriften: es handle sich bei ihm um die Lehre des Inhabers der petrinischen Kathedra. Und dies war für das Konzil von höchstem Belang, da es seiner Glaubenshaltung eine letzte Verbindlichkeit und Sicherheit gab. In diesem Zusammenhang nannten die Bischöfe Leo im Blick auf die Kathedra Petri einen „apostolischen Mann" in dem spezifischen Sinn des Wortes. So verknüpfte also die allocutio die petrinische Aufgabe und Vollmacht, die in der Bedeutung des Lehrschreibens Leos für das Konzil beschrieben wurde, mit der Stellung und der Prägung Leos als des Inhabers des Stuhles Petri.[82]

Damit wurde die Frage der Rezeption des Tomus durch die Synode nicht abgeschnitten, sondern erst recht dringlich. Die allocutio hatte beim Schreiben von Basilius über den Heiligen Geist und bei jenem von Damasus an Paulinus, bei den Synoden von Sardika und Konstantinopel, sowie im Blick auf das Erste Ephesinische Konzil die Rezeption der Bischöfe der gesamten Kirche hervorgehoben. Das Schreiben Leos war demnach zunächst eingeordnet in eine Reihe ähnlicher Glaubensschreiben, wie Sieben hervorhebt (und zwar, soweit es um die Notwendigkeit der Rezeption geht, zu Recht).[83] Doch war dies nur eine Seite der Betrachtensweise der allocutio, die hervorgehoben wurde, um ein solches Schreiben prinzipiell zu legitimieren. Aber selbst im Rahmen dieser Aufzählung bekam das Schreiben des römischen Bischofs Damasus eine besondere Charakterisierung, die sich von derjenigen, die das Schreiben von Basilius erhielt, abhob. Basilius erbat die Zustimmung der Mitbischöfe durch ihre Unterschrift. Damasus betrachtete

---

82 „ἀλλ', ὦ φιλόχριστοι καὶ τῆς ἄνωθεν ὑμῖν κληροθείσης βασιλείας ἐπάξιοι, τῇ πίστει τὸν εὐεργέτην ἀμείψασθε καὶ τῇ περὶ τὴν ὁμολογίαν σπουδῇ τῆς τιμῆς τὴν εὐγνωμοσύνην ἐνδείξασθε, τῶν μὲν πονηρῶν τὰς ὁρμὰς ἀνακόπτοντες, πᾶσι δὲ τῆς εὐσεβοῦς ὁμολογίας τὴν συμφωνίαν βραβεύοντες καὶ καθάπερ σφραγῖδα τῶν εὐσεβῶν διδαγμάτων τῇ παρ' ὑμῶν ἀθροισθείσῃ συνόδῳ τῆς Πέτρου καθέδρας βεβαιοῦντες τὸ κήρυγμα. θαρρεῖν γὰρ χρὴ τὴν ὑμετέραν εὐσέβειαν ὡς οὐδὲν τῆς πίστεως ὁ θεοφιλὴς τῆς Ῥώμης κεκίνηκεν πρόεδρος· καὶ ἵνα μηδεμία τοῖς ἐκ φθόνου τὸν ἀποστολικὸν ἄνδρα . . ."
Der Anfang des Textes soll eigens interpretiert werden. Die Bischöfe rufen Kaiser Marcian auf, Gott durch Glaubenseifer zu danken: „ . . . indem ihr die Angriffe der Übeltäter abwehrt, allen aber die Symphonie des frommen Bekenntnisses schenkt und das Kerygma der Kathedra des Petrus als ein Siegel der frommen Lehren für die von euch einberufene Synode bekräftigt." Die Konzilsväter betrachten den Tomus als eine Bestätigung der langen Lehrentwicklung, die sie soeben breit beschrieben haben. Zugleich soll er dem Konzil die Glaubenseinheit gewähren. So ersuchen sie den Kaiser darum, er möge den Glaubensbrief als Lehre der Kathedra Petri für die Synode bekräftigen. Die Bedeutung dieser Bitte tritt erst voll ans Licht, wenn man sie mit der ersten Äußerung der allocutio zum Tomus verknüpft. Das Lehrschreiben der petrinischen Kathedra ist für das Konzil von solchem Belang, da der Papst hier durch Gottes Erleuchtung die Wahrheit unüberwindbar festhält und so die Konzilsväter vor Häresie zu bewahren und im rechten Bekenntnis zu einen vermag. Der Text: ACO II I 3 (20) 113, 31-38.
83 *Sieben*, Konzilsidee, 254f.; Konzilsidee V, 50f.

seine Darlegung als das rechte Urteil, bewog zur Zustimmung und machte von ihr das Verbleiben in der Communio abhängig.[84]

Die volle Rezeption, die Leos Tomus noch fehlte, sollte auf dem Konzil erfolgen. Indem die allocutio dazu aufrief, ihn mit der Vätertradition zu vergleichen, zeigte sie eine bemerkenswerte Analogie zur Leitlinie Leos selbst, der für die synodale Klärung der Fragen und die Rezeption das gleiche gefordert hatte.[85] Doch ist ein Unterschied unverkennbar. Leo schloß eine Auseinandersetzung über den Tomus, die auf eine Revision hinauslief, ausdrücklich aus. Die allocutio war wie Leo von der vollen Wahrheit des Tomus überzeugt und hielt eine solche Revision ebenfalls nicht für möglich. Aber sie zog stärker in Betracht, daß er umstritten war. Es gehe deshalb darum, die Schwierigkeiten offen auszutragen und so in ein Gespräch einzutreten, in dem der Traditionsvergleich durchgeführt wird. Es wird sich zeigen, daß die Legaten Leos Verbot einer „disputatio retractationis" nicht als unversöhnlichen Gegensatz zur Konzeption der allocutio verstanden, sondern die konziliare Tätigkeit in diesem Sinn auffaßten.

84 ACO II III 1 (20) 112,29-37.
85 Ebd. 113,38-114,3.

SECHSTES KAPITEL

DAS KONZIL VON CHALCEDON
DER AUSSCHLUSS DIOSKURS, DIE REZEPTION DES TOMUS UND DIE ERSTELLUNG EINER GLAUBENSFORMEL

Die Verlesung und Überprüfung der ephesinischen Akten hatte nicht zuletzt den Sinn, für eine neue Erörterung der Glaubensfrage Raum zu schaffen. Die allocutio hatte versucht, mit der Behandlung des Traditionsprinzips eine grundlegende Voraussetzung zu klären. Dabei hatten die Konzilsväter, die sie dem Kaiser vorlegten, zugleich schon die synodale Rezeption des Tomus Leos vorbereiten wollen. Der Hof hatte demgegenüber der Synode eine andere Aufgabe zugedacht: sie sollte die christologische Problematik von Grund auf neu behandeln. So mußte sich nun ein Ringen um den Weg des Konzils entspannen. Es gilt nun, dessen einzelne Etappen nachzuzeichnen, da in diesem Kontext unsere ekklesiologische Fragestellung eine neue Beleuchtung erfährt.

I. Die zweite Sitzung (10. Oktober)

Sie begann mit einer ersten Diskussion über das Vorgehen. Dabei fand die Synode zwar zu keiner vollen Entscheidung, konnte aber schließlich doch ein erstes Stück gemeinsamen Weges ins Auge fassen und sogar schon beschreiten: sie verfolgte zunächst die Linie, welche die allocutio vorgezeichnet hatte, und nahm dann die Rezeption des Tomus in Angriff. Damit ergaben sich in dieser Sessio zwei Phasen.

1. Diskussion über das Programm

Gleich zu Beginn der Sitzung zeigt sich, wie wenig die Synode bereit war, einfachhin das kaiserliche Programm anzunehmen, das die Beamten am Ende der ersten Sessio dem Konzil vorgelegt hatten. Die Beamten faßten zunächst — in Wiederaufnahme ihrer Äußerung in der letzten Sessio — das Ergebnis der ersten Sessio aus ihrer Sicht zusammen. Die ephesinische Synode sei nicht ordnungsgemäß verlaufen, Flavian und Eusebius seien zu Unrecht verurteilt worden. Sie schlugen nun vor, die Verurteilung der führenden Männer des ephesinischen Konzils zu vertagen und statt dessen die Glaubensfrage zu erörtern. Diese Bischöfe, welche die Beamten — unter Akklamation des Konzils — als schuldig bezeichnet hatten, waren bei der jetzigen Sessio nicht anwesend: Dioskur, Juvenal, Thalassius, Eusebius von Ankyra, Eustathius und Basilius von Seleucia. Die Beamten wiederholten die Aufforderung, die sie am Ende der letzten Sessio geäußert hatten, jeder solle eine Darlegung des Glaubens vortragen. Doch ließen sie nun deutlicher erkennen, worauf ihr Programm zielte: auf die synodale Erstellung einer Ekthesis des rechten Glaubens. Dies bezeichneten sie sogar als die Hauptaufgabe des Konzils. Wie die kaiserlichen Beamten am Ende der Sessio die kanonischen Glaubensdokumente, an denen der Kaiser festhalten wollte, genannt hatten, so kamen sie auch jetzt auf sie zu sprechen. Jetzt nannten sie freilich verkürzend nur Nicäa, Konstantinopel und die „übrigen Väter". Vor allem Leos Tomus nannten sie nun nicht mehr eigens.[1]

Dies alles bedeutete ein konziliares Programm, das ganz erheblich von den Vorstellungen des Papstes wie auch der Väter, welche die allocutio an den Kaiser verfaßt hatten, abwich. Ihre Intervention schien ohne Erfolg geblieben zu sein – in diesem Augenblick wenigstens. Leos Tomus stand nun nicht mehr als das entscheidende Dokument vor dem Konzil, das die Glaubenseinheit der Synode ermöglichen würde. Vielmehr sollte eine neue Glaubensformel gesucht werden, und zwar auf der Basis einer Beratung, die sich nicht einfach auf den Tomus, sondern auf eine unbestimmte Zahl von Darlegungen des Glaubens beziehen sollte. Eine neue Basis war gesucht, die Rolle des Tomus offengelassen.

So entschieden die Äußerung der Beamten klang, so energisch meldeten die Bischöfe ihren Widerstand an. Sie wandten sich gegen die Erstellung einer neuen Ekthesis mit der Begründung, die Väter hätten bereits schriftliche Darlegungen des Glaubens gegeben.[2] Sie lehnten also eine Ekthesis nicht ab, weil sie eine solche prinzipiell für unmöglich hielten. Erst mit den folgenden Depositionen zeigt sich deutlicher, was sie meinten. Bischof Cecropius von Sebastopol deutete die Haltung der Konzilsväter präziser auf die aktuelle Problematik: zur eutychianischen Fragestellung habe Leo schon einen Typos herausgegeben, den „wir alle unterschrieben haben".[3] Er sprach damit offensichtlich für die Bischöfe, die auf der Seite der sogenannten orientalischen Gruppe standen. Diese Bischöfe akklamierten ihm, weil er ihre Auffassung zum Ausdruck gebracht hatte, und bekräftigten nun selbst ihre Haltung: es sei nicht möglich, eine neue Ekthesis zu erstellen.[4]

Die Beamten gingen auf die Argumentation nicht ein, sondern präzisierten statt dessen das von ihnen vorgelegte Programm: Erstellung einer gemisch-

1 ACO II I 2 (2) 77,37-78,15
2 Ebd. (3) 78,17-19.
3 Ebd. (4) 78,20-22.
4 Ebd. (5) 78,23f.

173

ten Kommission, Beratung über die Probleme und womöglich Einigung auf ein Ergebnis in der Glaubensfrage, das dann dem Konzil vorgelegt werden solle. Falls letzteres nicht möglich sein sollte, wäre dann wenigstens die Auffassung der Gruppe, die nicht zustimmen könne, deutlich sichtbar geworden.[5] Die Bischöfe beharrten ihrerseits auf der Weigerung, eine schriftliche Ekthesis zu erstellen. Sie beriefen sich jetzt auf die Regel, die es verbiete, eine weitere Ekthesis zu erstellen: vielmehr müßten die Darlegungen der Väter in Kraft bleiben.[6] Übernahmen sie nun doch die Auslegung, die Dioskur dem ephesinischen Kanon gegeben hatte?

Es fällt auf, daß die Akten in diesem Abschnitt die Stellungnahme der Bischöfe nicht als solche des Konzils, sondern nur als Zurufe der Bischöfe charakterisierten. Aber welcher Bischöfe? Jedenfalls nicht derer, die in Ephesus auf seiten Dioskurs standen. Auf der zweiten Sessio traten die ägyptischen Bischöfe nicht auf. Die Gruppe der palästinensischen und illyrischen Bischöfe aber steuerte, wie sich wenig später deutlich zeigen wird, gerade auf jene Linie zu, welche die kaiserlichen Beamten vorzeichneten. Die Zurufe zu der Direktive der Beamten zeigten, wie wir schon sahen, eine innere Einheit: die Bischöfe erkannten in der Darlegung von Cecropius ihre eigene Position und bekräftigten sie. Sie ordneten damit den Tomus Leos den Glaubensdarlegungen der Väter zu, und zwar unter Berufung auf die Regel, in einer einzigen Sache dürfe nicht ein zweites Mal eine Ekthesis erstellt werden. Wir begegnen hier also jenen Konzilsvätern, welche schon hinter der allocutio standen. Sie wollten nun mit Entschiedenheit den Glaubensbrief Leos gegenüber dem kaiserlichen Programm als entscheidende Glaubensdarlegung vom Konzil rezipiert wissen, zumal sie sich schon durch ihre Unterschrift dazu bekannt hatten — gerade diese letzte Kennzeichnung charakterisiert noch einmal überaus deutlich die rufenden Bischöfe: es war die Synode, ausgenommen die ägyptischen, illyrischen und palästinensischen Bischöfe.

In diesem Augenblick schlug Bischof Florentius von Sardes — der auf der Zweiten Ephesinischen Synode auf der Seite Dioskurs stand — eine Bresche für das Ansinnen des Kaisers. Auch er stimmte der Forderung des Hofes klugerweise nicht einfach zu. Statt aber auf einer Ablehnung zu beharren, bat er darum, man möge eine Überforderung der Bischöfe vermeiden. Er wünschte einen Aufschub — oder genauer: eine sorgfältige, nicht überstürzte Behandlung der Sache. Dies gab er zu bedenken vor allem im Blick auf die, welche den Tomus noch nicht unterzeichnet hatten. Das vorsichtige Zugehen auf die Wahrheit sei nötig im Blick auf diese Bischöfe.[7] Darin wird

5 Ebd. (6) 78,25-31.   6 Ebd. (7) 78,32-34.   7 Ebd. (8) 78,35-79,2.

deutlich, daß die Erstellung einer Glaubensformel dahin zielen sollte, die widerstrebenden Bischöfe aus Palästina, Illyrien und womöglich auch die aus Alexandrien für die Einigung zu gewinnen. Schon die Beamten hatten auf sie besonders hingewiesen.

Cecropius suchte nun einen Ausweg aus der Kontroverse mit dem Vorschlag, man solle das Symbol von Nicäa und dann den Brief von Leo verlesen. Dies lief auf die Lösung der Frage durch Rezeption des Tomus im Blick auf Nicäa hinaus, jedenfalls auf die Beratung des Tomus. Ähnlich wie es in der allocutio geschehen war, verwies Cecropius darauf, daß die Väter von Athanasius über Cyrill, Coelestin, Hilarius, Basilius bis zu Gregor von Nazianz den nicänischen Glauben bestätigt und also ausgelegt hatten, Leos Vorgehen demnach prinzipiell gerechtfertigt war.[8]

2. Bestätigung von Glaubensdokumenten

Die Kommissare gingen zunächst auf den Vorschlag der Verlesung des Bekenntnisses von Nicäa ein und ordneten sie an.[9] War dies ein erstes Nachgeben der Beamten gegenüber dem Programm der Bischöfe, die ihnen Widerstand leisteten? Jedenfalls trat auf solche Weise unweigerlich Leos Tomus hervor. Für den Augenblick setzten sich diese Bischöfe durch. Eine endgültige Entscheidung in ihrem Sinn war damit aber nicht getroffen. In der von Cecropius vorgeschlagenen Richtung konnten die Beamten vielmehr zugleich einen ersten Schritt zur Verwirklichung ihres eigenen Programms sehen. In diese Absicht paßte jedenfalls auch – nach Verlesung des nicänischen Symbols – ihre Anweisung, man möge das Symbol von Konstantinopel verlesen.[10] Damit war einerseits gezeigt, daß es neben dem nicänischen Symbol noch andere Glaubensformeln geben konnte, andrerseits war der Weg geöffnet zur Verlesung all dessen, was die Beamten als Glaubensnorm des Kaisers bezeichnet hatten.

Diesen Weg ging der konstantinopolitanische Diakon Aëtius weiter, indem er den Beamten den Vorschlag unterbreitete, auch die beiden kanonischen Briefe Cyrills verlesen zu lassen.[11] Damit konnten die Synodalen, die Leos Tomus unterzeichnet hatten, einerseits bezeugen, daß sie sich in Übereinstimmung mit Cyrill befanden, auf den sich die Gegenpartei so entschieden stützte, andrerseits waren als Glaubensgrundlage nur die „kanonischen" Briefe Cyrills rezipiert, jene also, die von der Gesamtkirche angenommen waren – der eine auf der Synode von Ephesus 431, der andere durch die allgemeine schriftliche Zustimmung, die „Unterschrift aller".

8 Ebd. (9) 79,3-7.   9 Ebd. (10) 79,8f.   10 Ebd. (13) 79,34f.   11 Ebd. (16) 80,19-25.

In den Akklamationen zu den Texten kam die Absicht der Väter, die auf seiten der Orientalen standen, zum Ausdruck, die Dokumente im Blick auf den Tomus zu hören und dessen Übereinstimmung mit ihnen im voraus zu bekräftigen. Das ganze Konzil konnte diesen Dokumenten zustimmen, doch zeigten sich schon Akzentverschiebungen: gerade wegen der Zielsetzung der Verlesung. Das nicänische Bekenntnis fand, wie nicht anders zu erwarten war, allgemeine Zustimmung. Die Deutung, es sei Taufbekenntnis, war schon in der allocutio zutage getreten. Eine andere Akklamation dürfte eher den palästinensischen und illyrischen Vätern zuzurechnen sein, da sie — ohne konkreten Anlaß — die Übereinstimmung von Nicäa mit Cyrill selbst ins Licht stellte.[12] Dieser Gruppe antwortete anscheinend die Gegenseite. In ihren Akklamationen hoben sie die Übereinstimmung Leos mit Nicäa hervor, betonten aber zugleich Cyrills Übereinstimmung mit Nicäa: Leo und Cyrill waren somit versöhnt. Zum Schluß betonten sie nochmals die Glaubensdeutung Leos als nicänisch.[13] Zum Symbol von Konstantinopel erfolgten nur kurze zustimmende Akklamationen, die mit dem Anspruch gegeben wurden, im Namen aller zu geschehen.[14]

Diese fanden lebhafte Zustimmung, die anscheinend vor allem von seiten der Gruppe der Orientalen und ihrer Anhänger kam. Diese Bischöfe betonten, daß alle so glauben — Cyrill also nicht von der Gegenseite allein anerkannt werde. Vor allem aber hoben sie mehrfach die Übereinstimmung Leos mit Cyrill hervor. Dies entsprach dem gleichen Anliegen: Cyrill war so in seinen kanonischen, von der ganzen Kirche rezipierten Briefen neu bestätigt, zugleich wurde aber betont, Leos Lehre bedeute keine Abweichung. Mehrfach wurde diese Übereinstimmung unterstrichen. Die Gegenseite konnte zur Verlesung nicht schweigen, ihre Stimmen können hier aber nicht leicht und scharf aus den anderen herausgehört werden. Die Rufe, in denen einfachhin den Briefen Cyrills zugestimmt wurde, dürften ihr zugehören, da sie die Briefe Cyrills wohl in einem weiteren Sinn meinten und Cyrill als maßgebend hervorhoben. Sogleich betonte daraufhin die andere Gruppe die Übereinstimmung Leos mit Cyrill.[15]

Nun schloß sich, da kein neuer, das vorgesehene Programm ergänzender Verlesungsvorschlag mehr eingebracht wurde, die Verlesung des Tomus Leonis an. Sie unterscheidet sich wesentlich von der Verlesung der übrigen Dokumente. Diese wurden als von der Kirche bereits rezipierte nur bekräf-

---

12 Ebd. (12) 79,27-30; bes. 28f.
13 Ebd. 31f.: „ὁ πάπας Λέων οὕτως πιστεύει. Κύριλλος οὕτως ἐπίστευσεν. ὁ πάπας Λέων οὕτως ἡρμήνευσεν."
14 Ebd. (15) 80,17f.
15 Ebd. (20) 81,7-13.

tigt. Ihre erneute Annahme zielte zunächst darauf ab, die Basis für die Beurteilung des Tomus festzulegen. Leos Schreiben wurde nun also im Blick auf die Tradition geprüft. Dies könnte man leicht übersehen. Denn die Akten des Konzils von Chalcedon erwähnen zunächst die Verlesung des Tomus und − wie auch schon nach der Verlesung des nicänischen und konstantinopolitanischen Symbols und der beiden kanonischen Briefe Cyrills − Akklamationen, welche die Rezeption zum Ausdruck bringen. Erst dann erwähnen sie die spezielle Verhandlung einzelner Stücke des Tomus.

Das entsprach nicht ganz dem historischen Verlauf, den die Akten im übrigen nicht verdunkeln wollen. Denn in Chalcedon erfolgte zuerst die knappe Behandlung von drei Texten des Tomus und erst dann die generelle Akklamation. Durch die Umstellung könnten die Akten den Eindruck erwecken, als sei der Tomus in gleicher Weise wie die vorgenannten Schriften rezipiert worden.[16]

An drei Stellen zeigten die palästinensischen und illyrischen Bischöfe ihre Schwierigkeit, dem Text zustimmen zu können. Dies führte nun aber zu keinem Protest der Gegenseite, war von dieser − nach dem Ausweis der allocutio − vielmehr erwartet. Die Antworten, die Aëtius und − zu einem gewissen Grad − Theodoret gaben, griffen zum Teil die Voraussetzungen der „Zweifelnden" auf und maßen Leos Ausführungen an solchen von Cyrill, sie suchten also die schon vorher betonte Übereinstimmung Leos mit Cyrill darzutun. Sie machten damit aber zugleich einen neuen Schritt, indem sie nicht aus den beiden kanonischen Briefen Cyrills zitierten, sondern aus anderen Schriften − auch aus dem mit den Zwölf Anathematismen verbundenen Synodalschreiben.[17] Dies alles hieß implizit zugleich, Leo von Cyrill her nicht bloß zu bestätigen, sondern auch von ihm her zu interpretieren. In diesem Augenblick − und somit im Konzilsplenum − kam es über Anfrage und Antwort hinaus nicht zu einer Diskussion.

Statt dessen akklamierte das Konzil zunächst, nach Beendigung der prüfenden Verlesung, dem Tomus Leos. Dabei wurden verschiedenartige Gesichtspunkte hervorgehoben: Zunächst − gemäß der grundlegenden Linie, unter der die Verlesung geschehen war − die Bestätigung der

---

16 Ebd. (21-26) 81,14-82,26. − Zur Vorgeschichte der Glaubensdokumentation ist auf Th. *Šagi-Bunić* (Drama conscientiae, 225-266, bes. 241ff.) zu verweisen. Der Autor stellt zu Recht die Bedeutung der endemischen Synode des Jahres 448, die Eutyches verurteilte, heraus (248-251). Die Haltung dieser Versammlung ist aber von jener der Zweiten Ephesinischen Synode schärfer abzuheben. Šagi-Bunić erblickt den Unterschied darin, daß die Synode in Konstantinopel die Glaubensdokumente mehr als Hilfe denn als etwas Bindendes betrachtete (249), während jene in Ephesus sie als etwas streng Verpflichtendes und Verbindliches beurteilte (254). Vielmehr liegt in Ephesus, wie schon dargetan wurde, ein völlig anderes Traditionsprinzip vor.

17 Ebd. (24-26) 81,32-82,26.

Übereinstimmung mit der Tradition bis zu deren apostolischen Ursprüngen hin. Dann die Zustimmung der Konzilsväter selbst mit dem — wiederum nicht voll gedeckten — Anspruch, die Akklamation bringe den Konsens des gesamten Konzils zum Ausdruck. Und als Pendant der Zustimmung die Androhung des Anathems gegenüber allen, die nicht das gleiche bekennen sollten. Ferner bekundeten die Bischöfe die Auffassung, die Lehre des Tomus habe Petrus durch Leo verkündet. Mit dieser Aussage verbanden sie, was sie schon vorher zum Ausdruck gebracht hatten: die Übereinstimmung des Tomus mit der ursprünglichen Tradition, ihre eigene Bekräftigung der Lehre Leos, deren Übereinstimmung mit Cyrill. Schließlich betonten die Konzilsväter noch einmal die Zustimmung des gesamten Konzils — ob zu Recht oder zu Unrecht, wird noch zu untersuchen sein — und bekräftigten den Tomus als Maß, an dem Communio oder Anathem sich entschieden. Und noch einmal wurden wichtige Elemente hervorgehoben: die Zustimmung des Konzils und die Übereinstimmung des Schreibens mit den Vätern. Die Rezeption durch Akklamation klang aus in die Frage, warum der Tomus in Ephesus nicht verlesen worden sei, eine Frage, die zur Anklage gegen Dioskur — und hier gegen ihn allein — wurde. Alles in allem zeigt sich — wie auch sonst bei Akklamationen — keine systematisch geordnete Reihe, sondern eine Fülle vielfältiger Aspekte, die sich nicht sauber abgrenzen lassen, sondern der Spontaneität der Akklamationen gemäß sind.[18]

Doch stellt sich die Frage, ob schon in diesem Augenblick — nämlich nach Infragestellung und kurzer Erläuterung der schwierigsten Partien — die ganze Synode dem Tomus zustimmen konnte, ob demgemäß die Akklamationen, welche das Einverständnis der Synode als ganzer behaupteten, voll im Recht waren. Die Beamten stellten mit Absicht die Frage nach dem Einverständnis aller.[19] Der erneuten Behauptung der Bischöfe, dies sei gegeben, widersprach — wenigstens indirekt und implizit — Atticus von Nicopolis, der jetzt — in Abwesenheit Juvenals — zum eigentlichen Wortführer der illyrischen und palästinensischen Gruppe wurde. Er ging nicht eigentlich auf die Frage der Beamten ein — dies hätte möglicherweise den Widerspruch der Gegenseite, die den Bedenken schon Rechnung getragen hatte, hervorgerufen —, sondern griff die ursprüngliche Forderung der Beamten auf, das Konzil möge eine Glaubensformel erstellen. Er war der erste, der dies explizit tat, nachdem schon Florentius indirekt das gleiche unternommen hatte. Als Glaubensdokument, das zugrunde gelegt werden sollte, erbat Atticus neben dem Schreiben Leos den Brief Cyrills mit den Zwölf Anathematismen.

18 Ebd. (23) 81,23-31. Vgl. Anm. 28.   19 Ebd. (27) 82,34f.

Hier wird nun offenkundig, daß der Kaiser eine Ekthesis des Glaubens von der Synode erwartete, um den Bischöfen, die Leos Brief nicht oder nur unter großen Bedenken die Zustimmung geben zu können vermeinten, soweit als möglich entgegenzukommen. Zugleich zeigt sich nun mit voller Deutlichkeit, wie gerade jene Gruppe, die in Ephesus jede Glaubensformel über die nicänische hinaus von ihrem Traditionsprinzip her in Frage gestellt hatte, jetzt auf einen solchen Typos hinarbeitete. Ohne Leos Tomus nach den mit der cyrillischen Theologie vermittelnden Interpretationen schon explizit anzunehmen, suchten sie ihn noch stärker auf die Zwölf Anathematismen hin zu deuten und ihn erst von der übergreifenden Theologie der zu erarbeitenden Ekthesis her und in ihrem Sinn anzunehmen.

Bezeichnenderweise sprach Atticus auf die Frage nach Anerkennung des Tomus nur von dessen Anhörung. Zugleich griff er über das hinaus, was der Kaiser als sein konziliares Programm vorgelegt hatte, indem er nicht bloß den kanonischen und ökumenisch rezipierten Cyrill, sondern auch den Cyrill des Schreibens mit den Anathematismen (gegen den die orientalische Theologie die größten Bedenken hatte und der noch nicht allgemein rezipiert war) als von der Kirche schon bestätigt – als zur authentischen und „kanonischen" Vätertradition gehörig – der zu erarbeitenden Glaubensformel zugrunde legen wollte. Damit zeigt sich aber auch, daß der Hof sich nicht im vorhinein voll mit diesen Bischöfen identifizierte, da er dieses Dokument nicht als Basis für die zu erstellende Ekthesis vorgelegt hatte.[20]

Die Akten berichten vom Zuruf „der" Bischöfe: Wenn das Schreiben mit den zwölf Kapiteln „gegeben werde" – auf Befehl der kaiserlichen Beamten –, dann bäten sie um eine gemeinsame Untersuchung der Väter. Es liegt offen zutage, daß hier die illyrischen und palästinensischen Bischöfe sprachen, die sich beeilten, die Intervention von Atticus zu unterstreichen.[21] Während die Gegenseite soeben den Tomus (als den Glaubensdokumenten der Väterzeit von Nicäa bis hin zu Cyrills kanonischen Briefen gemäß) bekräftigt hatte, suchte diese Gruppe eine neue Untersuchung unter vornehmlicher Einbeziehung des Schreibens mit den Zwölf Anathematismen zu erreichen. Wie diese Gruppe der Bischöfe eilig Atticus zugestimmt hatte, so suchten die Beamten nun rasch deren Anliegen einer neuen Untersuchung gerecht zu werden – ohne die Frage nach dem genannten Schreiben Cyrills aufzunehmen –, indem sie die Sessio für beendet erklärten und eine Zusammenkunft in der Wohnung von Anatolius anberaumten. Dort solle eine theologische Beratung stattfinden, und zwar „zur Belehrung der

---

20 Ebd. (28f.) 82,36-83,5. – Der Hof hatte Cyrills Schreiben mit den Anathematismen nicht in seine Glaubensdokumentation aufgenommen: ACO II I 1 (1072) 195,34-196,6.
21 ACO II I 2 (30) 83,6f.

Zweifelnden", d. h. um den Anliegen der illyrischen und palästinensischen Gruppe (und damit indirekt auch der dioskorianischen, die bereits abseits stand) gerecht zu werden. Erst in fünf Tagen solle wieder eine Sessio stattfinden.[22]

Wenn die Beamten angenommen haben sollten, mit ihrem Wort sei – wie nach Sessio I – die Sitzung bereits geschlossen, so sahen sie sich getäuscht. Denn die Gegenseite wollte sich noch nicht den Forderungen der von den Beamten unterstützten illyrischen und palästinensischen Bischöfe fügen. Sie bekräftigte mächtig – die Akten sagen in großer Übertreibung: „alle Bischöfe riefen" – ihre Zustimmung zu Leos Tomus gerade angesichts der Aufforderung zu einer erneuten Untersuchung der Glaubensfrage. Sie erhob den Anspruch, als „die" Synode zu sprechen: „wir alle glauben so, keiner von uns zweifelt". Diese Bischöfe hoben hervor, sie hätten Leos Tomus bereits unterschrieben – dies allein zeigt schon, daß sie nicht die Gesamtheit repräsentierten –, und wandten sich mit ihrer schon gefällten Glaubensentscheidung gegen die Gegenseite, die sie nicht als ins Gewicht fallende Gruppe beachten wollten, eher als bereits unterlegene Minderheit, die den Konsens nicht mehr antasten konnte.[23]

Die Gegenseite, ebenfalls von den Akten immer noch einfach als „die" Bischöfe bezeichnet, suchte nun von einer anderen Ebene her sich Gehör zu verschaffen: sie verwies auf das dringliche Anliegen, die ausgeschlossenen Väter für die Synode und damit für die kirchliche Einheit zurückzugewinnen. So baten sie um die Ermöglichung der Rückkehr „der Väter" in die Synode und wandten sich damit nicht einfach nur an die Synode, sondern vor allem an den Kaiser selbst. Ihr wichtigstes Argument war die Verfehlung „aller" auf der ephesinischen Synode. Der Kaiser möge deshalb allen verzeihen.[24] Damit war die Frage der Rekonziliation Dioskurs aufgeworfen. Sie spaltete die Bischöfe, die sich gerade erst im dogmatischen Bereich einander in etwa angenähert hatten, von neuem: in heftigen Akklamationen befehdeten sich die Konzilsväter.[25] Die Beamten beschlossen schließlich die Sitzung mit der Einschärfung ihrer Anordnung, die somit einem Befehl gleichkam.[26]

22 Ebd. (31) 83,8-11.
23 Ebd. (32) 83,12f. – Die Beamten griffen indes ihre Anordnung von neuem auf und präzisierten sie. Es sei an eine Kommission gedacht, die von Anatolius zusammengestellt werden solle. Auswahl der Mitglieder und Sinn der Beratung stehe unter der Absicht, alle Zweifelnden – also womöglich auch die Alexandriner – zu überzeugen: ebd. (33) 83,14-18.
24 Ebd. (34) 83,19-21.
25 Ebd. (35-44) 83,22-84,4. Erst jetzt unterschieden die Akten deutlich die Gruppen, die bereits vorher einander gegenüberstanden! Neben den beiden Hauptgruppen traten – als besonders entschiedene Gegner Dioskurs – die konstantinopolitanischen Kleriker hervor.
26 Ebd. (45) 84,5f.

3. Leo als Dolmetsch Petri

Es gilt nun, die bekannte Akklamation der Bischöfe „Petrus hat dies durch Leo kundgegeben", die zu den Rufen gehört, mit denen sie die Rezeption des Tomus zum Ausdruck brachten, eigens zu untersuchen. Die berühmte Akklamation soll vom engeren Kontext her, in dem sie steht, interpretiert und in ihrer Bedeutung gewertet werden. Obwohl sie häufig zitiert und hervorgehoben wird – freilich nicht immer in völlig korrekter Wiedergabe –,[27] so gibt sie der Deutung doch Probleme auf. Vor allem gilt es im Anschluß an Camelot und W. de Vries die Frage zu stellen: Wollten die Bischöfe mit ihr einfach die Übereinstimmung des Schreibens Leos mit der authentischen apostolischen Lehre anerkennen?[28] Untersuchen wir zunächst die Stellung der Akklamation innerhalb der Akklamationen, mit denen die Bischöfe ihre Zustimmung zum Schreiben bekundeten! Gewiß stellen Akklamationen keine systematischen Ausführungen dar, vielmehr bringen sie oft in raschem Wechsel sehr unterschiedliche Aspekte ins Wort. Andrerseits zeigen sie doch auch Assoziationen und damit sachliche Zuordnungen.[29] Der Akklamation, die wir untersuchen, gehen drei Rufe voran, die den Konsens der konziliaren Versammlung hervorheben. Es folgen ihr

---

27 Die Bischöfe riefen zur Rezeption des Tomus: „Πέτρος διὰ Λέοντος ταῦτα ἐξεφώνησεν" (ACO II I 2 [23] 81,26). *Caspar* übersetzt (Geschichte, 514): „Petrus hat durch Leo gesprochen". W. *de Vries* folgt ihm hierin (Chalkedon, 102; vgl. Orient et Occident, 140). Etwas genauer überträgt Th. *Harapin* (Primatus, 71): „Petrus per Leonem ita locutus est".

28 *Camelot* bemerkt zur Akklamation („Petrus hatte durch den Mund Leos gesprochen"): „Solche Formulierungen sind mit Vorsicht zu deuten. Meines Erachtens verstehen die Bischöfe nicht darunter, daß sie die Autorität des Nachfolgers Petri anerkennen, um eine Lehre zu definieren oder aufzuzwingen; sie erkennen lediglich die Übereinstimmung von Leos Brief mit der echten Lehre der Apostel an. Man darf nicht vergessen, daß sie im gleichen Augenblick auch ausrufen: ‚Leo spricht wie Cyrillus!'" (Die ökumenischen Konzile, 73). W. *de Vries* schließt sich ihm an: „Bedeutet dies die Anerkennung einer absoluten Lehrautorität des Papstes, soll es heißen: Leo hat mit der Autorität des Petrus, also unfehlbar gesprochen? Oder liegt hier nur die Anerkennung der Tatsache vor, daß die Lehre Leos mit dem Bekenntnis des Petrus übereinstimmt? Camelot weist mit Recht darauf hin, daß solche Formeln mit Vorsicht zu interpretieren sind. Seiner Meinung nach bedeutet die Akklamation nur, daß die Konzilsväter die Übereinstimmung des Briefes Leos mit der authentischen Lehre der Apostel anerkennen. Der Zusammenhang legt diese Deutung nahe. Es folgt sofort hinterher: ‚Die Apostel haben so gelehrt . . .' Das Konzil stellt auch sonst fest, daß Leos Brief mit dem Bekenntnis des hl. Petrus übereinstimmt. In seiner Glaubensdefinition nimmt es die Briefe des hl. Kyrillos an Nestorios und an die Orientalen an, denen es auch den Brief Leos an Flavianos hinzufügt, da er mit der Lehre des hl. Petrus übereinstimmt. Hier dürfte der eigentliche Sinn der Akklamation ausgesprochen sein." (Chalkedon, 103f.; vgl. Orient et Occident, 140f.). Mit diesen Interpretationen ist die Frage scharf formuliert. Unsere Deutung der Haltung Leos wie des Konzils zeigt, daß die Alternative: „absolute Autorität – Übereinstimmung mit der apostolischen Lehre" in der Beschreibung des Verhältnisses zwischen Papst und Konzilsvätern überschritten werden muß.

29 Neben der verwirrenden Vielfalt der siebzehn Akklamationen zum Tomus, die wir oben betonten, darf dieser Aspekt nicht übersehen werden. Dies zeigt sich rasch. Wir finden zunächst zwei Akklamationen, welche die Übereinstimmung mit den Vätern bzw. den Aposteln

zunächst Zurufe, die untereinander keine Zuordnung zeigen: zuerst betonen die Bischöfe die Übereinstimmung des Tomus mit der Lehre der Apostel, dann bekräftigen sie ihre eigene Zustimmung; schließlich heben sie – in drei Akklamationen – die Übereinstimmung des Schreibens mit Cyrill hervor. Direkt zu unserer Akklamation führen demnach Zurufe hin, die den Konsens der Bischöfe betonen, während ihr ein Ruf folgt, der die Übereinstimmung des Tomus mit der Lehre der Apostel hervorhebt. So liegt es nahe, die innere Verwandtschaft mit der nachfolgenden Akklamation zu betonen und letztere als Kommentar zu betrachten. Der Sinn der beiden Aussagen läge dann auf der gleichen Ebene: der Brief Leos stimmt mit der Lehre von Petrus und aller Apostel überein. Läßt man das Mittelstück unserer Akklamation – „durch Leo" – aus, so zeigt sich in der Tat eine große Nähe der beiden Zurufe: „Petrus ... verkündete dies" – „die Apostel lehrten so".

Doch bedeutet eine solche, auch nur in Gedanken vollzogene Aussonderung des Mittelstücks ein nicht nur künstliches, sondern zugleich unzulässiges Vorgehen. Läßt man die Akklamation intakt, so zeigt sich, daß sie gegenüber der nachfolgenden auf einer ganz anderen Zeitebene liegt. Denn bei ihr richtet sich der Blick auf Petrus, wie er in der jüngsten Vergangenheit, ja geradezu in der Gegenwart, proklamierend sprach, dort aber auf die Apostel in ihrem Zeugnis, das in der Schrift niedergelegt ist. Bei der ersten Akklamation geht es also nicht um eine Feststellung der Übereinstimmung des Tomus mit dem Bekenntnis Petri, wie es im Evangelium niedergelegt ist, sondern um die Wahrnehmung, daß Petrus eben erst im Tomus das Wort ergriff – durch Leo. So tritt nun mit Petrus der römische Bischof in den Blick, durch den Petrus selber sich zu Gehör bringt. Die Konzilsväter sehen Leo als Dolmetsch Petri, der dessen Bekenntnis authentisch zu interpretieren vermag.[30] Dies alles bedeutet ein unerwartetes Ergebnis. Gerade wenn

betonen. Nach den drei Akklamationen, welche die Konsonanz mit Cyrill bekräftigen, stoßen wir auf drei andere, welche die Zustimmung der Bischöfe zum Ausdruck bringen. Die beiden letzten richten sich polemisch gegen die Zweite Ephesinische Synode und so indirekt gegen die Gruppe, die auch jetzt noch Bedenken gegen den Tomus hegt, explizit aber gegen Dioskur, der seine Verlesung verhinderte.

30 So zeigt sich denn ein grundlegender Unterschied zu der Akklamation „Leo und Cyrill haben übereinstimmend gelehrt". *Camelot* übersetzt dies so: „Leo spricht wie Cyrillus" (vgl. Anm. 28). Wollte man jedoch das gleiche herauslesen, müßte es heißen: „Cyrill spricht durch Leo". So ist denn hier einfach die Übereinstimmung der Lehre von Cyrill und Leo betont. Es war für die Konzilsväter wichtig, darauf besonders entschieden zu bestehen, da der Tomus Leos des Nestorianismus verdächtigt wurde. – Die Akklamation im engeren Kontext der Rufe (ACO II I 2 [23] 81,25-29): „. . . οἱ ὀρθόδοξοι οὕτω πιστεύομεν. ἀνάθεμα τῷ μὴ οὕτω πιστεύοντι. Πέτρος δία Δέοντος ταῦτα ἐξεφώνησεν. οἱ ἀπόστολοι οὕτως ἐδίδαξαν. εὐσεβῶς καὶ ἀληθινῶς Λέων ἐδίδαξεν. Κύριλλος οὕτως ἐδίδαξεν. Κυρίλλου αἰωνία μνήμη. Λέων καὶ Κύριλλος ὁμοίως ἐδίδαξαν [Λέων καὶ Κύριλλος οὕτως ἐδίδαξαν]. ἀνάθεμα τῷ μὴ οὕτω πιστεύοντι . . ." – In kritischer Distanz zu der von Camelot und *de Vries* vertretenen Deutung äußert sich auch *B. Schultze,* Die Papstakklamationen auf dem 4. und 6. ökumenischen Konzil und Vladimir Soloviev, in OrChrP 41 (1975) 211-225.

die Akklamation in den Rahmen des Kontextes gestellt wird – näherhin also mit dem dort vom Konzil betonten Konsensus und der ebenso bekräftigten Übereinstimmung des Tomus mit der Überlieferung –, zeigt sie ihre unableitbare Eigenart und damit ihren unverwechselbaren Sinn.

Wenn wir den nächstgrößeren Kontext betrachten wollen, müssen wir die allocutio der Konzilsväter über den Tomus ins Auge fassen. Denn jetzt, bei der Bestätigung des Lehrschreibens in der Öffentlichkeit der synodalen Versammlung, ereignete sich eben das, was die Konzilsväter vorher schriftlich gefordert hatten: Prüfung des Glaubensbriefes durch den Vergleich mit der Tradition. In beiden Texten stand deshalb der Verweis auf die Tradition im Vordergrund; zugleich aber kam mit ihr auch die Stellung des römischen Bischofs in den Blick. Dort in der allocutio zeigten die Konzilsväter Leo als den, der wie Petrus in Erscheinung tritt und handelt: Gott hat ihn unbesiegbar gemacht, er ist gegen Irrtum gefeit durch die ihm geschenkte Wahrheit; er geht dem Konzil voran und vermag es mit Gewißheit zur Wahrheit zu führen und in ihr zu einen. Dies ist nicht bloß gesagt, weil die Verfasser von der Übereinstimmung der Lehre des Papstes mit dem Bekenntnis Petri überzeugt waren. Vielmehr galt ihnen Leo als der „apostolische" Mann, als jener Bischof, der die Kathedra Petri innehat. Jetzt, in der zweiten Sitzung des Konzils, ließen die Konzilsväter die Verknüpfung von Petrus und Leo eher noch deutlicher hervortreten. Sie sprachen in höchster Prägnanz[31] und hoben ebenso die unlösbare Verbundenheit wie die Differenz hervor: Petrus habe mit dem Glaubensschreiben selbst in die Gegenwart hineingesprochen – durch den Mund Leos.

Die Bedeutung der Akklamation liegt zunächst in dieser theologischen Differenzierung zwischen Petrus und Leo, die uns schon im Schreiben des Papstes an die Konzilsväter von Ephesus begegnete. Darüber hinaus ist sie

---

31 Eine solche Prägnanz braucht Akklamationen nicht immer zu eigen sein. Da die Akklamationen aber in eine Fülle von synodalen Äußerungen eingebettet sind, können sie in ihrem Sinn genauer erfaßt werden. Für die Stellung des Kaisers gilt letzteres jedoch nur in beschränktem Maß: hier sind nicht bloß Akklamationen unscharf, sondern z. T. auch ausführlichere Darlegungen. W. *de Vries* überträgt (ebd. 103; vgl. Orient et Occident, 141) vor allem solche Akklamationen zunächst auf den diskutierten Ruf, der selber präzis und auch in genaue Darlegungen eingebettet ist. „Josef Vierhaus weist mit Recht darauf hin, daß man solche Akklamationen nicht wörtlich nehmen darf. In Ephesos riefen die Bischöfe dem Dioskoros zu: ‚Dies sind die Stimmen des Hl. Geistes! . . . Durch dich leben die Väter!' Während der 14. Sitzung in Chalkedon ruft der Bischof Kyros von Anazarbos den Kommissaren des Kaisers zu: ‚Gott hat durch euch gesprochen!' Am Schluß der 6. Sitzung findet sich unter anderen Akklamationen der Väter die für den Kaiser: ‚Lehrer des Glaubens!' Das wird man wohl auch nicht allzu wörtlich nehmen dürfen. Damals galt der Kaiser wohl als der Schützer des Glaubens, aber er maßte sich nicht an, selbst den Glauben authentisch zu lehren . . ." Die römische Dissertation von J. *Vierhaus*, die 1963 der Gregoriana in Rom vorgelegt wurde, war mir ebensowenig zugänglich wie der Auszug mit dem Titel „Das Alte und das Neue Rom, zum Primatsverständnis der Ostkirche im Jahrhundert von Chalkedon", Castrop-Rauxel 1964; auf sie verweist W. de Vries, Chalkedon, 63, Anm. 1; vgl. Orient et Occident, 101, Anm. 1.

vor allem bedeutsam, weil sie die Darlegungen der allocutio bekräftigt und in einer öffentlichen Sitzung in einem höchst entscheidungsvollen Augenblick zur Geltung bringt. Ihre Bedeutung darf aber nicht in ihrer Singularität gesehen werden. Sie ist innerhalb der Äußerungen der Konzilsväter weder ein erratischer Block noch ein Komet, der, ohne sich anzukündigen, aufstieg. Vielmehr war sie durch die allocutio vorbereitet und wird von den Konzilsvätern durch weitere ähnliche Darlegungen bekräftigt werden. Indem ihr so der Charakter absoluter Einzigartigkeit abzusprechen ist, mindert sich aber ihr Rang wahrhaftig nicht, sie wird vielmehr auf ein breiteres und festeres Fundament gestellt. Die berühmte Akklamation dürfte allerdings wie die allocutio ihre Grenze darin haben, daß sie von den illyrischen und palästinensischen Bischöfen, die den Tomus aufgrund ihrer Zweifel noch nicht unterschrieben hatten, wohl nicht mitgetragen wurde.

II. Erste Kommissionssitzung im Palast von Anatolius

In der vierten Sessio vom 17. Oktober verwiesen die palästinensischen und illyrischen Bischöfe auf die Versammlung zurück, welche die kaiserlichen Beamten ihrem Wunsch gemäß am Ende der zweiten Sessio (vom 10. Oktober) gefordert hatten. Ihr genauer Zeitpunkt kann nicht mit voller Sicherheit eruiert werden. Viel spricht jedoch dafür, daß sie vor der dritten Sessio stattfand, die am 13. Oktober veranstaltet wurde – also am 11. oder 12. des Monats. Denn diese Kommissionssitzung sollte die Aufgabe der Zweiten Sessio fortführen und eine weitere Klärung der Frage bringen, wie der Tomus sich in die Tradition – vor allem soweit sie von Cyrill repräsentiert wurde – einfügt und wie er demgemäß zu deuten sei – und dies in der erklärten Absicht, die Zögernden zu gewinnen und ihnen dogmatisch einen Zugang zum Tomus zu eröffnen.[32] Es ist demnach unwahrscheinlich, daß Dioskur verurteilt wurde, bevor abzusehen war, ob er auch auf diesen Schritt, der ihm entgegenkam, ablehnend reagierte. Am 13. Oktober wurde er vor die Entscheidung gestellt.

Die Teilnehmer dieser Kommissionssitzung sind nicht vollständig zu ermitteln. Anwesend waren neben dem konstantinopolitanischen Patriarchen, den Legaten und einer Abordnung der illyrischen und palästinensischen Bischöfe verschiedene von Anatolius ausgewählte Bischöfe, welche theologisch vermittelnd tätig sein sollten. Man wird annehmen können, daß die Synodalen sich kaum von der später tagenden Kommission unterschie-

32 Vgl. Anm. 23.

den. Der Sinn der Sitzung war nicht unumstritten, wie ja überhaupt im grundlegenden synodalen Programm noch keine Konvergenz erreicht war. Die kaiserlichen Beamten und die Bischöfe aus Illyrien und Palästina faßten sie auf als Gremium, das die Glaubensekthesis vorbereiten sollte.[33] Die Gegenseite verstand sie als Gespräch über den Glaubensbrief Leos, das vollends seine Annahme ermöglichen sollte. Diese Gruppe wird sich wieder in der vierten Sessio gegen eine neue Glaubensformel wenden, wie sie es schon in der zweiten Sessio getan hatte. Die kaiserlichen Beamten verzichteten jedoch darauf, ihr Ziel zu erzwingen bzw. jetzt schon durchzusetzen. Sie begnügten sich damit, die Kommissionssitzung im ganzen so verlaufen zu lassen, wie es der Absicht der Gegenseite entsprach, und konnten sie als ersten Schritt zu ihrem größeren Ziel verstehen.

Der Gang der Verhandlung ist uns nur aus der Beschreibung von Bischof Sozon von Philippi, des Sprechers der illyrischen Bischöfe in der vierten Sessio und von Ananius (oder Ananias) von Capitolias in Palästina II bekannt, die freilich keine Beschreibung des Verlaufs gaben, sondern nur die aus ihrer Sicht wesentlichen Elemente der Sitzung hervorhoben.[34] Die illyrischen wie die palästinensischen Bischöfe äußerten zunächst sehr deutlich ihre Bedenken gegenüber Leos Lehrschreiben. Die Illyrer hoben seine Mißverständlichkeit hervor. Sie lag für sie darin, daß aus ihm eine Trennung (zwischen dem Göttlichen und Menschlichen in Christus) im Sinn eines häretischen Nestorianismus herausgelesen werden könnte. In diesem Sinn hatten sie ihn bis jetzt verstanden, wie sie ziemlich deutlich erkennen ließen. Darin lag zugleich eine implizite Rechtfertigung ihres gesamten bisherigen Verhaltens, Ephesus nicht ausgenommen. Ähnlich argumentierten die palästinensischen Bischöfe. Sie vertraten die Auffassung, daß Leos Brief von den Nestorianern als Bestätigung ihrer häretischen Auffassung in Anspruch genommen werden könnte.[35]

Das Verhalten der beiden Gruppen von Bischöfen gegen Theodoret auf dem Konzil unterstreicht ihre Haltung: sie waren nicht bereit, ihn aufgrund seiner Annahme des Tomus und seiner darauf sich stützenden Rehabilitierung durch Leo in die Communio aufzunehmen.[36] Auch dürfte ihnen schwerlich entgangen sein, daß Nestorius selbst den Tomus lebhaft begrüßt hatte und in ihm sich gerechtfertigt sah. Aus all dem folgerten sie, der Tomus sei fragwürdig, des Nestorianismus verdächtig, da er eine solche Interpreta-

33 Vgl. ACO II I 2 (31) 83,8-1; (33) 83,14-17 im Zusammenhang mit ACO II I 1 (1072) 195,34-196,6 und ACO II I 2 (2-5) 92,9-93,19.
34 Ebd. (9,68) 102,22-41; 103,13-30.
35 Ebd. 102,32-36; besonders deutlich 103,21-24.
36 ACO II I 1 (26-46) 69,12-70,36; ACO II I 3 (4-25) 9,3-11,7.

tion zumindest nicht auszuschließen schien. Sie betonten schließlich, sie hätten diese Auffassung von Anfang an dem Kaiser vorgetragen.[37]

Im ganzen wurden die Zweifel also viel entschiedener geäußert als in der zweiten Sessio. Sie bedeuteten eine grundsätzliche Infragestellung des Tomus, auch wenn die Bischöfe diesen Eindruck abzuschwächen suchten: nur bestimmte Partien seien anstößig.[38] Nach dem Bericht der illyrischen Bischöfe gingen die Legaten auf die Anfragen ein und waren gerne bereit, den Tomus in einer Weise zu deuten, die ihm seine Mißverständlichkeit nahm. Sie schlossen eine Interpretation aus, die einen häretischen Nestorianismus begünstigt hätte, und waren sogar dazu bereit, das mit dem Anathem zu verurteilen, was die Illyrer aus dem Tomus herauslesen zu können vermeinten.

Dies wirft neues Licht auf das Verhalten der Legaten. Auf der zweiten Sessio hatten sie keineswegs protestiert, als schwierige Stellen des Tomus von Aëtius und Theodoret mit cyrillischen Texten verglichen und erläutert wurden. Dies entsprach, wie wir sahen, ganz den Vorstellungen des Papstes. Der Traditionsvergleich hatte ergeben, daß der Tomus auch von der Überlieferung, wie sie bei Cyrill sich zeigte, gedeckt war, aber so auch – wenigstens bis zu einem gewissen Maß – in diesem Sinn interpretiert werden konnte. Diesen Vorgang bestätigten jetzt die Legaten selbst, führten ihn mit den Bischöfen weiter und ließen erkennen, daß der Traditionsvergleich zugleich die legitime und richtige Deutung des Tomus ermöglichte. Damit bestätigten sie zugleich implizit ihr Einverständnis mit der allocutio, in der die Konzilsväter die gegen den Tomus noch opponierenden Bischöfe eingeladen hatten, ihre Bedenken offen zu äußern und in diesem Sinn über den Tomus zu „diskutieren".[39]

Die Legaten waren nicht nur bereit, den Traditionsvergleich zuzulassen – oder richtiger: gemäß dem Auftrag des Papstes vom Konzil durchführen zu lassen –, sondern sie verstanden sich auch dazu, innerhalb dieses Prozesses des Traditionsvergleichs den Inhalt des Tomus selbst zu klären und ihm eine bestimmte Deutung zu geben. Sie gaben ihre – mündliche – Zustimmung zu der Formel, in Jesus Christus sei das Göttliche und Menschliche „unvermischt, ungesondert, ungetrennt" und verurteilten ausdrücklich eine Trennungstheologie. Damit machten sie sich geradezu wörtlich die Formel

37 So äußerten sich die Bischöfe aus Palästina: ACO II I 2 (9,68) 103,21-24.

38 Ebd. 102,35; 105,21-23.

39 Ebd. 102,35f. Die illyrischen Bischöfe bezeugen hier von den Bischöfen Paschasinus und Lucensius, den „Stellvertretern der apostolischen Kathedra" (102,31): „. . . ηὕρομεν αὐτῶν τὴν ἁγιότητα ἑτοιμότατα τὴν ἀμφιβολίαν ἐκβάλλουσαν" (35f.). W. de Vries übergeht diesen hochbedeutsamen Sachverhalt, der gegen seine Auffassung spricht, in seiner Studie (Chalkedon, 63-122; vgl. Orient et Occident, 101-160).

zu eigen, die Dioskur seinerseits als Klärung seiner Position gegenüber Eutyches auf der vorangegangenen Sessio geprägt hatte. Wie der alexandrinische Patriarch damit einen Schritt auf Leo und den Tomus zu getan hatte, so würdigten dies die Legaten jetzt mit ihrer Rezeption und gaben dem Schreiben des Papstes eine Deutung, die zugleich ein legitimes Anliegen Dioskurs aufnahm. Den palästinensischen Bischöfen gegenüber betonten sie dasselbe und bekannten Jesus Christus als den „einen und selben Herrn, den Sohn Gottes".[40] Damit war freilich noch keineswegs eine volle Klärung erfolgt. Der Papst verstand seine Darlegung des Glaubens als Bestätigung der Tradition, aber zugleich als Aussonderung einer neuen, irrigen Auffassung. Der von ihm gewünschte Traditionsvergleich hatte nun nicht nur die Übereinstimmung mit der Tradition, wie sie von Cyrill repräsentiert wurde, erbracht, sondern gleichzeitig eine Deutung des Tomus von dieser Traditionslinie her. Konnte dies nur von den „kanonischen", also bereits rezipierten Briefen Cyrills her geschehen oder auch von dem Cyrill der Zwölf Anathematismen her?[41] Konnte der Vorgang des Traditionsvergleichs zu einer Korrektur des Glaubensurteils des Papstes führen? Solche Fragen werden den weiteren Verlauf der Verhandlungen bestimmen. Sie stehen im Hintergrund der Diskussion um eine Glaubensformel und treten ins volle Licht erst im Augenblick, in dem die von der Kommission erarbeitete Formel dem Plenum vorgelegt wird.

Die Verhandlung fand ihren Abschluß in einem doppelten Vorgang. Die illyrischen wie die palästinensischen Bischöfe waren − anders als bei der zweiten Sessio − nun endgültig bereit, im Sinn der von den Legaten gegebenen Interpretation dem Tomus zuzustimmen. Sie besiegelten dies mit ihrer Unterschrift.[42] Andrerseits wollten sie sich mit der mündlichen Deutung der Legaten nicht zufrieden geben, sondern brachten von neuem ihr Verlangen zum Ausdruck, die Interpretation möge, wenn der Kaiser dies wünsche, zur Kenntnisnahme der ganzen Kirche schriftlich niedergelegt werden.[43] Sie verstanden die Kommissionssitzung demgemäß − ganz in der Linie, die auch vom Kaiser vertreten wurde − vor allem als Ort, an dem die Glaubensformel, die dem Konzil vorgelegt und von ihm verabschiedet werden sollte, vorbereitet wurde. Dieser Konzeption hatten, wie die vierte Sessio offenbart, die Legaten auch jetzt noch nicht zugestimmt.[44] Nicht

40 Die Formeln ACO II I 2 (9,68) 102,36-39; 103,26-28; vgl. die Formel Dioskurs auf der ersten Sessio: ACO II I 1 (263) 112,31f.
41 Vgl. die Stellungnahmen von Atticus von Nicopolis auf der zweiten Sessio: er plädierte für einen Glaubenstypos im Blick auf die Anathematismen Cyrills: ACO II 2 (29) 82,37-83,5.
42 ACO II I 2 (9,68) 102,41; 103,28.
43 Ebd. 103,28-30.   44 ACO II III 2 (6) 105,16-26.

umsonst suchten sich die Bischöfe aus Palästina und Illyrien mit ihren Anhängern auch jetzt auf den Kaiser zu stützen.[45]

Es lag nun für die Konzilsväter nahe, die Rezeption des Tomus in einer Vollversammlung feierlich zu besiegeln oder aber den Forderungen des Hofes nachzukommen und zunächst eine Glaubensformel zu erstellen, um alle, selbst die ägyptischen Bischöfe, für das solchermaßen interpretierte Glaubensschreiben Leos zu gewinnen. Statt dessen wurde in einer dritten Sessio Dioskur zur Verantwortung gerufen und jetzt schon vor die Entscheidung gestellt. Diese Sitzung unterbricht so sehr den vorgezeichneten Gang des Geschehens, daß die griechischen Akten ihre Dokumentation vorzogen und an die erste Sessio als zweite Sitzung anfügten, um sie logischer einzuordnen. Auf diese Weise hoben sie ihren Charakter als konkrete Folgerung der ersten Sitzung hervor. In der Tat bedeutet die neue synodale Aktion die Aufnahme der Anklagen auf unkanonische Durchführung der ephesinischen Synode, vor allem wegen des der kirchlichen Ordnung widersprechenden Verhaltens Dioskurs gegenüber dem Bischof von Rom. So versprechen die Akten dieser Sessio und die ihr zugehörenden Dokumente — die beiden Schreiben an Marcian und Pulcheria — von besonderem Interesse für unser Thema zu sein.

III. Die dritte Sessio (13. Oktober)

E. Schwartz konnte aufgrund der Subskriptionsliste unter das Urteil über Dioskur von neuem zeigen, wie diese Sessio aus dem Rahmen der übrigen, die sich mit der Glaubensfrage befaßten, herausfällt.[46] Es mußte aber immer schon verwundern, daß nur auf dieser Sessio — abgesehen von der vorletzten, die sich mit dem Rang Konstantinopels befaßte — die kaiserlichen Beamten fehlten. Schwartz verweist zur Erklärung dieses eigentümlichen Sachverhalts auf die Forderungen des Hofes nach Erstellung einer neuen Glaubensformel und nach Verurteilung jener sechs Bischöfe, die nach Auffassung des Hofes für die Zweite Ephesinische Synode die hauptsächliche Verantwortung trugen. Dies habe für die Synode in Chalcedon eine Klemme bedeutet, da sie eine solche Formel ablehnte und nur Dioskur verurteilen wollte. Das letztere wollte sie nun „von sich aus, ohne Mitwirkung der Beamten" tun.[47] Diese Sessio erscheint Schwartz demgemäß als

---

45 ACO II I 2 (9,68) 103,28-30.
46 *Schwartz*, Über die Bischofslisten, 1-8. Wichtige Beobachtungen zu den Listen bietet E. *Honigmann*, The Original Lists of the Members of the Council of Nicaea, the Robber-Synod and the Council of Chalcedon, in: Byz. 16 (1944) 20-80.
47 Ebd. 3.

„eine Art zahmer, im wesentlichen erfolgloser Auflehnung der östlichen Reichshälfte gegen das scharfe Regiment, das der Kaiser auf Anstiften seiner Gemahlin über sie ausübte".[48]

1. Die Haltung des Hofes

Die zweite Sessio war zu Ende gegangen mit der erneuten Anordnung der kaiserlichen Beamten, das Konzil solle eine Glaubensformel erarbeiten. Aber die dafür anberaumte Kommissionssitzung hatte nur die weitere Klärung des rechten Verständnisses von Leos Glaubensbrief und die Zustimmung auch der palästinensischen und illyrischen Bischöfe zum Tomus erbracht. Damit war für die übrigen Bischöfe der Glaubenskonsens hergestellt, der nur noch öffentlich in einer Sessio zu besiegeln war. Allein die Zustimmung von Dioskur war kaum mehr zu erwarten. Ihn galt es demnach vor die Entscheidung zu stellen, während die übrigen, die in Ephesus versagt hatten – selbst die eigentlich Verantwortlichen – voraussichtlich rekonziliiert werden konnten. Die Bischöfe aus Palästina und Illyrien freilich intendierten eine allgemeine Rekonziliation, die womöglich die alexandrinischen Bischöfe einschloß. Der Hof hatte sich mit der Forderung, es müßten die sechs Bischöfe (also nicht nur Dioskur!), die in Ephesus besondere Verantwortung getragen hatten, zur Rechenschaft gezogen werden, eher auf ihre Seite gestellt.

Doch auch der Kaiser konnte jetzt kaum mehr annehmen, daß sich der Alexandriner noch gewinnen lasse, etwa durch eine neue Glaubensformel. Denn Voraussetzung zur Zulassung zur Communio blieb nach wie vor die Zustimmung zum Tomus, den Dioskur trotz eines gewissen Zugeständnisses mit solcher Entschiedenheit in der ersten Sessio abgelehnt hatte und offenbar auch jetzt noch – nach der Interpretation der Legaten, welche die ehemaligen Parteigänger Dioskurs aus Palästina und Illyrien vorläufig befriedigt hatte – ablehnte. Diese erneute und endgültige Absage nach aller Interpretation bedeutete ja den eigentlichen Grund für die Absicht der Konzilsväter, die auf dieser Actio bestanden. Und auch die Bereitschaft des gesamten Konzils, die übrigen fünf Bischöfe zur Communio zuzulassen, statt sie zu verurteilen, konnte noch weniger eine Differenz zum Hof bedeuten. Denn ihm wie dem Konzil mußte alles daran gelegen sein, sie zu rekonziliieren, dies um so mehr, als sie inzwischen dem Glaubensbrief Leos ihre volle Zustimmung gegeben hatten.

Insgesamt drängt sich demnach die Folgerung auf, der Hof habe sich in

48 Ebd. 6.

189

keiner grundlegenden Differenz zu den konstantinopolitanischen und orientalischen Konzilsvätern befunden, was die beabsichtigte Verurteilung von Dioskur anging. Der Hof wollte aber demonstrativ dieser Sessio fernbleiben, um den Bischöfen aus Illyrien und Palästina, vor allem aber der ägyptischen Dioecesis gegenüber den Anschein erwecken zu können, als habe er der Verurteilung Dioskurs — soviel an ihm lag — widerstrebt und trage keine Verantwortung für sie; sie sei vielmehr ohne seine Mitwirkung erfolgt. Der Kaiser habe nur nachträglich, eher widerwillig seine Zustimmung zu einer Entscheidung gegeben, die das Konzil allein zu verantworten habe, nicht aber ihn belasten könne. Wir werden sehen, wie deutlich dieses Motiv in den Akten der Sessio selbst in Erscheinung tritt.

2. Anklagen und Vorladungen

Eine unmittelbare Folge der Abwesenheit der kaiserlichen Beamten tritt in einer neuen Anklage gegen Dioskur zutage. Das Konzil konnte nicht einfachhin und unmittelbar an die erste Sessio, in der die ephesinischen Akten verlesen und kommentiert worden waren, anschließen, da diese mit der Schuld von mehreren Bischöfen geendet hatte. So erhob Eusebius von Doryläum, obwohl er schon zu Beginn der ersten Sessio eine Anklageschrift verlesen hatte, von neuem Anklage.

Sie setzte gegenüber der ersten neue Akzente. Freilich nannte auch sie zuerst die Glaubensfrage. Sie klagte Dioskur an, er habe die häretische Lehre des Eutyches vertreten und diese auf der ephesinischen Synode bestätigen lassen wollen. Aber nun wurden die unkanonischen Machenschaften von Dioskur deutlich und ausführlich genannt, unter Rückbezug auf die Ergebnisse der ersten Sitzung: er, Eusebius, und Flavian durften sich in Ephesus nicht verteidigen, die Konzilsväter konnten ihr Urteil nicht frei äußern. Wie in seiner ersten Anklage erwähnte Eusebius allerdings auch hier nicht das unkanonische Vorgehen gegenüber Leo bzw. seinen Legaten.[49]

Dioskur seinerseits begründete seine Ablehnung, sich vor der Synode, die ihn vorlud, zu verantworten, unter Hinweis auf die problematischen Elemente dieser neuen Sessio. Er gab zunächst an, keine Genehmigung des Hofes zu haben und unter Bewachung zu stehen.[50] So mußte die Synode ihm kundgeben, der Hof erlaube ihm zu kommen. Damit hatte Dioskur aufgedeckt, daß der Hof sehr wohl um diese synodale Zusammenkunft wisse.[51] Mit der Forderung nach Anwesenheit der kaiserlichen Beamten

49 ACO II I 2 (5) 8,35-9,32.
50 Ebd. (19) 11,3-5.13-15.   51 Ebd. (20) 11,16-21; (22) 11,38-12.2.

wollte er möglicherweise die Legitimität der Versammlung in Frage stellen. Vor allem hatte diese Forderung jedoch den Sinn, zu zeigen, daß die Sitzung im Widerspruch stehe zu dem, was sich bisher auf der Synode ergeben habe, ja deren von den Beamten verkündetes Ergebnis geradezu aufhebe: nicht er allein sei verantwortlich. So erhob er denn zugleich die Forderung, auch die übrigen, die vom Konzil ausgeschlossen worden seien, müßten geladen werden.[52] Das Konzil berief sich demgegenüber darauf, jetzt sei durch Eusebius eine neue Anklageschrift eingereicht worden, Eusebius bekräftigte denn auch nochmals, er wende sich allein gegen Dioskur.[53]

Vor der dritten und letzten Vorladung nahm das Konzil eine Reihe weiterer Anklageschriften entgegen, die, von ägyptischen Klerikern vorgebracht, sich nun ganz eindeutig gegen Dioskur allein – bzw. gegen ihn und einige seiner ägyptischen Mitbischöfe – richteten, aber nun freilich nicht mehr im Blick auf sein Verhalten auf der ephesinischen Synode. Die erste, von Camelot hier merkwürdigerweise nicht erwähnte,[54] war in den Augen des Konzils und vor allem der Legaten gewiß die schwerwiegendste: Dioskur habe mit den ägyptischen Bischöfen, die ihn zur Synode nach Nicäa und Chalcedon begleiteten, Papst Leo aus der Communio ausgeschlossen.[55] Die vielen anderen reichten von Nichtanerkennung synodaler Beschlüsse bis hin zu den Beschuldigungen, er habe Verwandte seines Vorgängers Cyrill benachteiligt und ungerecht behandelt.[56]

Man wird freilich der Auffassung von Schwartz nicht folgen können, die Synode habe Dioskur nicht wegen des ungerechten Urteils der ephesinischen Synode, sondern „wegen allerhand Gewalttätigkeiten, die er als Bischof in Alexandria begangen haben sollte", verurteilt.[57] Schwartz nimmt hier in einseitiger Verzeichnung eine Deutung auf, die Anatolius auf der fünften Sessio gab. Dort vertrat der Patriarch die Auffassung, Dioskur sei vom Konzil verurteilt worden, weil er gegen Leo die Exkommunikation ausgesprochen habe und der dritten Vorladung der Synode nicht gefolgt sei.[58] Denn sosehr die Zulassung neuer Anklagen dahin interpretiert werden

---

52 Ebd. (22) 11,24-29.

53 Ebd. (31) 12,31-13,4; (37) 14,17-37.

54 *Camelot*, Ephesus und Chalcedon, 144.

55 ACO II I 2 (47) 16,25-35. Der Bericht spricht in großer Übertreibung vom Widerstreben der ägyptischen Bischöfe gegen Dioskurs Akt.

56 Vgl. ebd. (47) 15,31-16,42; (51) 17,11-19,29; (57) 20,17-22,26.

57 *Schwartz*, Über die Bischofslisten, 3.

58 ACO II I 2 (14) 124,14-16. Bei Anatolius gibt es freilich keinen Hinweis dafür, daß er mit der Erwähnung der Exkommunikation Leos auch die Anschuldigungen über Dioskurs Verhalten in Alexandria hervorheben wollte; vielmehr betonte er den Ungehorsam gegenüber dem Konzil selbst angesichts einer dritten Ladung.

konnte, die Synode lasse damit erkennen, daß ihre sonstigen Anklagen in Wahrheit doch nicht allein Dioskur trafen, sowenig wurde mit den neuen Anklagen jene von Eusebius von Doryläum zurückgenommen. Allerdings war doch der Fehldeutung von Anatolius ein erster Spalt offengelassen, der die Schuld von Dioskur nun wenigstens zum Teil vom ephesinischen Geschehen wegnahm und auf seine spätere Haltung gegenüber Rom und gegenüber dem Konzil von Chalcedon bezog.

Die Anklagen der ägyptischen Bischöfe mußten Anatolius sehr gelegen kommen, während die Legaten offenbar nicht voraussehen konnten, welche Absichten Anatolius verfolgte. Er suchte die Anklagen auf den rein kanonischen Bereich und dazu noch auf die Zeit nach der ephesinischen Synode zu beschränken. Erst die kritische Situation der fünften Sessio sollte ihn dazu bringen, seine Intention zu enthüllen. Den Legaten kam die Anklage bezüglich seines Verhaltens gegenüber dem Papst eher gelegen, nicht weil sie ihre Verurteilung nun auf dieses Faktum allein stützen wollten, sondern weil in ihr jenes obstinate Verhalten Dioskurs zum Ausdruck kam, das seinen Mangel an Umkehrbereitschaft zeigte und ihn so zugleich von den anderen fünf Bischöfen, die für Ephesus verantwortlich gemacht wurden, unterschied. Dies zeigt sich denn auch in dem Urteil, das sie als erste gegenüber Dioskur aussprachen.

3. Das Urteil der Legaten

In seinem Urteil faßte Paschasinus die Verfehlungen von Dioskur zusammen, begründete aber zugleich, warum er über ihn allein die verurteilende Sentenz sprechen müsse. Seine Anklage lautete im ganzen auf Verletzung der kirchlichen Ordnung; mit ihr leitete er die Aufzählung im einzelnen ein, mit ihr schloß er sie auch ab. Damit erhielt das Urteil eine eindeutige ekklesiologische Perspektive.[59] Die Glaubensfrage zeigte sich, wie wir sehen werden, zwar im Hintergrund, aber sie war nicht ausdrücklich in die Begründung der Verurteilung einbezogen.

Dies verlangt eine Erklärung, und zwar um so mehr, als das Konzil schon grundsätzlich dem Tomus zugestimmt hatte — bis hin zu den Bischöfen aus Palästina und Illyrien. War es nicht möglich, Dioskur jetzt auch hierzu vor eine Entscheidung zu stellen? Aber gerade in diesem Bereich sah vor allem der Hof mit Anatolius und den eben genannten Bischöfen die völlige und endgültige Klärung und Entscheidung noch nicht als gegeben an. Vielmehr wird er weiterhin versuchen, eine Glaubensformel erstellen zu lassen, die

---

59 ACO II III 2 (94) 45,22-25; 46,20f.

eine relecture des Tomus sein sollte oder sogar der eigentliche Maßstab des Glaubens, an dem Leos Glaubensbrief gemessen und in dessen Linie er rezipiert werden konnte. Deshalb kam es der Intention von Anatolius sehr entgegen, wenn die Glaubenssache nicht ausdrücklich im Urteil erwähnt wurde.

Für die Legaten freilich kann ein solches Motiv nicht als Grund ihres Handelns vorausgesetzt werden. Für sie war die Absicht des Papstes maßgebend, der dem Konzil insgesamt neben der christologischen auch eine ekklesiologische Ausrichtung geben wollte, indem er den Alexandriner anklagte, er habe sich gegen die Stellung des Apostolischen Stuhles vergangen. Die Legaten nahmen mit einer solchen Begründung des Urteils die Anklage auf, die sie zu Beginn des Konzils vorgetragen hatten und unter deren Perspektive sie die Prüfung der ephesinischen Synode gestellt hatten.

Ihre Intention zeigt sich deutlich an ihren einzelnen Feststellungen. Zunächst verwiesen sie auf eine Tatsache, die bisher noch nie explizit hervorgehoben worden war: Dioskur habe Eutyches, der von der endemischen Synode verurteilt worden war, zur Communio zugelassen, ohne den Entscheid einer Synode — konkret offenbar jener, welche nach Ephesus einberufen worden war — abzuwarten. Er habe damit durch sein Verhalten sich einen unberechtigten Primatsanspruch angemaßt.[60] Zweitens verwiesen sie darauf, daß Dioskur in Ephesus das Schreiben Leos nicht zur Verlesung brachte, trotz der Bitten der Synodalen und seines eigenen eidlichen Versprechens. Dies habe für die ganze Kirche ein Ärgernis und eine „Verletzung" bedeutet.[61] Es ist durchaus möglich, daß die Legaten damit nicht nur sagen wollten, Dioskur habe die Stellung des Apostolischen Stuhles angetastet, sondern zugleich, er habe den Glauben der Kirche verletzt. Als letztlich entscheidenden Schritt nannte Paschasinus neben dem Ungehorsam gegenüber der konziliaren Ordnung den Ausschluß Leos aus der Communio, ein Schritt, der in dem Augenblick erfolgte, als ein Entgegenkommen gegen Dioskur wie gegen die übrigen, die in Ephesus die Hauptverantwortung trugen, ins Auge gefaßt worden sei, obwohl er dort die entscheidende Rolle gespielt habe.[62]

Im Urteil selbst, das Dioskur der bischöflichen Würde entkleidete, hob der Legat ebenso deutlich die Stellung des Apostolischen Stuhles hervor. Er bezeichnete Leo als den, der das Urteil fällt, und zwar durch sie, die Legaten, aber auch durch das ganze Konzil.[63] Damit war das Tun der Synode

---

60 Ebd. 45,25-46,2.   61 Ebd. 46,6-10.   62 Ebd. 46,10-21.

63 Ebd. 46,21-25: „. . . unde sanctissimus et beatissimus archiepiscopus magnae senioris Romae Leo per nos et per praesentem sanctam synodum una cum ter beatissimo et omni laude digno Petro apostolo, qui est petra et crepido catholicae ecclesiae et ille qui est rectae fidei

eindeutig in Unterordnung unter jenes des römischen Bischofs gestellt. Damit rückte die ökumenische Synode in eine gewisse Nähe zu einer römischen Synode. Doch sind die Unterschiede ebenfalls unübersehbar: die Legaten gaben als erste, nicht als letzte, ihr Urteil ab. Und Paschasinus erbat im Anschluß an sein Urteil das Urteil aller anderen Bischöfe. Leo selbst wird schließlich gerade die Formulierung „. . . Leo . . . per praesentem sanctam synodum", die das Urteil der Legaten dem Urteil des Papstes auf einer römischen Synode annäherte, später abändern und so zwar keineswegs sein eigenes Urteil geringer einstufen, aber doch die Eigenständigkeit des Tuns der Bischöfe deutlicher hervorheben: „. . . Leo . . . sancta synodo consentiente".[64]

Der Legat stellte darüber hinaus die enge Verbindung des römischen Bischofs mit dem Apostel Petrus ins Licht: „Leo . . . una cum ter beatissimo et omni laude digno Petro apostolo . . .". Petrus ist beschrieben als Fels und fester Grund der Kirche, als Fundament des rechten Glaubens. Damit partizipiert Leo in seinem Glaubensurteil an der Unerschütterlichkeit dessen, der als Fels eingesetzt ist und so den rechten Glauben festzuhalten vermag.[65] Auf diese Weise hob Paschasinus nun auch hervor, daß Dioskur in

fundamentum, nudavit eum tam episcopatus dignitate . . ." (ebd. 46,21-24). − Das Verhalten der Legaten zeigt schon in der Vorbereitung des Urteils wie im Urteil selbst eine gewisse Ähnlichkeit zum Vorgehen Dioskurs gegenüber Flavian auf der ephesinischen Synode. Auch er gab dort als erster sein Urteil ab. Und um es vorzubereiten, erfragte er die Auffassung anderer Synodalen zu der Sache, die als Begründung der Verurteilung dienen sollte. Fünfzehn Bischöfe und die beiden Legaten antworteten damals, wobei letztere freilich nicht bemerkt hatten, daß man ihre Stellungnahme als Begründung des Urteils über Flavian interpretieren konnte. In Chalcedon gingen die Legaten weiter. Vor ihrem eigenen Urteil fragten sie die Bischöfe, welche Strafe Dioskur verdiene und ob die kanonischen Sanktionen zur Anwendung gebracht werden sollten; ja schließlich ersuchten sie die Bischöfe um ihr Urteil. Wollten sie ihr eigenes Urteil erst am Schluß fällen? G. Roethe (Römische Synoden, 75-79) beschreibt als Praxis der römischen Synode, näherhin jener unter Miltiades im Jahre 313, daß der Papst sein Urteil als die eigentlich entscheidende Sentenz erst nach allen anderen Sentenzen fälle. „Als das eigentliche Urteil hat nur die ins einzelne gehende Schlußrede des Miltiades zu gelten. Die voraufgehenden Meinungsäußerungen der anderen sind als Ratschläge zu werten" (ebd. 78). Es liegt nahe, die dem Urteil der Legaten vorangehende Befragung als Ausfluß einer solchen Praxis zu deuten. Andererseits gaben die Legaten dann doch − zumal als die Befragung kaum etwas erbrachte − als erste ihr Urteil ab und ersuchten dann um das Urteil der Synode („. . . synodus . . . decernet" − ACO II III 2 [94] 46,25f.), also nicht bloß um eine Meinungsäußerung. Ähnlich wird auch Leo in seiner Neufassung formulieren: „superest uti . . . synodus canonicam contra praedictum Dioscorum proferat . . . sententiam" (ACO II IV [112] 156,25f.).

64 Vgl. ACO II IV (112) 156,21f. mit ACO II III 2 (94) 46,21f. − Leo hob in seiner Neufassung auch die enge Beziehung zwischen Petrus und seiner Person stärker hervor, indem er als „mit der Würde Petri ausgestatteter" urteilte; als neue Bezeichnung fügte er hinzu: „caelestis regni ianitor": „unde sanctus ac beatissimus papa caput universalis ecclesiae Leo per nos vicarios suos sancta synodo consentiente Petri apostoli praeditus dignitate, qui ecclesiae fundamentum et petra fidei et caelestis regni ianitor nuncupatur, episcopali eum dignitate nudavit . . ." (ACO II IV [112] 156,21-24). Mit alledem war das Urteil über Dioskur mit einer großen Verbindlichkeit unter Berufung auf die Petrus bei Cäsarea Philippi verheißene Vollmacht gefällt.
65 Zugleich war Leo, gewiß unter dem Einfluß von Anatolius und Aëtius, als „archiepiscopus magnae senioris Romae" bezeichnet. Leo wird in seinem Schreiben an die Bischöfe Galliens statt

der Verletzung der Kanones jene Ordnung der Kirche traf, die in Christus gründete. Denn er war es, der den Apostel als Fundament einsetzte. Dioskur traf demnach Leo in seiner sich von Petrus herleitenden Vollmacht, der Kirche und ihrem Glauben festen Halt zu geben.[66]

Somit war die Dimension des Glaubens wenigstens prinzipiell in jene der kirchlichen Struktur einbezogen. Die Verurteilung des alexandrinischen Patriarchen wahrte den Auftrag, welcher dem römischen Bischof für das Verbleiben der Kirche im rechten Glauben gegeben war. Damit war denn auch die tiefere Schicht des Vergehens, das Dioskur in Ephesus begangen hatte, offengelegt, als er das Schreiben des Papstes – sein Glaubenszeugnis – aus der synodalen Beratung und Entscheidung ausschloß. Mit alldem war die Begründung des Urteils vertieft, aber nicht aufgehoben. Die Anklage gegen Dioskur aufgrund seiner Verletzung der kanonischen Ordnung der Kirche war als Verstoß gegen die Kirche und ihr Feststehen im Glauben beschrieben und so zugleich als ein Vergehen, das sich gegen Christus selbst richtete, der Petrus als Fundament einsetzte. Es ist von höchstem Interesse zu sehen, ob die Bischöfe den Legaten in einer solchen Begründung des Urteils folgen konnten.

IV. Die Begründung des Urteils über Dioskur gegenüber Marcian und Pulcheria durch die Synode

Die Synode sah sich nach der dritten Sessio veranlaßt, Kaiser Marcian und Kaiserin Pulcheria je ein Schreiben zu übergeben. Die beiden Schreiben, vor allem jenes an den Kaiser, erschienen den Konzilsvätern zunächst als dringlich, weil die Absetzung Dioskurs so ostentativ ohne Beteiligung des Hofes stattgefunden hatte. Sie boten aber zugleich die Möglichkeit, das Konzilsgeschehen zu interpretieren, besonders jenes der dritten Sessio. Das Schreiben an Kaiser Marcian bot eine offizielle Interpretation des Urteils

dessen schreiben: „papa caput universalis ecclesiae"; statt „(Leo) una cum ter beatissimo et omni laude digno Petro apostolo (ACO II III 2 [94] 46,22f.) formuliert er: „(Leo) Petri apostoli praeditus dignitate" (ACO II IV [112] 156,22f.). Zwischen dem Text der Legaten und dem Text Leos liegt der Streit um den Rang Konstantinopels. Dies mag – abgesehen von dem naheliegenden Motiv einer stilistischen Überarbeitung, die zugleich eine theologische Präzisierung anstrebte, und abgesehen von der Rücksichtnahme auf die Adressaten – ein Grund für die Neufassung Leos gewesen sein, der als jener, in dessen Namen die Legaten gesprochen hatten, sich nicht scheute, die Form des Urteils und seiner Begründung zu präzisieren. Vgl. auch H. *Rahner*, Leo der Große, 330, dessen Argumentation gegen *Caspar* hier nicht ganz überzeugend wirkt. – Leo sah in diesem Augenblick wohl keinen Anlaß, Dioskur zu schonen.
66 Vgl. Anm. 63.

über Dioskur, indem es die Begründungen des Legaten aufgriff und geradezu Schritt für Schritt paraphrasierte.[67]

Schon zu Anfang trat freilich noch deutlicher die Verfehlung des Patriarchen gegenüber dem römischen Bischof hervor, da das Schreiben auf die allgemeine Feststellung, Dioskur habe die kanonische Ordnung übertreten, verzichtete und stattdessen die Anklage an die Spitze stellte, er habe Leos Schreiben an die ephesinische Synode nicht verlesen lassen – und zwar absichtlich – entgegen allen eidlichen Versprechungen.[68] Die Bischöfe interpretierten nun auch die vorsynodale Aufnahme von Eutyches durch Dioskur noch deutlicher denn Paschasinus als Vergehen gegen Rom. Er habe diesen Schritt getan angesichts des Urteils Leos, der die Lehre von Eutyches schon verurteilt hatte.[69] Nach einem Verweis auf das unkanonische Verhalten gegenüber Eusebius – hier griffen die Bischöfe seine Anklage nun explizit auf und faßten damit den Katalog der ephesinischen Irregularitäten zusammen – und nach einem Hinweis auf die von den ägyptischen Klerikern behaupteten Verfehlungen gegen synodale Beschlüsse[70] nahmen sie wiederum Dioskurs Verhalten gegenüber Rom in den Blick. Als Zeichen seiner unbelehrbaren Haltung nannten sie seine Exkommunikation Leos, die sie als „Versuch" abwerteten. Zugleich hoben sie die theologische Dimension eines solchen Tuns hervor, indem sie es als Vergehen gegen den Apostolischen Stuhl werteten und damit als vergebliches Unterfangen charakterisierten.[71] Schließlich erwähnten sie seine Weigerung, sich der Synode und ihren Anklagen zu stellen.

Insgesamt boten die Konzilsväter mit ihrer Urteilsbegründung einen eindrucksvollen Kommentar zur Anklage der Legaten, Dioskur habe eine Synode – nämlich die ephesinische – gehalten, ohne die Autorität des römischen Bischofs zu berücksichtigen. Sie bestritten damit, daß solches möglich sei, und erachteten deshalb auch Dioskurs Sanktion für wertlos. Dabei ließen sie sogar deutlicher als die Legaten hervortreten, daß die Stellung Roms innerhalb einer solchen ökumenischen Synode gerade im Blick auf den Glauben unverzichtbar ist. Dioskurs bewußte Abwendung von dem Urteil des römischen Bischofs bedeutete Abwendung vom Glauben und Zuwendung zur Häresie.

---

67 ACO II III 2 (98) 83,9-84,31.   68 Ebd. 83,19-24.

69 Ebd. 83,26-31.

70 Ebd. 83,31-84,8.

71 Ebd. 84,6: „. . . adversus ipsam apostolicam sedem latravit et excommunicationis litteras adversus sanctissimum et beatissimum papam Leonem facere conatus est . . ." – Selbst Anatolius sprach bei seinem Urteil über Dioskur vom römischen Stuhl als „τῷ ἀποστολικῷ θρόνῳ" und gab dabei kund, er folge dessen Entscheidung: ACO II I 2 (95) 29,21-26.

Das Schreiben an Pulcheria ähnelte im Aufbau jenem an Marcian: es hob im Proömium die Bedeutung des Adressaten für das Konzil hervor, begründete die Verurteilung Dioskurs und ersuchte um Annahme der Entscheidung der Synode.[72] Aber es bot keine weitere Paraphrase der Urteilsbegründung, sondern nannte nur das eigentliche, entscheidende Vergehen Dioskurs: seine Weigerung, Leos Tomus in Ephesus verlesen zu lassen. Die Bedeutung des Schreibens lag darin, daß es dieses Ereignis in einen größeren Horizont einordnete und theologisch deutete. Dafür boten die Verdienste von Pulcheria für den Glauben und die Einheit, die im Rahmen des Proömium hervorgehoben wurden, einen willkommenen Ansatzpunkt. Die Bischöfe nannten sie Glaubensschülerin und rühmten ihren Eifer. Mehr noch: sie brachten die Klärung der Glaubenslehre und die Wiedergewinnung der Einheit mit ihrem Wirken in enge Verbindung. Durch sie sei die Herde, die durch die Häresie zerstreut war, wieder in einer Hürde vereint. Sie habe ihre Hirten zurückerhalten. Die Konzilsväter variierten den gleichen Gedanken im Bild der zum Auslaufen gerüsteten Schiffe: sie haben ihre Steuermänner erlangt.[73]

Nun rückten die Bischöfe das Wirken Pulcherias jedoch in einen größeren Rahmen und relativierten bzw. präzisierten es damit zugleich. Gewiß war es auch ihr zuzuschreiben, daß die Hirten zur Glaubenseinheit zurückgefunden hatten und nun als Hirten und Lehrer für ihre Gläubigen da sein und sie aus der Zerspaltung zur Einheit zurückführen konnten. Aber letztlich war es doch Christus selbst, der die Hirten zur Einsicht geführt hatte. Von ihm her nahmen die Konzilsväter nun aber den Papst in den Blick. Womöglich noch deutlicher als in der allocutio beschrieben sie Leos Indienstnahme durch Christus im Blick auf das Geschehen in Cäsarea Philippi. Wie Christus Petrus als Verkünder dessen, was er selbst übermitteln wollte, in Anspruch nahm, so zeigt er nun durch Leo die Wahrheit. Die Bischöfe hoben den Vorgang ins Prinzipielle: Christus nimmt ihn in Dienst, um durch ihn selber zu sprechen. Zugleich bezogen sie dies auf das Konzil: auf solche Weise habe Christus durch den Papst den Kirchen (die im Bild der Schiffe gezeichnet werden) wahre Steuermänner gegeben; denn nun wurden sie, die Bischöfe, zum rechten Glaubensverständnis hingeführt. Jetzt war die Häresie überwunden, der Teufel als Verfolger der Kirche unschädlich gemacht.[74]

---

72 ACO II III 2 (103) 86,29-87,33.
73 Ebd. 86,29-87,6.
74 Ebd. 87,4-8: „qui enim dispergebat, extinctus est, sopitus est persecutor, princeps tempestatis explosus est ipsaeque naves suos cursurae petiere rectores Christo ad intellegentiam prospere dirigente, qui ostendit in Leone mirabili veritatem, qui sicut sapiente Petro, ita et isto utitur assertore".

Mit ihrem Brief an Pulcheria bekräftigten die Bischöfe, die im Namen der Synode sprachen, die Haltung, die sie schon im Schreiben an den Kaiser gezeigt hatten. Wie die Legaten begründeten sie die Verurteilung Dioskurs mit seinem Vorgehen gegen die sedes apostolica. Damit übernahmen sie die ekklesiologische Betrachtung der ephesinischen Vorgänge. Dies ist von fundamentaler Bedeutung. Denn damit war das Urteil über die Zweite Ephesinische Synode vollends gesprochen, die vor der Kirche mit dem Anspruch einer gültigen ökumenischen Synode auftrat. Die Bischöfe bezeugten damit, daß eine solche Synode ohne, d. h. gegen den Apostolischen Stuhl und sein Glaubenszeugnis, nicht stattfinden könne. Der Bischof von Rom besitze „apostolische" Vollmacht: Christus nimmt ihn wie Petrus als Zeugen der Wahrheit in Dienst, um die Bischöfe zur Einheit im Glauben zu führen.

Die theologische Begründung des Schreibens an Pulcheria zeigt sich in ihrem Gewicht noch deutlicher, wenn wir sie in den geschichtlichen Kontext einordnen. Es fällt auf, daß die Konzilsväter das eigentliche konziliare Geschehen als bereits abgeschlossen darstellten. Die Glaubensentscheidung war nicht nur durch Leo schon gefallen, sondern hatte auch schon die Konzilsväter geeint. Ebenso bemerkenswert ist, daß sie – hier wie im Schreiben an Marcian – Leos Tomus als Stellungnahme gegen die eutychianische Lehre werteten und mit Dioskurs Weigerung, ihn verlesen zu lassen, sein Abgleiten in den Irrtum verknüpften. Mit der Verletzung der kanonischen Ordnung war eine Abkehr vom wahren Glauben, den der Apostolische Stuhl festhält, nicht bloß prinzipiell, sondern konkret gegeben. Die Konzilsväter verstanden deshalb ihre Verurteilung Dioskurs aufgrund seiner Haltung gegenüber dem Papst zugleich als eine Entscheidung gegen die eutychianische Häresie, in die er verfallen war.[75]

Dies alles aber geschah im geschichtlichen Kontext der Rezeption des Tomus und so zugleich inmitten des Ringens um die prinzipielle Frage, ob eine Glaubensformel erstellt werden könne oder nicht. Mit ihrer Darstellung wandten sich die Bischöfe gegen die Gruppe jener Konzilsväter, welche die Annahme des Tomus nur als ersten Schritt zu einer sehr offenen, erst noch zu erstellenden Ekthesis betrachten wollten, zu einer Formel, die sogar eine Revision des Urteils Leos implizieren konnte. Um eine solche Korrektur des mit der Rezeption gewonnenen Glaubensverständnisses zu verhindern, wandten sie sich an Pulcheria und rühmten ihren Glaubenseifer, stützten sich theologisch aber vor allem auf Leos Tomus und verknüpften ihn mit

---

75 In diese Linie fügt sich ein, daß die Konzilsväter im Schreiben an den Kaiser nicht nur an den Tomus erinnerten, sondern explizit dessen Sentenz gegen Eutyches aufgriffen, fast in der Weise eines Zitats: ACO II III 2 (98) 83,27-31.

dem petrinischen Auftrag Leos, den sie als eine Indienstnahme durch Christus charakterisierten. Die folgenden Sitzungen werden den beschriebenen Kontext und die aktuelle Bedeutung der synodalen Ausführungen bestätigen. Sie griffen den Faden auf, der nach der zweiten Sessio fallengelassen worden war.

V. Die vierte Sitzung (17. Oktober)

Die neue Sessio setzte wiederum mit einem Ringen um das konziliare Programm ein und verschärfte es vollends. Die Beamten ließen zu Beginn die fünf Anweisungen verlesen, die sie in der ersten und zweiten Sitzung gegeben hatten. (Sessio II war in diesem Augenblick für sie die letzte, da der Hof die folgende Sitzung noch nicht als Sessio offiziell zur Kenntnis genommen und ihre Entscheidung bis jetzt nicht rezipiert hatte.) Sie legten die genannten Äußerungen den Konzilsvätern als Weisung, als synodales Programm vor, ungeachtet des heftigen Widerspruchs, den die Synode — wenigstens in ihrer Mehrheit — auf der zweiten Sessio geltend gemacht hatte: damit die Synode wisse, „was zu tun sei".[76] Die fünf Anweisungen forderten eine genauere Untersuchung des Glaubens (und den Ausschluß der sechs Bischöfe) und präzisierten die erstgenannte Aufgabe: es gehe dabei um die Berücksichtigung der Fragen, die der Tomus manchen aufgebe; dies solle auf einer Kommissionssitzung geschehen, die den Glauben beraten und „darlegen" solle.[77] Jetzt, im Anschluß an die Verlesung dieser Äußerungen, wünschten die Beamten die Glaubensformel der Kommission kennenzulernen.[78]

Die Antwort gab nicht Anatolius, dem die Auswahl der Kommissionsmitglieder übertragen worden war, sondern der Legat Paschasinus. Er hatte die Forderung des Hofes nach „Darlegung" des Glaubens mit Recht als Forderung, eine neue Glaubensformel zu erstellen, verstanden. Während er aber mit den anderen Legaten merkwürdigerweise geschwiegen hatte, als sich in der zweiten Sessio aus der Synode heftiger Widerstand dagegen erhoben hatte, lehnte er nun das Ansinnen rundweg ab. Der Tomus sei angesichts der gegenwärtigen Glaubensfrage als endgültige Auslegung der nicänischen Formel zu betrachten. Daran habe auch die „Belehrung der Zweifelnden" auf der vorangegangenen Kommissionssitzung nichts geändert. Mit dem Schreiben Leos sei der Glaube, wie die Synode ihn darlegen wolle, schon gegeben. Der Legat verwies auf die geschichtliche Parallele des

76 ACO II I 2 (2) 92,9f.   77 Ebd. (3f.) 92,16-93,16.   78 Ebd. (5) 93,17-19.

Ersten Ephesinischen Konzils: es habe Cyrills gegen Nestorius gerichtete Glaubensdeutung sich zu eigen gemacht. Etwas Ähnliches habe die Synode in Chalcedon nun schon erbracht, da sie Leos Schreiben rezipiert habe; sie könne deshalb keine neue Auslegung des Glaubens geben.[79]

Die Synode gab durch Akklamation ihre Zustimmung kund und hob zugleich das nicänische Bekenntnis als Taufbekenntnis hervor und unterstrich so seinen grundlegenden und unersetzbaren Charakter.[80] Es wäre jedoch verfehlt, in diesen Rufen die Zustimmung der gesamten Synode vernehmen zu wollen, auch wenn sich kein offener Widerspruch regte. Freilich hatten inzwischen auch die Bischöfe aus Palästina und Illyrien den Tomus unterschrieben. Aber sie drängten auf eine schriftliche Fassung der Interpretation des Tomus, welche die Legaten ihnen gegeben hatten, und also auf eine Ekthesis.

Wie schon in der zweiten Sitzung suchten die Beamten auch jetzt den akklamierenden Bischöfen zunächst entgegenzukommen. Sie wollten den Konsens über Leos Tomus durch Deposition jedes einzelnen Bischofs feststellen lassen. Dies war für die Bischöfe, soweit sie mit den Legaten Leos Schreiben uneingeschränkt bejahten, von größter Bedeutung. Denn auf diese Weise ergab sich nun in offizieller, feierlicher Form die synodale Rezeption des Tomus. Ihr stand jetzt, da in der Kommissionssitzung auch die Bischöfe aus Illyrien und Palästina die Unterschrift geleistet hatten, nichts mehr im Wege. Für diese letztgenannten Bischöfe und für den Hof war der Vorgang freilich nur wieder ein Schritt zu ihrem Ziel der Erstellung einer Ekthesis. Denn nun konnte auch die interpretierende Erklärung, welche die Legaten in der Sitzung der Kommission gegeben hatten, öffentlich vorgetragen werden und als Ansatz für die geplante Ekthesis in Erscheinung treten. Die Beamten kennzeichneten den Sinn und so auch die Tragweite des synodalen Vorgangs: es gehe um einen prüfenden Vergleich des Tomus mit dem nicänischen und konstantinopolitanischen Bekenntnis. Während Paschasinus als Modell (neben der letztgenannten Formel) die Rezeption des cyrillischen Schreibens gegen Nestorius durch die Erste Ephesinische Synode hervorhob, bezogen sich die Beamten bezeichnenderweise auf die Synode der kaiserlichen Stadt, die eine Glaubensformel erstellt hatte.[81]

Als erster gab Anatolius sein Urteil ab, was kaum verwundert, da die

---

79 ACO II III 2 (6) 105,16-26. Der Legat bezeichnete Leo hier als „apostolischen Mann, Papst der gesamten Kirche" („apostolici viri universalis ecclesiae papae"). Die griechische Übersetzung übergeht merkwürdigerweise die Kennzeichnung „apostolisch": „. . . ἀνδρὸς πασῶν ἐκκλησιῶν ἀρχιεπισκόπου Λέοντος" (ACO II I 2 (6) 93,28).

80 ACO II I 2 (7) 93,32-35.

81 Ebd. (8) 93,36-94,2.

Legaten die Übereinstimmung des Tomus mit der Tradition gerade eben bekräftigt hatten. Seine Stellungnahme weist nichts Bemerkenswertes auf; er betonte die Konkordanz des Schreibens mit den Symbolen von Nicäa und Konstantinopel wie auch mit der Ersten Synode von Ephesus.[82] Die Legaten glaubten nun aber noch einmal ihre Stellungnahme unterstreichen zu sollen. Die Übereinstimmung könne nicht bezweifelt werden. Der Glaube des Papstes – des Vorstehers, der den Apostolischen Stuhl innehat – stimme mit dem Glauben von Nicäa überein und mit Konstantinopel, das diesen Glauben bestätigte – der Rangunterschied zwischen beiden Formeln wird so recht deutlich gekennzeichnet –, und auch mit den Festlegungen Cyrills in Ephesus. Mit der letzten Formulierung treten Cyrill und sein Schreiben wiederum besonders hervor, aber es ist der Cyrill, der in Ephesus rezipiert wurde. Leos Schreiben wolle die ephesinische Entscheidung gegen Nestorius nicht zurücknehmen, wende sich nun aber gegen den Irrtum von Eutyches und verstehe sich als Auslegung des nicänischen Glaubens – es habe den „gleichen Sinn und Geist".[83]

Wichtig sind vor allem die sich anschließenden Urteile von Bischöfen, sofern sie eine differenzierende Interpretation bieten. Bischof Johannes von Sebaste in Armenia Prima stimmte dem Skopus des Briefes Leos zu und wollte damit möglicherweise eine Einschränkung zum Ausdruck bringen.[84] Die illyrischen und palästinensischen Bischöfe erinnerten an die Kommissionssitzung und die große Bereitschaft der Legaten, eine befriedigende Interpretation des Tomus zu geben. Sie trugen die Formeln vor, die das Ergebnis der Sitzung darstellten, und verknüpften ihre öffentliche Zustimmung zum Schreiben mit dieser Deutung.[85] Aber die Bischöfe aus Palästina ersuchten nun darüber hinaus die Legaten, ihre Interpretation öffentlich zu dokumentieren.[86] Damit ging es ihnen offenbar nicht bloß darum, daß die Legaten auf der amtlichen Sessio sich zu ihrer Aussage bekennen sollten; sie zielten vielmehr auf eine schriftliche Darlegung für die Öffentlichkeit der ganzen Kirche ab. Die Legaten verharrten in Schweigen, sie hatten ihr Nein zu diesem Vorschlag schon zu Beginn der Sitzung mit Nachdruck vorgetragen.

Nach den Depositionen von hundertachtundfünfzig Bischöfen, denen noch die korporativen Urteile der Bischöfe aus Illyrien und Palästina

---

82 Ebd. (9,1) 94,4-10). Am ehesten erscheint bemerkenswert die Bekräftigung der antinestorianischen Tendenz des Tomus.
83 ACO II III 2 (9,2-4) 106,9-15.
84 ACO II I 2 (9,10) 94,34-38.
85 Ebd. (9,68-98) 101,40-103,2; bes. 102,22-41; (9,99-114) 103,3-32; bes. 103,13-30.
86 Ebd. (9,114) 103,28-30.

hinzugerechnet werden müssen, erfragten die Beamten die Haltung der übrigen Bischöfe. Diese antworteten mit Rufen, die den allgemeinen Konsens zum Ausdruck brachten, und die Akten notierten denn auch die Akklamationen als Zurufe „aller Bischöfe". Die Bischöfe ersuchten den Kaiser zugleich um die Zulassung der ausgeschlossenen Bischöfe zum Konzil. Dies erscheint als außerordentlich merkwürdig, korrespondiert aber mit der Tatsache, daß der Hof sie unter Akklamation von Bischöfen ausgeschlossen hatte. Die Konzilsväter bekräftigten ihr Verlangen mit dem Hinweis, die fünf Bischöfe hätten den Tomus bereits unterschrieben, sie dächten wie Leo.[87]

Die Beamten antworteten mit dem Hinweis, das Konzil habe ohne Wissen des Kaisers Dioskur verurteilt. Es trage dafür vor Gott Verantwortung, ebenso auch für die Zulassung der fünf anderen Bischöfe. Dem gleichen Zweck – die Verantwortlichkeit des Konzils hervorzuheben – diente wohl auch das dramatisch lange Schweigen des Kaisers, der erst nach Stunden dem Konzil Antwort gab. Er betonte die Eigenverantwortung der Synode, gab ihr damit aber auch Entscheidungsfreiheit.[88] Anatolius ergriff die Gelegenheit, seine Stellung und seine Haltung hervorzuheben, und erbat die Zulassung der Bischöfe zur Synode. Die Bischöfe akklamierten und verwiesen aufs neue auf ihre Übereinstimmung mit dem Tomus und mit Leo.[89] Die Beamten gaben nun die entsprechende Weisung. Die fünf Bischöfe traten ein und setzten sich – zum Zeichen ihrer vollen Restitution. Die ganze Synode akklamierte dem Kaiser. Sie deutete den Vorgang als volle Einung und als Befriedung der Kirchen.[90] Diese Interpretation wird man vor allem den Bischöfen zurechnen müssen, die sich um Antiochien und Konstantinopel – die Patriarchen Maximus und Anatolius ausgenommen – gruppierten, da sie den Eindruck erweckt, als sei nun der endgültige Abschluß der Beratungen über die Glaubensfrage erreicht.

Es lag nun nahe, auch die Gruppen in die Einigung einzubeziehen, die dem Glaubensbrief des Papstes am ablehnendsten gegenüberstanden: die ägyptischen Bischöfe und die Mönche, die sich um Barsumas scharten. Was sich auf dem Konzil jedoch abspielte, war geradezu das Gegenteil: eine Demonstration des erbitterten Widerstandes. Der Hof ordnete nacheinander das Auftreten der beiden Gruppen vor dem Konzil an. Dies hatte allem Anschein nach nicht nur den Sinn, ihnen die Haltung des Konzils vor Augen zu führen und die Freiheit der Meinungsäußerung in Chalcedon – im Gegensatz zur

87 Ebd. (10f.) 109,7-18.
88 Ebd. (12) 109,19-24; (14) 112,26-33.
89 Ebd. (15f.) 109,34-38.
90 Ebd. (17f.) 109,39-110,5.

vorangegangenen ephesinischen Synode – zu dokumentieren, sondern mußte auch den Konzilsvätern drastisch zeigen, wie sehr eine Glaubenseinigung, die nur auf dem Tomus aufgebaut wurde, in Ägypten und in Mönchskreisen des Orients auf scharfe Ablehnung stoßen mußte.[91] Jedenfalls war nach der Sessio für den Hof der Augenblick gekommen, die Bischöfe unter Führung der Legaten doch noch dazu zu bewegen, der Erstellung einer Glaubensformel zuzustimmen. Damit griff er das Anliegen auf, das zuletzt die Bischöfe aus Palästina bei der Rezeption des Tomus geäußert hatten. Die Beamten wagten es, trotz des Widerstandes der Legaten, den Mönchen um Barsumas schon anzukündigen, das Konzil werde ihnen eine Formel geben.[92]

VI. Die zweite Kommissionssitzung (21. Oktober)

Über diese Sitzung wissen wir weniger als über die erste Kommissionssitzung. Doch ergeben sich wichtige Anhaltspunkte aus dem Vergleich der Hinweise der vierten und fünften Sitzung. Zunächst bedeutet die Tatsache, daß jetzt eine erste Ekthesis erstellt wurde, einen entscheidenden Einschnitt. Die Bischöfe, nicht zuletzt die Legaten, fügten sich nun doch dem Ersuchen des Hofes, das immer klarer als strikte Anweisung vorgetragen worden war und das darauf abzielte, den Anliegen der Bischöfe aus Illyrien und Palästina, aber auch den Intentionen von Anatolius und der ägyptischen Bischöfe sowie der orientalischen Mönchsgruppen gerecht zu werden.

Dies zeigt sich auch an der Zusammensetzung der Kommission. Anatolius hatte sie ausgewählt, sie tagte in seinem Palast. Daraus wird man wohl schließen dürfen, daß ihm auch die Leitung oblag.[93] Nun rückte Anatolius entgegen Leos Intentionen in eine führende Stellung ein – zwar nicht in dem öffentlichen Rahmen einer Sessio, aber doch in einer höchst wichtigen vorbereitenden Versammlung. Die Direktive, solche zu berufen, welche die „Zweifelnden belehren", d. h. ihre Bedenken gegenüber dem Tomus ausräumen könnten, wurde von Anatolius gemäß seiner eigenen dogmatischen Intention ausgelegt. Man kann die Zusammensetzung der Kommission mit großer Wahrscheinlichkeit aus der Kommission, die am folgenden

---

91 Ebd. (19-62) 110,6-114,18; (63-116) 114,20-121,5. Eine kurze Beschreibung der Vorgänge bei *Camelot*, Ephesus und Chalcedon, 146-148. Es dürfte nicht ganz treffend sein, der vierten Sitzung den Titel „Personelle Fragen" zu geben, wie es dort geschieht. Im Vordergrund stand die Rezeption des Tomus und die Frage, ob auf diese Weise die Einigung vollends sich vollziehen könne.

92 ACO II I 2 (116) 121,4f.

93 Vgl. ACO II I 2 (4) 93,6-14.

Tag konstituiert wurde, erschließen. Dort ging es um die Revision der am 21. Oktober erstellten Formel, und zwar im Sinne des Tomus. Falls also anderntags neue Mitglieder in die Kommission aufgenommen wurden, kamen sie schwerlich aus den Reihen derer, die dem Tomus reserviert gegenüberstanden. Solche finden wir freilich in großer Zahl in der Kommission vom 22. Oktober. So ist es sehr naheliegend, daß sie ebenfalls schon der Sitzung vom 21. zugehörten.

In der Kommission vom 22. des Monats finden wir Maximus von Antiochien, der von Anatolius geweiht worden war, sodann drei der Bischöfe, die in Ephesus besondere Verantwortung trugen und als solche in Chalcedon zunächst ausgeschlossen wurden: Juvenal, Thalassius, Eusebius von Ankyra. Nach ihnen treffen wir die Vertreter der illyrischen Bischöfe an: neben Quintillus von Heraklea in Mazedonien, dem Stellvertreter von Bischof Anastasius von Thessalonike, begegnen wir Atticus, der in der zweiten Sessio die Erstellung einer Glaubensformel unter Berücksichtigung der Zwölf Anathematismen gefordert hatte, und Sozon von Philippi, der in der vierten Sessio die Ergebnisse der ersten Kommission interpretiert hatte; in Ephesus hatten beide von Anfang an Dioskurs Konzilsprogramm unterstützt.[94] Unter den drei Bischöfen, die zur Diözese Asia gehörten, zählten zwei zu den entschiedensten Anhängern Dioskurs in Ephesus: Diogenes von Cycicus, der als einer der ersten – gleich nach Thalassius und Eusebius von Ankyra – das Programm des Alexandriners unterstützt hatte und für die Restitution von Eutyches und die Absetzung Flavians eingetreten war, sowie Florentius von Sardes, der fragwürdige Übersetzer für die Legaten in Ephesus, für den das gleiche gilt, was von Diogenes gesagt wurde, und der zudem die Absetzung Flavians vorbereitet hatte.[95] Von den Kommissionsmitgliedern der Diözese Oriens waren als Anhänger Dioskurs in Ephesus kompromittiert Theodor von Tarsus, der an der Seite von Florentius von Sardes das Konzilsprogramm befürwortet und mit ihm zusammen auch Flavians Verurteilung an der Seite Dioskurs eingeleitet hatte. Das letztere gilt auch für Basilius von Traianopolis, einen der Bischöfe der Diözese Thrazien.[96]

Ebenso bezeichnend für die Haltung von Anatolius bei der Auswahl ist aber die Tatsache, daß er den Archidiakon Aetius und Theodoret nicht hinzuzog, obwohl gerade diese beiden bei der zweiten Sessio die Übereinstimmung von Leos Tomus mit Cyrill gezeigt hatten, also gerade die

94 Ebd. (29) 125,26-35; vgl. ACO II I 1 (212-214) 98,28-38.
95 ACO II I 2 (29) 125,35f.; zum Verhalten von Diogenes in Ephesus: ACO II I 1 (204) 98,8-10; (884,11) 183,16-21; (975) 192,33; zu Florentius von Sardes in Lydien: ebd. (205) 98,11f.; (884,19) 183,29; (980) 192,39; (956) 190,32.
96 Ebd. (206) 98,13f.; (945) 190,17; (959) 191,3f.

Aufgabe der Kommission besonders gut erfüllen konnten. So blieben auf der Gegenseite keine großen Köpfe. Wir finden Theodor von Claudiopolis, der in Chalcedon des öfteren als Verteidiger der orientalischen Bischöfe, die sich in Ephesus gebeugt hatten, auftrat — freilich keineswegs besonders glücklich —, dann Francion von Philippopolis und Konstantin von Bostra, die in Sessio II bei der Ladung Dioskurs tätig wurden. Neben ihnen waren zwei Bischöfe berufen, die wir in ihrer dogmatischen Haltung wohl nicht mehr einordnen können: Cyrus von Anazarbus in Cilicia Secunda und Sebastian von Beröa in Thrazien.[97] Als unverdächtigster und wichtigster Repräsentant der Gegenseite mußte der undifferenziert denkende und redende Eusebius von Doryläum in Erscheinung treten, dessen Haltung sich freilich auf der fünften Sitzung in einem ganz neuen Licht zeigen wird; neben ihm standen schließlich mit ziemlicher Sicherheit die Legaten.[98]

Das Ergebnis der Beratungen kann ebenfalls im Vorgriff auf die fünfte Sessio erschlossen werden, wenn auch nur in Umrissen. Gegen die Ekthesis, welche die Kommission dort vorlegte, wurde eingewandt, sie verwende die Formel „aus zwei Naturen"; dies solle im Sinne des Tomus Leos korrigiert werden.[99] Dieser hatte, wie wir sahen, die Auffassung von Eutyches verworfen, der behauptete, man dürfe nach der Einung nicht mehr von zwei Naturen sprechen. Aus der erwähnten Feststellung der Beamten ergibt sich zugleich, daß dieses Urteil des Tomus Leos, das die endgültige Fassung der Glaubenserklärung enthalten wird — und zwar auch im Text, welcher der eigentlichen Glaubensformel vorausliegt —, noch fehlte. Andrerseits darf man annehmen, daß der Text jene Aussagen enthielt, die auf Anregung der palästinensischen und illyrischen Bischöfe auf der ersten Kommissionssitzung als Auslegung des Glaubensschreibens gebilligt worden waren. Sie betonten die Einheit in Christus, enthielten aber auch das klärende Zugeständnis Dioskurs, das eine Vermischung des Göttlichen und Menschlichen ausschloß.[100] Mit alldem sollte eine Klärung schwieriger Stellen des Tomus,

97 Theodor begegnete uns schon in Sessio I; zu Francion und Konstantin vgl. ACO II I 2 (70) 25,29; (14) 10,20.

98 Die Legaten nahmen an der ersten und dritten Kommissionssitzung teil. So wird man das gleiche für die zweite annehmen dürfen, zumal Anatolius sich in der Auseinandersetzung um die von ihr erarbeitete Formel darauf berufen wird, daß am Vortag „alle" ihr zugestimmt hätten: ACO II I 2 (5-8) 123,11-23.

99 A. de Halleux (La définition christologique, 156) spricht wohl zu Recht vorsichtig von einer Formel „du type ‚de deux natures'".

100 Der Hinweis von A. de Halleux, die drei Adverbien („unvermischt und unverwandelt und ungetrennt") paßten sich schlecht in die endgültige Fassung ein, sollte nicht dahin führen, sie mit de Halleux aus der ersten Kommissionsvorlage zu tilgen; es spricht eher umgekehrt manches dafür, daß sie in ihr als dem ursprünglichen Kontext beheimatet waren. Es ist schwer denkbar, daß die Kommission die beiden Formeln, welche das Ergebnis der ersten Kommissionssitzung (vor Sessio III und IV) bildeten, nicht in die erste Ekthesis aufnahm. Die Adverbien waren aus

soweit er theologische Erläuterungen und Begründungen bot, erfolgen. Bischof Eusebius von Doryläum wird die Ekthesis in der fünften Sitzung verteidigen. Anatolius wird sie ebenfalls – gegen die erbetene Korrektur – mit dem Hinweis rechtfertigen, Dioskur sei nicht wegen seiner Glaubenshaltung verurteilt worden.[101] Damit enthüllte er die Schwäche der vorgelegten Formel. Sosehr sie offenbar als der Orthodoxie gemäß ausgelegt werden konnte, sowenig bedeutete sie eine zureichende Korrektur Dioskurs, der zwar die erwähnte Klärung vollzog, aber doch an der Formulierung „aus zwei Naturen" festhielt und sie gegen die Formel „zwei Naturen" wendete. Er hielt also an der Mia-Physis-Formel fest und so zugleich an der Verurteilung Flavians. Sie blieb für ihn der Maßstab der Rechtgläubigkeit. Eine Ekthesis, die in diesem Sinne ausgelegt wurde, bedeutete eine Interpretation des Tomus, welche Elemente aus dem „theologischen" Part aufnahm, aber doch so deutete, daß damit das eigentliche Urteil aufgehoben war, welches die Rechtgläubigkeit der Theologie Flavians – als eines authentischen Ausdrucks antiochenischer Theologie – bestätigte. War eine solche Auslegung der Ekthesis auch nur eine der möglichen Deutungen, so blieb die Glaubensformel wegen der Möglichkeit so entgegengesetzter Interpretationen dennoch fragwürdig. Dies konnte keine Lösung der tiefen Differenzen, welche die Kirchen spalteten, bedeuten. Die Legaten erkannten auf der Kommissionssitzung ebensowenig die Schwierigkeit der erarbeiteten Ekthesis wie die Bischöfe, die auf ihrer Seite standen. Man wird an der Richtigkeit der Behauptung, alle (Bischöfe, also gerade die Legaten) hätten zugestimmt, nicht zweifeln dürfen.[102]

VII. Die fünfte Sitzung (22. Oktober)

Die Sessio vom 22. Oktober nahm einen höchst dramatischen Verlauf. Sie zeigt ein schwerverständliches Verhalten der Bischöfe. Camelot spricht von einer „leidenschaftliche(n) und wankelmütige(n) Versammlung" und fügt hinzu: „. . . die geringste Kleinigkeit war imstande, sie zu einem Meinungs-

einer Interlokution Dioskurs abgeleitet (vgl. Kapitel V, Anm. 59). Beide Formeln waren auf Ersuchen der Bischöfe aus Illyrien bzw. aus Palästina von den Legaten rezipiert worden; vor den Bischöfen waren sie unter Betonung dieser Rezeption in der vierten Sessio von Dokumenten abgelesen worden, die diese Konzilsväter als offizielles Ergebnis der ersten Kommissionssitzung betrachteten. Die Bischöfe aus Palästina hatten auf der Sessio sogar darum gebeten, man möge ihre Formel (in einer Ekthesis) niederlegen, um sie der ganzen Welt zur Kenntnis zu bringen.

101 ACO II I 2 (14) 124,17-19; (19) 124,26.
102 Vgl. Anm. 98.

umschwung zu veranlassen".[103] Sehen wir genauer zu! Es lassen sich drei
Phasen der Sitzung unterscheiden. Die erste zeigte nach Verlesung des
Textes der Kommission eine erste Stellungnahme und die Infragestellung des
Konsensus, die gegenteilige Erhebung einer fast allgemeinen Zustimmung
und die Weisung der Beamten, die Bischöfe möchten eine Revision vorneh-
men. Die zweite Phase war durch eine theologische Auseinandersetzung
über das Verhältnis der Glaubensformel zum Tomus gekennzeichnet und
endigte mit der Anfrage der Beamten an den Kaiser, ob eine Revision
vorzunehmen sei. Die dritte Phase wurde mit der Antwort des Kaisers
eröffnet, brachte ein kurzes erneutes Aufgreifen der Problematik und führte
sogleich zur Entscheidung, eine Revision gemäß dem Anliegen der Legaten
vorzunehmen.

1. Erste Kritik und Verteidigung der Ekthesis

Kaum war die Verlesung des Textes der Kommission beendet, als Johannes
von Germanicia in die Mitte trat, um seinen Widerspruch geltend zu
machen.[104] Anatolius parierte dies, indem er, statt die Sache selbst aufzurol-
len, zweimal den Konsens erfragte. Nach den Akten erhielt er als Antwort
breite Zustimmung. Die Akklamationen erhoben den Anspruch, den Konsens aller zum Ausdruck zu bringen: zugleich bekräftigten sie die Übereinstimmung des Textes mit dem Väterglauben.[105] Die Akten kennzeichnen nun
aber die Situation genauer. Sie erwähnen, daß die „Römer" und eine Gruppe
orientalischer Bischöfe nicht in diese Rufe einstimmten.[106] Die Erwähnung
der Legaten in diesem Zusammenhang ergab sich freilich erst aus ihrem
späteren Verhalten. Da sie während des Konzils nicht in Akklamationen
einstimmten, sondern sich auf Depositionen und Interlokutionen
beschränkten, war ihr Nein im Augenblick noch nicht erkennbar. Demgegenüber mußte das Schweigen der möglicherweise kleinen orientalischen
Gruppe auffallen, die ihren Protest durch Bischof Johannes mit der Begründung zum Ausdruck gebracht hatte, der vorgelesene Text der Kommission
sei „nicht genau", was mit „nicht korrekt" zu übersetzen ist. Im Blickfeld der
Synode stand demgemäß zunächst nur diese Gruppe von Konzilsvätern, die
– zu Recht oder zu Unrecht – in den Augen der Bischöfe, die auf seiten von

103 *Camelot*, Ephesus und Chalcedon, 150. Ein solches Verhalten würde allem widersprechen,
was an den Bischöfen bis dahin zu bemerken war, die als Gruppen auftraten, welche eine
konsequente Linie verfolgten. Dies fordert zu einer differenzierteren Erklärung heraus.
104 ACO II I 2 (4) 123,9f.
105 Ebd. (5-8) 123,11-23.
106 Ebd. (6) 123,13.

Anatolius standen, nestorianische Tendenzen vertraten oder sogar Nestorianer waren.

Gegen sie richteten sich nun vor allem die Rufe – soweit diese nicht einfach den Konsens bzw. die Rechtmäßigkeit des Textes angesichts der Tradition bekundeten. Es waren heftige Anklagen auf Häresie, Forderungen des Anathems und des Ausschlusses aus der Synode.[107] Es liegt auf der Hand, daß die Gruppe der orientalischen und konstantinopolitanischen Konzilsväter in diese Akklamationen – wenigstens im allgemeinen – nicht einstimmten. Neben Johannes von Germanicia werden später Sophronius von Konstantina, Amphilochius von Side und vor allem Theodoret verdächtigt werden.[108] Gewiß vermutete man vor allem den Bischof von Cyrus hinter der Absage an die Glaubensformel. Um so weniger ist es denkbar, daß die Gruppe der Bischöfe, die dogmatisch auf Flavians und Leos Seite standen, in diese Rufe einstimmten. Aber sie sahen sich im Augenblick offenbar auch außerstande, sich ihnen entgegenzustellen.

Nun griffen die Legaten ein. Sie beurteilten den von der Kommission vorgelegten Text als unzureichend, indem sie die Forderung erhoben, man müsse dem Tomus Leos zustimmen. Dies hieß: sie vertraten die Auffassung, der Text erlaube eine Interpretation, mit der sich eine Ablehnung des Schreibens Leos vereinbaren ließ. Es war in ihren Augen ein entscheidender Moment. Sie warfen deshalb ihre ganze Autorität in die Waagschale. Sie drohten mit der Abreise und mit der Fortführung der Synode in Rom. Dies besagte nicht ein volles Nein zur Synode von Chalcedon und ihren Ergebnissen, falls sie jetzt übergangen wurden – die Synode hatte Leos Lehrschreiben ja bereits feierlich bekräftigt. Aber es besagte, daß die Legaten nicht bereit waren, den Konsens über den Tomus mit einer Interpretation zu verbinden, die ihn in seinem authentischen Sinn auflösen würde. Und es besagte zugleich, daß die Legaten eine Entscheidung gegen Rom nicht zuließen. Sie beharrten auf der Berücksichtigung des Tomus denn auch mit der Autorität Leos, des „apostolischen Mannes", des Inhabers der sedes apostolica.[109]

Schließlich bedeutete ihr Einspruch, daß sie in diesem Augenblick die Leitung beanspruchten. Tatsächlich fanden sie sich in diesem Augenblick

---

107 Ebd. (6) 123,13-17; (8) 123,20-23. Die Forderung einer „Einfügung" der „ἁγία Μαρία θεοτόκος" (ebd. 22f.) gehört in den gleichen Sinnzusammenhang: sie soll die Bischöfe auf seiten von Johannes von Germanicia als Nestorianer kennzeichnen. A. *de Halleux* führt gegen R. V. Sellers zu Recht aus, daß diese Forderung nicht so ausgelegt werden dürfe, als sei der Titel in der Vorlage der Kommission nicht enthalten gewesen (La définition christologique, 16).

108 Vgl. die Sessio gegen Theodoret: ACO II 3 (1-3) 7,8-11,18; speziell: (26-32) 11,8-18.

109 ACO II III 2 (9) 131,5f.: „Si non consentiunt epistulae apostolici et beatissimi viri papae Leonis, iubete nobis rescripta dari, ut revertamur, et ibi synodus celebratur."

dem Patriarchen von Konstantinopel gegenübergestellt, unter dessen Leitung der Text erarbeitet worden war und der ihn jetzt präsentierte, indem er nicht nur jetzt den Konsens der Synode erfragte, sondern an die Versammlung auch die Frage richtete, ob denn nicht gestern alle – offenbar auch die Legaten – ihre Zustimmung gegeben hätten. Jetzt waren die Stellvertreter Leos gezwungen, der Anordnung des Papstes entschieden Geltung zu verschaffen und ihren Leitungsauftrag innerhalb der Synode wahrzunehmen, den Leo damit begründet hatte, daß andere – offenbar vor allem Anatolius – gegenüber der Irrlehre schon versagt hatten.

Wahrscheinlich hatten die Legaten schon vor der Sitzung die Zustimmung des Hofes zur Revision der Formel erzielt. Jedenfalls griffen die Beamten das Ersuchen der Legaten sogleich auf und ordneten die Überarbeitung an.[110] Es erhob sich nun in der Synode zunächst kein entschiedener Widerstand, wenn auch Bischöfe den früheren Konsens sowie die Rechtgläubigkeit des Textes betonten und den Kaiser anriefen.[111] Unglücklicherweise trat nun aber nochmals Johannes von Germanicia in die Mitte, um das Wort zu ergreifen. Dies gab vor allem jenen Bischöfen, die dogmatisch immer noch auf seiten von Dioskur und Anatolius standen, Anlaß zu einem dramatischen Auftritt. Sie schrien Johannes nieder, der angesichts der heftigen und langen Akklamationen nicht mehr zu Wort kam. Er und seine Gesinnungsgenossen wurden als „Nestorianer" und „Gottesmörder" verschrieen. Die Akklamationen, die eine „Hinzufügung" der Theotokos zur Glaubensformel forderten, zielten in die gleiche Richtung. Sie wollten damit das Ersuchen der Bischöfe um Johannes von Germanicia dahin deuten, als ob sie den entsprechenden Text ignorieren und sich gegen das Erste Ephesinische Konzil wenden wollten. Statt dessen forderten sie die sofortige Unterschrift im Angesicht des Evangeliums.[112]

2. Theologische Erörterung

Gegen die Polemik dieser beträchtlichen und mit äußerster Entschiedenheit akklamierenden Gruppen von Bischöfen – vor allem aus Palästina und Illyrien – suchten nun die Kommissare, dem Hinweis der Legaten folgend,

110 ACO II I 2 (10) 123,29-34.
111 Ebd. (11) 123,35f. Nur drei Akklamationen wurden vorgebracht.
112 Ebd. (12) 123,37-124,13; vgl. Anm. 107. Jetzt waren mit den Bischöfen um Johannes von Germanicia und Theodoret auch die Legaten getroffen. Es ist offenkundig, daß hier Bischöfe auf seiten von Anatolius, also vor allem aus Palästina und Illyrien die Rufenden waren, da die Gruppe der konstatinopolitanischen und orientalischen Bischöfe nicht die Absicht haben konnten, ihre kirchlichen und theologischen Vorkämpfer auszuschließen. Ihr Schweigen verrät allerdings eine große Unsicherheit, die dadurch zu erklären ist, daß ihre Vertreter wie die Legaten zur vorgelegten Formel ihr Ja gesagt hatten.

die Sache selbst zur Geltung zu bringen. Damit eröffneten sie eine zweite Phase der Debatte. Sie zeigten, daß der vorgelegte Text das Urteil der Zweiten Ephesinischen Synode nicht aufhob. Dort habe man nach dem neuerlichen Zeugnis von Dioskur (in der ersten Sessio der Synode von Chalcedon) Flavian verurteilt, weil er gesagt habe, in Christus „seien zwei Naturen". Der Horos biete nun aber die Formel „aus zwei Naturen".[113] Die prägnante Bemerkung der Beamten traf den Kern des Problems. Denn auch Dioskur hatte auf der ersten Sitzung in Chalcedon die Formulierung Flavians „aus zwei Naturen" akzeptiert, zugleich aber an seiner Verurteilung Flavians festgehalten, weil er — bzw. die endemische Synode —, auch von „zwei Naturen" gesprochen habe. Der neue Text der Kommission ließ also eine solche Haltung zu; er erlaubte eine Deutung, die Flavians Verurteilung nicht aufhob. Dies mußte aber das grundlegende Urteil des Tomus, in dem Leos Glaubensdeutung gipfelte, revidieren. Das Glaubensschreiben war nach dieser Interpretation nur mehr in Elementen seiner theologischen Begründung rezipiert, die aber einer neuen Grundperspektive untergeordnet waren.

Anatolius stritt die Deutung der Beamten nicht ab. Er behauptete im Gegenteil — um die Legitimität der solchermaßen gedeuteten Glaubensformel zu begründen —, Dioskur sei nicht seines Glaubensverständnisses wegen verurteilt worden.[114] Was konnte für eine solche Auffassung sprechen? Anatolius begründete sie mit dem Argument, Dioskur sei verurteilt worden, weil er Leo exkommuniziert und sich dem Konzil von Chalcedon widersetzt habe. Damit griff er in der Tat jene Elemente auf, die formell ausschlaggebend waren, insofern sie die endgültige Verhärtung des Patriarchen geoffenbart hatten. Zugleich konnte er so wenigstens implizit auf die ekklesiologische Urteilsbegründung der Legaten rekurrieren. Sie hatten ihre Entscheidung freilich mit Dioskurs Verhalten der sedes apostolica gegenüber begründet. Anatolius jedoch löste nun — ganz im Gegensatz zu ihnen — die Urteilsbegründung völlig von den ephesinischen Geschehnissen und so von der Hauptschuld Dioskurs ab und zerschnitt damit den inneren Zusammenhang zwischen kanonischer Ordnung und Glaubensentscheidung, von dem die Legaten ausgegangen waren und den die Konzilsväter in ihren Schreiben an Marcian und Pulcheria unterstrichen hatten. Zugleich dürfte Anatolius seine Interpretation vor sich selbst damit begründet haben, daß die Verurteilung Dioskurs vollzogen wurde, bevor der Konsens über die Glaubensfrage erzielt war. Die Unterschrift der Bischöfe aus Palästina und Illyrien war aber im Vorgriff auf die erwartete Ekthesis gegeben worden. Jetzt erst mußte in seinen Augen die eigentliche Entscheidung fallen.

113 Ebd. (13) 124,14-16.   114 Ebd. (14) 124,17-19.

Anatolius hatte mit seiner Stellungnahme indirekt, aber sehr deutlich bestätigt, wie zutreffend der Einwand der Legaten war, den die Beamten aufgenommen und differenzierter formuliert hatten: Leos Urteil war nicht rezipiert worden. Die von der Kommission vorgelegte Ekthesis ließ eine Deutung zu, welche Flavians Verurteilung nicht aufhob, und billigte so den Ausschluß eines Glaubensverständnisses, welches die antiochenische Theologie und Leo in seiner grundlegenden Entscheidung festhielt. Mit alledem hatten Anatolius und seine Gesinnungsgenossen zwar eine gewisse Korrektur der ephesinischen Geschehnisse vollzogen, indem sie die Verhinderung der Verlesung des Tomus mißbilligten und so das Verhalten Dioskurs in Ephesus wenigstens bis zu einem gewissen Maß verurteilten. Aber dies bedeutete keineswegs eine grundsätzliche Wendung in der Stellung gegenüber der sedes apostolica. Die entscheidende Stunde des Konzils von Chalcedon war gekommen. Für Anatolius war die Formel, welche die Kommission erarbeitet hatte, nicht eine Egänzung und Erläuterung der grundlegenden Sentenz des Tomus; sie sollte vielmehr Leos Entscheidung gegen Dioskur als eine Glaubensentscheidung rückgängig machen und statt dessen selber das entscheidende Dokument und der Maßstab dafür werden, in welchem Sinn die theologischen Erläuterungen des Glaubensschreibens rezipierbar waren. Sie barg − nach der Deutung von Anatolius − eine verhüllte dogmatische Rechtfertigung der ephesinischen Synode.

Die Beamten erfragten von den Konzilsvätern nun aber einfachhin die Zustimmung zum Tomus und ersuchten, als die Bischöfe sie gaben, darum, seinen Inhalt in die Glaubensformel aufzunehmen.[115] Damit suchten sie die Taktik, dem Tomus zuzustimmen, aber sein eigentliches Urteil aufzuheben, zu unterlaufen. Die Antwort von Konzilsvätern, die Formel sei ausreichend, sie solle nicht verändert werden, bedeutete kein Eingehen auf das Problem. Das gleiche gilt für die Deposition von Eusebius: „Ein anderes Horos wird nicht erstellt!" Ein eigentümlicher Stellungswechsel! Hatte er − nach der Intervention der Legaten und der Beamten − tatsächlich nicht begreifen können, welche Deutungsmöglichkeiten die neue Glaubensformel eröffnete und zuließ? Hatte Anatolius nicht eben gesagt, Dioskur sei nicht wegen der Glaubensfrage verurteilt worden? Brachte der Bischof von Doryläum es nicht fertig, die Revisionsbedürftigkeit einer Formel, an deren Erstellung er mitgearbeitet hatte, zuzugestehen? Oder fürchtete er, des Nestorianismus verdächtigt zu werden? Fehlte ihm die notwendige theologische Urteilsfähigkeit, deren Mangel schon früher auffiel? Wie dem auch sei, seine Haltung bleibt schwer verständlich. Ihn einfach als Eiferer, dessen „dogmatischer

115 Ebd. (15f.) 124,20-22.

211

Fanatismus erstarrt war" (E. Schwartz) zu charakterisieren, ist von hier aus gesehen jedenfalls nicht mehr möglich.[116] Anhänger von Anatolius suchten nun aber doch eine sachlichere Antwort zu geben. Eine erste Akklamation ließ die Richtung noch nicht recht erkennen: der Horos bedeute eine Bestätigung des Schreibens Leos. Das „wie wir glauben" trat an die erste Stelle. Aber schon im nächsten Ruf sagten diese Bischöfe nicht: wir glauben wie Leo, sondern umgekehrt: wie wir glauben, so glaubt Leo. Damit erklärten sie den Horos als vollgültig, geradezu als maßstäblich: er enthalte vollтändig den Glauben. Die Richtigkeit einer solchen Tendenzdiagnose zeigt sich vollends im Blick auf die weiteren Depositionen, die Leos Tomus an Cyrill maßen und Cyrill zur entscheidenden Norm machten. Die genannten Bischöfe argumentierten: Leo habe der Auffassung Cyrills Ausdruck verliehen; Papst Coelestin habe Cyrills Glaubenshaltung bestätigt, das gleiche habe Papst Xystus getan. Sie rezipierten also Leos Tomus, soweit er Cyrill entsprach, einem Cyrill, den sie auf ihre Weise deuteten. Damit wurde das Vergleichen des Tomus, das Leo erbeten hatte, radikalisiert: es wurde auf Cyril! allein bezogen, und zwar nicht nur auf Cyrill, sofern er gesamtkirchlich rezipiert und bestätigt worden war. Zugleich behielt nun der Tomus keine eigene, urteilende Aussage mehr über Cyrill hinaus. Die erstellte Glaubensformel sollte demnach die Tradition festhalten in einer Linie, die sich auf Cyrill berief. An ihr sollte der Tomus gemessen werden.[117] Schließlich entsprachen die Beamten dem Ersuchen dieser Bischöfe, die Sache vor den Kaiser bringen zu lassen.[118]

3. Entscheidung

Mit dem Bescheid des Kaisers treten wir in eine dritte Phase ein, welche die Wendung bringen wird. Er bestätigte die Anordnung seiner Beamten, die Synode solle die vorgelegte Formel überarbeiten, eröffnete dem Konzil aber doch auch andere Möglichkeiten, die freilich zugleich bedeuteten, daß er sich der Forderung der Legaten nicht widersetzen wollte. Die uneingeschränkteste Möglichkeit war die Vorlage von Glaubensformeln durch die einzelnen Metropoliten; dies bedeutete eine von Grund auf neue Beratung der

---

116 Ebd. (17-19) 124,23-26; vgl. E. *Schwartz*, Der Prozeß, 78, der zum Beleg des „Hasses" von Euseb auf Flavians ähnliche Charakterisierung verweist (ebd. 80 mit Anm. 3).
117 Ebd. (20) 124,27-31: „Τὴν ἐπιστολὴν ὁ ὅρος ἐβεβαίωσεν. ὁ ἀρχιεπίσκοπος Δέων ὡς πιστεύομεν, οὕτως πιστεύει. ὁ ὅρος ὑπογραφέσθω. ὁ ὅρος πάντα ἔχει. ὁ ὅρος τὴν πίστιν ἔχει. Λέων εἶπεν τὰ Κυρίλλου, Κελεστῖνος τὰ Κυρίλλου ἐβεβαίωσεν, Ξύστος τὰ Κυρίλλου ἐβεβαίωσεν. ἓν βάπτισμα, εἷς κύριος, μία πίστις. ἆρον δόλον τοῦ ὅρου."
118 Ebd. (21) 124,32f.

Glaubensfrage. Die zweite eröffnete die Möglichkeit einer Fortsetzung der Synode im Westen – unter noch entschiedenerer Leitung Roms also.[119] Die Anhänger von Anatolius zeigten sich in diesem Augenblick sehr ratlos. Es erhoben sich nur noch vereinzelte Proteste. Zunächst waren es Rufe, die einfach auf dem Horos der Komission beharrten. Als neue Alternative wurde die Abreise vom Konzil genannt. Cecropius schlug statt dessen die Abreise der Gegenseite vor – derer, die der neuen Formel nicht zustimmten. Die illyrischen Bischöfe bezichtigten ihre antiochenischen Gegner des Nestorianismus und schlugen ihnen voller Ironie vor, „nach Rom zu gehen".[120] Spielten sie damit auf Theodorets Appellation an? Soviel Bitterkeit in solchen Akklamationen auch liegen mochte, so zeigte sich in ihnen doch zugleich, daß diese Bischöfe jetzt nicht mehr glaubten, sich auf dem Konzil Geltung verschaffen zu können. Deshalb griffen sie auch nicht mehr den für sie positivsten Vorschlag auf: die Erstellung und Beratung neuer Glaubensformeln.

Die Beamten brachten nun von neuem die Sache selbst zur Sprache. Sie griffen ihr eigene Stellungnahme nochmals auf und faßten sie womöglich noch prägnanter, indem sie den Gegensatz zwischen Dioskur und der grundlegenden Entscheidung des Tomus scharf hervorhoben: „Dioskur hat gesagt: ‚aus zwei Naturen' nehme ich an, ‚zwei Naturen' nehme ich nicht an. Der heiligste Erzbischof Leo aber sagt, es seien zwei Naturen in Christus, unvermischt und unverwandelt und ungetrennt in dem einen eingeborenen Sohn, unserem Erlöser." Welche Wahl wollten die Bishöfe treffen: Leo oder Dioskur?[121]

Damit hatten die Beamten deutlich gezeigt, daß die Glaubensformel der Kommission eine Deutung im Sinn Dioskurs zuließ, die sich gegen Leos Glaubensurteil richtete. Aber da sie dieses in Verknüpfung mit der auf dem Konzil erarbeiteten Erläuterung darboten, zeigten sie, daß die Neubearbeitung nicht in nestorianischem Sinn erfolgen solle. Diese Ergänzungen, welche die Bischöfe aus Illyrien und Palästina eingebracht hatten, enthielten, wie wir schon sahen, einerseits Dioskurs dogmatische Berücksichtigung des Tomus („unvermischt", „unverwandelt"), betonten aber zugleich – in einer Interpretation, die dem Sinn des Tomus angemessen war – die Einheit: „ein eingeborener Sohn", „ungetrennt".

Diese Klärung der Beamten eröffnete die Wende, da nun der Vorwurf des Nestorianismus nicht mehr erhoben werden konnte und zugleich die Fragwürdigkeit der Kommissionsformel noch deutlicher als durch die

119 Ebd. (22) 124,37-125,8.
120 Ebd. (23-25) 125,9-15; das Zitat: 125,15.
121 Ebd. (26) 125,16-20.

entlarvende Äußerung von Anatolius zutage trat. Dies brachte jene große Zahl von Bischöfen wieder zum Reden, die im Verlauf des Konzils mit außerordentlicher Kraft Leos Tomus verteidigt hatten, dann aber auch ihre Kommissionsmitglieder nicht desavouieren wollten. Sie erschienen nun mit ihrer Zustimmung zur Revision nicht mehr als Nestorianer gebrandmarkt. Ja, sie wagten sich nun sogar zum Gegenangriff vor, der freilich viel weniger vehement als der vorangegangene, höchst polemische Vorstoß der Bischöfe auf seiten von Anatolius ausfiel. Sie bekannten sich zu Leos Tomus und bezeichneten jene, die nicht bereit waren, ihre Zustimmung zur Revision zu geben, als Eutychianer.[122]

Der Gegenseite war nun der Weg, den sie bisher begingen, abgeschnitten, der Weg deutender Rezeption des Tomus unter impliziter Revision seines entscheidenden Urteils. Sich offen gegen Leos Sentenz zu stellen, konnten sie nicht wagen. Damit waren nun sie statt ihrer Gegner zum Schweigen gezwungen. Aus den zustimmmenden Rufen in der Synode lasen die Beamten denn auch das Ja zur Weisung ab, den Text der Kommission in dem von ihnen gekennzeichneten Glaubensverständnis des Papstes zu revidieren.[123] Abschließend sprechen die Akten – gewiß mit ganz erheblicher Verzeichnung – von der Zustimmung „aller".[124]

Die Glaubensauslegung, die das Konzil von Chalcedon geschenkt hat, ist – das hat sich nun mit voller Deutlichkeit gezeigt – vor allem dem Apostolischen Stuhl zu verdanken, der – im entscheidenden Augenblick vom Hof unterstützt – im Vorgang deutender Rezeption des Tomus und so auch in der Erstellung der Glaubenserklärung durch die Legaten eine Revision der grundlegenden Lehrentscheidung Leos durch eine verhängnisvolle, den Zwist verfestigende Kompromißformel verhinderte. Und dies in einem Augenblick, als sich die Mehrheit der Konzilsväter auf einen solchen Kompromiß verständigt hatte, den sie als legitime Ausprägung des Glaubens meinte betrachten zu dürfen.

Nun gilt es noch einen Blick auf das Glaubensdokument zu werfen, das

---

122 Ebd. (27) 125,21f.
123 Ebd. (28) 125,23-25. – A. *de Halleux* (La définition christologique, 155ff.) sucht mit gewichtigen Argumenten Basilius von Seleucia als maßgeblichen Autor der endgültigen Fassung der konziliaren Definition zu eruieren. Es ist jedoch problematisch, wenn er daraus einfachhin folgert, die Formel „ein und derselbe, erkennbar in zwei Naturen, nicht getrennt und geteilt in zwei Personen" sei „nicht römischer, nicht antiochenischer, sondern cyrillianischer Herkunft" (zitiert nach A. *Grillmeier,* Jesus der Christus, 758, der die These von de Halleux, es handle sich um einen Grundentwurf des Basilius von Seleucia ebd. als „brauchbare Hypothese" anerkennt). Wenn die Formel – was nicht bestritten werden soll – cyrillianischer Herkunft war, so wurde sie nach Ausweis der Debatte doch eingefügt, um der Entscheidung Leos in seinem Tomus voll Rechnung zu tragen, jener Entscheidung, die das Konzil gleichzeitig sogar wörtlich rezipierte. Zur Einfügung der Adverbien siehe Anm. 100.
124 Ebd. (29) 125,26.

ekklesiologisch von hoher Bedeutung ist. Der Ekthesis des Konzils geht eine umfängliche Dokumentation des tradierten Glaubens der Kirche voraus.[125] Dies alles will weit mehr als eine bloße Einführung sein. Es ist eine eigenständige Darlegung und Entscheidung von größtem Gewicht. Zunächst weist das Konzil auf diese Weise einem Glaubensverständnis den Ort innerhalb der Tradition der Kirche zu, in der es seinen Verstehenshorizont erhält. Die Erstellung der Glaubensdokumentation will die grundlegenden, verbindlichen, allgemein rezipierten Deutungen bestimmen. Dies impliziert eine Aussage über das rechte Traditionsverständnis. Angesichts einer Auffassung, für die das nicänische Bekenntnis unüberbietbare Alleingeltung hat, betonten die Bischöfe, daß dieser Glaube prinzipiell ausreiche, aber angesichts häretischer Entleerung der Deutungen bedurfte und solche auch fand, in Konstantinopel wie auch in den „synodalen" Briefen Cyrills und im Schreiben Leos an Flavian. Während die Irrlehrer über den Glauben der Kirche hinausgingen und ihn durch Neuerungen verletzten, verblieben die Hirten gerade mit ihrer Deutung innerhalb des Glaubens. Das Konzil steht hier ganz in der Linie seiner allocutio über den Tomus, ohne dessen theologische Argumente auszubreiten. Das je vertiefte Glaubensverständnis zeigt sich nicht als ein organisches Wachstum, sondern als Antwort auf häretische Auslegungen. So wird das konziliare Glaubensdokument – zusammen mit der allocutio – zur Magna Charta eines dynamischen Traditionsverständnisses, das eine archaisierende Deutung der Überlieferung ausschließt.

In diesem Zusammenhang ist auch Leos Tomus gewürdigt. Er ist wie eine Gesetzessäule aufgerichtet, die den Irrtum abweist. Er entspricht dem Bekenntnis Petri. Das Konzil rezipierte vor seiner Formel Leos grundlegendes Urteil.[126] Glaubensformel und Tomus sind von den Bischöfen einander zugeordnet und bilden in dieser Einheit das der Kirche übermittelte Glaubensverständnis des Konzils von Chalcedon.

---

125 Ebd. (31-34) 126,12-129,22.
126 Ebd. (34) 129,16-22. – Zur Definition von Chalcedon siehe A. *Grillmeier,* Jesus der Christus, 753-775; Grillmeier läßt freilich die Zuordnung von Definition und Tomus nicht so deutlich hervortreten: vgl. ebd. 763.

SIEBTES KAPITEL

DAS KONZIL VON CHALCEDON
DAS RINGEN UM DIE STELLUNG
VON KONSTANTINOPEL

Die ekklesiologische Dimension des Konzils trat in den letzten Verhandlungen mit dem Disput über die Stellung der Kirche von Konstantinopel noch einmal in den Vordergrund. Das Dokument, um das in der dramatischen Schlußphase des Konzils gerungen wurde, ist auch heute in seiner Tragweite und in seinem Gehalt umstritten, trotz immer neuer Anläufe der Forschung.[1] Im Blick auf die Gesamtschau lassen sich zwei Interpretationsströmungen erkennen, die sich aus einem je anderen Ausgangspunkt entwickeln.

Eine erste Strömung stellt den konziliaren Text vor allem in die geschichtliche Entfaltung, die das konstantinopolitanische Patriarchat im Umkreis der Kirchen des Ostens nahm, und rückt den Konflikt der neuen Kaiserstadt mit Alexandrien in den Blick; dabei bleibt Rom eher im Hintergrund. Die zweite Strömung betrachtet die wachsende Bedeutung der Stadt primär im Gegenüber zu Rom und reflektiert insbesondere das Verhältnis von „politischem oder petrinischem Prinzip der Kirchenführung" (A. Michel). Diese zweite Sichtweise läßt sich schon von einer ersten Betrachtung des konziliaren Dokuments über den Rang Konstantinopels her nicht völlig beiseite schieben. Denn die besondere patriarchale Stellung Konstantinopels gegenüber

---

1 Auf das chalcedonensische Dokument über die Stellung Konstantinopels wird in der Literatur häufig Bezug genommen. Als einflußreich erwiesen sich die 1926 niedergelegten, knappen Ausführungen von M. *Jugie* (Le schisme byzantin, bes. 11-21). Ausführliche Darstellungen bieten: E. *Schwartz* (Der sechste nicaenische Kanon) mit grundlegenden quellenkritischen Untersuchungen, E. *Herman* (Der konstantinopolitanische Primat), A. *Wuyts* (Le 28ᵉ canon), Th. O. *Martin* (The Twenty-Eight Canon) – letzterer mit interessanten Ausblicken auf historische Hintergründe –, L. J. *McGovern* (The Ecclesiology of Saint Leo, bes. 25-41), F. *Dvornik* (Apostolicity in Byzantium, bes. 67-105). Wichtige Einzelaspekte behandeln G. *Dagron* (Naissance), der die missionarische Perspektive untersucht, und *L'Huillier* (Un aspect estompé), welcher dem Verhältnis zwischen der Jurisdiktion des Erzbischofs von Konstantinopel und jener der Metropoliten von Pontus, Asia und Thrazien nachgeht. Umfassendere neuere Darstellungen bieten in unterschiedlicher Beurteilung Metropolit *Maximos von Sardes* (Das ökumenische Patriarchat, bes. 267ff.) und V. *Monachino* (Il canone 28), der mit dieser 1979 erschienenen Schrift eine Neufassung zweier Aufsätze vorlegte (Genesi storica del canone 28; Il Canone 28 die Calcedonia e S. Leone Magno, in: Gr. 33 (1952) 261-292; 531-565). Aus der weiteren, fast unübersehbaren Literatur, die für das Thema einschlägig ist, sei genannt: H. H. *Anton* (Kaiserliches Selbstverständnis), H.-G. *Beck* (Konstantinopel - das neue Rom), M. *Clément* (L'apparition du patriarcat), F. *Dölger* (Byzanz und die europäische Staatenwelt). A. *Hastings* (The papacy and Rome's civil greatness), H. *Kreilkamp* (The Origin of the Patriarchate in Constantinople; Rome and Constantinople in the Fifth Century), J. *Meyendorff* (La primauté romaine dans la tradition canonique jusq'au Concile de Chalcédoine), A. *Michel* (Der Kampf um das politische oder petrinische Prinzip der Kirchenführung), P. *Stephanou* (Sedes Apostolica, Regia Civitas).

Alexandrien, Antiochien und Jerusalem wird ja durch seine enge Verbundenheit mit Rom begründet. So stellt sich die Frage: Wie wird die Stellung Roms gesehen und begründet?

Die skizzierten Strömungen bestimmten in ähnlicher Weise schon die Diskussion in Chalcedon. Sie verteilen sich geradezu auf zwei Gruppen von Kontrahenten, die sich in diesem Augenblick vor allem gegenüberstanden: Konstantinopel und Rom. Während die Vertreter der Kirche von Konstantinopel, ihre Gesinnungsgenossen unter den Bischöfen wie auch der Hof die geschichtlich gewachsene Stellung der neuen Kaiserstadt ins Feld führten, gingen die römischen Legaten von den Implikationen des Textes für die Kirche von Rom aus. Für die Fragestellung der vorliegenden Arbeit erweist sich der zuletzt beschriebene Ausgangspunkt als der angemessene. Dies bedeutet den Verzicht auf eine detaillierte Untersuchung jener Partien des synodalen Textes, die sich mit dem patriarchalen Rang Konstantinopels innerhalb der Kirchen des Ostens befassen. Statt dessen gilt es zu fragen, ob und wie das Dokument die Kirche Roms berührt und wie es – im Kontext der Geschehnisse und Stellungnahmen – sich zu den vorangehenden Äußerungen der Konzilsväter verhält. Daraus ergibt sich die Aufgabe, die Verhandlungen des Konzils in diesem Problemkreis eindringend zu erforschen. Zunächst heißt es, die unmittelbare Vorgeschichte des Dokuments zu betrachten.

I. Die Vorverhandlung über den Rang Konstantinopels

Als die römische Legation, die unter Leitung von Bischof Abundius von Como an der Synode vom 21. Oktober 450 in der „Großen Kirche" von Konstantinopel teilgenommen hatte, im Frühjahr 451 nach Rom zurückkehrte, war sie von einer Gesandtschaft konstantinopolitanischer Kleriker begleitet, die neben einem Schreiben des Kaisers und des Patriarchen ein commonitorium überbrachte. Während der Kaiser die Konzilsfrage aufgriff und wenig später durch den Stadtpräfekten Tatian dem Papst noch einmal erläutern und dringlich vortragen ließ, bekräftigte Anatolius in einem Schreiben an den Papst sein Ja zum Tomus Leos, brachte aber zugleich die Fragen um Communio bzw. Rekonziliation ins Spiel. Zur Übergabe dieser Schreiben genügte gewiß die römische Legation.

Die konstantinopolitanischen Kleriker hatten demgegenüber den Auftrag, Leo offiziell ein commonitorium vorzutragen und zu überreichen, das die Rangfrage der Kirche von Konstantinopel zum Inhalt hatte, und den Papst um Bestätigung der dort niedergelegten Auffassung zu ersuchen.[2] Die Kleriker, der Priester Carterius und die Diakone Patricius und Asclepiades, fungierten zwar als Gesandte von Anatolius, waren aber doch zugleich Repräsentanten der Kirche von Konstantinopel, die dogmatisch auf seiten Flavians und Leos standen. Ihre Anliegen wird später vor allem der Archidiakon Aëtius zur Geltung bringen. Zu ihnen gesellte sich Bischof Eusebius von Doryläum, der wegen seiner Appellation nach Rom gekommen war und den Leo der Communio mit der römischen Kirche versichert hatte. Nach seinem eigenen Zeugnis war er es, der in Gegenwart der konstantinopolitanischen Kleriker dem Papst den Kanon der Synode von Konstantinopel (381) über die Stellung von Konstantinopel vorlas.

Die Stellungnahme Leos ist schwieriger zu ermitteln, da sie in Chalcedon Interpretationen fand, die einander strikt widersprachen. Zunächst sollte aber Leos eigene Aussage im Antwortschreiben an Anatolius nicht übergangen werden. Er sprach dort von einer Entscheidung, die er traf, aber nicht schriftlich niederlegen, sondern durch die Legaten mündlich erläutern wollte. Dabei hatte er die Legation im Blick, die bereits vor der Nachricht von der Konzilseinberufung für die Aufgaben im Osten instruiert werden mußte. Die Auffassung von Caspar, Leo habe die Verlesung mit Schweigen übergangen, kann schon aus diesen Gründen nicht gehalten werden.[3] Das commonitorium wurde ihm nicht bloß vorgetragen, sondern offiziell überreicht; er antwortete seinerseits mit einer wohlüberdachten Entscheidung.

Eusebius von Doryläum wird – wie schon gesagt – auf dem Konzil von Chalcedon in einem höchst dramatischen Augenblick behaupten, Leo habe dem Kanon über den Rang Konstantinopels seine Zustimmung gegeben, als er ihn vorlas. Gewiß ein höchst problematisches Zeugnis angesichts des so

2 Vgl. den Hinweis im Abschnitt über die Frage der Leitung des Konzils in der Sicht Leos in Kap. IV und die zugehörige Anm. 87.

3 „De commonitorio vero a clericis dilectionis tuae nobis oblato, necessarium non fuit epistulis quid videretur inserere, cum sufficeret legatis cuncta committi, quorum sermone ex omnibus diligentius instrueris." LME I (28) 71,40-43; ACO II IV (43) 45,11-13. – „Angesichts der Tatsache, daß der Papst später so scharf gegen diesen Kanon Stellung nahm, läßt sich das (was Eusebius in Chalcedon behauptete) nur so verstehen, daß er damals, als die Akten von Konstantinopel 381, vermutlich wegen der dogmatischen Frage, durchgenommen wurden, gegen die mitverlesenen Kanones keinen ausdrücklichen Einspruch erhoben hatte." (Geschichte, 519.) Eine Verlesung des Kanons, die nicht wenigstens wirkliche Kenntnisnahme und eine gewisse Rezeption des Papstes ergab, mußte für den Hof fast wertlos bleiben. Leo erschien in den Augen des Kaiserpaares gewiß nicht als der Mann, der sich übertölpeln ließ. Überdies wird eine solche Interpretation der Behauptung von Eusebius zu wenig gerecht, da dieser von einer ausdrücklichen Zustimmung Leos sprach und eine solche Behauptung angesichts der vom Papst instruierten Legaten vertreten mußte. – Angesichts der Entscheidung und der Instruktion Leos läßt sich auch Caspars Auffassung, die Legaten hätten den Kanon der Synode von Konstantinopel gar nicht gekannt, hätten sich dadurch überraschen und unsicher machen lassen (ebd., 521), nicht halten. Die Aussage von Eusebius (ACO II I 3(31) 97,28-30): „Ἑκὼν ὑπέγραψα, ἐπειδὴ καὶ τὸν κανόνα τοῦτον τῷ ἁγιωτάτῳ πάπᾳ ἐν Ῥώμῃ ἐγὼ ἀνέγνων . . . καὶ ἀπεδέξατο αὐτόν."

entschiedenen Widerstandes der Legaten auf dem Konzil gegen die Rezeption des Kanons und des späteren eindeutigen Nein Leos. Aber welchen Wahrheitskern enthält diese Aussage eines Augenzeugen? Vor dem Beginn des Konzils von Chalcedon wird die Entscheidung getroffen werden, Anatolius innerhalb der Sitzordnung des Konzils den zweiten Rang zuzugestehen. Und während der ersten Sitzung wird der Legat Paschasinus – wie wir sehen werden – mit einer Interlokution zu erkennen geben, daß Rom die Einreihung Konstantinopels in den fünften Rang, die das Zweite Ephesinische Konzil vorgenommen hatte, nicht als angemessen betrachte. Besagt dies auch nicht, Rom räume der neuen Kaiserstadt generell die zweite Stelle ein, so zeigt sich darin doch ein Anhaltspunkt für die Behauptung von Eusebius. Der Bischof von Doryläum gab sich als einer, der ganz wie der Papst dachte, wenn er seine eigene Haltung mit dem Hinweis begründete, Leo selber habe den Kanon des Konzils von Konstantinopel rezipiert. Doch ging eine solche Deutung entschieden zu weit, wenn man die gegenteiligen Beteuerungen der Legaten und Leos in Rechnung stellt. Ebensowenig berechtigt war es, wenn Eusebius die von ihm behauptete Rezeption dieses Kanons als Annahme des dem Konzil in Chalcedon vorgelegten Textes über die Stellung der neuen Kaiserstadt interpretierte, auch wenn dieser Text selbst sich als Wiederaufnahme des Kanons von 381 präsentierte. Eusebius nahm die bedeutsame Differenz zwischen dem Kanon und dem neuen Text nicht zur Kenntnis. Mit dem gleich groben Raster konnte er denn auch Leos Zubilligung eines höheren Ranges an Konstantinopel einfachhin als Rezeption des Kanons deuten, der der Hauptstadt des Ostens den zweiten Platz einräumte.[4]

II. Die erste Entscheidung
über die Stellung Konstantinopels

Zu Beginn des Konzils saßen links neben den Beamten die Legaten des römischen Bischofs. Auf der Gegenseite hatten Dioskur und Juvenal Platz genommen. Dies konnte dahin gedeutet werden, daß Alexandrien weiterhin den zweiten Rang einnahm. Doch wenn man Antiochien in die Betrachtung einbezieht, läßt sich eine solche Deutung kaum mehr halten. Denn auf der linken Seite saß neben den Legaten nicht mehr Maximus von Antiochien, sondern Anatolius von Konstantinopel, der Kaiserstadt. Damit stand an der Seite der Kirche von Altrom jene des neuen Rom. Es mußte also bereits eine

---

4 ACO II I 3 (31) 97,28-30; vgl. die Darstellung weiter unten im Abschnitt über die Sitzung vom 31. Oktober. Die theologische Grobschlächtigkeit von Eusebius zeigte sich schon im christologischen Streit.

Vorentscheidung über die Rangordnung gefallen sein, die sich schon in der Sitzordnung der ersten Sessio niederschlug.[5] Eine Diskussion in der Anfangsphase dieser Sitzung gibt volle Gewißheit darüber. Als bei der Verlesung der Teilnehmerliste der ersten Sitzung des Zweiten Ephesinischen Konzils an fünfter Stelle Flavian genannt wurde, erhoben sich auf der Seite der Konzilsväter, die links neben den Beamten Platz genommen hatten und unter denen sich neben den Bischöfen auch die Kleriker der Kirche von Konstantinopel befanden, Stimmen, die einen zweifachen Vorwurf äußerten. Sie behaupteten zunächst, damals — zu Beginn der ephesinischen Synode — sei die Verurteilung von Flavian bereits beschlossene Sache gewesen. Dann rügten sie sogleich, es sei ihm nicht die ihm zustehende Stellung, sondern nur der fünfte Rang zuerkannt worden.[6] Ohne aufgefordert zu sein, zum Thema Stellung zu nehmen, und auch ohne durch die Situation genötigt zu sein, griff der Legat Paschasinus die Frage auf und gab eine Stellungnahme zu den Interlokutionen ab. Er zeigte ebenfalls seine Mißbilligung zum Vorgehen der Zweiten Ephesinischen Synode, insofern er dem das gegenwärtige Verhalten der römischen Legation entgegenstellte. Sie wäre bereit, Anatolius sogar den ersten Rang zuzugestehen, wenn dies dem Willen Gottes entspräche: „Ecce nos deo volente domnum Anatolium primum habemus; hi quintum posuerunt beatum Flavianum."[7] Caspar übersetzt diese Intervention folgendermaßen: „Siehe, wir erachten nach Gottes Willen den Herrn Anatolius als ersten, sie haben den seligen Flavian an fünfte Stelle gesetzt."[8] Doch kann die Äußerung des Legaten nicht bedeutet haben, daß Rom bereit war, Konstantinopel den ersten Rang einzuräumen. Dies widerspräche allzu offenkundig nicht nur dem Selbstverständnis des Apostolischen Stuhls im allgemeinen, sondern ebensosehr den Stellungnahmen der Legaten in Chalcedon, die uns noch begegnen werden. Vielmehr ließ Paschasinus mit dem Wort „deo volente" die Grenze der Rangstellung von Konstantinopel anklingen: Rom wäre an sich zu noch größerem Entgegenkommen bereit, doch sei es an Gottes Willen gebunden.

Man könnte geneigt sein, die Stellungnahme von Paschasinus als Zuerkennung des zweiten Rangs an Konstantinopel zu deuten, zumal Patriarch Anatolius während des Konzils den Platz neben den Legaten einnahm und sein Urteil gleich nach ihnen abzugeben pflegte. Die vom Legaten genannte Einschränkung hieße dann einfachhin, es müsse die von Gott bestimmte Stellung Roms gewahrt werden. Aber wenn man in Betracht zieht, daß der Papst nach dem Konzil sehr stark betonen wird, die Ordnung, die das Konzil von Nicäa festgelegt habe, sei unabänderlich, wird man die sehr vage und

5 ACO II 1 (4) 64,36-65,14.   7 ACO II III 1 (72) 53,5f.
6 Ebd. (71) 77,28-31.   8 Geschichte, 521, Anm. 5.

deshalb unbefriedigende Äußerung von Paschasinus sowie die wenigstens stillschweigende Billigung der neuen Sitzordnung nicht als generelle Bejahung des zweiten Rangs von Konstantinopel deuten dürfen, sondern viel eher als die Gutheißung einer solchen Stellung innerhalb des ökumenischen Konzils (aufgrund der Mitwirkung des Hofes in der Leitung der Synode, die Leo als Unterstützung der Legaten der sedes apostolica dachte), so daß im übrigen der Vorrang der von Petrus sich herleitenden Kirchen Roms, Alexandriens und Antiochiens gewahrt blieb.

Die Haltung der Legaten konnte von manchen Bischöfen in Chalcedon wenigstens vorläufig auch anders ausgelegt werden. Ein Beispiel dafür bietet Diogenes von Cycicus – auf dem Konzil ein herausragender Verfechter der Stellung von Konstantinopel –, der die Äußerung von Paschasinus sogar als Anerkennung des Kanons von 381 zu interpretieren suchte, um die Legaten in einer Weise festzulegen, die ihrer Intention ganz widersprach. Er bescheinigte jetzt den Legaten nämlich Kenntnis der Kanones.

Dies war keine ironische Bemerkung, wie E. Honigmann vermutet,[9] sondern sollte die Haltung der Legaten als etwas der kanonischen Überlieferung Gemäßes bekräftigen und sie damit zugleich aus dieser herleiten. Zu Recht faßt es Caspar als eine „reichskirchenrechtliche" Festlegung der römischen Äußerung auf, da Diogenes „nur den Kanon III von Konstantinopel 381" meinen konnte.[10] Dies wird Paschasinus kaum entgangen sein, da dieser Kanon schon im commonitorium der konstantinopolitanischen Kleriker als Begründung des Ersuchens fungierte. Doch sah er sich nicht zu einer Erwiderung oder gar zu einem Protest genötigt, da die Sache jetzt nicht zur Verhandlung anstand. Leider enthalten uns die Akten die Rufe der konstantinopolitanischen Kleriker vor, die in diesem Augenblick ertönten. Die Alexandriner beschränkten sich in diesem Augenblick, der eine so bedeutsame Vorentscheidung zur Sprache brachte, darauf, sich darüber zu beklagen, daß neben Anatolius konstantinopolitanische Kleriker ins konziliare Geschehen eingriffen.[11]

Die Akten der ersten Sessio, die gewiß unter der Federführung Konstantinopels erstellt wurden, nennen in der Teilnehmerliste Anatolius „Erzbischof der hochgepriesenen Stadt Konstantinopel, des neuen Rom", und Leo „Erzbischof des älteren Rom".[12] In der Beschreibung der Sitzordnung stellen sie sogar Altrom die „Kaiserstadt Konstantinopel" gegenüber.[13] Dies

9 Juvenal, 242.

10 Geschichte, 521, Anm. 5.

11 ACO II I 1 (74-76) 78,5-11.

12 Ebd. (3) 56,6f.

13 Ebd. (4) 65,2-4. Belege für den Titel „ἀρχιεπίσκοπος νέας Ῥώμης" bietet in einem weiteren geschichtlichen Kontext F. Dölger, Rom in der Gedankenwelt der Byzantiner, 90-92, Anm. 34.

ist um so auffälliger, als die Akten dort, wo sie von den Legaten allein sprechen, diese durchgehend nicht Gesandte von Altrom, sondern Legaten des „apostolischen" Thronos nennen.[14]

III. Die Versammlung vom 30. Oktober

Die Interlokution der Legaten auf der ersten Sessio zum Thema der Stellung Konstantinopels erklärt sich am besten aus ihrer Absicht, die Sache mit dem konkreten Vorgehen, das in der Sitzordnung gegeben war, und mit der ausdrücklichen römischen Bestätigung solchen Tuns zu klären und so zugleich ad acta zu legen.[15] Doch Anatolius suchte die Legaten, wie er später dem Papst gegenüber bezeugen wird, davon zu überzeugen, daß der Kanon des Konzils von Konstantinopel (381) in Chalcedon bestätigt werden müsse – offenbar in der Version, die dem Konzil vorgelegt wurde. Am 29. Oktober äußerten die Beamten nach der Verhandlung eines Rechtsstreits zwischen dem Erzbischof von Nikomedien und dem Bischof von Nicäa, als Aëtius die Frage der Vorrechte Konstantinopels berührte, die Kompetenzen der sedes von Konstantinopel in den Eparchien würden zu gegebener Zeit vor dem Konzil behandelt.[16] Schon am nächsten Tag wurde die Ankündigung realisiert.

Die Legaten weigerten sich, an der Sitzung teilzunehmen. Aëtius wird in der ihr folgenden Sessio als Begründung die Aussage der Legaten nennen: „sie hätten solche Aufträge nicht empfangen".[17] Der Archidiakon interpretierte damit, wie wir später noch deutlicher sehen werden, die Äußerung der Legaten als Behauptung, sie hätten von Leo keine Weisung und Vollmacht erhalten, über diese Sache zu verhandeln und zu beschließen. Das Verhalten der Legaten auf der gleichen Sessio vom 31. Oktober zeigt aber im Gegenteil, daß sie dem vorgelegten Text auch sachlich nicht zustimmen konnten und sich dafür gerade auf die Haltung und Weisung Leos beriefen. Sie begründeten ihre Weigerung, an der Sitzung vom 30. Oktober teilzunehmen, deshalb doch erheblich anders als Aëtius, nämlich mit dem Hinweis, sie könnten der Sache in der Weise, wie sie beabsichtigt war, aufgrund der Anweisung des Papstes nicht beitreten.[18]

---

14 Hier seien nur einige Belege aus der ersten Sessio geboten: ACO II I 1 (5) 65,17; (7) 65,25; (9) 65,29f. (hier ist statt des gewöhnlichen „ἀποστολικὸς θρόνος" die Bezeichnung „ἀποστολικὴ καθέδρα" gewählt); (10) 65,33; (12) 66,5.

15 Man könnte geneigt sein, an eine grobe Ungeschicklichkeit der Legaten zu denken, die vorschnell ihre Karten offenlegten. Doch mußten sie ihre Position wegen der Sitzordnung schon vor Beginn des Konzils darlegen.

16 ACO II I 3 (39) 62,31-33.

17 Ebd. (6) 88,18f.   18 ACO II III 3 (13f.) 109,7-16.

V. Monachino bezeichnet das Vorgehen der Legaten als ungeschickt und meint, sie hätten besser an der Sessio teilnehmen und, falls die Konzilsväter sich nicht auf ihre Seite ziehen ließen, gleich auf dieser Sitzung ihren Widerspruch geltend machen sollen.[19] Die Berechtigung eines solchen Urteils wird auch von der Frage abhängen, ob die Legaten die Entschlossenheit des Hofes sowie von Anatolius und Aëtius richtig einschätzten. Offenbar glaubten sie schon vor der geplanten Verhandlung ihr Nein zur Rezeption des Kanons mit größter Energie bekunden zu sollen. Eine solche Haltung besagte, daß sie keinesfalls ihre Zustimmung geben würden und daß sie sich des entsprechenden Auftrags Leos ganz sicher waren. Die synodale Versammlung fand trotz des Widerstandes der Legaten statt. Mit diesen entfernten sich auch die kaiserlichen Beamten aus der Kirche der hl. Euphemia, um die Unabhängigkeit der synodalen Beratung und Entscheidung zu demonstrieren.[20] Die Legaten wollten mit ihrem Fernbleiben zum Ausdruck bringen: Die geplante Versammlung geschah ohne den Apostolischen Stuhl, ja gegen den Willen seiner Vertreter und konnte deshalb keine Geltung beanspruchen, es sei denn, der Papst stimme nachträglich zu.

Die Akten der Versammlung liegen nicht als Dokumentation einer eigenständigen Sitzung vor, sondern erscheinen innerhalb jener Sessio des folgenden Tages, in der sie in Anwesenheit der Legaten wie der Beamten zur Verlesung kamen. Es sind höchst merkwürdige Akten, die Aëtius verlesen ließ: sie bestehen nur aus der Formel, die beschlossen wurde, und aus den Unterschriften von einhundertzweiundachtzig Konzilsvätern.[21] Nicht einmal die Vorlage des Textes vor der Versammlung und eine Akklamation werden erwähnt. Damit fallen sie völlig aus dem Rahmen aller übrigen Sessionen. Dieses Faktum läßt – mindestens vorläufig – verschiedene Erklärungsmöglichkeiten zu. Entweder war Aëtius nicht bereit, vor der Synode die eigentlichen Akten verlesen zu lassen, und hatte deshalb – für die Verlesung vor dem Konzil und gleichzeitig für die endgültige Archivierung – eine solch radikale Kürzung vorgenommen, oder es hatten Vorbesprechungen in einem kleineren Rahmen stattgefunden, so daß am 30. Oktober nur die Unterschrift unter den fertigen Text zu leisten war. Letztere Annahme dürfte recht hohe Wahrscheinlichkeit besitzen.[22] Doch ist dies für

---

19 V. *Monachino*, Il canone, 80.

20 ACO II III 3 (4) 101,15-18.

21 Die Akten bieten 185 Unterschriften. Doch drei Konzilsväter unterschrieben am Ende der Liste ein zweites Mal (im Namen ihrer Suffraganbischöfe): Diogenes von Cycicus (ACO II I 3 (9,5) 89,24 und (9,183) 94,24-27), Stephan von Hierapolis (ebd. (9,19) 90,1 und (9,184) 94,28f.) und Nunechius von Laodicea (ebd. (9,22) 90,4 und (9,185) 94,30-32).

22 ACO II I 3 (8f.) 88,28-94,32. Dies fällt um so mehr auf, als die Beamten um die Verlesung der „πρᾶξις" baten: ebd. (7) 88,25. Die Kürzung der Akten - und zwar in so radikaler Weise

unsere Frage auch nicht von ausschlaggebendem Belang. In jedem Fall bezeugt die Verlesung solcher Akten die Absicht, die dem Konzil nun vorgelegte Formel als unbestrittene Auffassung der Konzilsväter, welche die Unterschrift leisteten, hervortreten zu lassen. Wenn die Konzilsakten diese Sitzung nicht als eigene Sessio aufführen, so kann dies gedeutet werden als Anerkennung der Vorläufigkeit der Versammlung angesichts der Abwesenheit der Vertreter des Papstes.

IV. Erste Analyse des Dokumentes über die Stellung der neuen Kaiserstadt

In einem ersten Schritt der Deutung des synodalen Dokuments über den Rang Konstantinopels soll der Text selbst in seiner Struktur und seinem Gehalt – ohne Berücksichtigung späterer Interpretationen – analysiert werden. Ergänzend soll dabei bedacht sein, wie er sich in die Sicht einordnet, in der das Konzil vor der Erstellung dieses Textes die römische sedes beschrieb. Die Übersetzung, die zunächst vorgelegt werden soll – näherhin des Abschnittes, auf den sich unsere Interpretation beschränkt –, ist bereits von dieser Analyse her bestimmt. Da sich das Dokument des Konzils von Chalcedon als Rezeption des Kanons der Synode von Konstantinopel (381) gibt, soweit er sich auf den Rang der neuen Kaiserstadt bezieht, soll auch der Schlußabsatz dieses Kanons in einer Übersetzung beigefügt werden.

Dokument der Synode von Chalcedon: „In allem den Bestimmungen der heiligen Väter folgend und in Kenntnisnahme des vorher verlesenen Kanons der 150 gottgeliebten Bischöfe, die sich unter dem großen Theodosius frommen Andenkens, des früheren Kaisers, in der Kaiserstadt Konstantinopel, dem neuen Rom, versammelt haben, bestimmen und beschließen auch wir das gleiche betreffs der Vorrechte der heiligsten Kirche desselben Konstantinopel, des neuen Rom. Denn auch dem Thron des alten Rom haben die Väter, weil jene Stadt Kaiserstadt war, zu Recht die Vorrechte zuerkannt, und von der nämlichen Erwägung bestimmt, haben die 150

-war angesichts der versammelten Bischöfe, die an der Versammlung teilgenommen hatten, fast unmöglich. So wurde denn auch nicht über den Verlauf einer Zusammenkunft diskutiert, sondern über die Unterschrift zu einer Formel; vgl. ACO II III 3 (10) 108,22-24; ACO II I 3 (19) 96,23-25 sowie ebd. (20-34) 96,26-97,37. - Anders P. *L'Huillier* (Un aspect estompé, 18f.): Im Anschluß an E. *Chrysos* nimmt er an, das Protokoll der 16. Sitzung sei bewußt eliminiert worden. Des weiteren vertritt er die Auffassung, in dem Abschnitt des Dokuments, welcher der Präambel (der „emphatischen Erweiterung" des 3. Kanons von Konstantinopel) folgte, sei der ursprünglich vorgesehene Text von den Bischöfen geändert worden. Dieser Hinweis zeigt, daß der endgültige Text nicht voll den zuerst geäußerten Absichten der Kirche von Konstantinopel entsprach. Doch kann diese Textänderung auch bei einer der 16. Sitzung vorangehenden Besprechung zwischen den unmittelbar betroffenen Bischöfen vorgenommen worden sein.

gottgeliebten Bischöfe die gleichen Vorrechte dem heiligsten Thron des neuen Rom zuerteilt, indem sie mit Recht urteilten, daß die Stadt, die der Anwesenheit des Kaisers und des Senats gewürdigt ist und die gleichen Vorrechte wie das alte Rom, die Kaiserstadt, genießt, auch im kirchlichen Bereich wie jene verherrlicht werden müsse, indem sie nach ihr die zweite ist . . ."[23]

Dokument der Synode von Konstantinopel: „ . . .Der Bischof von Konstantinopel habe aber die Vorrechte der Würde nach dem Bischof von Rom, da es das neue Rom ist."[24]

Es gilt nun zunächst, den für unser Thema bedeutsamen Abschnitt in den Text als ganzen einzuordnen. E. Herman unterscheidet zwei Teile: einen ersten, der von den „Ehrenrechten des Sitzes von Konstantinopel handelt", und einen anderen, der die „Weihe der Metropoliten der drei kleinen Diözesen und der Bischöfe bei den Barbaren" betrifft.[25] V. Monachino gelangt zu einer Dreiteilung, da er Hermans ersten Teil untergliedert; er unterscheidet hier die Bestätigung des Kanons 3 des Konzils von Konstantinopel und die Promulgation in neuer, substantiell modifizierter Gestalt.[26] Hermans zweiter Teil erscheint bei ihm demgemäß als dritter: als die Gründung des Patriarchats von Konstantinopel. Monachino hat zu Recht die Rezeption des Kanons als eigenen, ersten Absatz hervorgehoben. Dies wird im folgenden noch unterstrichen werden, indem nicht nur der nächste Absatz als Neufassung des Kanons interpretiert, sondern auch der dritte Absatz auf ihn bezogen wird.

Der erste Satz nimmt in der Tat eine Sonderstellung ein: er will das Ganze umgreifen und es als Rezeption des Kanons von Konstantinopel über die Stellung des neuen Rom charakterisieren. Er bietet die grundlegende Aussage und ist so für sich schon als der erste Teil des neuen Dokuments zu betrachten. Der zweite Teil kann als Interpretation oder Neufassung des

---

23 Die Übersetzung lehnt sich eng an jene von E. *Herman* (Der konstantinopolitanische Primat, 464) an. Sie unterscheidet sich von ihr vor allem in dreifacher Hinsicht: „Ehrenrechte" ist durch „Vorrechte" ersetzt, das „εἰκότως", das dort entfallen war, ist übersetzt, so daß die Parallelität, die mit „εἰκότως" und „εὐλόγως κρίναντες" betont wird, hervortritt; der Schlußabsatz mit dem Partizip „ὑπάρχουσαν" ist nicht als Konsequenz aus der Ebenbürtigkeit gedeutet wie bei Herman („und daher den zweiten Rang nach ihr einnehmen muß"), sondern als Beifügung: „indem sie nach ihr die zweite ist". Eine Übersetzung des ganzen Textes bei *Caspar*, Geschichte, 522. Der griechische Text: ACO II 3 (8) 88,28-89,17; COD 99,29-100,38.

24 COD 32. Die Übersetzung von „τιμή" mit „Würde" – in Entsprechung zu „honor" bzw. „dignitas" – wird weiter unten begründet; vgl. Anm. 32.

25 E. *Herman*, Der konstantinopolitanische Primat, 464, 472.

26 V. *Monachino*, Il canone, 80-90.

Kanons bezeichnet werden, die in doppelter Weise erfolgt: als deutende Begründung der grundlegenden Sicht und als Applikation auf die patriarchalen Rechte im einzelnen. Der erste Unterabschnitt des zweiten Teils gibt sich — das sei nochmals eigens hervorgehoben — nicht eigentlich als Applikation, sondern als Begründung. So zeigt denn das chalcedonensische Dokument eine einfache Struktur: es bietet in einem ersten Teil die Rezeption des Kanons der Synode von 381 über den Rang Konstantinopels und in einem zweiten Teil dessen Begründung und konkrete Applikation.

Aber dahinter verbirgt sich zugleich eine merkwürdige Ambivalenz. Sie ist in der Struktur begründet und greift von ihr auf den Inhalt über. Von seinem eigentlichen Anspruch her, der eingangs formuliert ist, will der Text eine Rezeption und Bestätigung des Kanons von Konstantinopel sein. Ferner will er die dort festgelegte Stellung der neuen Kaiserstadt begründen. Aber in Wirklichkeit bedeutet das, was formal als Argumentation auftritt, doch zugleich eine Interpretation. Und diese Deutung in Gestalt einer Begründung verändert indirekt auch den Charakter des Textes, der vorgibt, nur Bestätigung des Kanons sein zu wollen. Was sich zunächst als bloße Bekräftigung und Rezeption darstellt, zeigt sich nun auch als Deutung und neue Version.

Unter diesem Horizont charakterisiert Metropolit Maximos von Sardes sogar den Text als ganzen als Explikation, die dem Kanon der Synode von Konstantinopel einen neuen Sinn gebe.[27] Präziser wird man von einer Ambivalenz sprechen, auf die man bei den Diskussionen und Interpretationen, die der Text während und nach der Synode findet, zu achten hat. Da der Text in dem Abschnitt, der den Rang Konstantinopels grundlegend beschreibt, nur als Begründung des 3. Kanons von 381 auftritt, ist es bis zu einem gewissen Grad möglich, ihn nicht in seinem Eigengehalt und als neue Festlegung zu sehen. In der Tat wird das Dokument weitgehend einfach als Rezeption des Kanons der Synode von Konstantinopel charakterisiert werden. Eine solche Ambivalenz ergibt einen ersten wichtigen Ansatz für die Schwierigkeiten und Differenzen in den Diskussionen und Deutungen. Sie ermöglicht — wenigstens theoretisch — bereits neben genereller Ablehnung oder Bejahung auch ein partielles Ja und Nein. Eine Zustimmung ist in den Bereich des Möglichen gerückt, die sich auf den Kanon bezieht, aber mit Vorbehalten gegenüber der chalcedonensischen Begründung bzw. Interpretation verbunden sein kann. Im folgenden soll vor allem die letztere gedeutet werden — freilich immer im Blick auf den konstantinopolitanischen Kanon,

27 *Maximos von Sardes*, Das ökumenische Patriarchat, 269, bes. 301; vgl. Le Patriarcat Oecuménique, 255, bes. 285.

auf den sie bezogen ist. Die Verlesung, die im ersten Absatz erwähnt ist, ist eine fiktive Verlesung, da sie während des Konzils nie stattfand, sie ermöglicht nur die Korrelation des neuen Textes mit dem Kanon und hebt sie hervor.

2. Die Ebenbürtigkeit in den Vorrechten

Ein erstes Problem, das der Text aufgibt, bildet die Frage, wie die „πρεσβεῖα", welche Rom wie Konstantinopel zuerkannt werden und welche die „πρεσβεῖα τῆς τιμῆς" des Kanons von 381 deuten, zu verstehen sind: Sind es bloße „Ehrenrechte", beziehen sie sich auf den patriarchalen Status Konstantinopels oder sind es Vorrechte, welche die neue Kaiserstadt generell an die Seite Roms stellen? Bis zur ersten Klärung der Frage übersetzen wir den Begriff mit „Prärogative". Eine erste, höchst bedeutsame Charakteristik des Textes fällt sogleich in die Augen: die starke Betonung der Ebenbürtigkeit der beiden Kaiserstädte in ihren Prärogativen. Zunächst wird lapidar festgestellt, die Konzilsväter der konstantinopolitanischen Synode hätten Konstantinopel die gleichen „πρεσβεῖα" zuerteilt, welche die Väter Rom zuerkannt hatten. Am Schluß der Argumentation wird zwar von einer Nachordnung Konstantinopels hinter Rom gesprochen. Aber einer solchen Rangordnung wird der Wert einer grundlegenden Stufung sogleich wieder genommen, indem gerade hier die Gleichheit der Kaiserstädte im politischen Bereich hervorgehoben ist, von der die gleiche kirchliche Würde der Bischofsstühle von Alt- und Neurom abgeleitet wird. Zudem wird die Vorordnung Altroms an dieser Stelle nicht mehr eigens begründet; die Voranstellung hebt die Gleichheit der Prärogativen nicht auf und läßt den Vorrang gegenüber dem neuen Rom nur noch als eine bevorzugte Rangstellung erscheinen, die nicht in einem eigenen Begriff gefaßt wird, aber in der Bezeichnung Konstantinopels als zweite Stadt (bzw. zweites Rom) nach Altrom gegeben ist.

In die gleiche Richtung weist die Beobachtung, daß die Ebenbürtigkeit der beiden Bischofssitze aus der politischen Vorrangstellung der Kaiserstädte abgeleitet wird. Letztere bedeutete aber, wie Th. O. Martin in seiner wichtigen Studie zu unserem Thema im einzelnen nachwies, eine echte, rechtliche Privilegierung, die auch Konstantinopel zuteil geworden war.[28]

Von einer gewissen Bedeutung – als Bestätigung dieses Befundes – ist der Hinweis, den M. Jugie schon in einer frühen Studie gab: statt „πρεσβεῖα τῆς τιμῆς" im Kanon von 381 lesen wir im Dokument von Chalcedon nur

---

28 Th. O. *Martin*, The Twenty-Eight Canon, bes. 433-439.

„πρεσβεῖα". [29] Jedoch ist zu bedenken, daß der Kanon durch die chalcedonensische Interpretation nicht abgelöst, sondern bestätigt und gedeutet werden sollte. [30] In der Sicht der Verfasser des neuen Dokuments besagte der Begriff „τιμή" im Kanon mehr als bloße Ehre; er konnte, ja mußte gefüllter verstanden und gedeutet werden: als „Würde". [31] Die „πρεσβεῖα τῆς τιμῆς" wurden durch die Deutung (ἴσα πρεσβεῖα) als „Vorrechte der Würde" beschrieben, d. h. als Vollmachten, die mit der autoritativen Stellung gegeben waren. Dies läßt sich zwar nicht aus dem Text allein ableiten, da er nicht erkennen läßt, ob die „πρεσβεῖα" Roms – und demgemäß jene Konstantinopels – als reine Ehrenrechte oder als echte Vorrechte gemeint waren. [32] Es ergibt sich erst, wenn man den historischen Kontext des Konzils zugrunde legt, in dem die vor allem um Konstantinopel und Antiochien sich gruppierenden Väter die Stellung der römischen sedes als wahre Autorität im Blick auf den Glauben und die Einheit der Kirche (konkret auch der Bischöfe in der ökumenischen Synode) beschrieben.

Die Vorgänge auf dem Konzil von Chalcedon, die der Versammlung vom 30. Oktober vorauslagen, bieten eine wichtige Bestätigung für die vorgelegte Interpretation. Das Konzil gab dem konstantinopolitanischen Patriarchen von Anfang an und in allen Sitzungen den zweiten Rang. Wenn die Legaten

29 M. *Jugie,* Theologia dogmatica christianorum orientalium I, 51f. Jugie deutet ebd. die Zuerkennung der „πρεσβεῖα" als Zuweisung patriarchaler Gewalt und also wirklicher Jurisdiktion. Hierfür beruft er sich auf den Schluß des Dokuments mit der Zuerkennung der Jurisdiktion über Pontus, Asien und Thrazien sowie auf die Kanones 9 und 17 des Konzils von Chalcedon. Jedoch ist demgegenüber geltend zu machen, daß die patriarchalen Rechte zwar aus den „πρεσβεῖα" abgeleitet (bzw. durch ein „ὥστε" mit ihnen locker verbunden) sind, daß die Vorrechte sich in ihnen aber keineswegs erschöpfen. Diese ergeben sich vielmehr aus der Zuordnung zu den „πρεσβεῖα" der römischen sedes.

30 Die Beamten konnten deshalb in ihrer Erläuterung wieder den Begriff der Synode von Konstantinopel („πρεσβεῖα τῆς τιμῆς") aufnehmen, ohne dem Sinn des neuen Dokuments untreu zu werden: ACO II I 3 (43) 98,34-36.

31 Für unsere Darstellung kann offenbleiben, ob die Verfasser des Kanons von 381 an eine reine Ehrenstellung dachten. H. *Kreilkamp* verneint dies mit erwägenswerten Argumenten: The origin, 49-63.

32 Die Begriffe „πρεσβεῖα" und „τιμή" können einen höchst unterschiedlichen Gehalt zum Ausdruck bringen. Sie sind so offen, daß der Kontext für die Bestimmung des präzisen Sinnes ausschlaggebend ist. Beide Begriffe können eine Ehrenstellung bezeichnen, wo sie einer Stellung in Autorität entgegengesetzt werden. So bestimmt der Kaiser, Chalcedon solle die „πρεσβεῖα" einer Metropolis haben „ὀνόματι μόνῳ ταύτην τιμήσαντες . . ." (ACO II I 2 [21] 157, 35-38). Die Beamten beschließen die Diskussion um die Rechte Nikomediens und Nicäas mit der Anordnung, der Bischof von Nikomedien habe die Vollmacht („αὐθεντία") eines Metropoliten, jener von Nicäa nur die Ehrenstellung (ACO II I 3 [39] 62,28f.), „τὴν τιμὴν μόνον". Zur Verwendung des Begriffs „ἀκολουθία τῆς τιμῆς" im Kanon VII von Nicäa für die Würde Jerusalems vgl. *Kreilkamp,* The origin, 58-63. Von einer Wahrung der „πρεσβεῖα" spricht der sechste nicänische Kanon im Blick auf Antiochien und die anderen Eparchien: COD 9,4-7. Für die Verwendung von „τιμή" für eine Würde, die Vollmacht beschreibt, ist ein Text Cyrills besonders eindrucksvoll, in dem die Autorität des Erstapostels beschrieben ist: Comment. in Matthaeum, 55 in: PG 72,424; vgl. meine Bemerkung zum Text im Artikel „Der christliche Osten im dogmatischen Unterricht", in: Seminarium 27 (NF 15) (1975) 395.

es dennoch ablehnten, die Annahme des vorgelegten Dokuments zuzugestehen, waren nach ihrer Auffassung mit „πρεσβεῖα" nicht „Ehrenrechte" zum Ausdruck gebracht, auch nicht bloß patriarchale Privilegien, sondern Vorrechte, welche Konstantinopel an die Seite Roms rückten.[33] Dies wird sich an den späteren Äußerungen der Legaten noch deutlicher erweisen.

3. Die Stellung der römischen sedes

Wenn diese Deutung zutrifft – sie wird sich an später verfaßten Dokumenten bewähren müssen –, so erkannte die Textvorlage der konstantinopolitanischen Kirche die gleichen Vollmachten wie der römischen zu. Besagt dies aber nicht eine Infragestellung der primatialen Geltung der Kirche von Rom? Schmolz ihr Vorrang im Gegenüber zur Kirche der neuen Kaiserstadt zu einem bloßen Ehrenvorrang, wenn die beiden Bischofsstühle die gleichen Vorrechte besaßen und sich damit in echter Autorität von allen anderen Kirchen abhoben? Ferner war in der Vorlage die Gleichheit der Vollmacht der beiden sedes daraus abgeleitet, daß beide Städte sich als „Rom", d. h. als Kaiserstädte betrachten durften. Die Vorlage begründete den besonderen Rang des konstantinopolitanischen Thronos mit der Zuerkennung durch die Väter, die ein historisches Ereignis – die Gründung des neuen Rom – als heilsgeschichtlich bedeutsames Geschehen betrachteten. Dies geschah im Blick auf das alte Rom. Wenn die Väter der sedes von Rom den Vorrang eingeräumt hatten, so war dies eine Zuerkennung, die für sie in der politischen Stellung der Stadt gründete. Aus der gleichen Einsicht handelten 381 die Väter in Konstantinopel. Bedeutete dies alles – vor allem das Schweigen über einen petrinischen Ursprung der Autorität der römischen sedes – nicht doch eine implizite Verneinung einer echten „apostolischen" Bevollmächtigung und Stellung des Bischofsstuhls und der Kirche von Rom?
  Der Text erlaubt, für sich genommen, gerade wegen seines Schweigens keine Antwort auf diese Fragen. Er läßt sie vielmehr offen. Denn er stellt und beantwortet eine tiefer liegende Frage nicht, obgleich sie grundlegend ist: Was waren insgesamt die Gründe, um derentwillen die Väter dem Thronos von Rom Vorrechte zuerkannten? Geschah es nur, weil die Stadt den politischen Mittelpunkt der Welt bildete? Dann wäre es allerdings konsequenter gewesen, diese Vorrechte jetzt in vorzüglicher Weise der Kirche Konstantinopels zuzuweisen, da nun die neue Kaiserstadt eine überragende

---

33 Es bleibt unbefriedigend, wenn E. *Herman* sich für die Festlegung, es handle sich im Kanon des Konzils von Chalcedon um Vorrechte menschlichen Rechts, nicht um Vorrechte göttlichen Rechts, vor allem auf einen gewissen Konsens beruft, und zwar unter Verweis auf die Enzyklika Papst *Pius XII.* „Sempiternus rex" (8. Sept. 1951): Der konstantinopolitanische Primat, 467.

politische Bedeutung gewonnen hatte, während das alte Rom im Schatten stand. Oder geschah es, weil Petrus und Paulus das eigentliche Ziel und die Vollendung ihrer besonderen Sendung in Rom, der Stadt von Kaiser und Senat, gesehen und gefunden hatten? Legt man dem Dokument diese Sicht zugrunde, so läßt sich erklären, warum die Kirche von Altrom gegenüber der Konstantinopels eine Vorzugsstellung behielt und warum beide Kirchen allen anderen gegenüber wirkliche Vorrechte besaßen: beides beruhte auf der Auszeichnung Roms durch das heilsgeschichtliche Ereignis von Predigt und Martyrium der Apostelfürsten. Die gleiche Vollmacht und Würde der konstantinopolitanischen sedes beruhte in dieser Perspektive auf der Teilhabe an der spezifischen apostolischen Autorität des römischen Bischofsstuhls, die diesem durch das Zeugnis der beiden Apostel in göttlicher Fügung aufgrund der politischen Bedeutung der Stadt zuteil geworden war. Ein besonderer Rang gegenüber dem Thronos von Konstantinopel kam dann dem von Rom aufgrund der bleibenden Würde des Ursprungs zu, auch wenn die politische Bedeutung der Stadt zurücktrat.

Die Schwierigkeit des Textes liegt in seiner Offenheit, die mit seinem Schweigen über den apostolischen Ursprung der römischen Kirche und ihrer Autorität gegeben ist. Es kommt deshalb alles darauf an zu sehen, wie die Autoren auf dem Konzil ihn verstanden, oder richtiger (vor allem, wenn er den Bischöfen vom Hof vorgelegt wurde), wie die Konzilsväter ihn verstanden und rezipierten, welche seine Annahme unterstützten. So viel kann freilich bereits gesagt werden: Die bis zu diesem Augenblick auf dem Konzil vorgelegten Texte, die das Thema berühren, begründeten die Autorität des römischen Bischofs stets mit der spezifischen apostolischen Würde. Die bischöflichen Verfasser dieser Dokumente hatten sich in verschiedenen Situationen des Konzils, zumal dann, wenn die schwerwiegendsten Entscheidungen anstanden, auf den römischen Stuhl gestützt, ihn als sedes apostolica im eigentümlichen Sinn des Wortes anerkannt und Leo als ihren Inhaber und so zugleich als bevollmächtigten Interpreten des Erstapostels, der das grundlegende Bekenntnis abgelegt hatte, beschrieben. Für sie war eine Begründung der Stellung des Thronos von Rom allein aus dem Charakter Roms als der Stadt von Kaiser und Senat nicht denkbar, es sei denn, man nähme in ihren Äußerungen eine sehr tiefe Widersprüchlichkeit an, die den Bischöfen jede Glaubwürdigkeit nähme. Die im folgenden vorgelegte Untersuchung wird ergeben, daß die Konzilsväter an der petrinischen Begründung der Vollmacht der Kirche von Rom festhalten werden.

Damit ergibt sich aber erst recht die andere Frage: Wie konnten die Bischöfe, welche die Vorlage über die Stellung Konstantinopels bejahten, die Gleichheit der Thronoi des alten und des neuen Rom in ihren Vorrechten begründen, wenn nur Altrom durch Verkündigung und Zeugentod der Apostel Petrus und Paulus geheiligt war? Wie war es möglich, eine andere Kirche als apostolisch in dem spezifischen Sinn des Wortes, der auf die beiden Apostel verwies, zu bezeichnen und den Bischof einer anderen Kirche als Nachfolger auf der Kathedra von Petrus und Paulus zu betrachten?

Die Antwort auf die Fragen, die das vorgelegte Dokument über den Rang des neuen Rom aufgibt, läßt sich aus mehreren Quellen schöpfen, vor allem aber aus der konziliaren Diskussion vom 31. Oktober, die sich mit dieser Angelegenheit befaßte, und aus dem Schreiben der Synode von Chalcedon an Papst Leo.

V. Die Sitzung vom 31. Oktober

Die kurze Sessio dieses Tages läßt die Unterscheidung von drei Phasen zu. Die Eingangsphase brachte eine erste Infragestellung der vorangegangenen Versammlung vom 30. Oktober durch die Legaten. Die Verlesung der „Akten" dieser Verhandlung eröffnete bereits die Hauptphase. Sie umfaßte die mehrfache Kritik der Gesandten Leos am Dokument und den Versuch der Beamten, durch die Befragung von Bischöfen eine Antwort zu geben. Abrupt führten die vom Hof eingesetzten Moderatoren mit einer eigenen Stellungnahme die Sitzung schließlich ihrem Ende zu.

1. Die Kritik an der vorangegangenen Versammlung

Erste Deutungen des Dokuments ergeben sich aus den Stellungnahmen der Legaten während dieser neuen Sitzung. Das gleiche Motiv, das die Legaten zuerst bewogen hatte, sich einer synodalen Behandlung des vorgesehenen Textes zu verweigern und damit ein mögliches Ergebnis im vorhinein in Frage zu stellen, ließ sie jetzt, nachdem die Vorlage durch einen Teil der Bischöfe unterzeichnet war, die Forderung nach einer neuerlichen synodalen Behandlung der Frage im Beisein der Beamten wie ihrer selbst erheben. Sie wollten äußersten Widerstand leisten und, falls sie die Zurücknahme des Textes nicht erreichen konnten, wenigstens ein feierliches Nein zu Protokoll geben.

Paschasinus eröffnete als Sprecher der Legaten die Sitzung mit dem Vorwurf, die Synode habe am gestrigen Tag, nach ihrem und der Beamten Weggang weitergetagt und anscheinend einen Beschluß gefaßt; dieser müsse auf seine kanonische Gültigkeit hin untersucht werden. Behauptete Paschasinus nur, Beratung und Beschließung seien ohne ihr Wissen abgehalten worden, oder vor allem, dies sei gegen ihren erklärten Willen geschehen? Urteilt man vom historischen Kontext her, so meinte er letzteres. Die Legaten hatten sich nach den Beamten ostentativ von der synodalen Versammlung entfernt, und zwar in dem Augenblick, als diese daranging, das von den Beamten am Vortag angekündigte Verhandlungsthema aufzugreifen.[34] Ihr Weggang war die vorerst letzte Antwort auf das Bemühen von Anatolius gewesen, ihre Zustimmung zur Sache zu gewinnen.[35] Die Anfrage von Paschasinus implizierte damit den Vorwurf, daß die Zusammenkunft, die den Beschluß verabschiedet hatte, nicht der kirchlichen Ordnung entsprochen hatte und somit keine gültige Sitzung war. Die Forderung der Legaten, die neue Sessio abzuhalten, lag in der gleichen Linie. Die Stellvertreter des Papstes wollten auf ihr die Ungültigkeit des Geschehenen dokumentieren und feierlich bekräftigen.

Paschasinus forderte die Untersuchung des Textes selbst, und zwar ebenfalls unter der Fragestellung, ob er der kanonischen Ordnung entspreche.[36] Mit alldem wandte sich der Legat an den Hof. Er sprach die Beamten nicht so sehr als Moderatoren der gegenwärtigen Verhandlung an, sondern als Repräsentanten des Kaisers. Seine Aufgabe sei es, nicht nur um die Glaubensfrage bemüht zu sein, sondern auch um die kirchliche Ordnung.[37] Machte Paschasinus damit indirekt den Hof für die Vorgänge, die in der vorangegangenen Sitzung gipfelten, verantwortlich?

Aëtius war es, der den ersten Vorwurf einer unkanonischen synodalen Versammlung vor der Behandlung der Sachfrage aufgriff. Er stellte den Beschluß in den größeren Rahmen synodaler Tradition, gemäß der neben Glaubensfragen immer auch wichtige andere Fragen, die kirchliche Ordnung betreffend, zur Verhandlung kamen. Hierher gehöre die fragliche Sache: die Kirche von Konstantinopel habe etwas, das für sie vordringlich sei, synodal festlegen lassen wollen. Damit verband Aëtius ein zweites, wichtigeres Argument. Die Legaten seien eingeladen worden, dem Vorhaben beizutreten. Doch hätten sie dies abgelehnt mit der Begründung, „solche Aufträge nicht empfangen" zu haben. Damit interpretierte Aëtius das entschiedene Nein der Legaten, das vor allem der Sache selbst galt, als einen Mangel an Instruktion und Kompetenz: sie wagten nicht, etwas zu beraten und zu bestätigen, für das sie keine Beauftragung erhalten hatten. Damit ließ Aëtius wenigstens implizit eine Differenzierung zwischen dem Papst und

34 ACO II III 3 (4) 101,10-19.
35 ACO II I 2 (15) 54,8f.
36 ACO II III 3 (4) 101,18f.
37 Ebd. 101,11-15.

den Legaten erkennen. Letztere verneinten nach seiner Darstellung einfach ihre Kompetenz.

Daraus ergibt sich denn auch das nächste Argument des konstantinopolitanischen Archidiakons. In dieser Situation habe sich die Kirche von Konstantinopel an den Kaiser gewandt. Dieser habe der Synode den Auftrag gegeben, die Sache zu behandeln. Nachdem der Hof diese Weisung gegeben habe, hätten sich auch die Bischöfe dafür ausgesprochen. Die Verhandlung sei deshalb nicht insgeheim, sondern kanonisch vollzogen worden.[38] Insgesamt besagte die Rechtfertigung von Aëtius also: Da die Legaten die allgemeine Tradition nicht berücksichtigten und die Behandlung einer wichtigen kanonischen Frage verweigerten, indem sie sich auf mangelnde Legitimierung beriefen, hatten die Bischöfe die Freiheit, selbst zu handeln, zumal auf die Anfrage der Kirche von Konstantinopel hin der Kaiser dazu Anweisung gab und die Konzilsväter sich bereit erklärten, seiner Anordnung zu entsprechen. Aëtius wollte also darstellen, daß die Sitzung keine unkanonische Sessio gewesen sei trotz des absichtlichen Wegbleibens der Legaten, da diese sich auf einen Mangel an Instruktion beriefen. So war also die Handlung der Bischöfe kein Affront gegen den römischen Bischof selbst, sondern entsprach einfach den Notwendigkeiten und war durch den Kaiser gestützt. Damit waren die Legaten Leo gegenübergestellt, sie hatten – nach der Darstellung von Aëtius – ihren Auftrag als Legaten in diesem Fragenbereich selber bestritten, indem sie sich auf fehlende Instruktion beriefen.

2. Die Hauptphase der Diskussion

Die Legaten beantworteten diese Deposition zunächst nicht. Statt dessen wurde nun sogleich das Dokument verlesen, das am Vortag einhundertzweiundachtzig Bischöfe unterzeichnet hatten, so daß die Sache selbst erörtert werden konnte.[39] Damit war die zweite Phase der Verhandlung eingeleitet. Jetzt war es Bischof Lucensius von Ascoli, der statt Paschasinus die Aufgabe des Sprechers übernahm. Er hatte vom Papst die oben erwähnte Instruktion erhalten, nachdem die konstantinopolitanischen Kleriker die Sache Leo vorgelegt hatten. In drei Anläufen suchten er und der Priester Bonifatius die Fragwürdigkeit des Beschlusses ans Licht zu heben. Zunächst erhob Lucensius schwerwiegende Vorwürfe. Er stellte noch einmal die kanonische Gültigkeit des Dokuments in Frage und behauptete, die Bischöfe hätten nur

38 ACO II I 3 (6) 88,13-24.
39 Ebd. (8) 88,28-89,17. Das Dokument trägt hier noch keinen Titel.

als durch List und Zwang Verführte die Unterschrift geleistet; sie seien getäuscht worden.

Mit dieser zweiten Bemerkung stellte er den Inhalt des Beschlusses wie auch seine Begründung in Frage, indem er darauf verwies, daß die Bischöfe Kanones unterzeichnen mußten, die keine wahre kanonische Geltung besaßen. Nach einem kurzen Zwischenruf von Bischöfen erläuterte er seine Haltung: der Erlaß der Synode von Konstantinopel gehöre nicht zu den Synodalkanones. Trotzdem sei er jetzt angenommen worden, obwohl er eine Hintansetzung der nicänischen Satzungen bedeute. Dies sei ein unerträglicher Vorgang. Damit war ein Doppeltes gesagt: Die Bestimmung der einhundertfünfzig Bischöfe sei nicht von der Gesamtkirche rezipiert worden, sie richte sich gegen die in Nicäa dokumentierte Stellung des römischen Bischofs. Der Ausdruck „Hintanstellung" der nicänischen Bestimmungen („trecentorum decem et octo constitutionibus postpositis") zeigte eine gewisse Offenheit, zielte aber doch eher auf die Behauptung, sie würden außer Kraft gesetzt, als bloß auf die Feststellung, sie würden gefährdet. Dem entspricht die Erregung und Entschiedenheit, die aus den Worten des Bischofs spricht: Accedit ad cumulum . . ."[40]

Aëtius suchte die Diskussion von der Sachfrage auf die Kompetenzfrage umzuleiten und griff damit das Thema auf, das er schon zu Anfang behandelt hatte. Er fragte die Legaten, ob sie sich für eine solche Haltung auf eine Weisung des Papstes berufen könnten.[41] Dies zielte darauf, ihre Legitimierung in Frage zu stellen und eine mögliche Differenz zwischen den Legaten und Leo selber in den Blick zu bringen.

Dies gab den Legaten Gelegenheit, in einem dritten Anlauf ihre Stellungnahme zu bekräftigen und mit den Worten Leos selbst zu erläutern. Der Legat Bonifatius verlas einen Abschnitt aus dem commonitorium des Papstes. Dieser forderte von den Legaten, die nicänischen Kanones öffentlich zur Geltung zu bringen und unter keinen Umständen verletzen zu lassen. Was dies besagte, hatte Leo deutlich genug erläutert: Damit sollten die Legaten auf jede Weise die Würde seiner Person wahren. Es hieß: Unter Berufung auf die nicänische Ordnung müßten sie Sorge tragen, daß die Stellung des römischen Bischofs keinen Schaden erleide. Die Stoßrichtung der Äußerung Leos war unverkennbar. Im Plural, den er in solchen Fällen gerne verwandte, um den Adressaten nicht allzusehr bloßzustellen, verwies er auf solche, welche den Versuch unternehmen könnten, sich unter

---

40 ACO II III 3 (10) 108,22-24. Der Ausdruck „non conscriptis canonibus" wird in der folgenden Deposition erklärt: „. . . qui in synodicis canonibus non habentur (ebd. [12] 109,3). Leo wird später deutlich zu erkennen geben, daß der Kanon von 381 Rom nie vorgelegt und also vom römischen Bischof nie rezipiert war: LME II (39) 103,91-98; ACO II IV (56) 61,13-18.
41 ACO II I 3 (13) 95,5f.

Berufung auf den Glanz ihrer Stadt „etwas zu usurpieren". [42] Damit konnte nicht Dioskur gemeint sein, wie Caspar vermutet, [43] da der alexandrinische Patriarch in diesem Augenblick nicht daran denken konnte, sich etwas zu usurpieren – sondern höchstens eine bereits geschehene widerrechtliche Anmaßung zu verteidigen. Aber selbst hierin konnte er sich jetzt nicht auf die Stellung Alexandriens als Stadt beziehen, sondern allenfalls auf die aktenkundige, auch Leo bekannte Beauftragung durch den Kaiser. Der Papst zielte im commonitorium also auf die Rangfrage Konstantinopels, die ihm durch die konstantinopolitanischen Kleriker vorgelegt worden war, und wies eine Verletzung der Stellung der sedes apostolica durch Konstantinopel, das sich auf seine Dignität als Kaiserstadt berief, ab.

Die Stellungnahme der Legaten wie Leos stützten sich vor allem auf die „nicänischen" Bestimmungen. Auf die jeweiligen kanonischen Grundlagen hoben denn auch die Beamten ab und verwiesen damit von neuem auf die eigentliche Sachfrage. Sie forderten beide Parteien auf, die Kanones, auf die sie sich stützten, vorzulegen, [44] und hängten sich damit zugleich den Mantel neutraler Schiedsrichter um. Damit leiteten sie die dritte Verhandlungsphase ein. Die Kanones wurden verlesen, der sechste nicänische durch Paschasinus selbst, und zwar nach der römischen Fassung, der nicänische – in der ursprünglichen Version – und der konstantinopolitanische auf Geheiß von Aëtius durch den Sekretär Konstantin. [45] Mit dem Vortrag der jeweiligen Dokumentation war die Sachfrage vollends akut geworden. Die Differenz war offenkundig. Zwei grundverschiedene Interpretationen des sechsten nicänischen Kanons standen einander gegenüber bei gleichzeitiger Berufung auf die nicänische Ordnung. Bei Leo wurde die Deutung greifbar in der Übernahme einer erweiterten Fassung des Kanons, bei Aëtius in der Rezeption des Kanons der Synode von Konstantinopel. Während die Legaten diesem als nichtrezipierten Kanon die Geltung verweigerten, verlas der Archidiakon nicht die von Rom rezipierte Fassung des nicänischen Kanons. Was verbarg sich dahinter an ekklesiologischen Fragen? Es war an

---

42 ACO II III 3 (14) 109,10-16.

43 *Caspar* (Geschichte, 519) verweist darauf, daß Dioskur der Hauptgegner war, gegen den sich „die ganze päpstliche Aktion" in Chalcedon richtete; dies kann nicht als stichhaltige Argumentation gelten.

44 ACO II I 3 (15) 95,13f.

45 ACO II I 3 (16-18) 95,16-96,22; vgl. ACO II III 3 (16-18) 109,19-110,30. Da es in den Akten keinen Hinweis auf eine Übersetzung gibt – was zwar nicht singulär wäre, aber doch in diesem Kontext verwundern müßte –, wird man annehmen können, daß nur die griechischen Texte, aber keine lateinische Übersetzung vorgetragen wurden. Dies könnte auch erklären, warum der erste Legat Paschasinus,der wohl griechisch sprach, und nicht der Priester Bonifatius den Kanon VI von Nicäa in seiner „römischen" Fassung verlas. – Anders urteilt *Schwartz*, Der sechste nicaenische Kanon, 628.

der Zeit, die schwerwiegenden Probleme aufzugreifen und zu besprechen. Aber gerade dies beabsichtigten die Beamten nicht.

Statt dessen griffen sie den Vorwurf auf, den Lucensius mit der eigentlichen sachlichen Infragestellung des Textes verbunden hatte: den Vorwurf der Nötigung zur Unterschrift. Jedoch brachten sie zur Klärung dieser Frage nicht die Synode als ganze ins Spiel, sondern nur die Bischöfe der zivilen Diözesen von Asia und Pontus, die Bischöfe jener Kirchen also, die zum patriarchalen Bereich von Konstantinopel gehören sollten und mehr oder weniger schon in ihn hineingewachsen waren.[46] Diese traten denn auch vor und stellten sich in die Mitte der versammelten Bischöfe, um – der Aufforderung der Beamten gemäß – darüber auszusagen, ob sie ihre Stellungnahme unter Zwang abgaben. Zwölf Bischöfe antworteten in einzelnen Depositionen. Die meisten bezogen sich in ihren Antworten jedoch nicht auf die Frage des Verhältnisses zwischen Rom und der neuen Kaiserstadt, sondern auf die Stellung Konstantinopels zu ihren Kirchen innerhalb der asianischen und pontischen Dioecesis. Das gleiche gilt für die Stellungnahme der Bischöfe aus diesem Bereich, die den Text nicht unterzeichnet hatten.

Einige wenige – nämlich vier – nahmen jedoch auf den Kanon der Synode von Konstantinopel Bezug und berührten damit wenigstens in einer allgemeinen Weise das erste Problem, und zwar in der Gestalt einer Bekräftigung des Kanons.[47] Eine solche Haltung entsprach in der Tat einer starken Tendenz der Bischöfe, die zur Diözese Asia gehörten. Eine ganze Reihe dieser Bischöfe hatten z. B. schon bei der Begründung ihres Urteils über Dioskur das Vorangehen von Anatolius als des Erzbischofs der Kaiserstadt betont.[48] Sie wußten sich der konstantinopolitanischen Kirche in besonderer Weise zugehörig; ein solches Bewußtsein hatte sich vor allem seit der Obsorge von Johannes Chrysostomus immer deutlicher ausgeprägt.[49] Es konnte ihnen also nicht ferne liegen, dem Kanon der Synode von Konstantinopel zuzustimmen und den Rang der Kaiserstadt auch im gesamten

---

46 ACO II I 3 (19) 96,23-25. – Wenn man in Rechnung stellt, daß nur 182 Bischöfe am 30. Oktober die Unterschrift leisteten, wird man dem Vorwurf der Legaten trotzdem nicht in vollem Maß zustimmen können. Das Schreiben an den Papst trägt keine Unterschriften, bietet also keinen Hinweis dafür, inwiefern sich die zahlenmäßigen Verhältnisse unter den Bischöfen in ihrer Stellung zum Dokument änderten. Doch mochte dieser synodale Kommentar von manchen Bischöfen als entschärfend und hilfreich empfunden worden sein. Über Vermutungen kommen wir nicht hinaus.

47 Ebd. (20-32) 96,26-97,32. Die übrigen Bischöfe der beiden Gruppen betonten nur allgemein die Freiwilligkeit ihrer Zustimmung in einer Akklamation: ebd. (33) 97,33.

48 Bezeichnend sind für die allgemeine Hervorhebung Konstantinopels die ersten Urteile: vgl. ACO II III II (94,5-21) 47,1-50,13.

49 Vgl. hierzu H. *Kreilkamp*, The origin, 72-88.

kirchlichen Bereich voll zur Geltung kommen zu lassen. Um so bemerkenswerter ist es, wenn nur einige ihrer Bischöfe bei ihren Depositionen darauf Bezug nahmen und dabei überdies allein die patriarchale Stellung Konstantinopels ins Auge faßten. Da die Frage der Beamten sich nur auf die Frage der Freiwilligkeit bezog, gingen auch sie nicht eigens auf die Frage ein, die den Legaten die entscheidende war: Wie war der Kanon von Konstantinopel, der eine neue Interpretation erhalten hatte und zum Text von Chalcedon geworden war, mit der kirchlichen Stellung von Rom zu vereinbaren?[50]

Auch Eusebius ging nicht darauf ein. Seine Erklärung war aber einzigartig und von außerordentlichem Gewicht. Er argumentierte in der Linie, die Aëtius schon mit seinen kritischen Fragen bezüglich der Kompetenz der Legaten eröffnet hatte und stellte einen Gegensatz zwischen ihrem Vorgehen und der Haltung des Papstes selbst heraus. Er behauptete geradewegs, Leo habe dem Kanon der Synode von Konstantinopel zugestimmt, als er ihn in Gegenwart der konstantinopolitanischen Kleriker vorgetragen habe. Deshalb habe er den Text freiwillig unterschrieben.[51] Wir haben den Wert seines Zeugnisses bereits anderwärtig untersucht und brauchen hier nur seine Bedeutung im Rahmen dieser Sitzung zu erfassen suchen. Im Angesicht des Konzils wurden zwei entgegengesetzte Deutungen der Haltung des Papstes gegenüber dem Kanon der Synode von Konstantinopel und so auch gegenüber dem vorgelegten Text, der ihn bestätigte und begründete, gegeben. Die Legaten selbst hatten die Zuweisung des zweiten Rangs innerhalb der Sitzungsordnung an die Kaiserstadt mindestens geduldet. Konnte dies nicht zugleich die Behauptung von Eusebius stützen? Wie konnte Konstantinopel eine solche Stellung zugemessen werden, es sei denn durch den Hinweis auf seine Bedeutung als Kaiserstadt?

Dem stand die Haltung der Legaten gegenüber, die sich auf eine mündliche Instruktion berufen konnten und auf das commonitorium, das der Priester Bonifatius verlesen hatte. Aber in ihm war der Kanon von Konstantinopel nicht eigens genannt. Vielmehr war betont, es dürfe nicht einer Stadt wegen ihrer politischen Bedeutung ein Rang gegeben werden, welcher zu den nicänischen Satzungen im Gegensatz stehe und die Würde des römischen Bischofs verletze. Aber traf dies wirklich auf den Kanon der Synode von Konstantinopel und auf den neuen Text zu? Und wenn Rom diesen Kanon bisher nicht rezipiert hatte, konnte nicht die Synode von Chalcedon ihn bekräftigen und dem Papst zur Rezeption vorlegen? Da Eusebius über Leos Haltung gewiß nicht erst zu diesem späten Zeitpunkt, sondern schon in den

---

50 Das gleiche gilt für die Bischöfe dieser zivilen Diözesen, die ihre Zustimmung nicht gaben: ACO II I 3 (35-42) 97,38-98,31.
51 Ebd. (31) 97,28-30; vgl. oben 218f.

vorangehenden Beratungen berichtet haben wird, ist leicht zu erkennen, welches Gewicht seine Deposition für das Konzil gewinnen mußte. Es stellte die Deutung, welche die Legaten dem commonitorium Leos gaben, und damit auch ihre eigene Haltung, in Frage und eröffnete den Weg zur Unterzeichnung des Dokuments, zumal der Papst es nach seiner Darstellung in der Rezeption des Kanons von Konstantinopel vorweg gebilligt hatte.

Die Beamten erstreckten, wie wir schon sagten, ihre Befragung nur auf die Bischöfe der asianischen und pontischen Dioecesis. Nur sie bestätigten demgemäß die Freiwilligkeit ihrer Unterschrift – wobei sie ihren Blick überdies nur auf die patriarchale Stellung Konstantinopels richteten. Eusebius allein bildete eine Ausnahme, stützte sich dafür aber auf Leo selbst. Diese Tatsache fällt um so mehr ins Gewicht, als das Vorgehen der Legaten, im Angesicht des Hofes und noch während des Konzils von einer Nötigung der Bischöfe zu sprechen, an Verwegenheit grenzte. Konnten die Bischöfe, die sich zur Unterzeichnung drängen ließen, nicht auch gedrängt werden, eine solche Behauptung abzustreiten? In ihrem Schreiben an den Papst werden die Bischöfe sagen, sie hätten dem Dokument zugestimmt, um den Kaiser zu verehren und zu erfreuen, aber zugleich auch im Blick auf den Senat und die ganze Kaiserstadt.[52]

3. Die Interpretation der Hofbeamten

Nach dieser höchst partiellen Befragung der Bischöfe stand immer noch die Sachfrage zur Erörterung an. Die Beamten eröffneten jedoch keine Beratung, sondern führten die Sitzung zu einem raschen Abschluß. Sie gaben ihr eigenes Urteil kund, das sie als abschließende Entscheidung verstanden. Es stellte den Versuch dar, zu zeigen, daß der dem Konzil vorgelegte Text mit dem nicänischen Kanon zu vereinbaren sei. Näherhin heißt dies: Die Beamten wollten zeigen, daß der Text die Stellung von Altrom, wie sie in den Kanones festgelegt ist, nicht verletze. Der erste Teil der Stellungnahme sollte dies erläutern. Während das Dokument den römischen Vorrang gegenüber Konstantinopel dadurch gekennzeichnet hatte, daß es die neue Kaiserstadt bzw. ihre sedes als „zweite nach jener" bezeichnete, nannten die Beamten jetzt zuerst Altrom und hoben damit den ersten Rang ihrer sedes positiv hervor. In der Sache war damit freilich nichts verändert.

Sie sprachen vom ersten Rang (τὰ πρωτεῖα) des Bischofs vor allen anderen (Bischöfen) und von seiner herausragenden Würde (τιμή). Dies bedeutete zwar nicht einfachhin ein Aufnehmen der Anfangsworte des Kanons von

---

52 ACO II I 3 (21) 118,26-28.

Nicäa in seiner römischen Fassung, wie E. Schwartz bemerkt,[53] aber doch das Aufgreifen eines einzelnen Wortes (primatum), dem ein „πρὸ πάντων" an die Seite gestellt ist. Es war also noch einmal der erste Rang des römischen Bischofs im Gegenüber zu allen anderen Bischöfen, auch dem von Neurom hervorgehoben. Doch stellt sich die Frage, ob damit der eigentliche Sinn der römischen Fassung oder Interpretation des Kanons aufgenommen war: der Verweis auf die nicänische, stetige, also bis zum Ursprung zurückreichende Tradition und damit die petrinische Autorität der römischen sedes. Gerade das „semper" war ja von den Beamten nicht übernommen worden. Eine eigentliche Übernahme der römischen Version war das Aufgreifen des Begriffs schon deshalb nicht, weil diese Fassung durch die Verlesung des ursprünglichen Textes im Auftrag von Aëtius in Frage gestellt war. Aber es sollte doch demonstriert oder wenigstens angedeutet werden, daß der neue Text auch mit der römischen Fassung des nicänischen Kanons vereinbar war. Zugleich bezogen sich die Beamten mit dem Begriff „τιμή" auf den Kanon der Synode von Konstantinopel. Auch dieser hatte die „Vorrechte der Würde" des Bischofs von Konstantinopel mit dem Vorrang des Bischofs von Rom zusammen festgehalten.[54]

Der zweite Absatz der Stellungnahme der Beamten kann als bloße Paraphrase des Kanons der Synode von Konstantinopel gekennzeichnet werden. Die Beamten griffen demnach den wichtigen Teil des chalcedonensischen Textes, der die gleichen Vorrechte der sedes „politisch" begründete, nicht mehr als solchen auf, um ihn eigens zu interpretieren und zu rechtfertigen, sondern verwiesen einfach auf den konstantinopolitanischen Kanon. Sie nahmen ihn hier aber nicht eigentlich als Text auf, der schon kanonische Geltung besaß – damit umgingen sie die Infragestellung angesichts mangelnder ökumenischer Rezeption –, sondern bezeichneten seinen Inhalt als von der Sache her richtig, ja notwendig. Der Bischof von Konstantinopel müsse die gleichen Vorrechte der Würde genießen, weil er Bischof der Kaiserstadt, des neuen Rom, sei. Damit war der Kanon von 381 auf den chalcedonensischen Text hin geöffnet, auch wenn das „τὰ ἴσα πρεσβεῖα" durch das weniger scharfe „τῶν αὐτῶν πρεσβείων τῆς τιμῆς" ersetzt war. Damit zeigt sich zugleich, ganz in der Linie des Dokumentes,

---

53 E. *Schwartz*, Der sechste nicaenische Kanon, 621: „In der Formulierung schließen sie sich in dem Satz über Altrom an die lateinische Fassung des nicaenischen Kanons an, wie sie Paschasinus vorgetragen hatte . . ."
54 Der Text sei wegen seiner Bedeutsamkeit zitiert (ACO II I 3 [43] 98,32-99,9): „ . . . συνορῶμεν πρὸ πάντων μὲν τὰ πρωτεῖα καὶ τὴν ἐξαίρετον τιμὴν κατὰ τοὺς κανόνας τῷ τῆς πρεσβύτιδος Ῥώμης θεοφιλεστάτῳ ἀρχιεπισκόπῳ φυλάττεσθαι, χρῆναι δὲ τὸν ὁσιότατον ἀρχιεπίσκοπον τῆς βασιλίδος Κωνσταντινουπόλεως νέας Ῥώμης τῶν αὐτῶν πρεσβείων τῆς τιμῆς ἀπολαύειν καὶ αὐτὸν ἐξ αὐθεντίας ἐξουσίαν ἔχειν . . ."

daß angesichts der gleichen Vorrechte der Würde der noch verbleibende Vorrang (τὰ πρωτεῖα) Roms gegenüber Konstantinopel auch nach der Interpretation der Beamten ein nur schwer faßbarer Erstrang war.[55] Und da sie die Gleichheit der Vorrechte des konstantinopolitanischen Bischofs mit denen des römischen durch den Hinweis auf die Kaiserstadt begründeten, war auch die Argumentation des chalcedonensischen Textes nicht zurückgenommen, sondern wenigstens implizit bestätigt, gemäß der Altrom seine Vorrechte dem gleichen Umstand verdankte.

Insgesamt bedeutete die knappe Stellungnahme der Beamten den Versuch, einerseits die sachliche Notwendigkeit der Vorrechte des Bischofs von Neurom zu betonen, andererseits aber mit der kanonischen Tradition, wie sie in den Synoden von Konstantinopel und Nicäa gegeben war, zu verknüpfen, ja sogar als mit der römischen Version des Kanons VI von Nicäa vereinbar erscheinen zu lassen. In der Tat erkannte der Kaiser den römischen Stuhl als apostolikos thronos an.[55] Doch ließ der Hof diese Dimension jetzt höchstens anklingen, um statt dessen die Zuordnung von Rom und Konstantinopel vom Kanon des Konzils von 381 abzuleiten und die Gleichrangigkeit der Vorrechte zu begründen. Im ganzen also wenig mehr als die Bekräftigung des unterzeichneten Dokuments! Die Legaten hatten demgegenüber den nicänischen Kanon in seiner römischen Version zur Geltung bringen wollen, um die Stellung des römischen Bischofs aus der kirchlichen Tradition abzuleiten, die Rom Autorität zuerkannte, weil sein Bischofsstuhl sedes apostolica war: Ein solcher Vorrang ließ es ihrer Auffassung nach wegen des ganz anderen, originären Ursprungs nicht zu, daß er in gleicher Weise auf den Bischof der neuen Kaiserstadt übertragen wurde.

Diese tieferen Differenzen, die sich in der so verschiedenartigen Interpretation des Kanons VI von Nicäa auftaten, wurden jetzt nicht mehr behandelt. Vielmehr betrachteten die Beamten ihre Äußerung als abschließende Beurteilung. Aus den Reihen der Bischöfe kamen einige zustimmende Akklamationen, unter ihnen solche, die in Anspruch nahmen, für alle zu sprechen.[56]

Die Legaten konnten die Erläuterung nicht als zufriedenstellende Antwort betrachten. Lucensius forderte im Gegenteil die Beamten auf, das Ergebnis der vorangegangenen Sitzung zurückzunehmen. Dabei faßte er nochmals die

---

55 Kaiser Marcian hatte Papst Leo im Blick auf den Tomus schon bei der allocutio an die Konzilsväter während der sechsten Sessio – in einem bedeutsamen Augenblick also – als Bischof der Kaiserstadt Rom, der die apostolische sedes als Lenker innehabe, bezeichnet (ACO II I 2 (4) 140,5f.) und wird es nach Abschluß des Konzils im Schreiben an Leo wiederholen (vgl. unten S. 248). Hierauf machte schon F. *Dvornik* (Apostolicity in Byzantium, 77f.) aufmerksam.

56 ACO II I 3 (41) 99,10-14.

Einwände zusammen: Das Dokument bedeute eine Erniedrigung der sedes apostolica, widerspreche den Kanones und sei in Abwesenheit der päpstlichen Legaten festgelegt worden. Falls dem Ersuchen nicht Rechnung getragen werde, sei die contradictio ausgesprochen. Dies ergebe eine relatio an den Papst, damit er das Urteil über eine solche Verletzung seiner sedes fällen könne.[57]

In den Augen der Legaten hatte ihr Vorgehen einen verwandten Anlaß: Der Hof und eine beträchtliche Anzahl von Bischöfen schien willens zu sein, eine Entscheidung ohne und gegen den Apostolischen Stuhl herbeizuführen, eine Entscheidung überdies, welche die Stellung der römischen sedes verletzte oder wenigstens gefährdete. Die Beamten verblieben bei ihrer Haltung, indem sie auf die bereits erwähnte Zustimmung der Bischöfe zurückgriffen. Trat damit die contradictio schon in Kraft, welche die Legaten für den Fall angekündigt hatten, daß das Dokument nicht zurückgezogen werde? Die Legaten sprachen sie nicht eigens aus. Angesichts ihrer entschiedenen Intervention schwiegen die Bischöfe. Die Stellungnahme, die sie in einem Schreiben an Leo geben werden, ist deshalb von höchstem Interesse. Es war inzwischen aber offenkundig geworden, wie sehr der Hof, der zunächst nach außen hin sich in den Mantel der Neutralität hüllen wollte, auf die Ratifizierung des Dokuments drängte.

VI. Das Schreiben der Synode an den Papst

In ihm legten die Konzilsväter die Geschehnisse und Ergebnisse des Konzils dar und gaben dabei der Erklärung des Dokuments über den Rang der neuen Kaiserstadt breiten Raum und einen hohen Stellenwert.[58] Da sie den Papst angesichts des Widerstandes seiner Legaten allem Anschein nach für den Text gewinnen wollten, verwundert es nicht, wenn sie im ersten Teil des Briefes, in dem sie die Gewinnung der Einheit im einen Bekenntnis des Glaubens hervorhoben und die Verurteilung Dioskurs ausführlich beschrieben, die Stellung des Apostolischen Stuhles in den Blick nahmen.

1. Die Stellung des Papstes

Es liegt nahe, diese Partien als ein Dokument der Höflichkeit zu betrachten, das nicht wirklich ernst gemeint war, sondern dem Papst die Annahme der Neufassung des Kanons von 381 über den Rang Konstantinopels schmack-

---

57 ACO II III 3 (45) 113,30-114,3.
58 ACO II I 3 (21) 116,15-118,40.

haft machen sollte. Dies um so mehr, als das Schreiben in einer feierlichen Sprache gehalten ist, welche die harten Konturen der konziliaren Auseinandersetzungen und die wahre Haltung der Bischöfe verschleiern oder sogar überdecken konnte. Da sich jedoch die Konzilsväter oft genug zur Stellung des römischen Bischofs äußerten, können wir daran ihre neuen Darlegungen messen. Dies hilft, ihre Position gegenüber dem Apostolischen Stuhl wie auch gegenüber der konstantinopolitanischen Kirche zu klären.

Die Konzilsväter setzten ein mit einer Würdigung Leos und seines Tomus. Diesen ordneten sie dem Prozeß der Glaubensvermittlung zu, der sich gemäß dem Geheiß Christi wie eine goldene Kette fortsetzt. Sie kennzeichneten den Papst nicht nur als Bischof, der den Glauben bewahrte, sondern begründeten dies zugleich mit seiner besonderen Bevollmächtigung. Gott habe ihn als Interpreten des Wortes Petri eingesetzt. Leo habe nicht nur allen authentisch den Glauben des Apostels mitgeteilt. Vielmehr sei damit auch die göttliche Bestätigung verbunden. Die Preisung Christi, die Petrus zuteil wurde, gelte auch ihm. Die Worte der Konzilsväter erscheinen wie eine Zusammenfassung dessen, was sie in der allocutio ausführten, in der Akklamation der zweiten Sitzung proklamierten und in den Schreiben über die Verurteilung Dioskurs darlegten. Auch jetzt figurierte das Geschehen von Cäsarea Philippi als Vorlage. Indem Petrus als Dolmetsch Christi eingesetzt war und sein Bekenntnis interpretierte, erhielt er — da er dem Glauben des Erstapostels Ausdruck gab — die gleiche Bestätigung. Er lehrte jenen petrinischen Glauben, den nicht Fleisch und Blut eingegeben hatten, den Christus vielmehr als Erleuchtung durch den Vater bezeugte. Dies bedeutet, daß Leo durch seine Interpretation mit dem Glauben des Petrus, den er verkündete, allen zugleich auch die göttliche Beglaubigung und Besiegelung vermittelte.[59] Schon vor der Erstellung der Glaubensformel hatten die Konzilsväter auf die ihm von Gott geschenkte Unbesieglichkeit im Glauben verwiesen, aufgrund derer das Konzil sich in seinem Bekenntnis einen konnte und sollte. Dies geschah nicht im Blick auf Rom — als Geste höflicher Verehrung —, sondern im Blick auf die Bischöfe, die für den Tomus erst noch vollends zu gewinnen waren, und im Gegenüber zum Hof, der dieser Gruppe zu weit entgegenzukommen schien. Jetzt, nach Abschluß des Ringens, betonten sie von neuem die Überzeugung, daß mit der Rezeption des Glaubenszeugnisses Leos dem Konzil die Gewißheit göttlicher Bestätigung geschenkt sei. Sie beschrieben Leo als Anführer des Konzils — darin ihr Bild des unbesiegbaren Vorkämpfers variierend — und betonten,

---

59 Ebd. 116,20-27: „ . . . ἣν (sc. πίστιν) αὐτὸς ὥσπερ χρυσῆν σειρὰν τῷ προστάγματι τοῦ θεμένου καταγομένην εἰς ἡμᾶς διεφύλαξας πᾶσι τῆς τοῦ μακαρίου Πέτρου φωνῆς ἑρμενεὺς καθιστάμενος καὶ τῆς ἐκείνου πίστεως τοῖς πᾶσι τὸν μακαρισμὸν ἐφελκόμενος. "

daß sie dadurch allen die Wahrheit, ein gemeinsames Bekenntnis, zeigen konnten.

Von hier aus entwarfen sie ein neues Bild: Christus reichte durch Leos Glaubensschreiben den Konzilsvätern, die wie zu einem königlichen Mahl im Chor vereint waren, die pneumatische Speise. Zugleich erfüllte sich so die Verheißung der Gegenwart Christi, die denen geschenkt wird, die sich in seinem Namen versammeln.[60] Doch auch hier war trotz der gehobenen Sprache nichts eigentlich Neues gesagt. Vielmehr erscheint die Rückführung des Tomus auf Christus selbst als ein neues Aufgreifen dessen, was schon in der petrinischen Interpretation des Tuns Leos gegeben war: die Besiegelung des authentisch wiedergegebenen Bekenntnisses durch Christus, der den Jüngern auf solche Weise die Wahrheit schenkte.

Schließlich griffen die Konzilsväter ein neues Thema auf. Sie deuteten Leos Vorsitz auf dem Konzil im Bild des Hauptes, das die Glieder leitet.[61] Ist dies nicht doch eine ganz erhebliche Verzeichnung dessen, was geschehen war? In der Tat traten hier — wie später bei der Beschreibung der Geschehnisse um die Verurteilung Dioskurs — die Schwierigkeiten und Kämpfe um die konziliare Linie und damit um die Bestimmung des Weges, den die Synode einschlagen sollte, nicht hervor. Andererseits stützten sich die Bischöfe, welche jetzt das Konzil und sein Ergebnis bejahten, in den entscheidenden Fragen — selbst gegen den Kurs des Kaisers und angesichts der Unsicherheit innerhalb der Synode — auf die Legaten. Und diese bestimmten tatsächlich in wesentlichen Elementen den Gang und das Ergebnis des Konzils: in der Rezeption des Glaubensschreibens, in der Verurteilung Dioskurs, in der abschließenden Formulierung der Ekthesis des Konzils.[62] Und die Verfasser des Schreibens werden auch den Konflikt, in dem die Legaten ihre Führungsaufgabe nicht zur Geltung bringen konnten, nicht verschweigen. Aber sie grenzten ihre Aussage über den Vorsitz Leos auch jetzt schon ein. Sie hoben die führende Rolle des Kaisers hervor, nicht bloß im Blick auf die rechte Ordnung, sondern auch auf die Glaubenslehre.[63]

In der Beschreibung der Verurteilung Dioskurs nannten die Konzilsväter die Schuld des Patriarchen, der sich dazu verstieg, den Versuch zu unternehmen, Leo aus der Communio auszuschließen. Sie hoben die Verwerflichkeit eines solchen Tuns hervor, indem sie noch einmal die Stellung des römischen

---

60 Ebd. 116,30-33.
61 Ebd. 117,1f.: „ . . . ὧν (ἡμῶν) σὺ μὲν, ὡς κεφαλὴ μελῶν, ἡγεμόνευες ἐν τοῖς τὴν σύνταξιν ἐπέχουσι τὴν εὔνοιαν ἐπιδεικνόμενος. "
62 Das Schreiben grenzte denn auch das Vorstehen Leos durch die Legaten auf das Aufzeigen des rechten Weges ein: vgl. Anm. 61.
63 Ebd. 117,2-4.

Bischofs ins Licht stellten: er habe von Christus den Auftrag erhalten, den Weinberg zu behüten, und Leo sei dem gerecht geworden, indem er Sorge getragen habe, den Leib der Kirche zu einen. Die Stellung des Papstes war hier beschrieben als eine Vollmacht und Aufgabe, die sich auf die ganze Kirche bezieht und sie in der Einheit bewahren soll. Damit war auch von neuem der petrinische Charakter seines Amtes betont.[64] Ohne Zweifel bezeichneten hier die Konzilsväter besonders deutlich die Hirtenaufgabe des Papstes. Aber sie machten damit wiederum keine singuläre Aussage. Vor allem im Schreiben an Pulcheria hatten sie herausgestellt, daß Christus wie Petrus so auch Leo in Dienst nehme, um die Bischöfe zum rechten Glaubensverständnis zu führen. Schon dort hatten sie die Auflehnung Dioskurs gegen den Papst implizit als Vergehen wider Christus beschrieben, der Leo als Zeugen der Wahrheit einsetzte, um die Bischöfe zur Einheit zu leiten.

2. Die Deutung der Stellung Konstantinopels

Im zweiten Teil ihres Schreibens suchten die Konzilsväter darzutun, wie sich die Stellung, die sie in ihrem Dokument der Kirche von Konstantinopel zumaßen, mit der apostolischen Autorität des römischen Bischofsstuhles vereinbaren lasse. Darin zeigt sich zugleich, wie sie das Dokument verstanden und in welcher Weise sie es sich zu eigen machten. Sie beschrieben den Text als Bestätigung des Kanons der Synode von Konstantinopel.[65] Dies braucht zunächst nicht zu verwundern, sondern entsprach den Diskussionen auf der Sitzung vom 31. Oktober und wenigstens dem formalen Anspruch des Dokuments selbst. Doch übernahmen sie nicht einfachhin die Begründung des Kanons von 381, auf der das chalcedonensische Dokument beruhte. Zwar schoben sie diese Argumentation nicht auf die Seite, ordneten sie aber doch in einen anderen Begründungszusammenhang ein. Dies erbrachte eine Interpretation des Dokuments von fundamentaler Bedeutung. Erforderte und besagte die innere Logik dieser Auslegung aber nicht geradezu eine Neufassung durch die Bischöfe?

Als Inhalt des Kanons nannten sie: Konstantinopel solle nach Rom den zweiten Rang einnehmen.[66] Dies begründeten sie zunächst, wie gesagt, mit

---

64 Ebd. 117,14-16 wurde von Dioskur gesagt: „καὶ πρὸς τούτοις ἅπασιν ἔτι καὶ κατ᾽αὐτοῦ τοῦ τῆς ἀμπέλου τὴν φυλακὴν παρὰ τοῦ σωτῆρος ἐπιτετραμμένου τὴν μανίαν ἐξέτεινεν, λέγομεν δὴ τῆς σῆς ὁσιότητος, καὶ ἀκοινωνισίαν κατὰ τοῦ τὸ σῶμα τῆς ἐκκλησίας ἑνοῦν σπουδάσαντος ἐμελέτησεν.“

65 Dies gilt für den Abschnitt, der die „πρεσβεῖα“ interpretiert; vorher waren schon die patriarchalen Vollmachten behandelt; ebd. 118,13-16; vgl. 5-12.

66 Ebd. 118,15f.

dem Kanon der Synode von Konstantinopel, deren Bedeutung sie hervorhoben, indem sie ihr das Prädikat einer allgemeinen Synode gaben. Dies bedeutete eine implizite Stellungnahme gegen die Legaten, die den Kanon nicht zu den Synodalkanones rechneten. Andererseits hoben sie nun aber hervor, was der Kanon und vor allem das neue Dokument verschwiegen. Die Stellung des römischen Stuhles liege darin, daß er sedes apostolica, apostolikos thronos im spezifischen Sinn des Wortes, sei.[67] In Anlehnung an die alte Symbolik des Lichtes, das Petrus und Paulus von Rom auf die Ökumene hin erstrahlen ließen, sprachen die Konzilsväter – ganz ähnlich wie Theodoret – davon, daß in Rom das apostolische Licht mächtig sei. Die Rangstellung Konstantinopels wurde nun von diesem neuen Ansatz her gedeutet: als Teilhabe an der apostolischen Vollmacht Roms.

Zugleich erfaßten die Bischöfe die Bedeutung Konstantinopels aus einer neuen Perspektive. Sie begründeten die Stellung ihrer sedes nun nicht primär mit der These, daß der römische Stuhl seine Autorität der Kaiserstadt, der Gegenwart von Kaiser und Senat in Rom verdanke. Statt einer solchen Argumentation, aus der das Dokument den gleichen kirchlichen Rang der neuen Kaiserstadt ableitete, begründeten sie den Kanon von 381 mit dem Gedanken, Konstantinopel erhalte Anteil an der Autorität des Apostolischen Stuhls durch diesen selbst. Eine solche Teilhabe sei der konstantinopolitanischen Kirche oft gewährt worden. Sie solle nun für dauernd gefestigt sein und entspreche der Anteilgabe, die Eltern ihren Kindern gewähren.[68]

Damit war eine „politische" Begründung der Stellung beider Bischofsstühle in den Hintergrund gerückt. Statt dessen trat um so mehr die „apostolische" Vollmacht und die Teilhabe an ihr hervor. Freilich schwang in der Idee der engen Familienverbundenheit die verwandtschaftliche politische Nähe des neuen Rom zu Altrom mit,[69] wie die Bischöfe ja auch den Kanon von 381 vom Papst anerkannt sehen wollten, der die „Vorrechte der Würde" damit begründet hatte, daß Konstantinopel das neue Rom sei. Aber das Entscheidende in der Vollmacht der römischen sedes lag für die Bischöfe darin, daß sie ihre Autorität von den beiden Aposteln, besonders von Petrus, herleitete. Die Stellung, in der Konstantinopel endgültig gefestigt werden sollte, erwarteten sie deshalb als eine Teilhabe, die der Apostolische Stuhl gewährte. In dieser Deutung des Kanons von 381 blieb Konstantinopel mit seinen Vollmachten enger an den Apostolischen Stuhl gebunden als in dem

---

67 Dies ergibt sich einerseits durch die allgemeine Verwendung des Begriffs auf dem Konzil, die vor allem mit Petrus verbunden ist; dies bestätigt sich im Schreiben selbst, wie wir schon sahen.

68 Ebd. 118,16-19: „ . . . πεποισμένοι ὡς τῆς ἀποστολικῆς παρ᾽ ὑμῖν κρατούσης ἀκτῖνος καὶ ἐπὶ τὴν Κωνσταντινουπόλεως ἐκκλησίαν συνήθως κηδόμενοι πολλάκις ταύτην ἡπλώσατε . . . "

69 Vgl. neben dem in Anm. 67 zitierten Text: ebd. 118,26-31.

Dokument, das die Bischöfe dem Papst vorlegten. Die Bischöfe sprachen denn auch nicht von der Zuerteilung gleicher Vorrechte. Mit ihren Ausführungen bestätigten die Konzilsväter, daß mit „πρεσβεῖα" tatsächlich nicht bloß Ehrenrechte oder patriarchale Vollmachten gemeint waren, sondern Vorrechte in einem umfassenderen Sinn — jetzt gedeutet als apostolische Vollmacht in ursprünglichem Besitz und in Teilhabe.

Es fällt nicht leicht, die Stellungnahme der Bischöfe im ganzen zu deuten und zu bewerten. In ihren Ausführungen fallen zunächst einige grundlegende Züge auf. Sie betonten die apostolische Begründung der Autorität Roms und hoben dabei die Bedeutung Leos hervor, der in der Wahrnehmung seiner für die ganze Kirche geltenden Verantwortung das Konzil zur Einheit im Glauben führte. Dies unterstrichen sie in feierlicher Sprache, um dem Papst zu zeigen, das Dokument, das von solcher apostolischer Autorität der römischen sedes schwieg, bedeute für sie keine Leugnung dieser Stellung der Kirche Roms. So wollten sie dem Papst zugleich dartun, daß für ihn das Dokument in diesem Horizont annehmbar sei. Dies herauszustellen war um so wichtiger, als die Legaten die Vorlage mit aller Entschiedenheit abgelehnt hatten, weil es die Stellung des römischen Bischofs verletze. So ehrerbietig die Konzilsväter mit Leo sprachen, so wenig vollzogen sie damit einen Akt heuchlerischer Höflichkeit. Denn die Bischöfe, welche die Glaubensformel und Leos Tomus bejahten, stützten sich — wie mehrfach gezeigt wurde — schon im konziliaren Ringen auf die Autorität des Apostolischen Stuhles und damit auf die petrinische Bevollmächtigung Leos als des Interpreten des Bekenntnisses des Erstapostels, mit dessen Glaubensverständnis für das Konzil die göttliche Besiegelung seiner eigenen Lehre verbunden war.

Mit der Betonung der apostolischen Würde des römischen Stuhles verbanden die Bischöfe aber auch die Auffassung , die Autorität der Kirche Roms sei mit der politischen Stellung Roms verknüpft und rücke damit nicht bloß Konstantinopel als neues Rom an die Seite des alten Rom, sondern ergebe auch eine verwandtschaftliche Beziehung zwischen der römischen und der konstantinopolitanischen Kirche. Diese Sicht konnte von ihnen mit der apostolischen Autoritätsbegründung Roms durch den Gedanken der Teilgabe verknüpft werden. Dabei stützten sich die Bischöfe auf das Argument, Rom habe Konstantinopel schon früher solche Teilgabe gewährt.

Welche Stellung nahmen die Bischöfe demnach zum Dokument ein, das sie Leo zur Bestätigung vorlegten? Sie bejahten zunächst wie dieses den Kanon von 381. Und da das Dokument formal nichts anderes sein wollte als die Rezeption dieses Kanons, unterstützten sie die Konzilsvorlage, zumal auch die Diskussion auf dem Konzil als Gespräch um den Kanon von Konstantinopel geführt worden war.

Aber das Dokument enthielt auch eine Begründung und Deutung des Kanons und bedeutete so zugleich eine Fortschreibung seines Sinns. Diese Neufassung übernahmen die Bischöfe in ihrem Schreiben nicht in vollem Umfang. Zumindest muß man sagen: sie überlagerten die Deutung, die das Dokument dem Kanon gab, mit einer eigenen Interpretation, die eine Ergänzung und letztlich sogar eine Korrektur der Vorlage in ihrer Deutung des Kanons von 381 beinhaltete. Denn sie unterfingen die Zusammengehörigkeit von Alt- und Neurom, soweit sie aus der gleichen politischen Stellung erwuchs und auf die gleichen Vorrechte drängte, durch die Hervorhebung der Autorität des römischen Bischofs aufgrund seiner besonderen Beziehung zu Petrus. Damit war aber auch die Idee einer mit Notwendigkeit aus der gleichen politischen Stellung sich ergebenden Gleichheit der Vollmachten durch den Gedanken der Teilgabe ersetzt, der den römischen Stuhl in einer spezifischen und einzigartigen Autoritätsstellung beließ: der Bischof von Rom nahm die Hirtenaufgabe für die ganze Kirche wahr.

So zeigt sich denn eine erhebliche Spannung zwischen dem Dokument über den Rang Konstantinopels und dem Kommentar der Konzilsväter sowie ihren Artikulationen während der konziliaren Geschehnisse, da die Bischöfe den Text von der Gleichheit der Vorrechte zwar mit Schweigen übergingen, aber während der Synode nicht getilgt hatten, andrerseits aber jetzt wie während des Konzils die petrinische Autorität der Kirche von Rom als das Ursprüngliche und Maßgebende betrachteten. Sie zielten auf ein einmütiges Zusammenwirken, das dem Bischof von Rom eine letzte Entscheidungsvollmacht beließ. Diese Haltung brachten sie auch im Ersuchen um die Annahme des synodalen Dokuments durch Leo zum Ausdruck.

In ehrerbietiger und aufrechter Haltung erbaten die Bischöfe vom Papst die Rezeption des Kanons von Konstantinopel.[70] Sie zeigten sich — auch wenn das Dokument, das sie unterzeichnet hatten, den Titel „Beschluß" trug — dessen bewußt, daß diese Anerkennung notwendig war, um dem Kanon Gültigkeit als Konzilsbeschluß zu geben.[71] Ihr Übergehen der Legaten sollte kein Übergehen des Inhabers des Apostolischen Stuhles bedeuten.

---

[70] Am Anfang der diesbezüglichen Ausführungen sprachen die Bischöfe von ihrer Entscheidung, sagten aber zugleich, sie hätten sie im Hinblick auf die erwartete Zustimmung Leos gefällt. Im Widerstand der Legaten wollten sie — keinesfalls zu Recht — keinen Widerspruch gegen die Sache selbst, sondern nur gegen die Art des Vorgehens sehen. Sie erbaten Leos Zustimmung als eine Gegenleistung, die sich geziemt; damit schwächten sie zugleich den Vergleich Haupt (bzw. Erster) (κεφαλή; κορυφή) – Kinder (besser: erwachsene Söhne!) erheblich ab. Ebd. 118,1-4.22-26.31-37.

[71] Ebd. 118,37-40. Neben dem mehrfachen Ersuchen um Bestätigung des Beschlusses stützt sich eine solche Beurteilung ihres Bittens auf das Verhalten der Bischöfe gegenüber Dioskur, der Leo auf die Seite schob; vgl. die Schreiben der Bischöfe an Marcian und Pulcheria nach der dritten Sitzung.

VII. Die Antwort des Papstes

1. Der Brief des Kaisers an den Papst

Am 18. Dezember 451 sandte die konstantinopolitanische Kirche und so besonders auch der Kaiser eine Legation nach Rom, die mit dem Papst vor allem die Frage des Dokuments über den Rang der neuen Kaiserstadt vollends klären sollte. Der Brief des Kaisers bot eine erneute Deutung, die über jene seiner Beamten hinausging, insofern er nun die römische sedes in der Deutungslinie der Konzilsväter als „ἀποστολικὸς θρόνος" bezeichnete. Anders als die Bischöfe leitete Marcian den Rang Konstantinopels nicht von daher ab, sondern, dem Dokument gemäß, aus dem Namen, der es charakterisiert: es ist neues Rom. Zugleich betrachtete er das Dokument nicht mehr bloß als eine Bestätigung des Typos der Synode von 381, sondern für sich selber als Typos. Er betrachtete demnach den Text, der seiner Struktur nach die Bestätigung, Begründung und Applikation des konstantinopolitanischen Kanons sein will, nun selbst als Kanon. Auch der Kaiser suchte um die Bestätigung Leos nach. Er stützte sich auf den Konsens der Bischöfe, ließ aber zugleich deutlich genug erkennen, daß sich hinter dem Dokument sein Interesse als Kaiser verberge: der Nutzen der „rhomäischen Sache".[72]

2. Der Brief von Anatolius

Anatolius näherte sich in seiner Interpretation mehr der Deutung der Konzilsväter, da er von der Sorge des Apostolischen Stuhles für Konstantinopel, wie sie in der Vergangenheit sichtbar wurde, ausging und deshalb die Deutung vom Teilhabe-Gedanken anklingen ließ.[73] Aber andrerseits nahm er dann viel deutlicher als sie die „politische Begründung" des Textes selbst — wie auch der Interpretation der Beamten und des Kaisers — auf. Wie die kaiserlichen Kommissare in ihrem Schlußwort auf der Synode hob er zunächst den herausragenden Rang, welcher der apostolischen sedes gegeben war, hervor, stellte die Bezeichnungen „τιμή" und „πρεσβεῖα" auf die gleiche Ebene und leitete den Rang Konstantinopels aus ihrer Stellung als Kaiserstadt ab.[74]

Den Vorwurf der Legaten, das Dokument erniedrige den Apostolischen Stuhl, wendete Anatolius nun gegen sie: ihr Verhalten habe eine Demütigung seiner selbst und der konstantinopolitanischen Kirche bedeutet. Die Bitte

72 ACO II I 2 (16) 55,3-56,5.
73 Ebd. (17) 53,36-40.
74 Ebd. 53,40-54,2.

248

um Zustimmung des Papstes erschien so als etwas, das sich gehörte. Das Verhältnis zwischen beiden Kirchen zeigte sich als gegenseitige Anerkennung.[75] Schließlich verknüpfte Anatolius seine „politische" Deutung aber nochmals mit der Teilgabe-Vorstellung. Der apostolische Thron kam als Vater der sedes von Konstantinopel in den Blick, der sie von sich aus eng mit sich verbunden sehen will. Im ganzen stellt sich das Schreiben von Anatolius als eine Vermittlung dar, in der die Deutung des Hofes neben jener der Konzilsväter steht.[76] Sie läßt erkennen, wie schwierig es ist, die Ableitung des Ranges Konstantinopels aus seiner politischen Bedeutung als Kaiserstadt mit der Deutung von der Teilgabe her zu verknüpfen.

3. Die Entscheidung des Papstes

In seinem Antwortschreiben an den Kaiser vom 22. Mai 452 wies der Papst das Dokument, das dem Konzil zur Unterschrift vorgelegt worden war, zurück. Er hielt es nicht für möglich, die Autorität der sedes von Rom und Konstantinopel aus der politischen Bedeutung der Städte abzuleiten, da der weltliche Bereich vom „göttlichen" der Kirche grundsätzlich abgehoben sei: „alia tamen ratio est rerum saecularium alia divinarum".[77] Ein Wort, das, in leoninischer Prägnanz formuliert, von ungeheurer geschichtlicher Wirksamkeit sein wird. Damit war nicht nur die Begründung des kirchlichen Rangs der beiden Kaiserstädte aus ihrer politischen Vorzugsstellung abgewiesen, sondern ebenso der theologische Ansatz eines Teilens petrinischer Vollmacht. Der vom Herrn eingesetzte Fels müsse das ganze Gebäude tragen. Die römische sedes habe eine einzigartige Vollmacht und Aufgabe, die auf Christus zurückgehe.[78] Sie trage alles andere, also auch die konstantinopolitanische Kirche. Ihre Vollmacht schmälern zu wollen, hieße sich selber oder vielmehr die ganze Kirche zu schwächen. Nur wenn sich die Kirche auf das vom Herrn eingesetzte Fundament stütze, werde sie Bestand haben.[79] Dies

---

75 Ebd. 54,6-22.   76 Ebd. 54,22-30.

77 LME II (37) 55,52-56; ACO II IV (37) 56,13-17; vgl. LME II (37) 95,59-61; ACO II IV (37) 56,18-20.

78 LME II (37) 55,55f.; ACO II IV (54) 56,16f.: „nec praeter illam petram quam Dominus in fundamento posuit stabilis erit ulla constructio".

79 *Monachino* (Il canone, 109) vertritt die Auffassung, Leo habe, von der knappen Anspielung im ersten Schreiben an den Kaiser nach dem Konzil abgesehen, den chalcedonensischen Kanon nicht als eine Gefährdung für den Primat göttlichen Rechts des Bischofs von Rom betrachtet. Vielmehr habe er eine neue hierarchische Ordnung der Bischofssitze verhindern wollen. Das Vorherrschen dieses Gesichtspunktes in der dreimaligen Aktion von Leo wegen des synodalen Dokuments (die Monachino ebd. 97ff. beschreibt) ist in der Tat bemerkenswert. Doch darf man die Stellungnahme des Papstes gegenüber dem Kaiser nicht als bloße Anspielung auf die Seite schieben. Zudem bedeutet das stete Beharren auf der nicänischen Ordnung bei Leo auch ein andauerndes implizites Geltendmachen der petrinischen Prägung und Vollmacht des römischen Stuhles.

schließe eine Übertragung der „apostolischen" Vollmacht durch Teilgabe aus: Die kaiserliche Stadt könne nicht zum Apostolischen Stuhl gemacht werden. Die petrinische Autorität bleibt für den Papst an die römische Ortskirche und ihre sedes gebunden.

Leo sah sich aber auch außerstande, Konstantinopel den zweiten Rang zuzugestehen. Er leitete dies von der nicänischen Ordnung ab, die er als bleibend gültig betrachtete.[80] Im Schreiben an Patriarch Anatolius, das er mit gleicher Post absandte, interpretierte er sie als Rangfolge von Rom, Alexandrien und Antiochien aufgrund der Beziehung dieser Städte zum Erstapostel Petrus. Deshalb widersprach nach seiner Auffassung die Rezeption und Neugestaltung des Kanons der konstantinopolitanischen Synode von 381 in Chalcedon dem nicänischen Konsens der Väter und konnte so keine Geltung beanspruchen.[81] Überdies betonte er seine Verantwortung, dafür Sorge zu tragen, daß die überlieferte und gewachsene Ordnung auch in den untergeordneten kirchlichen Bereichen gewahrt werde und die ganze Kirche vor Verwirrung sicher sei.[82] In entschiedener und feierlicher Weise, mit Berufung auf seine petrinische Autorität verweigerte Papst Leo die Rezeption des ihm zur Gutheißung vorgelegten Dokuments über die Stellung der konstantinopolitanischen Kirche.[83]

Das Konzil von Chalcedon endigte nicht mit dem schroffen, unversöhnlichen Konflikt, der die erste Sessio des Zweiten Ephesinischen Konzils und die Verweigerung der Rezeption ihres Ergebnisses charakterisiert, aber doch mit tiefgreifenden Schwierigkeiten, die gemildert waren durch die Bereitschaft der Konzilsväter, dem römischen Bischof das letzte Urteil zu überlassen. Vom spannungsgeladenen Ende her wird eine Rückschau auf einige wesentliche ekklesiologische Linien besonders dringlich. Es gilt, aus der Vielschichtigkeit der historischen Ereignisse dogmengeschichtliche Fragen wie diese zu beantworten: Welche Stellung nahmen die östlichen Bischöfe dem römischen Stuhl gegenüber ein, zeigten sie eine relativ einheitliche Haltung oder höchst unterschiedliche Auffassungen? Ergab sich ein unüberbrückbares Auseinanderklaffen zwischen Ost und West oder ein grundlegendes Einvernehmen in der Frage nach ökumenischem Konzil und sedes apostolica?

---

80 Ep. 106 an Anatolius: LME II (39) 104,107-119, ACO II IV (56) 61,25-34.
81 LME II (39) 101,33-102,62; ACO II IV (56) 60,5-26; vgl. Anm. 83.
82 Ebd.: LME II (39) 104,101ff.; ACO II IV (56) 61,20ff.
83 LME II (38) 99,72-101,1; ACO II IV (55) 58,33-59,4.

ANHANG I:

DIE KORRESPONDENZ ZWISCHEN FLAVIAN UND LEO IN DER ERSTEN HÄLFTE DES JAHRES 449

Die Darstellung der Abfolge der Ereignisse in der ersten Hälfte des Jahres 449 erfordert vor allem eine Klärung der Korrespondenz zwischen Flavian und Leo. Übereinstimmung herrscht seit Tillemont und den Ballerini darüber, daß Flavian epist. 22 vor epist. 26 sandte, und zwar erstere vor Erhalt des Briefes Leos vom 18. Februar, letztere nach dessen Eintreffen, aber noch vor der Konzilseinberufung am 30. März. Differenzen bestehen zwischen Schwartz einerseits und Caspar und Jalland andererseits in der Frage, ob Flavian mit den beiden Briefen zugleich die Akten der endemischen Synode sandte oder ob er Leo noch zu anderer Zeit Nachrichten zukommen ließ. Unklarheit herrscht auch darüber, wann Leo Flavians Post erhielt. Nach Caspar und Jalland war Flavians erstem Brief, epist. 22, die erste Aktensendung beigelegt. Schwartz dagegen nimmt an, daß die erste Aktensendung später erfolgte – nach Empfang des Briefes Leos (epist. 23 vom 18. 2. 449) – und dem zweiten Brief, epist. 26, beigefügt war; andererseits vertritt er die Auffassung, daß Flavian Leo schon vor dieser Dokumentation eine erste Unterrichtung zukommen ließ in Form der Mitteilung der Depositionssentenz, und ist schließlich gezwungen, eine vierte Postsendung anzunehmen, einen verlorengegangenen, der zweiten Aktensendung beigelegten Brief.[1] Während nach Caspar Leo Flavians epist. 22 mit den ersten Akten in der ersten Maihälfte erhielt, nahm er nach Schwartz zwar um die gleiche Zeit die Akten in Empfang, mit ihnen aber schon epist. 26.[2]

Es legt sich nahe, die Untersuchung der Frage mit einer Überprüfung der Auffassung von Schwartz zu beginnen, da er mit hypothetischen Texten arbeiten muß (mit der Übersendung einer Depositionssentenz vor epist. 22 und eines weiteren Briefes nach epist. 26), während er andererseits behaupten muß, Leo habe epist. 22 nie beantwortet.[3] Nach seiner Sicht bestätigt Leo

1 *Schwartz*, Der Prozeß, 87, Anm. 1; *Caspar*, Geschichte, 472, 474, vgl. 613f. (Anmerkungen zu S. 473ff.); *Jalland*, St. Leo, 221-224.

2 *Caspar*, Geschichte, 475; *Schwartz*, Der Prozeß, 87, Anm. 1: „Leo erhielt den Brief etwa zur gleichen Zeit wie die kaiserliche Einladung zur Synode (13. Mai, vgl. ep. 31)."

3 Ebd. 90. Das gleiche gilt von der postulierten Zusendung des Synodalurteils: *Schwartz* ist gezwungen zu sagen, Leo habe darauf nicht geantwortet (ebd.). Überdies weist er darauf hin, „daß die Übersetzung der Akten der Schlußsitzung in einer reichen Überlieferung, die der übrigen nur in der Coll. Novar. vorliegt. . ." (ebd. 87, Anm. 1). Es wäre eigenartig, wenn die Übersetzung der Akten in einer solchen Breite überliefert, die Übersetzung des Begleitbriefs und der Begleitbrief selbst verlorengegangen wären. Dies ist neben den weiter unten dargelegten hauptsächlichen Gründen ein weiterer Beleg dafür, daß ep. 26 der Begleitbrief war, der von Leo denn auch beantwortet wurde.

am 21. Mai den Empfang der kurz zuvor eingelaufenen epist. 26 Flavians, der die erste Aktensendung beigefügt war, und am 28. Juni den Erhalt der zweiten Aktensendung. Nun kann aber gezeigt werden, daß Leo am 21. Mai den Empfang des ersten Briefes Flavians, epist. 22, bestätigte, der freilich viel früher in Rom eingetroffen war, und daß mit diesem Brief die erste Aktensendung verbunden war. Letzteres soll zuerst bewiesen werden.

In epist. 22 schreibt Flavian nach der Beschreibung der irrigen Auffassung des Archimandriten: „ἀλλ᾿ ἵνα μὴ πάντα καταλέγων μῆκος ἐμποιήσω τῷ γράμματι, πάλαι τὴν ἐπ᾿αὐτῷ γεγενημένην πρᾶξιν ἀπεστείλαμεν τῇ σῇ ὁσιότητι, ἐν ᾗ καὶ τῆς ἱερωσύνης αὐτὸν ὡς ἐπὶ τοιαύτοις ἁλόντα ἐγυμνώσαμεν καὶ τοῦ προστατεῖν μοναστηρίου καὶ τῆς ἡμετέρας κοινωνίας, ὥστε καὶ τὴν σὴν ὁσιότητα γνοῦσαν τὰ κατ᾿ αὐτὸν πᾶσι τοῖς ὑπὸ τὴν σὴν θεοσέβειαν τελοῦσι . . . ἐπισκόποις δήλην ποιῆσαι τὴν αὐτοῦ δυσσέβειαν . . .“[4] Im Blick auf diesen Text vertritt Schwartz die These, Flavian verweise damit auf eine schon früher mitgeteilte Depositionssentenz.[5] Zunächst scheint es schon als recht problematisch, eine „πρᾶξις“, in der Eutyches verurteilt wurde, als Urteilsspruch zu übersetzen. Noch problematischer ist die damit notwendig verbundene Formulierung von Schwartz, epist. 22 erinnere an dieses früher zugesandte Schriftstück und teile nun Näheres mit. Denn Flavian sagt gerade in dieser epist. 22, er verzichte darauf, im Brief selber einen ausführlichen Bericht zu geben, da ein solcher in besagter „πρᾶξις“ gegeben sei. Wäre mit „praxis“ die Depositionssentenz gemeint, so würde Flavian in Wirklichkeit nicht auf einen ausführlicheren Text, sondern auf einen kürzeren und vageren Text, als ihn epist. 22 bietet, verweisen. Während besagte Sentenz Eutyches in die Linie von Valentin und Apolinarius rückt und dann allgemein sagt, Eutyches habe sich der Lehre der endemischen Synode widersetzt,[6] führt der Brief detailliert aus: Eutyches habe zwar gegen Nestorius gekämpft, gefährde aber die allgemein rezipierten Dokumente (die Formel von Nicäa, den Brief Cyrills an Nestorius, seinen Brief an die Orientalen), indem er die Lehren von Valentin und Apolinarius neu aufgegriffen habe; er habe behauptet, nach der Menschwerdung könne man nicht mehr sagen, Christus sei „aus zwei Naturen in einer Hypostase“, und weiter habe er gesagt, sein Fleisch sei nicht

4 ACO II I 1 (3) 37,16-23; PE 40, 12-21. Der Aorist „ἀπεστείλαμεν“ meint die Beilage der Akten zum Brief. „πάλαι“ bezieht sich nicht auf „ἀπεστείλαμεν“ sondern auf„γεγενημένην πρᾶξιν“. Eine Parallele bestätigt die Deutung im Sinne des gleichzeitigen Übersendens: „ὑπομνήματα ἃ καὶ ἀπεστείλαμεν μετὰ τούτων ἡμῶν τῶν γραμμάτων.“ (ep. 26, ACO II I 1 [5] 39,16f.). Im gleichen Sinn äußerten sich schon die *Ballerini* zu ep. 22: PL 54, 727, Anm. b.
5 *Schwartz*, Der Prozeß, 87, Anm. 1.
6 ACO II I 1 (551) 145,10-19; PE 27,7-19.

gleichwesentlich mit uns (zwar sei die Jungfrau dem Fleische nach gleichwesentlich mit uns, aber der Herr habe aus ihr nicht ein Fleisch angenommen, das mit uns gleichwesentlich ist), der Leib des Herrn sei nicht Leib eines Menschen, sondern ein menschlicher Leib.[7] Ausführlicher als der Brief ist keinesfalls die „πρᾶξις", wenn sie die Depositionssentenz meint, wohl aber, wenn sie die Akten der entscheidenden Schlußsitzung der endemischen Synode bezeichnet, in der Eutyches verurteilt wurde. Flavian stellt in seinem Brief die entscheidenden Irrlehren knapp, aber präzis heraus und fügt dem Brief als Dokumentation das genannte Protokoll der Synode bei, um den Brief selber nicht mit Details zu überlasten („um nicht dadurch Überdruß zu erzeugen, daß ich alles der Reihe nach hererzähle").[8] Auch die Bitte Flavians an Leo in epist. 22, er möge die westlichen Bischöfe von der Verurteilung des Eutyches unterrichten, spricht nicht für eine bereits früher erfolgte Übermittlung der synodalen Sentenz, sie läßt vielmehr diesen Brief selbst als erste Benachrichtigung erkennen. Dem entspricht, daß Leo bis zum 18. Februar von einer Depositionssentenz nichts weiß. In seinem Brief an Flavian beklagt er sich nämlich nicht bloß, wie Schwartz annimmt, über „mangelnde Orientierung"[9] durch Flavian, sondern über dessen (gänzliches) Schweigen: „quod ea, quae in tanta causa gesta fuerant, etiam nunc silentio detineret."[10]

Für Schwartz wie für Caspar steht fest, daß Leo am 21. Mai den Empfang der Akten, welche die Schlußsitzung der endemischen Synode festhalten, bestätigt. Die nähere Untersuchung hat die Darstellung von Caspar gerechtfertigt: Leo bedankt sich hier für Flavians ersten Brief und die ihm beigefügte Dokumentation. Aber beide übersehen, wie weit diese Empfangsbestätigung vom tatsächlichen Empfang der Post entfernt ist, wenn sie annehmen, Leo habe die Post gegen Mitte Mai erhalten. Caspar selber macht im Anschluß an Wille darauf aufmerksam, daß Leos epist. 28 an Flavian „noch aus der Voraussetzung einer Verhandlung in Konstantinopel heraus abgefaßt worden ist".[11] Eine solche Voraussetzung ist mit dem Empfang der Nachricht von der Einberufung einer allgemeinen Synode für Leo am 16. Mai hinfällig geworden. Der Brief beruht aber auf einem sorgfältigen Studium der Schlußsitzung der endemischen Synode und benötigte auch in dem breiten Hauptteil, der die eindringenden biblischen und dogmatischen Darlegungen enthält, eine Bemühung, die nicht in ein paar Tagen erledigt

---

7 ACO II I 1 (3) 36,30-37; PE 39,17-40,12.
8 ACO II I 1 (3) 37,16f.; PE 40,12f.
9 *Schwartz*, Der Prozeß, 87.
10 LME I (1) 2,31f.; ACO II IV (2) 4,11.
11 *Caspar*, Geschichte, 476.

sein konnte. Der Empfang des ersten Briefes Flavians mit den Akten wird demgemäß kaum erst nach Mitte April, freilich auch kaum früher als Mitte März erfolgt sein.

Leos Antwort vom 21. Mai enthält nur eine knappe Bestätigung über den Empfang der ersten Post Flavians und ein Wort der Bestärkung für ihn. Sie erfolgt zu diesem späten Zeitpunkt, weil Flavians Bote zuwartete, um die eigentliche Antwort (besonders epist. 28) zu überbringen. Da sich seine Abreise wegen der soeben eingetroffenen Nachricht von der Einberufung des Konzils noch weiter verzögerte, mußte es um so erwünschter sein, die günstige Gelegenheit für eine erste Benachrichtigung, die sich durch die Reise eines gewissen Rodanus anbot, zu nützen.[12]

Die zweite Aktensendung Flavians läßt sich von diesen Ergebnissen her leicht und präzise datieren. Er sendet kurz vor dem 30. März, dem Tag der Einberufung der ephesinischen Synode, epist. 26 an Leo mit den gesamten Dokumenten der endemischen Synode. Leo bestätigt den Empfang des Briefes und der Akten am 20. Juni. Da die große, unterm 13. Juni datierte Post noch keine Spur erkennen läßt, die auf den Empfang des Briefes Flavians hindeuten könnte, muß er zwischen dem 13. und 20. Juni eingelaufen sein oder doch so knapp vor dem 13., daß er auf die Absendung der von langer Hand vorbereiteten Post keinen Einfluß mehr ausüben konnte. Da Schwartz die erste Aktensendung fälschlich mit epist. 26 verbindet, ist er gezwungen, einen neuen Brief zu postulieren. Da aber epist. 22 die erste Aktensendung begleitet und epist. 26 die Beilage aller Prozeßakten anzeigt („. . . ὡς διδάξει τὴν ὑμετέραν ὁσιότητα πάντα τὰ ἐπ' αὐτῷ πεπραγμένα ὑπομνήματα, ἃ καὶ ἀπεστείλαμεν μετὰ τούτων ἡμῶν τῶν γραμμάτων")[13] ergibt sich zwingend, daß Leo Mitte Juni epist. 26 mit den gesamten Akten erhalten hat und deren Empfang am 20. Juni bestätigt: „litteras tuae dilectionis accepi cum gestis quae apud vos de fidei quaestione confecta sunt."[14]

12 Ep. 27, ACO II IV (6) 9,2-13.
13 ACO II I 1 (5) 39,15-17.
14 Ep. 36, ACO II IV (14) 17,9-15 (Zitat: 17,9f.).

Briefwechsel zwischen Konstantinopel und Rom
vor der Zweiten Ephesinischen Synode

Kaiser und Eutyches	Papst Leo	Patriarch Flavian (und Gesinnungsgenossen)
Frühjahr 448 Eutyches an Leo	1. Juni 448 Antwort an Eutyches Zweite Hälfte 448 (?) Antwort an Faustus	Vor Spätherbst 448 Mönch Faustus an Leo
Gegen Mitte Januar 449 Appellation von Eutyches (Begleitbrief des Kaisers)	Gegen Mitte Februar 449 Empfang der Appellation und des Begleitbriefs	Zweite Hälfte des Januar 449 (?) Absendung der epist. 22, mit erster Aktensendung
Gegen Mitte März Empfang des Briefes Leos	18. Februar 449 Antwort an den Kaiser; Brief an Flavian	Gegen Mitte März Empfang des Briefes Leos
30. März Einberufung des Konzils	Zwischen Mitte März und Mitte April Empfang der epist. 22 Flavians und der Aktensendung	Vor dem 30. März Absendung der epist. 26 mit zweiter Aktensendung
	Vor dem 16. Mai Abfassung (nicht Absendung) folgender Schreiben: Lehrschreiben an Flavian Brief an Pulcheria (Erstfassung) Brief an die Mönche in Konstantinopel Brief an Bischof Julian von Kos	
	16. Mai Erhalt des Einberufungsschreibens	
	21. Mai Empfangsbestätigung des ersten Briefes Flavians	
	13. Juni Große Post im Blick auf das Konzil	
	Kurz vor dem 20. Juni Empfang der epist. 26 Flavians und der zweiten Aktensendung	

ANHANG II:

BEMERKUNGEN ZU DEN HINTERGRÜNDEN DES VERLAUFS DER ENDEMISCHEN SYNODE

E. Schwartz hat mit seiner Arbeit „Der Prozeß des Eutyches" die grundlegende Studie zur endemischen Synode von 448 geschrieben und dabei besonders die juristischen Grundlagen herausgearbeitet, wobei er zugleich zur Erkenntnis kam: „Ein prinzipieller Unterschied des kirchlichen vom staatlichen Strafprozeß tritt mit besonderer Schärfe dann hervor, wenn die Klage auf Irrlehre lautet."[1] Denn mit dem Zweck, aufgrund eines Tatsachenbeweises zu einer Verurteilung zu kommen, konkurriert hier die Absicht, den Angeklagten zum Widerruf zu bringen und ihn freizusprechen. Gerade dies hielt Flavian für seine Pflicht, was dem Kläger Eusebius das Risiko, selber wegen calumnia verklagt zu werden, einbrachte. Darüber hinaus hat Schwartz die politischen Hintergründe aufzuhellen versucht und von daher den Verlauf der Verhandlung in der entscheidenden Sessio gedeutet. In diesem Bereich soll seine Darstellung im folgenden überprüft und korrigiert werden.

Schwartz sucht zu beweisen, daß in der letzten, entscheidenden Phase der Synode die alexandrinische Kirche hintergründig, aber wirksam das Prozeßgeschehen bestimmte. In dem Augenblick, als sich Eutyches in Begleitung des kaiserlichen Beamten Florentius dem Gericht stellte, suchte Alexandrien eine Verurteilung von Eutyches zu erreichen, um so über dessen Appellation selber eingreifen und die Stellung Konstantinopels erschüttern zu können: „Umgekehrt gab eine Verurteilung. . . Dioskoros die Möglichkeit, Eutyches' Sache zu der seinen zu machen und das konstantinopler Patriarchat zusammen mit dem antiochenischen zu erledigen."[2] Diese These sucht Schwartz am Verhalten von Eutyches, vor allem aber an Florentius nachzuweisen, der fast entschiedener als Eusebius die Verurteilung von Eutyches betrieb. Er meint, sie begründen zu können, „so paradox eine Collusion mit dem Beklagten sein mag, die sich nicht dessen Freisprechung, sondern die Verurteilung zum Ziel setzt."[3] Aber in diesem Augenblick suchte ja nach Schwartz auch Eutyches selbst in der Linie Alexandriens seine eigene Verurteilung zu erreichen; er war „von Anfang an der Angreifer".[4] Dieses Spiel enthüllt sich für Schwartz vor allem gegen Ende des Prozesses: „Aus dem Mönch, der sich erlaubt hatte, mit Paradoxien zu spielen und zu irritieren, entpuppte sich ein unentwegter Parteigänger des Dioskoros, der in

1 Der Prozeß, 73.　　　　2 Ebd. 85f.
3 Ebd. 86.　　　　　　　　4 Ebd. 79.

dem festen Vertrauen, daß dieser ihn nicht im Stich lassen werde, schließlich die Maske der Demut abwarf und durch die Ablehnung der Unionsformel die Absetzung selbst herbeiführte. "[5]

Das Erscheinen von Florentius in Begleitung von Eutyches und einer Garde scheint ihn als seinen Gesinnungsgenossen auszuweisen, der die Synodalen einschüchtern will. Schwartz betont vor allem, daß Florentius seine Parteinahme für den Archimandriten zeigte, indem er Eutyches aus den Gefährdungen, die ein Akkusationsprozeß ihm bringen konnte, befreite.[6] Doch eine solche Argumentation widerlegt sich selbst. Wenn man davon ausgeht, daß Florentius Eutyches verurteilt sehen will, kann man nicht gleichzeitig sagen, er sei sein Freund, weil er ihn auf solche Weise vor der Verurteilung bewahren wollte und konnte. Wenn die Synodalen Florentius als Orthodoxen willkommen hießen, spricht dies eher dafür, daß sie ihn als ihren Gesinnungsgenossen betrachteten.[7] In diese Richtung weist noch mehr die Tatsache seiner Demütigung bei der späteren Revision der Konzilsakten.[8]

Entscheidend aber ist, daß Florentius Eutyches nicht – wie es der Intention von Alexandrien entsprochen hätte – auf die Naturenlehre allein festnagelt und ihn hierin verurteilt sehen will, sondern genauso seine Homoousie-These aufgreift, was nicht im alexandrinischen Interesse sein konnte. Ähnliches läßt sich auch von Eutyches sagen. Durch den Hinweis auf Rom suchte er einer Verurteilung auszuweichen und zugleich bei seiner Auffassung bleiben zu können. Und er spielte auch nicht zuerst mit seinen Paradoxien (zur Homoousie), um dann auf die alexandrinische Linie einzuschwenken und nur noch die Mia-Physis-Lehre zu vertreten. Vielmehr gab er in beiden Fragen nur scheinbar nach, um in Wahrheit schließlich auf seinen beiden Positionen zu beharren, wie wir in der Beschreibung des Verlaufs der Synode zeigen.

Es ergibt sich aus alledem: Florentius handelt nicht im Sinne von Eutyches, sondern steht in der Glaubensfrage auf seiten von Flavian, wobei er freilich weniger als dieser Eutyches eine Brücke bauen, sondern ihn vielmehr entschiedener zu einer Entscheidung führen will. Auf der endemi-

5 Ebd. 84.
6 Ebd. 80f.
7 ACO II I 1 (468) 138,18-24; (470) 138,30-32.
8 Vgl. die Verteidigungshaltung von Florentius: ACO II I 1 (772) 171,25-27; (776) 172,1-3; (778) 172,11f.

schen Synode ist noch nicht die direkte Weisung und Einflußnahme Alexandriens spürbar, auch wenn Eutyches Dioskur und seinen konstantinopolitanischen Vertreter Anatolius hinter sich wußte. Demgemäß geht es auf der endemischen Synode primär um die Glaubensfrage, noch nicht um die Rangfrage.

Dieses Ergebnis bestätigt sich, wenn wir die späteren Ereignisse untersuchen, die eine neue Linie verfolgen und den Stempel Alexandriens tragen. An erster Stelle steht dabei das Appellationsschreiben von Eutyches. Es schildert korrekt die Grundzüge des Verlaufs der endemischen Synode, zielt aber zugleich auf Anklagen gegen Flavian und die Synode: man sei ihm feindlich gesinnt, ja, sein Leben sei bedroht gewesen. Flavian habe sein Bekenntnis nicht verlesen und protokollieren lassen (die Erlaubnis, es selber verlesen zu dürfen, verschweigt er), der Patriarch habe das Urteil schon vor der Verhandlung festgelegt gehabt. Wichtiger sind andere Elemente des Berichtes. Jetzt stellt Eutyches den Verlauf der Verhandlungen so dar, als sei es nur um die Naturenfrage gegangen, hier habe man ihn zu der von manchen Vätern abgelehnten Zweinaturenlehre zwingen wollen. In einem zweiten Punkt zeigt sich zwar nicht eine neue Linie, aber doch eine stärkere Akzentuierung. Eutyches sucht sich aus der Schlinge zu ziehen und zugleich Flavian anzuklagen, indem er auf Nicäa als einzige Glaubensnorm verweist, an die er sich im Prozeß halten wollte, während Flavian dagegen verstieß. Die gleiche Linie bestimmt auch Eutyches' Absicht bei der Revision der Akten: er will nachweisen, daß er auf die nicänische Glaubensnorm sich festgelegt habe; dies sei nicht in die Akten aufgenommen worden.[9] Beide Elemente — die Beschränkung auf die Naturenlehre und die formale Interpretation von Nicäa — werden künftig die alexandrinische und eutychianische Linie bestimmen. Erst jetzt, nach der endemischen Synode, bestimmt Dioskur über seinen Apokrisiar Anatolius entscheidend den Gang der Dinge.

9 Die Belege für diese Darstellung finden sich in der Beschreibung des Verlaufs der endemischen Synode.

ANHANG III:

ZUR ENTSTEHUNGSGESCHICHTE DER POST LEOS
VOM 13. JUNI 449

1. Die Schreiben an Flavian (epist. 28)
und an die Archimandriten von Konstantinopel (epist. 32)

Caspar schreibt in seiner „Geschichte des Papsttums": „Aber in jenem Schreiben an Flavian, das am frühesten von dieser ganzen Junipost in Angriff genommen worden sein muß, da die eingehenden dogmatischen Ausführungen längere Arbeit erforderten, war die Legation noch nicht als Konzils-legation bezeichnet, und ebensowenig in einem anderen Schreiben dieser Post, das an den Archimandriten Faustus samt anderen Konstantinopler Klostervorstehern ging, und das offenbar noch aus der Voraussetzung einer Verhandlung in Konstantinopel abgefaßt worden ist."[1] Dies läßt sich näher begründen, wenn man ins Auge faßt, wie die genannten Schreiben in die Geschehnisse eingebettet sind, die gerade hier eine so deutliche Zäsur zeigen. Das Schreiben an Flavian ist abgefaßt vor Leos Kenntnisnahme von der Einberufung der Synode nach Ephesus, da es von der Voraussetzung der Glaubenseinheit mit der endemischen Synode ausgeht. Sie soll durch die neue Verhandlung nur deutlicher zum Ausdruck gebracht und entschiedener vertreten werden, während zugleich Eutyches noch einmal die Möglichkeit zu widerrufen erhalten soll. In den Schreiben, die Leo nach dem Erhalt der Nachricht von der Einberufung erhält, sieht er demgegenüber ganz andere Erfordernisse: jetzt geht es in der Synode um die Gewinnung des Glaubens-konsensus, der plötzlich gefährdet erscheint. Überdies hat die Kritik an der Synode, die sich im Tomus zeigt, ihren Sitz im Leben vor dem Empfang des Einberufungsschreibens: sie bietet Leo den Ansatzpunkt, von sich aus das Verfahren neu aufzunehmen.

2. Das Schreiben an Pulcheria (epist. 31)

Für den Brief an Pulcheria zeigen sich andere Anhaltspunkte für die genauere Datierung. Er gehört bis zum abschließenden Teil in die gleiche Zeit, da Leo eine Absicht und Besorgnis zum Ausdruck bringt, die nach der Einberu-fungsnachricht nicht mehr geäußert werden konnte. Leo will durch sein Urteil verhüten, daß die Angelegenheit über Konstantinopel hinaus Wellen

---

1 *Caspar*, Geschichte, 476. Die Fundstellen der im folgenden behandelten Briefe sind angegeben in Kap. II, Anm. 1.

schlägt: „. . . dignum gloria vestra est, ut error qui de inperitia magis quam de versutia natus est auferatur, priusquam ullas vires de consensu inprudentium pertinacia pravitatis adquirat . . .“[2] So erweist sich der letzte Teil, der die neuerliche Einberufung der Synode aufgreift, als nachträgliche Ergänzung. Dies bestätigt die Beobachtung, daß Leo in diesem Brief zweimal die Weise des Vorgehens gegenüber Eutyches beschreibt: zu Ende der ursprünglichen Fassung und zu Ende des beigefügten Schlußteils.[3] Während dabei im ursprünglichen Teil nur von Eutyches die Rede ist, heißt es im beigefügten Schlußabschnitt: „ut quod . . . blasphema insipientia protulit ab omnium animis repellatur . . .“[4] Der Nachweis der Authentizität und Ursprünglichkeit von epist. 31 verlangte eine eigene Untersuchung, die in Anhang IV niedergelegt ist.

3. Die beiden Schreiben an Bischof Julian von Kos
(epist. 35 und 34)

Silva-Tarouca läßt die Julian zugedachte epist. 34 an Juvenal von Jerusalem gerichtet sein, um so die Schwierigkeit zu lösen, die darin liegt, daß epist. 34 wie 35 das gleiche Datum des 13. Juni tragen; die Zuweisung des Briefes an Julian — statt an Juvenal — möchte er durch einen Irrtum im Abschreiben verständlich machen.[5] Doch läßt der Inhalt des Briefes eine solche These nicht zu. Denn Leo weiß sich mit dem Adressaten, der ihm einen Brief zukommen ließ, in der Sache eins, und zwar offenkundig im Blick auf die Eutyches-Sache. Epist. 35 an Bischof Julian gehört mit dem Brief an Flavian und an die Archimandriten und mit dem Hauptteil des Briefes an Pulcheria zu den Schreiben, die Leo verfaßte, bevor er von der Einberufung des Konzils erfuhr. Sie hat mit den Schreiben an Flavian und an Pulcheria (epist. 31) die theologische Ausrichtung gemein. Vor allem geht Leo hier wie im Schlußabschnitt des Briefes an Flavian auf Einzelheiten des Prozesses der endemischen Synode ein, an denen er sich stößt und mit denen er seine Anordnung einer Neuaufnahme des Prozesses verständlich machen will.[6] Mit der Einberufung eines ökumenischen Konzils waren solche Ausführungen nicht mehr am Platze. Wenn dies richtig ist und also epist. 34 als Ergänzung, die durch die neue Situation nötig wurde, hinzugefügt ist,

---

2 LME I (4b) 8,14-16; ACO II IV (11) 12,28-30.
3 LME I (4b) 11,27-33 – ebd. 12,89-13,92; ACO II IV (11) 14,4-9 – ebd. 15,5-9.
4 LME I (4b) 12,90f.; ACO II IV (11) 15,6f.
5 *Silva-Tarouca*, Die Quellen, 29.
6 LME I (6) 16,69-75; ACO II IV (5) 7,28-8,1.

braucht man auch nicht mehr anzunehmen, Julian habe Leo kurz hintereinander zwei Briefe zugesandt.

4. Das Schreiben an die ephesinische Synode (epist. 33)

Jalland betrachtet dieses Schreiben als Post an die ursprünglich geplante Synode in Konstantinopel; Sieben behandelt es als Brief an den Kaiser. Jalland begründet seine Meinung so: „Although the title reeds ,ad Ephesinam synodum secundam' it should be noticed that there is no mention of Ephesus in the text, and it is therefore probable that it was addressed to the new synod which Leo supposed would be assembled in Constantinople."[7] Dieser Hinweis bedeutet kein zureichendes Argument und wird durch andere Stellen des Schreibens widerlegt. Leo sagt ausdrücklich, der Kaiser habe ihn eingeladen. Dies setzt die Einberufung der Synode nach Ephesus voraus. Während Leo selbst geplant hatte, Legaten zu einer neuen endemischen Synode nach Konstantinopel zu schicken, war es die Intention des Kaisers — nach Leos Worten —, ein episcopale concilium für ein plenior iudicium zu versammeln.[8] — Sieben legt für seine Auffassung keine Begründung vor. Er scheint aber durch die Einleitung des Briefes, die auf die kaiserliche Einladung der sedes apostolica zur Teilnahme an der Synode verweist, irritiert worden zu sein.[9] Leo spricht jedoch ausdrücklich die Konzilsväter an, nicht aber den Kaiser, was bei einem ihm zugedachten Brief völlig undenkbar ist. Hätte Sieben recht, so hätte Leo überdies dem Kaiser unterm Datum des 13. Juni ohne ersichtlichen Grund zwei Briefe gesandt. Übrigens geben Schwartz und Silva-Tarouca ohne jedes Bedenken als superscriptio an: „Leo (episcopus) sanctae synodo quae apud Ephesum convenit."[10]

---

7 *Jalland*, St. Leo, 229, Anm. 104.
8 LME I (8) 20,31-38; ACO II IV (12) 15,30-16,3.
9 *Sieben*, Konzilsidee, 139; Konzilsidee V, 394.
10 LME I (8) 19,1f. (vgl. 20,36-38); ACO II IV (12) 15,13 (vgl. 16,2).

ANHANG IV:

DIE ABFASSUNG VON LEOS EPIST. 31 UND 30 AN PULCHERIA

Der Brief Papst Leos an Pulcheria liegt in zwei Fassungen vor. Die historische Kritik gab der kurzen Fassung, die in epist. 30 vorliegt, lange Zeit den Vorzug der Ursprünglichkeit gegenüber der langen (epist. 31). Am entschiedensten vertraten dies Wille und Langen, für den die Langfassung eine abendländische Fälschung darstellt.[1] Silva-Tarouca und in seinem Gefolge E. Caspar sprechen dieser Fassung die Authentizität nicht ab, sehen in ihr aber eine erweiterte Neufassung aus der Hand des Papstes, die er mit epist. 45 am 13. Oktober absandte, nachdem er erfahren hatte, epist. 30 sei nicht in die Hände von Pulcheria gelangt. Diese Position kommt jener der Ballerini und von Hefele nahe, welche die Auffassung vertraten, Brief 30 sei zuerst gefertigt, aber nicht abgesandt worden. E. Schwartz spricht demgegenüber der Kurzfassung (epist. 30) die zeitliche und sachliche Priorität ab.[2]

1. Bevor wir die gegenteiligen Auffassungen, wie sie vor allem bei Schwartz und Caspar vorliegen, prüfen, seien gewichtige Divergenzen genannt. Gegenüber epist. 30, die nur knapp die Glaubensfrage erwähnt, bietet epist. 31 eine ausführliche theologische Darlegung.[3] Epist. 30 enthält nicht den kurzen Abschnitt „. . . quia etiam . . ." bis hin zu „. . .substantiae." (12,31-13,3) und faßt den Abschnitt 13,3-9 knapp und weniger präzis. Statt des konkreten (auf das Libell von Eutyches bezogenen) Hinweises „verum perfectumque hominem" (13,8) bietet sie ein blasseres „hominem".[4] Sie enthält nicht den langen Abschnitt 13,9-14,2, der nach Schwartz dem Brief „theologische Dignität"[5] verleiht, und ebensowenig die Erwähnung des apostolischen Symbols.[6] Auffallend ist auch ein zweiter Unterschied.

---

1 Hier folge ich *Caspar*, Geschichte, 614 (zu S. 482).

2 ACO II IV, praef., XXI f.

3 ACO II IV (11) 12,31-13,3; 13,3-9; LME I (4b) 8,10-9,15; 16-24. Wegen der Auseinandersetzung mit *Schwartz* wird hier und im folgenden an erster Stelle dessen Ausgabe zitiert.

4 ACO II IV (11) 15,8; (8) 10,20. Ein Unterschied zeigt sich hier freilich nur, wenn man der Lesart folgt, die *Schwartz* bevorzugt; *Silva-Tarouca* hat das (filium) verum perfectumque hominem in den Apparat verwiesen, so daß epist. 30 und 31 übereinstimmend sagen: „virginis filium hominem dicere . . ." (LME I [4] 6,23; [4 b] 9,23). Der Text des Libells von Eutyches: „anathemo autem Nestorium et Apollinarem et omnes haereticos usque ad Simonem et eos qui dicunt carnem domini de coelo descendisse et non ipsum verbum dei descendens de coelo incorporeum factum esse carnem in utero sanctae Mariae virginis (ex) carne eius incommutabiliter et inconversibiliter quemammodum ipse sciit et voluit, ut qui erat perfectus deus ante saecula, idem perfectus esset homo in ultimis diebus propter nos et salutem nostram" (ACO II II 1[7]35,7-13).

5 ACO II IV, praef., XXI.

6 Die Erwähnung in epist. 31: ACO II IV (11) 14,30 f.; vgl. Anm. 24.

Die Langfassung enthält eine ausführliche Begründung des Papstes für seine Entscheidung, trotz der Einladung des Kaisers nicht persönlich am Konzil teilzunehmen, das so kurzfristig einberufen wurde.[7] Während dies nicht gut zu einer Neufassung nach Abschluß der ephesinischen Synode paßt, gilt das Umgekehrte für den Abschnitt, den die Kurzfassung statt dessen bietet: er erwähnt die Einladung nur kurz, nennt die Namen der Legaten, die, den Papst vertretend, ihn gegenwärtig sein lassen, und betont in entschiedener Form, Konstantinopel sei der rechte Ort für einen positiven Ausgang der Sache.[8]

Schwartz weist zur Begründung seiner Auffassung darauf hin, daß das „unde" in 12,2 in der Kurzfassung keinen Bezugspunkt mehr habe.[9] Dies ist ein wichtiger Hinweis, doch ist zu fragen, ob er so eindeutig Gültigkeit hat. In der Kurzfassung leitet „unde" Leos Wort des Bedauerns ein, mit dem er zum Ausdruck bringt, Eutyches stelle nichtige und törichte Behauptungen bezüglich dessen auf, was unsere einzige Hoffnung bedeutet. Das „unde" ist dabei nicht gerade ohne Bezugspunkt, aber es bezieht sich nur auf die Behauptung, es helfe nichts, den Sohn der Jungfrau Mensch zu nennen, wenn er nicht zum adamitischen Geschlecht gehöre.[10] In der Langfassung dagegen nimmt der Satz, den das „unde" einleitet, das vorher Behandelte viel genauer auf. Dort hat Leo das Thema der Fleischwerdung des Wortes ausgiebig erörtert und läßt es gipfeln in der Feststellung, es sei notwendig, daran zu glauben, da hierin allein unser Heil gründe. Dies wird nun aufgenommen und auf Eutyches bezogen, der nichtige und törichte Behauptungen aufstelle im Blick auf das, was unsere einzige Hoffnung bedeutet. Die Langfassung bietet also den viel zutreffenderen Bezugspunkt für das „unde".[11]

Weniger durchschlagend, aber doch beachtenswert, ist das weitere Argument von Schwartz, das „enim" (14,28)[12] habe in der Kurzfassung wegen des Fehlens von 14,11-28 seinen Sinn verloren.[13] In der Langfassung eröffnet es die Begründung dafür, wie bedeutsam die Sache selbst sei: es gehe um eine grundlegende Glaubensfrage.[14] In der Kurzfassung leitet es etwas weniger

---

7 ACO II IV (11) 14,14-28; LME I (4b) 11,58-12,77.
8 ACO II IV (8) 11,4-9; LME I (4) 7,49-8,55.
9 ACO II IV (11) 12,2; (8) 10,21; LME I (4b) 10,54; (4) 6,25; die These von *Schwartz:* ACO II IV, praef., XXIf.
10 ACO II IV (8) 10,15-23; LME I (4) 6,16-7,2.
11 ACO II IV (11) 13,3-14,4; LME I (4b) 9,16-11,28.
12 ACO II IV (11) 14,28; LME I (4b) 12,77.
13 ACO II IV, praef., XXII.
14 ACO II IV (11) 14,28-15,10; LME (4b) 12,77-13,94.

passend die Begründung für die Dringlichkeit der Hilfeleistung Pulcherias für die Sache des katholischen Glaubens ein.[15]

Nun bereitet aber auch die Langfassung Schwierigkeiten, auf die Schwartz nicht eingeht. Caspar zählt dazu das Datum, das Leo dort als Zeitpunkt nennt, an dem er die Einladung zum Konzil erhalten habe, nämlich den 16. Mai. Da er die ausführliche Version des Briefes aber nicht als unecht verwerfen will, sondern in ihr − im Anschluß an Silva-Tarouca − eine erweiterte Fassung des ursprünglichen Konzeptes sieht, stellt er einen Gedächtnisfehler Leos in Rechnung.[16] Dies ist freilich eine Annahme, die recht unwahrscheinlich ist. Der Erhalt der Nachricht von der Einberufung einer ökumenischen Synode war in dem alle Aufmerksamkeit beanspruchenden Glaubensstreit eines der wichtigsten und einschneidendsten Fakten, besonders für Leo, da es gerade noch die Absendung des Briefes an Flavian hinausschob. Wie sollte dieses Datum schon im Oktober beträchtlich − um einen ganzen Monat − verfehlt werden, zumal Leo das Datum nicht nur nebenbei erwähnt, sondern mit ihm die Klage über den frühen Konzilsbeginn begründet?[17] Caspar erscheint der 16. Mai vor allem als fraglich, weil der am 21. Mai gefertigte Brief an Flavian, wie jener vom 13. Juni, nicht vom Konzil spricht.[18] Aber in diesem Fall kann aus dem Schweigen kein Argument gemacht werden. Denn dem kurzen Brief, der nur den Erhalt der Akten bestätigen und Flavian der Bundesgenossenschaft Leos versichern wollte, sollte nicht viel später die große Postsendung folgen. Es bereitet auch keine Schwierigkeit anzunehmen, daß der Brief an Flavian und an die Archimandriten von Konstantinopel schon vor dem 16. Mai abgeschlossen wurde. Wenn sie erst am 13. Juni zusammen mit anderen Briefen gezeichnet und dann den Legaten übergeben wurden, erklärt sich dies durch die Nachricht von der Konzilseinberufung: sie veränderte für Leo die Lage völlig, nun mußte er neue und zeitraubende Überlegungen und Aktivitäten entwickeln.

Eigenartig ist Caspars Argument, die „Dringlichkeit der Entschuldigung wegen nicht persönlichem Erscheinen" habe die erweiterte Fassung gemein mit epist. 37 vom 20. Juni, einem Brief also, der „ebenfalls in die Zeit nach der Post vom 13. Juni" gehöre.[19] Ist es aber nicht naheliegender, die zeitliche wie inhaltliche Nachbarschaft der Briefe zu sehen (bei Annahme der Ursprünglichkeit der Langfassung) und den 20. Juni in der Nähe des 13. Juni

---

15 ACO II IV (8) 10,30-11,4; LME I (4) 7,38-49.
16 *Caspar*, Geschichte, 614f. (zu S. 482); *Silva-Tarouca*, Die Quellen, 45, Anm. 3.
17 ACO II IV (11) 14,14-18; LME I (4b) 11,58-64.
18 ACO II IV (6) 9,2-14; in der Ausgabe von *Silva-Tarouca* (LME) fehlt der Brief.
19 Vgl. Anm. 17.

zu finden, statt ihn mit dem 13. Oktober zu verknüpfen? Überdies war eine dringliche Bitte um Entschuldigung wegen des Fernbleibens vom Konzil vor der Synode viel wichtiger als nachher; ja nach dem Abschluß einer Synode, gegen deren Verlauf und Ergebnis der Papst den entschiedensten Protest äußern mußte, war eine solche Entschuldigung kaum mehr denkbar. Ähnliches gilt für die nur in der Langfassung geäußerte Klage darüber, daß das Konzil so kurzfristig anberaumt worden sei.[20]

Ein letztes Argument für die Authentizität und Ursprünglichkeit von epist. 31 bietet die Beobachtung, die bereits anderwärts – in Anhang III – beschrieben wurde: der Brief zeigt einen Einschnitt, der durch die überraschende Nachricht von der Berufung der Synode markiert ist: der letzte Abschnitt sucht die neue Situation zu bewältigen. Eine Erweiterung solcher Art nach dem Konzil war ohne Sinn und kaum erfindlich, und bezeichnenderweise ist im Brief 30, der eine Kürzung und Neufassung von epist. 31 darstellt, der Graben zwischen beiden Abschnitten denn auch eingeebnet.[21]

2. Welche Stellung kommt nun aber der Kurzfassung zu? E. Schwartz hat nachgewiesen, daß epist. 30 nicht die Übersetzung der griechischen Version des Schreibens ist, sondern ihr gegenüber Ursprünglichkeit besitzt. Während aber Silva-Tarouca und Caspar die Doppelausfertigung durch Papst Leo selber annehmen und mit seinem Hinweis in epist. 45, er sende Pulcheria eine Neuausfertigung des Briefes zu, begründen, meint Schwartz, der Brief verrate nicht die Hand Leos. Er führt für seine Auffassung vor allem den Wegfall der breiten theologischen Ausführungen von epist. 31 an: Leos Intention sei es doch gewesen, Pulcherias theologischen Ambitionen zu schmeicheln; ähnlich deutet er den Wegfall des Lobes im Prooemium: an die Stelle der Rühmung ihres Verdienstes, der Kirche Schutz geboten und den Häretiker (Nestorius) vertrieben zu haben, sei hier der blasse Hinweis auf den Glauben der Kaiserin – den sie mit jedem Christen gemein habe – getreten.

Nun haben wir aber schon beobachtet, daß epist. 30, auch wenn ihr nicht der Charakter der Erstausführung zugesprochen werden kann, doch so trefflich redigiert ist, daß nirgends wirkliche Unebenheiten festzustellen sind. Hierfür spricht nicht zuletzt die Tatsache, daß für gewöhnlich epist. 30 als die ursprüngliche und authentische Fassung gegolten hat. Will man aber beiden Briefen Echtheit zusprechen, so stellt sich die Frage, ob es Hinweise dafür gibt, daß Leo zusammen mit epist. 45 nicht die ursprüngliche lange Fassung, sondern eine gekürzte, eben epist. 30, schickte. Hierfür seien einige Beobachtungen angeführt.

20 ACO II IV (8) 10,28-11,9; LME I (4) 7,34-8,55.   21 ACO II IV, praef., XXII.

Wie Leo − zusammen mit den übrigen Teilnehmern an der Synode − die neue Situation im Oktober 449 sieht, wird durch epist. 45 an Pulcheria deutlich: es kommt für ihn jetzt alles darauf an, daß die ephesinische Synode nicht als rechtmäßig anerkannt wird.[22] Es steht im Augenblick nicht die dogmatische Erörterung, sondern das kanonische Vorgehen im Mittelpunkt. So braucht es nicht zu verwundern, wenn Leo in diesem Augenblick die ausführlichen dogmatischen Begründungen aus dem Schreiben herausnimmt und nur die entscheidenden dogmatischen Darlegungen, die nun sehr lapidar wirken, beläßt. Es paßt auch gut in die neue Situation, wenn jetzt die ausführliche Entschuldigung Leos wegen der Absage seiner persönlichen Beteiligung entfällt: darüber brauchte nun nicht gesprochen zu werden; eine Entschuldigung war erst recht nicht mehr am Platz. Wenn E. Schwartz im Prooemium die Rühmung der Verdienste Pulcherias für den Glauben und die Kirche vermißt, so spricht dies doch keineswegs für die Folgerung, die er daraus zieht.[23] Denn Leo hat in epist. 45, der die epist. 30 beigefügt wurde, bereits ein hohes Lob gespendet: Hätte Pulcheria Leos Schreiben erhalten, so hätte sie gewiß verhindern können, was in Ephesus gegen den Glauben geschehen ist.[24] Und der einleitende Satz des Prooemiums von epist. 30 nimmt das Lob kurz auf (Leo hat für sein Vertrauen auf Pulcherias Glauben − von dem sich die Kirche viel versprechen kann − zahlreiche Beweise), spricht also, ganz anders als Schwartz behauptet,[25] von den spezifischen Verdiensten Pulcherias. Zugleich aber hebt schon dieser erste Satz hervor, daß Pulcheria Gott, dem sie ihre kaiserliche Stellung verdankt, in allem ihre Herrschaft unterwirft.[26] Und diese Wendung paßt ausgezeichnet in den Kontext des Oktobers 449: die Anklage gegen den unkanonischen Verlauf erhält so einen Hinweis auf die Grenze kaiserlicher Macht, die in Ephesus, nicht aber von Pulcheria, überschritten wurde. Schließlich ist in dieser neuen Situation auch die kleine Ergänzung, welche die Kurzfassung am Schluß enthält, verständlich. Die Bemerkung, Konstantinopel sei der rechte Ort für die Umkehr und Begnadigung von Eutyches, kann als versteckter Hieb gegen Ephesus verstanden werden, der nach dem Scheitern der Synode

---

22 ACO II IV (23) 23,30-25,4; LME I (13) 34,1-36,59.

23 ACO II IV, praef., XXII.

24 ACO II IV (23) 23,31-24,3; LME I (13) 34,6-10. Auch der von *Schwartz* in der Kurzfassung vermißte Hinweis auf das Apostolische Glaubensbekenntnis (ACO II IV, praef., XXII) ist in epist. 45 gegeben, war also in epist. 30 entbehrlich: ACO II IV (23) 24,16; LME I (13) 35,28f.

25 ACO II IV, praef., XXII; vgl. *Caspar*, Geschichte, 614f. (zu S. 482).

26 ACO II IV (8) 10,7-10; LME I (4) 6,6-9: „Quantum sibi fiduciae de fide vestrae clementiae Ecclesia dei debeat polliceri, multis probavimus saepe documentis, dum sicut Spiritu sancto docente didicistis illi per omnia potestatem vestram subicitis, cuius munere et protectione regnatis."

besonders angebracht war.[27] Zusammenfassend läßt sich sagen: eine Reihe von Indizien spricht dafür – nichts aber dagegen –, daß Leo am 13. Oktober Pulcheria eine in hervorragender Weise gekürzte, geringfügig ergänzte Fassung des ursprünglichen Schreibens, eben epist. 30, zusammen mit dem synodalen Schreiben, epist. 45, zusandte.

ANHANG V:
DIOSKUR UND DIE LEGATEN IN EPHESUS

In Ergänzung zur Darstellung in Kapitel II sollen hier zwei wichtige Probleme behandelt werden: die Weigerung Dioskurs, Leos Brief an die Synode verlesen zu lassen, und das Schweigen der Legaten angesichts der Verurteilung von Eusebius von Doryläum.

1. Zur Abweisung des Briefes Leos
an die Synode

Jalland vertritt die Auffassung, Dioskur habe dem Ersuchen der Legaten stattgegeben und das Schreiben Leos verlesen lassen wollen,[1] was nur durch das Dazwischentreten eines Sekretärs verhindert wurde, der – von Juvenal unterstützt – darauf insistierte, daß zuerst noch ein weiteres Schreiben des Kaisers verlesen werde. Dies spreche auch für die Unparteilichkeit Dioskurs auf dem Konzil: „A point worth of noticing in favour of Dioscorus' impartiality. It is likely that his supposedly partial conduct of the proceedings has been considerably exaggerated."[2] Schon auf dem Konzil von Chalcedon wurde das Vorkommnis heftig diskutiert und höchst unterschiedlich interpretiert. Dioskur selbst sagte dazu, nach Auskunft der Akten habe er zweimal Anweisung gegeben, man solle den Brief „verlesen".[3] Dies war die Antwort auf Vorwürfe orientalischer Bischöfe und des Eusebius von Doryläum, er habe den Brief nicht verlesen, sondern zurückgehalten. Nach dem in Frage stehenden Text der ephesinischen Akten hatte Dioskur angeordnet, den Brief entgegennehmen zu lassen: „Ὑποδεχθήτω τὰ γραφέντα . . . παρὰ . . . Λέοντος."[4]

Dem Einreichen eines Dokuments folgt auf den Synoden und so auch hier in Ephesus für gewöhnlich ein Handeln der Konzilsleitung in drei Etappen, die eng miteinander verbunden sind: Entgegennahme, Verlesung, Einfügung

---

1 St. Leo, 239.
2 Ebd. Anm. 9.

3 ACO II I 1 (93) 84,7-9; (99) 84,21f.
4 Ebd. (84) 83,15-17.

in die Akten. Da und dort werden in Ephesus nur zwei Elemente ausdrücklich genannt: Lesen und Einfügen in die Akten bzw. Entgegennahme und Aufnahme in die Akten, was jedoch das dritte Element mit einschloß.[5] Daraus kann man die Folgerung ziehen, für gewöhnlich bedeute die Entgegennahme eines Dokuments zugleich dessen offizielle Verlesung und so auch die Aufnahme in die Akten. Auf diese Weise macht Schwartz verständlich, warum Flavian sich weigerte, das Glaubensbekenntnis von Eutyches entgegenzunehmen, und statt dessen ihn aufforderte, es selbst zu verlesen bzw. frei vorzutragen.[6] In diesem Sinn einer offiziellen Verlesung interpretiert denn auch Dioskur in Chalcedon seine oben erwähnte Aufforderung, es vor der ephesinischen Synode verlesen zu lassen.

Jedoch fällt auf, daß diese Anordnung in der ganzen ephesinischen Synode der einzige Text ist, in dem einzig von *Entgegennahme*, nicht aber von Verlesen oder von Aufnahme in die Akten die Rede ist. Dies gab dem Sekretär und Juvenal die Möglichkeit, eine Verlesung fürs erste hinauszuschieben und Dioskur zu helfen, im Zusammenspiel mit Thalassius die Taktik des Verschiebens über die synodale Urteilsfindung hinaus durchzuhalten und so auch die Aufnahme in die Akten zu verhindern. Wenn der Alexandriner später – in Chalcedon – seine ephesinische Anweisung als Anordnung einer Verlesung deutet, so kann er sich auf den mehrdeutigen Wortlaut stützen. Seine Gegner treffen jedoch seine wahre Absicht, wenn sie seinem Wort eine andere Auslegung geben. Es ging ihm nicht um eine Entgegennahme im eigentlichen Sinn, die auf Verlesung und Dokumentierung abgezielt hätte. So ist es auch zu verstehen, warum der konstantinopolitanische Archidiakon – mit der Terminologie synodaler Akten und Praxis wohl vertraut – behaupten konnte: „Weder entgegengenommen wurde der Brief des heiligsten Erzbischofs Leo noch verlesen."[7]

Entscheidend für die Beurteilung des Verhaltens Dioskurs sind nicht einzelne Worte, sondern die vorgängige Festlegung des konziliaren Programms. Es zielte nicht auf die Behandlung der Glaubensfrage, sondern auf die Durchsetzung eines bestimmten Traditionsprinzips, das gegen Flavian gekehrt werden konnte. Wollte der alexandrinische Patriarch seine Absichten durchführen, so war er gezwungen, die Verlesung des Briefes Leos zu verhindern. Dies gelang mit der Taktik des Verschiebens, die sogar aus den Akten deutlich abgelesen werden kann. Man mag mit W. de Vries[8] viele Entschuldigungsgründe im einzelnen geltend machen. Seiner Auflistung

---

5 Vgl. z. B. ebd. (86) 83,22ff.; (113f.) 86,11-15; (154-156) 90,2-16; (553f.) 147,32-36.
6 Der Prozeß, 81f.
7 ACO II I 1 (90) 83,30-32.
8 W. *de Vries*, Ephesus 449, 357-398.

könnte man hinzufügen, daß sogar das Herbeirufen der comites kein Unrecht bedeutete. Als nach Dioskurs Sentenz Bischöfe auf ihn zueilten und ihm zu Füßen fielen, mußte er einen offenen Widerstand der Bischöfe befürchten, der durch die Direktiven des Kaisers streng verboten war. Aber entscheidend ist die Vorprogrammierung des Konzils im Zusammenspiel mit dem Kaiser, die dem Konzil keine Bewegungsfreiheit gab.

2. Das Schweigen der Legaten zur Verurteilung des Eusebius von Doryläum

Es ist kaum verständlich, daß die Legaten zur Verurteilung von Eusebius von Doryläum schwiegen, während − immer gemäß den Akten − hundertvierzehn Bischöfe ihr Urteil sprachen. Caspar bezeichnet das Verhalten von Bischof Julius als unverzeihlich, führt aber die problematische Tätigkeit des Übersetzers als Milderungsgrund an: „Hatte Flavian vorher wenigstens einen schwachen Versuch, zu Wort zu kommen, gemacht, so hatten die römischen Legaten diese ganze Verlesung samt den verwünschenden Zwischenrufen gegen die Zweinaturenlehre schweigend über sich ergehen lassen, und auch bei der Abstimmung hatte sich Bischof Julius von Puteoli darauf beschränkt, überhaupt nicht zu stimmen. Mochte die Legaten ihr zweimaliger vergeblicher Anlauf auch mutlos gemacht haben, so war dieses Geschehenlassen doch ein unverzeihlicher Fehler; sie hätten spätestens in diesem Augenblick unter Protest die Versammlung verlassen müssen, wenn sie ihre Instruktion und den päpstlichen Standpunkt nicht preisgeben wollten. Ihre unsichere Haltung legt die Vermutung nahe, daß sie, des Griechischen unkundig und von vornherein auf den zum Dolmetscher bestellten Florentius von Sardes angewiesen, den Verhandlungen nicht genügend zu folgen vermochten."[9] Jalland folgt Caspar und findet es schwer, das Verhalten von Julius zu entschuldigen, auch wenn die Legaten gedacht haben mochten, ein Protest nütze überhaupt nichts.[10]

Der Hinweis auf mangelnde Übersetzertätigkeit von Florentius dürfte an dieser Stelle kaum viel erklären. Gewiß war Florentius ein entschiedener Parteigänger Dioskurs. Er gehörte z. B. zu den ersten, die für die sofortige Verlesung der Akten der endemischen Synode stimmten.[11] Gewiß hatte er auch an entscheidenden Stellen den Legaten ganz unzureichend, ja irreführend oder gar nicht übersetzt, so daß sie im dunkeln gelassen waren und sich

9 Geschichte, 486.
10 St. Leo, 240.
11 ACO II I 1 (205) 98,11f.

mit ihren Äußerungen kompromittieren mußten. Sosehr dies aber Florentius und indirekt Dioskur belastet, so wird man doch schwerlich annehmen können, Florentius habe das Ersuchen Dioskurs und den Vorgang der vielen Depositionen nicht übersetzt, so daß die Legaten nicht begriffen, was vorging.

Es ist aber auch wenig wahrscheinlich, daß die Legaten, besonders Julius, in diesem Augenblick völlig versagten. Denn bis dahin hatten sie eine sehr entschiedene Haltung an den Tag gelegt: Gleich am Anfang hatten sie Leos Schreiben ins Spiel gebracht; dann hatten sie auf der Behandlung der Glaubensfrage und auf der Verlesung des päpstlichen Schreibens vor der Verlesung der konstantinopolitanischen Akten beharrt und so das Versprechen Dioskurs, Leos Brief verlesen zu lassen, erreicht; mit Nachdruck hatten sie schließlich das Ersuchen Flavians unterstützt, Eusebius vor der Synode auftreten zu lassen. Wie sollten sie gerade jetzt mutlos geworden sein, wo es um die Entscheidung ging und wo sie sich auf das Versprechen Dioskurs stützen konnten? Oder schwiegen sie vielleicht, falsch taktierend, in Erwartung der zugesicherten Verlesung des leoninischen Schreibens? Aber gewiß mußten sie erkennen, daß jetzt eine schwerwiegende Vorentscheidung fiel und gerade jetzt statt eines verfrühten Urteils die Verlesung notwendig war. Der Vorgang des Urteils vollzog sich ja nach dem Zeugnis von Flavian dramatisch genug: Dioskur habe manche (aliqui) Bischöfe gegen ihren Willen mit Zwang dazu gebracht, Eutyches als orthodox zu beurteilen.[12] Es ist kaum möglich, daß die Legaten die Dramatik der Entscheidung und die Notwendigkeit, jetzt einzugreifen, nicht erkannten.

Das Schweigen der Akten erklärt sich deshalb am besten, wenn man annimmt, daß sie hier die Stellungnahme der Legaten verschweigen. Ein ähnliches Vertuschen liegt auch, wie sich zeigen wird, beim Urteil über Flavian vor. Ebenso verschweigen die Akten die entschiedene Intervention der Legaten zugunsten des Auftretens des Eusebius vor der Synode. So wird man annehmen dürfen, die Legaten seien − wie sonst während der ganzen Synode − dafür eingetreten, daß vor dem Urteil Leos Schreiben verlesen und die Glaubensfrage erörtert werden müsse. Es ist aber auch möglich, daß sie selber die römische Stellungnahme zur Geltung bringen wollten, daran aber von Dioskur gehindert wurden. Flavian beschreibt die Behinderung der Legaten nur generell, hebt dabei aber ein Doppeltes hervor: Sie konnten Leos Schreiben nicht zur Verlesung bringen und sie wurden nicht für würdig gehalten, selber vor der Synode das Wort zu ergreifen: „. . . ne sermone quidem ullo dignos habuit qui a vobis sunt destinati . . . "[13] Dieser Erklä-

12 ACO II II 1 (11) 78,9f.

13 Ebd. 78,24-30.

rungsversuch dürfte, auch wenn er angesichts der dürftigen Quellen Hypothese bleiben muß, doch dem Gesamt-Duktus des Geschehens und den einzelnen Fakten am besten entsprechen.

ANHANG VI:

FLAVIANS BERICHT ÜBER EPHESUS UND SEINE TENDENZ IM GEGENÜBER ZU JENER DER AKTEN

Der Sinn der folgenden Ausführungen ist, den Bericht Flavians unter primär historischer Fragestellung mit den Akten zu vergleichen. Dadurch sollen die zugrunde liegenden Tendenzen bei Flavian wie bei Dioskur hervortreten und Licht auf die Frage der Glaubwürdigkeit der jeweiligen Berichte fallen lassen. Im ganzen soll die Darstellung, die im 2. Kapitel Dioskur und Flavian gewidmet wurde, ergänzt werden.

1. Flavians Bericht

Übereinstimmungen der relatio Flavians mit den Konzilsakten lassen sich, wie kaum anders zu erwarten, schon in der Darstellung des Verlaufs der Sessio im ganzen feststellen. Flavian gibt die Grundzüge richtig wieder. Er unterscheidet zwei Verhandlungsphasen, die – durch eine kurze Pause auch äußerlich voneinander abgehoben – einen Tag füllten. Er nennt die Verlesung des kaiserlichen Reskripts, verweist auf die Schwierigkeiten bei der Tagesordnung und auf die Weisung Dioskurs, zunächst die Akten der endemischen Synode verlesen zu lassen, und nennt dann – in einer Weise, die keine Klarheit über die genaue zeitliche Abfolge ermöglicht – folgende Elemente des Geschehens: Überreichung eines Libells von Eutyches, wogegen er, Flavian, nicht die gewünschte Möglichkeit erhielt, sich zu verteidigen; Urteil über Eutyches in Verbindung mit Interlokutionen; nach der Pause Verlesung von Texten des Ersten Ephesinischen Konzils und Verurteilung seiner Person sowie des Eusebius.[1]

Die detailliertesten Angaben und zugleich die bemerkenswertesten Übereinstimmungen zeigen sich bei den Interlokutionen bzw. Akklamationen.

1 ACO II II 1 (11) 77,19-78,38.

Nach Flavian gibt es Interlokutionen, die Eutyches den rechten Glauben bestätigen und die Übereinstimmung der Konzilsväter mit ihm betonen. Ähnlich erwähnen die Akten Stimmen, die den Glauben von Eutyches als Glauben der Väter – und umgekehrt – deklarieren. Die von Flavian erwähnten Interlokutionen, die über jene das Anathem aussprechen, welche mit diesem von Eutyches festgehaltenen Glauben nicht übereinstimmen (bzw. sich nicht zur einen Natur nach der Einung bekennen), finden ebenfalls in den Akten ihre Entsprechung: Anathema über den, der zwei Naturen nach der Einung bekennt! Eine dritte Gruppe von Interlokutionen, die Flavian nennt, findet eine gewisse Parallele in Akklamationen, die Dioskur vor der Verlesung der Anklageschrift von Eutyches provozierte. Nach Flavian: Rufe, die verbieten, über das „gleichwesentlich mit uns" hinauszugehen und das Geheimnis Christi erforschen zu wollen; nach den Akten: Rufe, die sich gegen ein Forschen über Nicäa bzw. Ephesus hinaus wenden.[2] Weniger erstaunlich ist eine gewisse Übereinstimmung im Blick auf die Legaten. Was sich aus den Akten Schritt für Schritt ersehen läßt – obwohl Dioskur sein Verhalten mit seinen Versprechungen schon während der Verhandlungen und so auch durch die Akten zu vertuschen sucht –, hebt Flavian hervor: die Legaten bemühten sich vergeblich, den Brief Leos verlesen zu lassen.[3]

2. Die Tendenz Flavians

Nicht weniger bemerkenswert als die Übereinstimmungen sind die Abweichungen. Flavian erwähnt die tumultuarischen Ereignisse während der Urteilsfindung der Synode, welche die Akten so geflissentlich verschweigen.[4] Er erwähnt den Einspruch der Bischöfe bei Festlegung der konziliaren Tagesordnung, den die Akten höchstens andeutungsweise erkennen lassen.[5] Eindeutig ist die Differenz in der verschiedenartigen Benennung des Widerspruchs von Flavian gegen seine Verurteilung durch Dioskur (ist er eine Appellation an Rom oder nicht?).[6] Während die Akten eine allgemeine Drohung von seiten der kaiserlichen Kommissare erkennen lassen, erwähnt Flavian eine Drohung von Dioskur, die sich gegen ihn und die anwesenden

---

2 Die Akklamationen bei Flavian: ebd. 78,11-14; man vergleiche damit die Akten: ACO II I 1 (506-509) 141,25-29 (der Glaube von Eutyches als Väterglaube); (528f.) 143,12f. (Konsens mit Eutyches); (491-495) 140,25-32 (Anathem-Forderung); (120) 87,6f; (141-148) 89,1-21 (Forschen, Neuern).

3 ACO II II 1 (19) 78,24-28.

4 Ebd. 78,30-38.

5 Ebd. 77,30-78,2.

6 Ebd. 78,32-34; vgl. ACO II I 1 (963) 191,29.

Mitglieder der endemischen Synode richtet.[7] Weiter erwähnt Flavian einen Druck des Alexandriners auf die Bischöfe während der Interlokutionen und des Urteils über Eutyches;[8] diese Nötigung spiegelt sich in den Akten am ehesten in der dramatisch Akklamationen provozierenden Verhandlungsführung des Patriarchen.

Besonders bemerkenswert ist der Gegensatz hinsichtlich des Urteils über Eutyches: während Flavian das Urteil von Dioskur an die Spitze stellt und sogar vor Nennung der Interlokutionen erwähnt,[9] zeigen die Akten das gegenteilige Verhalten Dioskurs, der als letzter urteilt und so das Urteil der Synode nur besiegelt.[10] Bei Flavian tritt er als der eigentlich Verantwortliche auch dadurch hervor, daß er die kaiserlichen Kommissare überhaupt nicht und einige Dioskur unterstützende Bischöfe nur am Ende, sozusagen beim Summarium, erwähnt,[11] während die Akten an wichtigen Punkten die Kommissare und die anderen Mitglieder der Konzilsleitung als aktiv Mitwirkende erscheinen lassen. Zwei Beobachtungen verdienen abschließend hervorgehoben zu werden: Die während der Synode gemachten, besonders von Dioskur hervorgerufenen Äußerungen über den Glauben treten bei Flavian im Ganzen seiner Darstellung stark hervor. Ephesus soll als Verletzung des Glaubens geschildert werden. Und der alexandrinische Patriarch nimmt auf dem Konzil eindeutig die zentrale Stelle ein. Er lenkt und entscheidet alles.

3. Die Tendenz Dioskurs

Dioskur legt es demgegenüber darauf an, die Stellung des Kaisers hervorzuheben. Er läßt die Schreiben verlesen, in denen der Kaiser die Teilnahme von Theodoret am Konzil in Frage stellt, während er sie dem Mönch Barsumas gewährt.[12] Durch die Aufforderung an die Bischöfe, die Einberufungsschreiben des Kaisers an sie vorzulesen, erscheinen diese geradezu als Teilnahmeberechtigungen, die vom Kaiser ausgestellt sind.[13] Er läßt die kaiserlichen Beamten verkünden, der Kaiser verbiete es Flavian und den Mitgliedern der endemischen Synode, die Glaubensfrage zu erörtern.[14] In der konkreten Leitung des Konzils tritt Dioskur zwar an entscheidenden Stellen hervor,

---

7 ACO II II 1 (11) 78,2-6.
8 Ebd. 78,9-16.
9 Ebd. 78,8f.
10 ACO II I 1 (884,113) 186,9-12.
11 ACO II II 1 (11) 79,12-15.
12 ACO II I 1 (80f.) 82,19-26; (108) 85,8f.
13 Ebd. (80) 82,19-21.
14 Ebd. (110) 85,13-15.

gibt aber zugleich Juvenal und Thalassius eine moderatorische Funktion. Auch die Konzilsversammlung als ganze läßt er hervortreten: im Urteil über Eutyches schließt er sich, wie wir sahen, als letzter der Entscheidung jener Bischöfe an, die ein Urteil fällten.

Für Dioskur bedeutet die Entscheidung des Konzils zwar auch eine Klärung und Entscheidung der Glaubensfrage. So interpretiert er die vom Kaiser im Schreiben an das Konzil genannte Aufgabe, die Saat der Häresie auszurotten, in einer den Akten beigefügten interpretierenden Notiz als Auftrag, der sich gegen Flavian als Glaubensneuerer richtet. Aber Dioskur begründet diesen Vorwurf nicht durch eine Klärung der Glaubensfrage als solcher, vielmehr sieht er die entscheidende Verirrung von Flavian darin, daß er es wagte, eine über Nicäa und Ephesus hinausgreifende Glaubensentscheidung zu treffen. Dioskur läßt die ephesinische Synode als Streit um Nicäa und das Traditionsprinzip erscheinen. Dem Kaiser ist eine entscheidende Rolle zugewiesen.

So zeigen die Darstellungen Dioskurs in seinen Konzilsakten und Flavians in seinem Bericht an Leo grundlegend verschiedene Hauptzüge einer Interpretation des Konzils. Ihre Berichte sind je dort von besonderem Belang, wo die Gegenseite etwas verschweigen oder vertuschen möchte: auf einer je anderen Ebene kommen sie der Wahrheit näher.

ANHANG VII:

DIE URSPRÜNGLICHE FASSUNG DER ERSTEN AUSEINANDERSETZUNG ZWISCHEN LEGATEN UND BEAMTEN AUF DEM KONZIL

In seiner Studie „Der sechste nicaenische Kanon auf der Synode von Chalkedon" untersucht E. Schwartz auch die Differenz zwischen dem lateinischen und dem griechischen Text im Blick auf die Äußerungen, welche die Legaten in der Diskussion über die Privilegien des konstantinopolitanischen Stuhles machten. Sein erstes Ergebnis lautet: „Vergleicht man den lateinischen und den griechischen Text der von dem Legaten Lucensius gesprochenen Worte, so fällt zunächst als sichere, keinem Zweifel zugängliche Beobachtung in die Augen, daß hier nicht, wie sonst, der lateinische Text aus dem griechischen übersetzt sein kann. Umgekehrt weist der griechische unverkennbare Spuren der Übersetzung aus dem lateinischen auf . . . "[1] Es

1 E. *Schwartz*, Der sechste nicaenische Kanon, 622.

könne dies aber nicht die Übersetzung sein, die auf der Sitzung selbst vorgetragen wurde, da man sich keinesfalls derartige Verfälschungen des Sinns „erlauben konnte, wie sie der griechische Text so gut wie durchweg aufweist".[2] Die Zielrichtung der Bearbeitung charakterisiert Schwartz so: „So viel ist jedenfalls klar: der lateinische Text ist von dem Übersetzer verfälscht, um den Anschein zu erwecken, als ob der römische Legat die Gültigkeit der Konstantinopler Kanones nicht bestritten, sondern als den nicaenischen gleichwertig anerkannt habe."[3] Zugleich kommt er zum Schluß, der echte und authentische lateinische Text könne nicht Werk der lateinischen Übersetzer sein, sondern sei von ihnen aus den Originalen entlehnt worden. Schließlich stellt er die Hypothese auf, die verfälschende Übersetzung gehe auf Justinian zurück, der mehr und mehr „die Reichskirche nach seinem Willen zu lenken" suchte, „dabei aber immer die Form wahrend". „Zu dieser Politik paßt das Bestreben, den Streit zwischen Leo und Konstantinopel aus den chalkedonischen Akten hinauszukorrigieren."[4]

Im folgenden soll gezeigt werden, daß auch in der ersten Diskussion des Konzils bei den Äußerungen der Legaten der lateinische Text der originale ist, während der griechische – wie in der Schlußsitzung – bemerkenswerte Abweichungen zeigt. Verzeichnen wir zunächst die Unterschiede. Nach dem lateinischen Text verlangt der Legat Paschasinus, der mit den anderen Legaten in die Mitte der Versammlung getreten ist, von den kaiserlichen Beamten (unter Berufung auf eine päpstliche Weisung) zunächst, Dioskur dürfe nicht als sedens am Konzil teilnehmen, sondern solle nur als Angeklagter (audiendus) zugelassen werden. Er richtet seine Forderung ausdrücklich an die Beamten: Wenn die Kommissare nicht befehlen, daß Dioskur heraustritt, d. h., daß er aus der Reihe der sedentes in die Mitte der Versammlung als Angeklagter geführt wird, so reisen wir ab.[5] Auch die weitere Äußerung von Paschasinus ist demgemäß an die Beamten gerichtet: eine Anklage werde erst erhoben, wenn Dioskur in die Mitte geführt sei.[6]

Nach dem griechischen Text richtet Paschasinus (unter Berufung auf die Weisung des Papstes) seine erste Stellungnahme vor allem an Dioskur selbst in der Form einer Warnung: Wenn er es wagen sollte, sedens zu sein, so solle er „hinausgeworfen", d. h. aus dem Konzil entfernt werden. Entweder füge er sich dem und trete – als Angeklagter – heraus oder sie, die Legaten, würden sich entfernen.[7] Und auch die nächste Äußerung ist zuallererst an die Adresse des Patriarchen gerichtet: erst wenn er in die Mitte trete, seien sie bereit, ihre Anklage zu formulieren.[8]

---

2 Ebd. 3 Ebd. 624. 4 Ebd. 626. 5 ACO II III 1 (5) 40,4-8.
6 Ebd. (7) 40,12f. 7 ACO II I 1 (5) 65,17-22. 8 Ebd. (7) 65,25f.

Die lateinische wie die griechische Version sind je in sich selbst stimmig, zeigen aber untereinander erhebliche Differenzen. Nach dem lateinischen Text richten sich die Forderungen der Legaten an die kaiserlichen Beamten: sie sollen Dioskur nur als Angeklagten zulassen. Sollten sie dies nicht befehlen, so würden sie — Leos Stellvertreter — die Synode verlassen. Erst wenn die Beamten Dioskur in die Mitte treten ließen, seien sie bereit, ihre Anklage vorzutragen. Nach dem griechischen Text wenden sich die Legaten demgegenüber mit ihren Forderungen an Dioskur selbst: Er solle es nicht wagen, die Stellung eines sedens einzunehmen, er solle sich den Beamten unterwerfen (ihnen „beitreten") und den Platz eines Angeklagten einnehmen. Erst wenn er in die Mitte trete, gelte es, Anklagen gegen ihn vorzutragen. Der lateinische Text läßt eine schwerwiegende Differenz zwischen den päpstlichen Legaten und den kaiserlichen Kommissaren in Rede und Gegenrede erkennen. Im griechischen zeigt sich nur eine Differenz zwischen den Legaten und Dioskur, der aber selber merkwürdigerweise stumm bleibt. Legaten und Beamte stehen ihm gemeinsam gegenüber. Denn die Legaten fordern, Dioskur solle sich den Beamten fügen.[9]

Welchem Text ist der Vorzug zu geben? Der untersuchte griechische Text ist zwar in sich stimmig, paßt aber nicht zu den übrigen griechischen Texten. Denn er zeigt, daß die Legaten Widerstand gegen ihr Ersuchen zwar von seiten Dioskurs erwarten, sich jedoch mit den Beamten eins wissen. Die andern Texte aber lassen gerade diese Einmütigkeit vermissen: die Fragen und Wünsche der Beamten an die Legaten lassen zwar keine größeren Differenzen mehr erkennen, zeigen aber doch eine ungeklärte Situation. Die Beamten zeigen sich z. B. noch nicht zufrieden, als Lucensius den Beschwerdepunkt genannt hat, sie erwarten vielmehr eine detailliertere Anklage.[10] Verwunderlich ist überdies, daß nach der griechischen Version die Äußerungen der Legaten immer auf Dioskur zielen, dieser aber stumm bleibt. Schließlich machen hier die Legaten ihre weitere Teilnahme am Konzil vom Nachgeben Dioskurs abhängig. Dies ist aber völlig undenkbar: es hieße, gerade dem, der in den Augen der Legaten am meisten Schuld auf sich geladen hatte, die Entscheidung am Gelingen oder Mißlingen der Synode zu übergeben. Eine weitere Beobachtung sei bereits jetzt angefügt: Auch die letzte Äußerung der Beamten gibt im Ganzen des griechischen Textes keinen rechten Sinn. Sie ist an den Legaten Lucensius gerichtet: „Wenn Du die Stellung des Richters einnimmst, so brauchst Du Dich nicht als Angeklagter zu verteidigen."[11] Es ist dies die Antwort auf die beharrliche

9 Vgl. Anm. 5.   10 Ebd. (8) 65,27f.   11 Ebd. (13) 66,8f.

Forderung des Legaten im Blick auf Dioskur, der nur als Angeklagter teilnehmen dürfe.[12]

So ergibt sich auch hier die Folgerung, die Schwartz für eine ähnliche Textfolge ziehen konnte: der lateinische Text ist der ursprüngliche. Er ist in sich geschlossen und entspricht der historischen Situation. Er zeigt die Legaten in der Auseinandersetzung über Dioskurs Stellung auf dem Konzil. Die Beamten fügen sich nur widerstrebend und halb der Forderung der Legaten und lassen schließlich doch nicht sie, sondern Eusebius von Doryläum als Ankläger gelten.[13] Hier erhält denn auch das Schlußwort der Beamten seinen vollen Sinn: Si iudicis obtines personam, non ut accusator debes prosequi.[14] Es zeigt, daß die Differenz zwischen ihnen und den Legaten trotz eines gewissen Nachgebens, das den Beamten abgerungen wurde, nicht beseitigt ist. Während die Legaten Dioskur anklagen, weigern sich die Beamten, sie als Richter und Ankläger zugleich fungieren zu lassen.

Auch die zweite Folgerung von Schwartz gilt für unseren Text: Die Tendenz der Bearbeitung geht dahin, die heftige Auseinandersetzung zwischen den Beamten des kaiserlichen Hofes und den Legaten des Papstes auszumerzen. Hier ist es nun Dioskur, dem sich die Legaten entgegenstellen. Die Bearbeitung findet übrigens nur dort statt, wo im ursprünglichen Text eine solche Differenz in Erscheinung tritt. Es geht bei der Fälschung nicht darum, die hohe Stellung Roms, welche die Legaten zum Ausdruck bringen, aus den Akten zu tilgen. So ist z. B. das Vorgehen Dioskurs in Ephesus dem Papst gegenüber korrekt wiedergegeben.[15] Dies bedeutet schließlich eine Stütze für die These von Schwartz, die Fälschung von den Absichten Justinians her zu erklären. Wir haben anderwärts die Tendenz Justinians, Rom und Konstantinopel möglichst eng miteinander zu verbinden, aufgewiesen.[16]

---

12 Ebd. (12) 66,5-7.
13 Ebd. (14) 66,10-17.
14 ACO II III 1 (13) 40,28f.
15 ACO II I 1 (87-106) 83,24-85,3.
16 „La ‚sedes apostolica‘," 448-454, bes. 452f. Was dort von der Position des Patriarchen Johannes II. gesagt wird, gilt gleichermaßen von Justinian, der schon zu dieser Zeit (519) die Kirchenpolitik maßgeblich mitbestimmte. Vgl. den Artikel von Rh. *Haacke*, Die kaiserliche Politik in den Auseinandersetzungen um Chalkedon, in: Das Konzil von Chalkedon II, 95-177, bes. 141ff.

DIE ZEITLICHE EINORDNUNG DER ALLOCUTIO
AN DEN KAISER ÜBER DEN TOMUS LEOS

Im Anschluß an die Beschreibung der fünften Sitzung, in der die Konzilsväter die Glaubenserklärung gebilligt hatten, erklärt C. J. Hefele: „In diese Zeit fällt wahrscheinlich jene allocutio (προσφωνητικός) der Synode an den Kaiser Marcian, welche Mansi (VII p. 455) und Hardouin (II p. 643) erst hinter allen Synodalprotokollen mitteilen, die aber entschieden schon den ersten Zeiten unserer Synode angehört und entweder nach Beendigung der fünften Sitzung dem Kaiser schriftlich zugestellt wurde (die Commissäre versprachen ja, an ihn Bericht zu erstatten), oder aber in der folgenden sechsten Sitzung bei persönlicher Anwesenheit des Kaisers mündlich vorgetragen wurde."[1] Hefele hält einen späteren Termin für so unwahrscheinlich, daß er darauf gar nicht eigens eingeht.[2] Da sich die allocutio mit der Glaubensfrage befaßt, hätte sie nach der sechsten Sitzung in der Tat keinen Platz mehr im Leben der Synode. Nur in der sechsten Sitzung war aber der Kaiser selbst auf dem Konzil erschienen. Gegen die Annahme dieses Zeitpunkts spricht trotz der Bezeichnung „προσφωνητικός" nicht nur die Auffassung von Facundus,[3] die allocutio sei an den Kaiser schriftlich gerichtet worden, sondern auch das völlige Fehlen eines Hinweises auf eine Verlesung in den Akten. Vor allem aber paßt – wie noch dargestellt werden soll – der Inhalt des Schreibens nicht in diese Phase des Konzils. Wurde die allocutio aber nicht auf der sechsten Sitzung dem Kaiser vorgetragen, so liegt kein Grund vor, eine schriftliche Äußerung nur nach Beendigung der fünften Sitzung für möglich zu halten. Ein so später Zeitpunkt ist vielmehr auszuschließen. Die allocutio wurde bereits vor der zweiten Sitzung verfaßt.

Sie setzt sich mit Bischöfen auseinander, die Leos Tomus und damit den Papst selbst verdächtigen oder gar anklagen.[4] Breit legt sie dar, wie Leos Vorgehen prinzipiell richtig war, da es auch nach Nicäa legitim, ja erforderlich sein konnte, angesichts neu entstehender Streitigkeiten und Fragen den Glauben zu erläutern.[5] Schließlich fügt die allocutio Vätertexte an, die die Übereinstimmung der Glaubensdeutung Leos mit der Lehre der Väter

---

1 C. J. *Hefele*, Conciliengeschichte, 472f.; vgl. C. J. *Hefele* – H. *Leclercq*, Histoire des conciles, 729.

2 Anders E. *Schwartz*, ACO II I 3, praef. XIII-XV: er plädiert für eine Abfassung durch Theodoret nach Abschluß des Konzils, gleichzeitig mit dem Schreiben an den Papst.

3 Vgl. Anm. 1.

4 ACO II I 3 (20) 113,20-114,3.

5 Dies macht den Haupttext aus: ebd. 110,16-113,20.

dartun sollen, und zwar offenbar besonders solche, die den Terminus „zwei Naturen" enthalten oder wenigstens der Sache nach nahelegen und rechtfertigen. Darüber hinaus fordert sie sogar zur Diskussion über Leos Glaubensbrief auf.[6] Jene, die den Tomus in Frage stellen, sollen ihre Auffassung erläutern; dann nämlich, wenn er nach ihrer Meinung nicht der Schrift und den Vätern entspricht, wenn er nicht nicänisch und antihäretisch ist.[7] In der vierten Sitzung hatten die Bischöfe bis auf die wenigen hartnäckigen ägyptischen Konzilsväter dem Tomus schriftlich zugestimmt. Aber schon in der zweiten Sitzung war die von der allocutio geforderte Diskussion bereits in vollem Gang, setzte sich in der Synodalkommission im Haus von Anatolius fort und führte schon dort zur Unterschrift der zunächst Leo widerstrebenden Bischöfe. So erscheint eine Aufforderung zur Auseinandersetzung mit dem Tomus nur vor der zweiten Sitzung als sinnvoll.

Die Ausführungen, welche die allocutio direkt dem Kaiser gegenüber macht, bestätigen diese Beobachtungen. Sie bezeugen eine Mahnung an den Kaiser, seinen ursprünglichen Kurs beizubehalten. Dies weist auf eine neu entstandene Unsicherheit und Unklarheit in der Haltung des Kaisers hin. Die Bischöfe mahnen ihn, er möge darauf bauen, daß das Glaubensschreiben keine Neuerung gegenüber den Vätern gebracht habe.[8] Dies paßt durchaus in die frühe Phase des Konzils. Der Kaiser hatte mit der Synode in der Großen Kirche (Oktober 450) schon die Vorentscheidung getroffen und damit den Glaubensbrief als Dokument bestätigt, das auch für die Synode in Chalcedon richtungweisend sein mußte. Jetzt aber, am Ende der ersten Sessio — als der Kaiser eine allgemeine Diskussion über den Glauben in Gang bringen wollte, und zwar unabhängig vom Tomus —, konnte der Eindruck entstehen, als spiele der Glaubensbrief nicht mehr die entscheidende und grundlegende Rolle. Von der zweiten Sitzung ab ist diese Situation nicht mehr gegeben: jetzt steht wieder der Tomus im Vordergrund, er wird im Sinn der allocutio diskutiert und später feierlich bestätigt.

Für die gleiche frühe Phase spricht schließlich die breite, ja geradezu beherrschende Diskussion der Frage, ob das Vorgehen Leos, ein Glaubensschreiben zu erstellen, überhaupt legitim sei. In langer Beweisführung stellt sie dieses in eine Reihe ähnlicher Schreiben, die nach Nicäa entstanden, und wendet sich gegen ein oberflächliches Verbot von Neuerungen. Leo habe durch sein Schreiben eine neue und falsche Deutung von Nicäa abgewehrt.[9]

6 Ebd. 113,38-116,12.

7 Ebd. 113,20-25.

8 Ebd. 113,31-38.

9 Dies ist die Absicht der ganzen allocutio, wird aber im näheren Hinblick auf Leo besonders deutlich in der zweiten Hälfte: ebd. 112,24-114,3.

Die erste Sessio hatte von seiten Dioskurs gerade diese Frage aufgegriffen. Dies verwundert nicht, da ja die Zweite Ephesinische Synode ganz von dem hier abgewehrten Traditionsverständnis geprägt war und hieraus ihr Urteil gegen Flavian abgeleitet hatte. Sollte dieses Konzil revidiert werden, so war es ein vordringliches Anliegen, eine Klärung der Frage herbeizuführen. Deshalb spielte das Thema auf der ersten Sitzung eine beachtliche Rolle. Später war dies nicht mehr erforderlich. Im Gegenteil: die Fronten hatten sich rasch verschoben, ja fast verkehrt. Schon in der zweiten Sessio drängten die Bischöfe aus Palästina und Illyrien – die in Ephesus zu Dioskur gehalten hatten – auf die Erstellung einer neuen Glaubensformel hin – zunächst vorsichtig im Kielwasser des Hofes –, während die Väter, die sich um die Orientalen sammelten, eine solche Ekthesis abwiesen (zwar nicht, weil sie derartige Darlegungen prinzipiell ablehnten, sondern weil mit Leos Tomus schon eine vollgültige Antwort auf die Häresie vorlag). Die allocutio aber sah sich genötigt, die zu Anfang noch gegebene Fragestellung aufzugreifen: die Frage nach der prinzipiellen Legitimität eines solchen Schreibens und nach seiner konkreten Übereinstimmung mit den Vätern. Die allocutio ist demgemäß ein wichtiges Dokument des Ringens um den Weg der Synode, verfaßt zwischen der ersten Sessio mit ihrer Abkehr von der ephesinischen Synode und der zweiten Sitzung, in der die Suche nach dem konziliaren Programm vollends in Gang kam.

RÜCKBLICK

Der Betrachter, der sich den christologischen und ekklesiologischen Fragen der Kirche in der Mitte des fünften Jahrhunderts zuwendet, wird zum Zeugen eines vulkanischen Ausbruchs von gewaltigen Ausmaßen. In der knappen Spanne weniger Jahre entladen sich Entwicklungen, die sich lange anbahnten und unabsehbare Bedeutung gewinnen werden. Das christologische Ringen entbindet die heftig umstrittene Frage nach Kirche und Tradition und so vor allem nach der Stellung des römischen Bischofs unter den in der ökumenischen Synode versammelten Bischöfen.

Unser Rückblick soll nicht die geschichtlichen Ereignisse unter historischer Betrachtung vergegenwärtigen, sondern einige theologische Ergebnisse vorlegen. Wir beschränken uns auf wenige wichtige Züge des Bildes, die wir in knappen Strichen zeichnen im Wissen darum, in manchem besonders fragmentarisch zu bleiben, so etwa in der Beschreibung der Stellung des Kaisers.

1. Richten wir unseren Blick zunächst auf Papst Leo den Großen! Mit großer Entschiedenheit und Autorität tritt er in das Ringen um die Einheit ein, als das Appellationsschreiben von Eutyches und die Bedrohung des Glaubens der Kirche ihn zur Erfüllung seines petrinischen Auftrags ruft. Unsere Untersuchung konnte die These von H.-J. Sieben nicht bestätigen, Papst Leo habe im Angesicht des allgemeinen Konzils kein definierendes Glaubensurteil gefällt, sondern ein theologisches Lehrschreiben verfaßt, das als Vorbereitung einer konziliaren Entscheidung dienen konnte. Gewiß sucht der Papst in einer Reihe von Schreiben, vor allem im Tomus, den Glauben theologisch zu begründen und als notwendige Implikation des Symbolum, der Schrift und der Vätertradition zu erweisen. Gewiß legt er auch nicht eine bestimmte eigene Formel als einzig gültige und endgültig verbindliche vor. Aber er verwirft die Lehre, die der Archimandrit auf der endemischen Synode in einem prägnanten Satz formuliert hatte, mit immer größerer Entschiedenheit: zunächst mit seiner Bestätigung der Glaubenshaltung der endemischen Synode, dann — unter Berufung auf seine petrinische Autorität — im Angesicht des Konzils von Ephesus, ferner vor allem durch das Urteil zweier römischer Synoden, in denen er die Entscheidung des als allgemeine Synode einberufenen Konzils abweist, und schließlich durch sein entschiedenes Festhalten an der unabänderlichen Gültigkeit seines Glaubensurteils vor dem nach Nicäa einberufenen und dann in Chalcedon sich versammelnden allgemeinen Konzil.

Dieses Ergebnis bedeutet aber auch nicht die Bestätigung der vor allem von H. M. Klinkenberg und W. de Vries vertretenen Auslegung, Leo habe von den Konzilien von Ephesus und Chalcedon eine diskussionslose Annahme seines Glaubensschreibens gefordert. Vielmehr erwartet der Papst die Rezeption seines Urteils nicht einfachhin im Blick auf seine petrinische Autorität, sondern vor allem als Befragung des Glaubensbekenntnisses, der Schrift und der Väterüberlieferung – als urteilenden Vergleich seines Glaubenszeugnisses mit der Glaubensüberlieferung der ganzen Kirche. Damit gibt Papst Leo dem Konzil nicht bloß – wie Sieben in einer überraschenden Wende seiner Interpretation meint – die Aufgabe, die Einmütigkeit der Kirche im Glauben über den ganzen Erdkreis hin – in horizontaler Erstreckung – zu erwirken, sondern anerkennt seinen Auftrag, den Glauben der Kirche angesichts neuer Fragen im Blick auf den Ursprung und die Überlieferung zu prüfen und so wie der Inhaber des römischen Stuhls und mit ihm den Glaubenskonsens in seiner vertikalen Dimension zu bewahren und in Glaubensurteilen gegenüber Irrtümern zur Geltung zu bringen.

2. Dieser Konzeption, welche auf der Zweiten Ephesinischen Synode die konstantinopolitanischen und orientalischen Konzilsväter in ihrer Mehrheit mit den Legaten vertreten, stellen die Bischöfe, die sich um Dioskur sammeln und auf die kaiserliche Ermächtigung und Macht stützen, eine andere Konzilsidee gegenüber: statt eigener konziliarer Beurteilung der Glaubensfrage Berufung auf das Konzil von Nicäa, das – im Rückgriff auf das Erste Konzil von Ephesus – als unüberbietbare und für immer zureichende Norm, die eine neue Normierung des Glaubens verbietet, verstanden wird. Damit wird die kirchliche Tradition als abgeschlossene Größe zum Maßstab des Konzils. Aber zugleich erlangt damit auch der Kaiser die entscheidende Autorität innerhalb des Konzils: er wird zum Garanten der Tradition und eines solchen Überlieferungsverständnisses, er bestimmt in maßgeblicher Weise das Programm der ökumenischen Synode, entscheidet über Teilnahme und Mitwirkung und so zugleich über das Ergebnis des Konzils.

Nach dem Scheitern der Zweiten Ephesinischen Synode findet das Konzil von Chalcedon zu einem neuen Weg, der zwar die leoninische Konzilskonzeption aufnimmt, aber dann – nach heftigem Ringen der Konzilsväter – doch überschreitet. Zunächst prüft das Konzil das Urteil des päpstlichen Schreibens an Flavian an der Überlieferung – ganz im Sinne des von Leo intendierten Rezeptionsgeschehens. Diese Untersuchung führt unter bereitwilliger Zustimmung der Legaten zu einer Klärung und Deutung des Tomus in wichtigen Partien seiner theologischen Erläuterung und Begründung. Von da aus gelangt das Konzil dann zum entscheidenden neuen Schritt: es verwirft nicht nur wie der Papst und mit ihm die eutychianische Glaubensauffassung, sondern entfaltet, indem es Leos Urteil aufnimmt, aber auch theologische Anliegen Dioskurs und der mit ihm verbundenen Bischöfe berücksichtigt, eine eigenständige Deutung des Glaubensmysteriums. Dies geschieht mit der Zustimmung der Legaten, die freilich mit ihrer spezifischen Autorität in einem entscheidenden Augenblick die Zustimmung des Konzils zu einer Formel verhindern, welche als implizite Revision des leoninischen Urteils gedeutet werden konnte, obgleich dies den meisten Konzilsvätern in diesem Moment nicht klar wird. Das Konzil findet so zu einer größeren Eigenständigkeit, handelt aber nicht ohne die sedes apostolica oder gar gegen sie, sondern bleibt – von ihr gestützt – auch durch seine Glaubensformel in Gemeinschaft mit ihr.

3. Die Haltung der Bischöfe des Ostens der römischen sedes gegenüber läßt sich nicht auf einen Nenner bringen. Eine nur mühsam verhüllte Absage an den petrinischen Auftrag, wie Leo ihn auf der Zweiten Ephesinischen Synode ausüben will, bedeutet die Weigerung Dioskurs und seiner Anhänger, ein synodales Rezeptionsgeschehen im Blick auf Leos Bezeugung und Deutung des Glaubens zuzulassen. Nur wenige alexandrinische Bischöfe folgen freilich ihrem Patriarchen, als er im Angesicht des Konzils Leo aus seiner Communio auszuschließen wagt und sich damit völlig von der Linie eines Athanasius des Großen abkehrt.[1] Die anderen Bischöfe, die schon in Ephesus an seiner Seite stehen, suchen sich auch in Chalcedon vor allem auf den kaiserlichen Hof zu stützen. Die Gegenseite sucht die Glaubenseinheit zu finden, indem sie sich vor allem der sedes apostolica zuwendet. Die römische Kirche mit ihrem Bischof an der Spitze zeigt sich diesen Bischöfen als die Kirche, die Halt und Orientierung bietet, da sie in der Bezeugung und Wahrung des Glaubens Maßgeblichkeit besitzt. Für sie bedeutet die Synode von Chalcedon zugleich eine Revision der ekklesiologischen Implikationen der Zweiten Ephesinischen Synode: Eine Synode ohne und gegen das Glaubenszeugnis des römischen Bischofs ist nicht möglich; er vermag vielmehr die Konzilsväter zur Glaubenseinheit zu führen, da er petrinische Vollmacht hat. In seiner Deutung des Glaubens ist er authentischer Interpret des Bekenntnisses Petri und vermittelt der Synode die von Gott geschenkte Bestätigung ihres gemeinsamen Zeugnisses. Damit stehen diese Konzilsväter von Chalcedon in einer Linie mit den Bischöfen, die sich sogleich nach der Zweiten Ephesinischen Synode gegen diese aussprechen und ihren Blick auf Rom richten – von Patriarch Flavian über Theodoret und Eusebius von Doryläum bis hin zu Nestorius –, da für sie Papst Leo als Inhaber der sedes

---

1 Zur Stellung von Athanasius vgl. die vorzügliche Untersuchung von V. Twomey, Apostolikos Thronos. The Primacy of Rome as reflected in the Church History of Eusebius and the historico-apologetic writings of St. Athanasius the Great, Münster 1982.

der Apostel Petrus und Paulus petrinische Autorität besitzt. Die Tradition der Appellation an die römische Kirche, die in der von Petrus sich herleitenden Festigkeit der sedes apostolica Roms verankert ist, führt zur Anerkennung der Stellung der römischen sedes innerhalb eines ökumenischen Konzils: der römische Stuhl bietet den anderen Mitgliedern der allgemeinen Synode eine letzte maßgebliche Orientierung.

Neue Differenzen und eine Verdunklung dieser Sicht erbringt jedoch die Vorlage eines Textes über die Stellung der konstantinopolitanischen sedes durch den Kaiserhof, in dem die petrinischen Wurzeln der Autorität des römischen Stuhles nicht genannt sind, wogegen die Verknüpfung Roms mit Konstantinopel als Kaiserstadt zur Grundlage einer Angleichung der Autorität der konstantinopolitanischen sedes an die römische gemacht ist. Das Konzil findet schließlich aus dem Zwiespalt, den das Dokument hervorruft, heraus, indem es in einem Schreiben an Papst Leo die petrinische Stellung Roms, die es schon früher mehrfach bezeugt, bestätigt, und von da aus den vom Hof vorgelegten Text interpretiert. Es leitet die Stellung des konstantinopolitanischen Bischofsstuhles aus der theologischen Konzeption der Teilhabe an dem petrinischen Auftrag der römischen sedes ab. In dieser Auslegung bejahen die Konzilsväter das Dokument unter dem ausdrücklichen Vorbehalt der Zustimmung des Papstes. Leo weist eine solche Verknüpfung von kirchlichem und politischem Bereich mit einer bedeutsamen theologischen Begründung ab: Die petrinische Autorität des römischen Stuhles stützt als Fundament die ganze Kirche. Deshalb ist die Vollmacht des römischen Bischofs, die in dieser spezifischen Weise apostolisch ist, nicht teilbar, sie bleibt gebunden an die römische Ortskirche und ihre sedes – an jenen Bischofsstuhl, den die Synode von Chalcedon PETROU KATHEDRA nennt und als petrinische Kathedra anerkennt, die das ökumenische Konzil zur Glaubenseinheit zu führen vermag.

QUELLEN UND LITERATUR

1. Quellen

Acta Conciliorum Oecumenicorum, Tom. II: Concilium Chalcedonense a. 451, Vol. I-VI, hg. von E. Schwartz, Berlin 1932-1938. (ACO)

Conciliorum Oecumenicorum Decreta, hg. von J. Alberigo u. a., Bologna ³ 1972 (1962). (COD)

Eusebius von Caesarea, Historia Ecclesiastica, hg. von E. Schwartz, Leipzig 1903 und 1908 (GCS, 9).

Nau, F. (Hg.), Histoire de Dioscore, patriarche d'Alexandrie, écrite par son disciple Théopiste, in: Journal Asiatique, Xᵉ sér, t. I (1903) 1-8; 214-310.

Nestorius, Le Livre d'Heraclide de Damas, hg. v. F. Nau, Paris 1910.

Nestorius, The Bazar of Heracleides, hg. v. G. R. Driver/L. Hodgson, Oxford 1925.

S. Leonis Magni Epistulae contra Eutychis Haeresim Pars Prima et Secunda, hg. von C. Silva-Tarouca, Rom 1934 und 1935. (LME I und II)

S. Optati Milevitani Liber VII – accedunt decem monumenta vetera ad Donatistarum historiam pertinentia, hg. von C. Ziwsa, Prag – Wien – Leipzig 1893 (SEH 65).

Schwartz, E., Der Prozeß des Eutyches, München 1929 (SbBAW, 5). (PE)

Schieffer, R., Acta Conciliorum Oecumenicorum, Tom. IV, Vol. III, Paris I, Berlin 1974.

Sozomenus, Kirchengeschichte, hg. von J. Bidez und G. C. Hansen, Berlin 1960 (GCS, 50).

Théodoret de Cyr, Correspondance III, hg. von J. Azéma, Paris 1965 (SC, 111).

Theodoret, Kirchengeschichte, hg. von L. Parmentier/F. Scheidweiler, Berlin ² 1954 (GCS, 44, 19). (KG)

Turner, H. C., Ecclesiae Occidentalis Monumenta Juris Antiquissima, Fasc. I., Pars I, Oxford 1899.

2. Literatur

Afanassieff, N., La doctrine de la primauté à la lumière de l'ecclésiologie, in: Ist. 4 (1957) 463-482.

Aland, K., Kirche und Staat in der alten Christenheit, in: Kirche und Staat (Festschrift Bischof D. H. Kunst), Berlin 1967, 19-49.

Amelli, A., S. Leone M. e l'Oriente, Montecassino 1894.

Bacht, H., Die Rolle des orientalischen Mönchtums in den kirchenpolitischen Auseinandersetzungen um Chalkedon (451-533), in: Das Konzil von Chalkedon II, 193-314.

– Sind die Lehrentscheidungen der ökumenischen Konzilien göttlich inspiriert?, in: Cath(M) 13 (1959) 128-139.

Bajcer, F., Ecclesiologia S. Leonis Magni ex Epistolario desumpta, Rom 1957.

Bardy, G., Alexandrie, Antioche, Constantinople (325-451), in: L'Eglise et les Eglises, Bd. I, Chevetogne 1954, 183-207.

– La théologie de l'église au Concile d'Ephèse, 12 (1931) 104-137.

Batiffol, P., Cathedra Petri. Études d'histoire ancienne de l'Eglise, Paris 1938 (Unam Sanctam, 4).

– Le siège apostolique (359-451), Paris ³ 1924.

Beck, H.-G., Kirche und theologische Literatur im byzantinischen Reich, München 1959 (Byzant. Handbuch, Teil II, Bd. I).

– Konstantinopel – das neue Rom, in: Gymnasium 71 (1964) 166-174 (Konstantinopel – das neue Rom).

– Res publica Romana. Vom Staatsdenken der Byzantiner, München 1970.

Bobrinskoy, B. u. a., Der Primat des Petrus in der orthodoxen Kirche, Zürich 1961 (Bibliothek für Orthodoxe Theologie u. Kirche, 1).

Camelot, P.-Th., Die ökumenischen Konzile des 4. und 5. Jahrhunderts, in: Das Konzil und die Konzile. Ein Beitrag zur Geschichte des Konzilslebens der Kirche, Stuttgart 1962. (Die ökumenischen Konzile)
– Ephesus und Chalcedon, Mainz 1963 (Geschichte der ökumenischen Konzilien, hg. von G. Dumeige und H. Bacht, Bd. II). (Ephesus und Chalcedon)
Caspar, E., Geschichte des Papsttums von den Anfängen bis zur Höhe der Weltherrschaft, Bd. I: Römische Kirche und Imperium Romanum, Tübingen 1930. (Geschichte)
Chapman, J., Studies on the Early Papay, London 1928.
Clément, M., L'apparition du patriarcat dans l'Eglise (IV-Vème siècle) OrChrP 16 (1965) 162 bis 175. (L'apparition du patriarcat)
Congar, Y., Die Rezeption als ekklesiologische Realität, in: Conc(D) 8 (1972) 500-514.
Dagron, G., Naissance d'une capitale. Constantinople et ses institutions de 330 à 451, Paris 1974 (Bibliothèque Byzantine, Études, 7). (Naissance)
Dölger, F., Byzanz und die europäische Staatenwelt. Ausgewählte Vorträge und Aufsätze, Ettal 1953, 70-115.
Deneffe, A., Tradition und Dogma bei Leo dem Großen, in: Schol. 9 (1934) 543-554.
Dvornik, F., Byzance et la Primauté Romaine, Paris 1964 (Unam Sanctam, 49)
– Early christian and byzantin political philosophy. Origins and Background, 2 Bde., Washington 1966.
– The Idea of Apostolicity in Byzantium and the Legend of the Apostle Andrew, Cambrigde, Mass. 1958. (Apostolicity in Byzantium)
– The see of Constantinople in the first latin collections of canon law, in: Mélanges G. Ostrogorsky I, Belgrad 1963, 97-101. (The see of Constantinople)
Ehrhard, A., Die altchristlichen Kirchen im Westen und im Osten, I. Die griechische und die lateinische Kirche, Bonn 1937.
Frend, W. H. C., The Rise of the Monophysite Movement. Chapters in the History of the Church in the fifth and sixth centuries, Cambridge 1972.
Fries, H., Die Dogmengeschichte des fünften Jahrhunderts im theologischen Werdegang von John Henry Newman, in: Das Konzil von Chalkedon III, 421-454.
García, R., El primado romano y la colegialidad episcopal en la controversia nestoriana, in: Studium 11 (1971) 21-63.
Gaudemet, J., L'Église dans l'Empire romain (IVe – Ve siècles), Paris 1958 (Histoire du Droit et des Institutions de l'Eglise en Occident, III).
Getzeny, H., Stil und Form der ältesten Papstbriefe. Ein Beitrag zur Geschichte des römisch Primats, Tübingen 1922.
Gmelin, U., Auctoritas. Römischer Princeps und päpstlicher Primat, Stuttgart 1937.
Gluschke, V., Die Unfehlbarkeit des Papstes bei Leo dem Großen und seinen Zeitgenossen nach der Korrespondenz Leos in Sachen des Monophysitismus, Rom 1938.
Goemans, M., Chalkedon als „Allgemeines Konzil", in: Das Konzil von Chalkedon I, 291-302.
Goubert, P., Le rôle de Sainte Pulcherie et de l'eunuque Chrysaphios, in: Das Konzil von Chalkedon I, 303-321.
Grillmeier, A., Das Scandalum oecumenicum des Nestorius in kirchlich-dogmatischer und theologiegeschichtlicher Sicht, in: Schol. 36 (1961) 321-365.
– Konzil und Rezeption, in: ThPh 45 (1970) 321-352.
– Jesus der Christus im Glauben der Kirche, Band 1: Von der Apostolischen Zeit bis zum Konzil von Chalcedon (451), Freiburg-Basel-Wien 1979
– Bacht, H. (Hg.), Das Konzil von Chalkedon. Geschichte und Gegenwart, Bd. I-III, Würzburg ² 1962 (1951-1954).
Grumel, V., Les regestes des actes du Patriarcat de Constantinople, t. l (381-715), Paris 1972. (Chalcedon 1932)
Guberina, A., De conceptu petrae ecclesiae apud ecclesiologiam byzantinam usque ad photium, in: Bogoslovska Smotra 17 (1929) 345-376; 18 (1930) 145-174.
Haacke, Rh., Die kaiserliche Politik in den Auseinandersetzungen um Chalkedon (451-553), in: Das Konzil von Chalkedon II, 95-177.

Hajjar, J., Le synode permanent dans l'Église byzantine des origines an XIᵉ siècle, Rom 1962 (OrChrA, 164).

Halleux, A. de, La définition christologique à Chalcédoine, in: RTL (1976) 3-23, 155-170. (La définition christologique)

Harapin, Th., Primatus Pontificis Romani in Concilio Chalcedonensi et Ecclesiae dissidentes, Quaracchi 1923. (Primatus)

Hastings, A., The papacy and Rome's civil greatness, DR 75 (1957) 359-382.

Hefele, C. J., Conciliengeschichte, Freiburg i. B. ² 1875.

– Leclercq, Histoire des conciles, Tome II, Paris 1908 (Hildesheim – New York 1973).

Heiler, F., Altkirchliche Autonomie und päpstlicher Zentralismus, München 1941.

Hermann, E., Chalkedon und die Ausgestaltung des konstantinopolitanischen Primats, in: Das Konzil von Chalkedon II, 459-490. (Der konstantinopolitanische Primat)

Hess, H., The Canons of the Council of Sardica A. D. 343. A landmark in the early development of Canon Law, Oxford 1958. (Sardica)

Honigmann, E., Juvenal of Jerusalem, in: DOP 4, Cambridge, Mass., 1950, 209-279.

– The Original Lists of the Members of the Council of Nicaea, the Robber-Synod and the Council of Chalcedon, in: Byz. 16 (1944) 20-80.

Horn, St., Der christliche Osten im dogmatischen Unterricht, in: Seminarium 27 (NF 15) (1975) 386-400.

– La „sedes apostolica": Point de vue théologique de l'Orient an commencement du sixième siècle, in: Ist. 20 (1975) 435-456.

Hunger, H., Prooimion. Elemente der byzantinischen Kaiseridee in den Arengen der Urkunden, Wien 1964 (Wien. Byz. Stud., 1).

Jalland, T., The Life and Times of St. Leo The Great, London 1941. (St. Leo)

– The Church and the Papacy. An historical study, London 1946.

Jouassard, G., Sur les décisions des conciles généraux des IVᵉ et Vᵉ siècles dans leurs rapports avec la primauté romaine, in: Ist. 4 (1957) 485-496

Jugie, M., Le schisme byzantin, Paris 1941.

– Le décret du concile d'Ephése sur les formules de foi et la polémique anticatholique en Orient: EOr 34 (1931) 257-270.

– Theologia Dogmatica Christianorum Orientalium, Tomus I, Paris 1926.

Karmiris, J., The distinction between the HOROI and the CANONS of the early synods and their significance for the acceptance of the Council of Chalcedon by the Non-Chalcedonian Churches, in: The Greek Orthodox Review 16 (1971) 97-107.

Kißling, W., Sacerdotium und Imperium. Das Verhältnis zwischen Sacerdotium und Imperium nach den Anschauungen der Päpste von Leo d. Gr. bis Gelasius I. 440-496. Eine historische Untersuchung, Paderborn 1920.

Klinkenberg, H. M., Papsttum und Reichskirche bei Leo d. Gr., in: ZSRG. K 38 (1952) 37-112. (Papsttum)

Koch, G., Strukturen und Geschichte des Heils in der Theologie des Theodoret von Kyros. Eine dogmen- und theologiegeschichtliche Untersuchung, Frankfurt a. M. 1974 (TThSt, XVII). (Theodoret von Kyros)

Kreilkamp, H., The Origin of the Patriarchate of Constantinople and the first Roman Recognition, Diss. (The Catholic University of America, Ph. D.) 1964 (Univ. Microfilm, Ann Arrbor, Mich.). (The Origin of the Patriarchate of Constantinople)

– Rome and Constantinople in the Fifth Century. A Study in the Relationships of Patriarchal Churches, Jurist 31 (1971) 319-331.

Krömer, A., Die Sedes Apostolica der Stadt Rom in ihrer theologischen Relevanz innerhalb der abendländischen Kirchengeschichte bis Leo I., Diss. Freiburg i. B. 1972.

Lampe, G. W. H., A Patristic Greek Lexicon, Oxford ⁴1976 (1961).

Lauras, A., Études sur saint Léon le Grand, RSR 49 (1961) 481-499.

– Saint Léon le Grand et la Tradition, RSR 48 (1960) 166-184.

Lécuyer, J., Collégialité épiscopale selon les papes du Vᵉ siécle, in: La collégialité épiscopale, Paris 1965 (Unam Sanctam, 52).

287

L'Huillier, Pierre (Eveque des Chersonèse), Un aspect estompé du 28e canon de Chalcédoine, in: RDC 29 (1979) 12-22.

Ludwig, J., Die Primatworte Mt 16.18.19 in der altkirchlichen Exegese, Münster 1952 (Neutestamentl. Abhandlungen, 19,4) (Die Primatworte).

Maassen, F., Geschichte der Quellen und der Literatur des canonischen Rechts im Abendlande, Graz 1870.

Manoir de Juaye, H. du, Dogme et Spiritualité chez Saint Cyrille d'Alexandrie, Paris 1944.

Marot, H., La collégialité et le vocabulaire épiscopale du Ve au VIIe siècle, in: La collégialité épiscopale, Paris 1965, 59-98 (Unam Sanctam, 52).

— Les conciles romaines des IVe et Ve siécles et le développement de la primauté, in: Ist. 4 (1957) 209-240.

Martin, Th. O., The Twenty-Eight Canon of Chalcedon: A Background Note, in: Das Konzil von Chalkedon II, 433-458. (The Twenty-Eight Canon)

Maxime de Sardes, M., Le Patriarcat Oecuménique dans l'Eglise orthodoxe. Etude historique et canonique, Paris 1973 (Théologie historique, 32). (Le Patriarcat Oecuménique) =

Maximos von Sardes, Metropolit, das Ökumenische Patriarchat in der orthodoxen Kirche. Auftrag zur Einigung, Freiburg-Basel-Wien 1980 (Das ökumenische Patriarchat).

McGovern, L. The ecclesiology of St. Leo the Great, Rom 1957.

Medico, G., La collegialité episcopale dans les lettres des pontifes romains du Ve siècle, RSPhTh 9 (1965) 369-402.

Meyendorff, J., La primauté romaine dans la tradition canonique jusqu'au Concile de Chalcédoine, in: Ist. 4 (1957) 463-482.

Michel, A., Der Kampf um das politische oder petrinische Prinzip der Kirchenführung, in: Das Konzil von Chalkedon II, 491-562.

Monachino, V., Genesi storica del Canon 28, in: Gr. 33 (1952) 261-291.

— Il Canone 28 di Calcedonia e S. Leone Magno, in: Gr. 33 (1952) 261-291.

— Il Canone 28 di Calcedonia. Genesi storica, L'Aquila 1979 (Collana di testi storici, 10) (Il canone)

— Saint Abundius de Côme et ses trois compagnons à un Synode de Constantinople en 450, in: Mouterde, R., Fragment d'actes d'un synode tenu à Constantinople, in: Mélanges de l'Université St. Josepp, Beirut 15 (1930) 35-50

— Saint An Boll 58 (1930) 124-129. (Saint Abundius)

Mueller, M. M., The Vocabulary of Pope St. Leo the Great, Washington, D. C. 1943.

Nacke, E., Das Zeugnis der Väter in der theologischen Beweisführung Cyrills von Alexandrien nach seinen Briefen und antinestorianischen Schriften, Münster 1964.

Newman, J. H. Cardinal, An Essay on the Development of Christian Doctrine, (1878), New York - London - Toronto 1949.

Öhler, K., Der Consensus omnium als Kriterium der Wahrheit in der antiken Philosophie und der Patristik. Eine Studie zur Geschichte des Begriffs der Allgemeinen Meinung, in: Antike Philosophie und Byzantinisches Mittelalter, München 1969, 234-271.

Ortiz de Urbina, J., Nizäa und Konstantinopel, Mainz 1964 (Geschichte der ökumenischen Konzilien, I).

— Patres graeci de sede romane, in: OrChrP 29 (1963) 95-154.

Parys van, M. J., The Council of Chalcedon as historical event, in: ER 22 (1970) 305-320.

Pietri, Ch., Roma Christiana. Recherches sur l'Eglise de Rome, son organisation, sa politique, son idéologie de Miltiade à Sixte III (311-440), Bd. II, Rom 1976 (Bibliothéque des Écoles Franscaises d'Athènes et de Rome, 228)

Rahner, H., Leo der Große, der Papst des Konzils, in: Das Konzil von Chalkedon I, 323-339.

Ratzinger, J., Primat und Episkopat, in: Das neue Volk Gottes, Düsseldorf 1969, 121-146.

Richard, M., Les florilèges diphysites du Ve et du VIe siècle, in: Das Konzil von Chalkedon I, 721-748). (Les florilèges)

Rimoldi, A., L'apostolo San Pietro, fondamento della Chiesa, principe degli apostoli ed ostiario celeste nella chiesa primitiva dalle origini al concilio die Calcedonia, Rom 1958 (AnGr, 96)

Roethe, G., Zur Geschichte der römischen Synoden im 3. und 4. Jahrhundert, Stuttgart 1937 (Forschungen zu Kirchen- und Gottesgeschichte, 11) (Römische Synoden)

Šagi-Bunić, Th., „Deus perfectus et homo perfectus" a concilio Ephesino (a. 431) ad Chalcedonense (a. 451), Rom 1965.

– Drama conscientiae episcoporum qua fidei iudicum in periodo ephesino – chalcedonensi, in: Laur. 9 (1968) 225-266.

– „Duo perfecta" et „duae naturae" in definitione dogmatica chalcedonensi, in: Laur 5 (1964) 3-70; 203-244; 321-362.

Samuel, V. C., The Proceedings of the Council of Chalcedon. A paper written from a critical point of view, ER 22 (1970) 321-347.

Schneider, A. M., Sankt Euphemia und das Konzil von Chalkedon, in: Das Konzil von Chalkedon I, 291-302.

Schultze, B., Die Papstakklamationen auf dem 4. und 6. ökumenischen Konzil und Vladimir Soloviev, in: OrChrP 41 (1975) 211-225.

Schwaiger, G., Päpstlicher Primat und Autorität der Allgemeinen Konzilien im Spiegel der Geschichte, München-Paderborn-Wien 1977.

Schwartz, E., Die Kaiserin Pulcheria auf der Synode von Chalkedon (Festgabe A. Jülicher), Tübingen 1927 (203-212).

– Die Kanonessammlungen der alten Reichskirche, in: Gesammelte Schriften IV, Berlin 1960 (1936) 159-275.

– Die Konzilien des IV. und V. Jahrhunderts, HZ (104) 1-37.

– Der Prozeß des Eutyches, München 1929 (SbBAW, 5). (Der Prozeß)

– Der sechste nicänische Kanon auf der Synode von Chalkedon, Berlin 1930 (SbPrAW, 27). (Der sechste nicänische Kanon)

– Über die Bischofslisten der Synoden von Chalkedon, Nicaea und Konstantinopel, München 1937 (SBAW,NF,13) (Über die Bischofslisten)

– Zweisprachigkeit in den Konzilsakten, Ph. 88 (1933) 245-253.

Scipioni, L., Nestorio e il concilio di Efeso. Storia, dogma, critica, Milano 1974 (Studia Patristica Mediolanensia, 1). (Nestorio)

Seeck, O., Regesten der Kaiser und Päpste für die Jahre 311 bis 476 n. Chr., Stuttgart 1919.

Sellers, The Council of Chalcedon. A historical and doctrinal survey, Cambridge 1928.

Sieben, H.-J., Die Konzilsidee der Alten Kirche, München-Paderborn-Wien 1979 (Konzilien-geschichte, hg. von W. Brandmüller, Reihe B: Untersuchungen) (Konzilsidee)

– Zur Entwicklung der Konzilsidee. Fünfter Teil, in: ThPh 47 (1972) 358-401; Sechster Teil: 48 (1973) 28-63. (Konzilsidee V / VI)

Silva-Tarouca, K., Die Quellen der Briefsammlungen Papst Leos des Großen. Ein Beitrag zur Frage nach den Quellen der ältesten Papstbriefsammlungen, in: Brackmann, A. (Hg.), Papsttum und Kaisertum (Festschrift Paul Kehr), München 1926, 23-47. (Die Quellen)

– Nuovi studi sulle antiche lettere dei papi: Gr 12 (1931) 3-56, 349-425, 547-598. (Nuovi studi)

Stephanou, P., Sedes Apostolica, Regia Civitas, in: OrChrP 33 (1967) 563-592.

Stockmeier, P., Leo I. des Großen Beurteilung der kaiserlichen Religionspolitik, München 1959 (Münchner theol. Stud., 14).

Straub, J. A., Vom Herrscherideal in der Spätantike, Stuttgart 1964.

Timiadis, E., Saint Pierre dans l'exégèse orthodoxe, in: Ist. 23 (1978) 56-74.

Treitinger, O., Die oströmische Kaiser- und Reichsidee nach ihrer Gestaltung im höfischen Zeremoniell, Darmstadt ³1969 (1959).

Tuilier, A., Le primat de Rome et la collégialité de l'épiscopat d'après la correspondance de saint Léon avec l'Orient, in: NDid 15 (1965) 53-67.

Twomey V., Apostolikos Thronos. The Primacy of Rome as reflected in the Church History of Eusebius and the historico-apologetic writings of St. Athanasius the Great, Münster 1982

Ullmann, W., Leo I and the theme of papal primacy, JThS NF 11 (1960) 25-51.

Vries, W. de, Das Konzil von Ephesus 449, eine „Räubersynode"?, in: OrChrP 41 (1975) 357-398.

- Die Struktur der Kirche gemäß dem Konzil von Chalkedon (451), in: OrChrP 35 (1969) 63-122. (Chalkedon)
- Orient et Occident. Les structures ecclésiales vues dans l'histoire des sept premiers conciles oecuméniques, Paris 1974. (Orient et Occident)

Wille, A., Bischof Julian von Kos, der Nunzius Leos des Großen in Konstantinopel, Kempten 1909.

Wuyts, A., Le 28e canon de Chalcédoine et le fondement du primat romain, in: OrChrP 17 (1951) 265-282.

Wojtowytsch M., Papsttum und Konzile von den Anfängen bis zu Leo I. (440-461). Studien zur Entstehung der Überordnung des Papstes über Konzile, Stuttgart 1981 (Päpste und Papsttum, 17)

Ziegenaus A., Die Entwicklung der Konzilsidee, in: W. Brandmüller (Hg.), Synodale Strukturen der Kirche. Entwicklung und Probleme, Donauwörth 1977.